études littéraires françaises

collection dirigée
par
Wolfgang Leiner

avec la collaboration
de Jacqueline Leiner et d'Ernst Behler

Histoire de la critique dramatique en France

par Maurice Descotes

Gunter Narr Verlag · Tübingen
Editions Jean-Michel Place · Paris

CIP-Kurztitelaufnahme der Deutschen Bibliothek

Descotes, Maurice:
Histoire de la critique dramatique en France /
par Maurice Descotes. – Tübingen : Narr ;
Paris : Place, 1980.
(Etudes littéraires françaises ; 14)
ISBN 3–87808–893–0

Druck : fotokop weihert, Darmstadt

ISBN 3–87808–893–0

PRÉAMBULE

Au cours de ses travaux antérieurs sur les créateurs du drame romantique, l'interprétation par les comédiens du répertoire classique, et sur le public de théâtre, l'auteur de la présente étude a été amené à sa référer constamment aux témoignages laissés par la critique.

Il faut donc s'interroger maintenant sur la valeur de ces témoignages, se demander dans quelle mesure cette masse de documents a pu être déformante, selon quels critères ou quels préjugés ont été portés tous ces jugements sur les œuvres elles-mêmes ou sur leurs interprètes.

Pour compléter le tour d'horizon naguère entrepris en vue de restituer à la vie dramatique son véritable caractère, il reste à prendre en considération, après l'acteur, après le public, ce spectateur-juge que représente le critique dramatique.

I

Ce n'est assurément pas d'historiens que manque aujourd'hui la critique. Pourtant, perpétuant l'équivoque si longtemps entretenue entre l'ouvrage écrit pour la seule lecture et celui qui est conçu pour la représentation théâtrale, les études menées jusqu'ici persistent à considérer la critique dramatique comme se confondant avec la critique littéraire en général. Dans les meilleurs des cas, elles se contentent de lui réserver un chapitre particulier, mais toujours très court, comme s'il s'agissait de concéder un bout de table à une parente pauvre[1].

Cette ambiguïté s'explique sans peine. A partir du moment où la critique a commencé à jouer son rôle de guide de l'opinion, ceux qui ont rendu compte des spectacles ont été, la plupart du temps, ceux mêmes qui se prononçaient sur les romans, les essais, les œuvres poétiques. L'activité de Fréron, de Geoffroy, de J. Janin, de Th. Gautier, de F. Sarcey, ou pour une période plus récente de R. Kemp, ne s'est jamais limitée au seul domaine théâtral. On a donc été tenté de mettre sur le même plan, comme s'ils procédaient d'une même démarche intellectuelle, les jugements portés sur un drame et sur un récit d'imagination ou un recueil poétique. Or cet amalgame est fâcheux car il aboutit à ne tenir aucun compte des conditions très particulières de l'exercice de la critique dramatique.

Il est vrai que, pendant assez longtemps, le critique dramatique a eu tendance à juger une pièce d'après ses impressions de *lecture*, parfois même sans avoir assisté à la représentation. Mais bientôt, surtout à partir du moment où la presse écrite a commencé à prendre sa forme moderne, le critique a été ramené à la situation de simple spectateur. Spectateur privilégié sans doute par la fonction qu'il assume, mais spectateur soumis aux mêmes exigences et aux mêmes servitudes que tous ceux qui prennent place avec lui dans la salle de théâtre.

Le critique qui étudie un roman ou un essai est seul en face de son texte; aucun intermédiaire ne vient s'interposer entre l'auteur et lui. Au contraire, l'opinion émise à propos d'un spectacle ne peut jamais être *pure*, détachée des réalités de la vie théâtrale. Quand il s'agit d'apprécier une pièce, l'impression reçue, favorable ou non, est déterminée par l'intervention de ce truchement vivant que constitue l'acteur. Parce que cet acteur, bon ou mauvais, peut servir ou desservir l'œuvre, mais encore parce qu'il est en mesure d'en déformer le sens et la portée. Combien de comptes-rendus n'ont été élogieux pour *Chatterton* que parce que Marie Dorval animait de sa passion intérieure le rôle de Kitty Bell? Entraîné par le jeu de la comédienne, le critique avait, à son insu même, perdu une partie de son indépendance d'esprit; il ne portait plus un jugement sur le *Chatterton* de Vigny, mais sur *Chatterton* interprété par Marie Dorval, ce qui est très différent. De la même façon, le chroniqueur qui se serait prononcé sur *l'Auberge des Adrets* après avoir seulement pris connaissance du texte d'Antier, Saint Amand et Polyanthe n'y aurait vu qu'un mélodrame pareil à cent autres. Or l'interprétation de F. Lemaître, refusant de tenir le moindre compte de l'intention des auteurs, fit de cette œuvre banale une éblouissante farce polémique. La critique dramatique diffère, et fondamentalement, de la critique littéraire en ceci d'abord que sa vocation est de juger un *spectacle* avant de juger un texte. Elle ne peut se prononcer que sur une œuvre perçue à travers le prisme toujours déformant que constituent le jeu du comédien et, pour l'époque moderne, les desseins du metteur en scène.

D'une autre façon encore, le critique dramatique est privé de la lucidité à laquelle prédispose le silence du cabinet de travail. C'est que, devenu spectateur, ce critique se trouve pris au sein d'une foule, le public: par là encore, en face de l'œuvre dramatique, il n'est pas seul, uniquement animé par ses répulsions ou préférences individuelles. Dans le sens de l'indulgence ou de la sévérité, joue sur lui l'atmosphère générale de la salle: inévitablement, se produit un phénomène d'entraînement collectif, qui rend le jugement moins personnel. Ainsi, l'aigreur manifestée par certains adversaires du drame romantique aurait été beaucoup moins agressive, si ceux-ci avaient été heurtés seulement par ce qui leur paraissait excentricités d'intrigue et de prosodie; mais ils l'étaient encore par le comportement inquiétant des "vaillantes cohortes", prêtes à tout acclamer, à partir même de contresens sur le "vieillard stupide", entendu "vieil as de pique" et applaudi comme tel.

Pour le critique dramatique, la pratique de la sérénité est d'autant plus malaisée qu'il perçoit directement l'humeur de ceux qui l'entourent. Quand Viennet, dont le préjugé anti-romantique est extrême, assiste à la création d'un drame de Hugo, quel est, dans l'ensemble complexe que constitue la représentation, l'élément qui le choque le plus? l'incohérence de l'action? l'irrégularité du vers? ou cette *Carmagnole* entonnée au début du spectacle par les amis du poète? Par approximation, que l'on transpose: comment le chroniqueur du *Figaro* ou de *l'Aurore* recevra-t-il une pièce dont le lever de rideau aura été précédé de *l'Internationale*?

A quoi s'ajoute encore cette considération, que l'on doit reprendre sans craindre de se répéter: l'activité dramatique est d'abord une manifestation de vie sociale. Sur le public l'effet produit par une pièce n'est pas, comme pour le roman, diffus, malaisément perceptible: il est brutalement évident à travers l'attitude des spectateurs. S'il s'agit d'une œuvre qui, par un biais ou par un autre (politique, moral, religieux), choque certaines de ses convictions, le critique ne peut éviter de prendre parti, contre son gré peut-être, avec une véhémence d'autant plus vive qu'il a vu le public acclamer ce qu'il désapprouve. Alors que tant de livres favorables à la cause algérienne avaient été largement diffusés, *les Paravents* de Genet n'ont suscité des réprobations aussi violentes que parce que des attitudes et des propos, qui n'avaient pourtant rien de nouveau, étaient cette fois présentés devant un public rassemblé. Les effets d'un écrit considéré comme subversif peuvent être profonds, mais leur cheminement est lent, plus ou moins secret; ceux de la représentation portent de façon instantanée sur une collectivité, qui est vivante et physiquement présente, qui manifeste ses sentiments sur-le-champ et par des mouvements qui ne restent pas intérieurs. Or, tout critique, même s'il n'est lancé dans aucun engagement politique militant, entretient au fond de lui-même une certaine conception du monde, de la société, de la vie, fruits de son éducation, de ses expériences, de son appartenance à une catégorie sociale. Chacun s'est constitué une hiérarchie des valeurs et des dangers qui menacent ces valeurs. A la représentation, l'agression commise contre cette hiérarchie est ressentie de façon beaucoup plus pénétrante qu'à la lecture d'un ouvrage qui pourtant prend la même position. Les répliques polémiques du *Mariage de Figaro* ne font que reprendre des attaques cent fois déjà lancées contre les abus de l'Ancien Régime: ces répliques n'ont semblé aussi virulentes que parce qu'elles s'animaient de ce souffle vivant que constitue l'action théâtrale. Là encore le critique dramatique se trouve placé dans une situation bien différente de celle du critique littéraire.

Enfin, lié aux servitudes du "feuilleton" (à partir du début du XIXè siècle), le journaliste exerce sa fonction dans des conditions parfaitement inhabituelles. La diffusion du livre est progressive; elle peut s'étendre sur des mois et des années, sans que la destinée de l'œuvre en soit irrémédiablement compromise. La pièce, elle, ne bénéficie pas de cette possibilité de sursis: c'est sur quelques représentations, les premières, que se joue son sort, et presque toujours de façon définitive. Or, jusqu'à une époque récente, la carrière de l'œuvre dramatique s'étendait sur une période très brève: 15 représentations consécutives constituaient un succès, 40 un triomphe. Si le chroniqueur entend peser sur l'opinion, son action, pour être efficace, doit intervenir dans les délais les plus rapides; et quel chroniqueur ne cherche pas à se donner au moins l'illusion de l'efficacité? C'est aussitôt après la "générale" que doit paraître le compte-rendu. Et même si l'article est destiné à un hebdomadaire ou à une revue, le critique se trouve dans la même situation que le spectateur: enserré dans les limites de la représentation, il n'a pas le loisir, privilège du lecteur, de s'attarder, de revenir en arrière, de s'accorder le temps de la détente ou de la réflexion: ce qu'il rapporte, avec plus ou moins de précipitation, ce sont des impressions immédiates, à peine décantées, et fondées généralement sur une expérience unique.

Ainsi s'explique peut-être cette aversion de quelques-uns, au demeurant solides et brillants, pour la critique dramatique. En matière de théâtre, Sainte-Beuve, par exemple, ne compte pas. Il a consacré aux dramaturges classiques des études dont l'influence se fait sentir aujourd'hui encore. Mais, au point de vue qui nous occupe, ces textes ne présentent pas d'intérêt réel puisqu'ils ne portent pas sur le théâtre qui se créait sous les yeux de Sainte Beuve. Pour composer les *Lundis,* Saint Beuve a besoin de prendre ses distances vis-à-vis du sujet, de s'entourer de documentation, de procéder par retouches et corrections nuancées. Le critique dramatique ne bénéficie jamais de tels répits.

Par quelque biais qu'on les considère, et en dépit de convergences apparentes, les fonctions de critique dramatique et de critique littéraire ne sauraient donc être confondues.

II

Le risque est grand d'autre part de commettre des contresens sur la nature, le rôle et l'efficacité de cette critique dramatique si l'on n'a pas précisé à quelles nécessités elle répond, dans quel cadre elle peut utilement se manifester.

Car enfin quel étrange besoin pousse le spectateur à aliéner sa liberté de jugement pour la déléguer, toute ou partie, à autrui? En bonne logique, l'intensité du plaisir éprouvé à la représentation devrait suffire pour apprécier une œuvre, sans qu'il soit nécessaire de s'en rapporter à l'opinion d'un tiers.

Lorsque l'œuvre s'adresse à un public qui en mesure la qualité à la seule satisfaction personnellement et immédiatement ressentie (public populaire, public enfantin, public dégagé de toute préoccupation esthétique), la critique est sans objet. Le spectateur est alors juge unique et exclusif; les critères selon lesquels s'élabore son code de valeurs lui sont rigoureusement propres. Avec ce type de spectateurs, la seule critique efficace est celle, à peu près insaisissable, qui se fait de bouche à oreille, d'individu à individu. Les publics qui ont assuré le succès de Hardy, du Théâtre de la Foire, du mélodrame ou du Grand-Guignol, ne se sont jamais souciés de confronter leurs impressions à celle de spécialistes en art dramatique. Aussi, conscients de l'inutilité de leurs fonctions, ces spécialistes s'abstiennent-ils, la plupart du temps, de légiférer en pareille matière.

La critique dramatique n'a pu naître que le jour où le théâtre n'a plus été considéré comme un divertissement douteux, réservé au populaire, aux pages, aux soldats, tout comme la critique cinématographique est née lorsque le cinéma n'a plus été tenu pour une distraction à l'usage des militaires, des gens de maison et des bonnes d'enfants.

Pour qu'il y ait critique dramatique, il ne suffit donc pas qu'il y ait représentation d'une part, public de l'autre. Il faut aussi que le spectateur reconnaisse implicitement qu'il n'est pas capable, à lui seul, de se former une opinion: parce qu'il redoute d'être dupe de son plaisir ou de sa répulsion, ou parce qu'il confesse un sentiment d'infériorité vis-à-vis de l'œuvre, ou davantage encore parce qu'il entend se trouver au diapason du groupe auquel il appartient. La vie mondaine, la vie quotidienne entraînent inévitablement des échanges d'appréciations sur les spectacles. Il importe alors que le jugement émis par le spectateur entre de quelque façon dans le cadre des idées reçues par le groupe (le snobisme, qu'il soit littéraire, théâtral ou artistique, n'a pas d'autre source) ou, s'il n'est pas conforme, que le spectateur puisse se référer aux arguments qui lui sont fournis par une autorité. Dans le salon imaginé par Molière pour *la Critique* et où l'on débat furieusement des mérites de *l'Ecole des Femmes,* Elise, Climène, Uranie, le Marquis ne peuvent pas se passer, pour défendre leurs points de vue, de Dorante, de Lysidas, qui, à leur intention, développent des thèses, formulent des griefs, dirigent la discussion. Le critique dramatique joue là un rôle déterminant.

Le spectateur demande donc à être orienté, éduqué, à ce que soient justifiés à ses propres yeux le dégoût ou la satisfaction qu'il a éprouvés. Il attend encore que soit opérée une sélection entre les spectacles, afin de pouvoir choisir celui qui, sans doute, lui conviendra le mieux. A l'intention de ce spectateur, le critique effectue donc un tri, élabore des jugements fondés sur le code des valeurs généralement admises par le groupe auquel il s'adresse. Ce code est plus ou moins souple; rigide comme celui des Réguliers du XVIIè siècle, ou lâche comme celui des *Impressions de Théâtre* de J. Lemaître. Mais, en tout cas, ce code doit correspondre aux normes, idéologiques ou esthétiques, qui sont propres à la cellule sociale intéressée. Car le critique d'audience universelle n'existe pas. Ceux qui se sont vu décerner un jour le titre de "princes de la critique" ont paru le mériter, non parce que leur jugement était particulièrement sûr ou leurs avis unanimement admis, mais parce que leur influence était prépondérante sur le groupe de spectateurs qui constituaient la partie alors majoritaire du public, groupe dont ils connaissaient bien ou partageaient les préférences et les répulsions. Les exigences formulées par Chapelain restent lettre morte pour ceux qui se pressent aux tragédies de Hardy; pour eux elles n'ont ni sens ni portée, car elles ont été conçues par rapport aux aspirations de spectateurs en puissance qui, pour le moment, se tiennent à l'écart de la salle de théâtre.

Là encore, la critique dramatique apparaît comme une forme élaborée de la vie sociale, mais d'une vie sociale stratifiée: il s'agit de définir une langue commune, un registre de références auquel il est aisé de se reporter, un ensemble de signes grâce auxquels on peut se reconnaître.

A son juge l'auteur demande l'appui de l'autorité: pour que son propre succès soit affermi, amplifié, pour que sa notoriété soit élargie auprès du groupe social dont il est à la fois le fournisseur et le client. De ce juge l'auteur attend donc beaucoup moins la perspicacité ou l'originalité que le poids. Pour cette raison encore, il faut que le critique se trouve en symbiose aussi complète que possible avec ce public qu'il semble contrôler. Autant qu'à la personnalité du chroniqueur on doit ainsi prêter attention à la ligne générale (qui n'est pas nécessairement politique) du journal auquel il collabore. Là se trouve la clé, par exemple, de l'apparente dictature exercée en matière de goût dramatique, à la fin du siècle dernier, par F. Sarcey: par le ton qu'il adoptait, par les critères dont s'inspiraient ses jugements, Sarcey était en conformité quasi absolue avec les besoins latents des lecteurs du *Temps*. Le critique dramatique doit être considéré moins par rapport aux auteurs qu'il apprécie que par rapport au public auquel il s'adresse.

Enfin, ce critique n'exerce pas sa fonction par souci exclusif du service de l'Art dramatique. Même s'il fait preuve d'assez de caractère pour sauvegarder son indépendance, il attend, de la considération des auteurs et de la fidélité de ses lecteurs, un renforcement de sa position personnelle, de sa notoriété. Au pire, il peut espérer des complaisances de la part des gens de théâtre ou des comédiennes. Ici encore, c'est une situation au sein de la société qui est en jeu; et l'attitude adoptée par le critique varie nécessairement en fonction des structures et des exigences de cette société.

Plus que l'histoire de la critique littéraire, celle de la critique dramatique n'est, en fin de compte, qu'un aspect de l'histoire des relations qui s'établissent entre groupes sociaux et surtout à l'intérieur du groupe social prédominant. Ainsi se justifie la place qui va être réservée ici non seulement à l'évolution de la situation de l'homme de lettres au sein de la société, mais encore aux transformations de la mentalité publique. A toute époque, les jugements sont en général prononcés au nom du "goût": on verra à quel point cette valeur, constamment fluctuante, de portée apparemment esthétique, recouvre des préoccupations morales et sociales. On n'appréciera jamais que de façon superficielle les chroniques de Sarcey si l'on n'a pas, d'abord, établi quels sont, dans la vie intellectuelle et dans la vie publique, les principes qui paraissent intangibles aux lecteurs du *Temps* entre 1870 et 1900.

III

Il reste à préciser dans quelles limites sera conduite cette étude.

Ce dont il est ici question, c'est d'abord de reconstituer comment ont été reçues, *à la création*, les œuvres du passé, et surtout pourquoi ont été si souvent contradictoires les jugements portés. C'est en même temps d'analyser selon quels critères réels, sous l'apparence du critère esthétique, ont été distribués éloges et réprobations.

Il ne sera donc fait qu'une place restreinte aux théoriciens et aux historiens de l'art dramatique, à ceux qui ont consacré leurs études à des œuvres déjà acceptées (ou condamnées) par la postérité; à ceux qui ont tiré de ces commentaires des leçons générales ou des perspectives sur l'évolution du théâtre. Les traités de Diderot, de la Harpe, de Villemain, de Nisard, de Faguet, de Brunetière, ne sont certes pas des textes négligeables. Leur influence a même été capitale: car, par leurs réflexions sur des œuvres déjà lointaines, ils ont élaboré des corps de doctrine qui, grâce à la continuité de l'enseignement scolaire et universitaire, ont contribué profondément et durablement à former des esprits nourris des principes qu'ils avaient dégagés. Ainsi des générations entières de critiques n'ont-elles fait, en appréciant les œuvres nouvelles, que reprendre, à leur insu même, la hiérarchie des valeurs établies par la Harpe. Mais on attachera beaucoup plus d'importance aux témoignages directs et immédiats d'un Janin, d'un Gautier, d'un Lemaître. Dans la perspective ici adoptée, les pamphlets de Mairet contre *le Cid* doivent retenir davantage que *l'Art Poétique* de Boileau, les témoignages du réactionnaire Viennet davantage que les doctes analyses de Villemain.

En une si vaste matière, on doit garder la claire conscience du caractère incomplet des conclusions qui peuvent être tirées, surtout pour la période antérieure au XIXè siècle. Le développement de la presse écrite, l'extension de son audience facilitent les recherches en offrant des masses de plus en plus compactes de textes de référence. Mais, même alors, la critique s'exerce aussi par des voies que, faute de témoignages, il est souvent malaisé, parfois impossible, de reconstituer. Elle se pratique, avec une efficacité difficile à mesurer, mais sûrement considérable, dans les conversations de salons et de cafés, dans les cours et les conférences, dans les parodies (qui sont rarement éditées), dans les correspondances ou, plus simplement encore, au cours des entretiens amicaux qui ne laissent de traces qu'au hasard des carnets, des journaux intimes.

D'autre part, lorsque la presse devient le mode d'expression privilégié de la critique, à partir de la Restauration, les témoignages se révèlent si abondants que leur foisonnement contraint à une sélection rigoureuse. Ceux qui sont retenus ici ne se recommandent pas par leur pertinence, leur profondeur ou leur originalité: ils émanent de préférence de critiques qui passent pour *faire l'opinion* (c'est-à-dire, le plus souvent, qui reflètent l'opinion moyenne de leurs lecteurs), et cela même si l'influence qu'ils se sont acquise en leur temps paraît aujourd'hui outrageusement usurpée.

Une place particulière doit enfin être faite à l'évolution des structures de la presse, des conditions techniques, financières, légales, de son fonctionnement. Quelle que soit sa volonté d'indépendance, le chroniqueur est tributaire du statut de son journal. On doit donc, dans la mesure du possible, évoquer les pressions qui peuvent peser sur lui: que ce soit par la censure ou par le contrôle qu'exercent un directeur, un groupe d'actionnaires ou de "camarades", ou encore par la concurrence commerciale instituée par la prolifération des organes de presse.

Le plan à suivre ne pouvait être que chronologique. Car, avant d'analyser les jugements portés lors d'une création, il est indispensable de connaître le climat général du moment, la composition sociale du public auquel s'adresse le critique, l'état des moyens techniques de diffusion. Et cette détermination n'est possible que dans la perspective d'une évolution.

Pour la commodité de l'exposé, il a fallu procéder à un découpage. Celui qui est pratiqué ici, et qui repose sur un sectionnement par époques historiques, est artificiel comme tout découpage chronologique. Il n'est pourtant pas arbitraire, dans la mesure où il est clair que les mentalités, les conditions de la vie, de la vie dramatique en particulier, à l'époque de Louis XIII, par exemple, sont bien différentes de celles de l'époque de Louis XIV. Pour corriger le caractère rigide de ces divisions, on établira, en même temps que leur diversité, la permanence des préoccupations idéologiques, des structures sociales, des modes de diffusion.

Enfin, pour chaque période considérée, au terme du chapitre, sera évoqué, dans la vie théâtrale du temps, un événement marquant ("querelle", campagne menée contre un type d'œuvre dramatique) à partir duquel, en guise de synthèse, on verra jouer les différents facteurs préalablement analysés[2].

Il n'est pas de "jeune auteur" qui, avide de voir représentée sa première pièce et imaginant l'accueil qui lui sera fait, n'a rêvé de l'existence d'une critique dramatique sereine, capable de chaleur, juste et objective. Cette Histoire devrait permettre de déterminer pour quelles raisons ce souhait si légitime demeure du domaine de l'utopie.

Notes

1 Cf. H. Clouard, *Histoire de la Littérature francaise du Symbolisme à nos jours,* tome II: sur les 700 pages du volume, 3 seulement sont consacrées aux "Critiques dramatiques"

(p. 596–599). Dans l'ouvrage de P. Moreau, *La Critique Littéraire en France* (1960), le seul sous-chapitre qui traite de la critique proprement théâtrale ("Du Positivisme au Symbolisme"), intitulé "le Théâtre et la vie", tient en *une seule* page (p. 143).

2 Plutôt que d'établir, en fin de volume, une longue liste bibliographique, il a paru préférable d'indiquer, en début et en cours de chapitre, les ouvrages les plus notables se rapportant à la période considérée.

Première Partie

DES ORIGINES À LA RÉVOLUTION DE 1789

CHAPITRE I

On ne saurait raisonnablement parler de critique dramatique avant les années 1620–1630, au cours desquelles se constitue un groupe social à peu près homogène pour lequel l'assistance aux représentations devient une activité régulière, un plaisir, et bientôt une obligation. Alors se manifeste la volonté de réfléchir sur l'œuvre dramatique, de la juger, de justifier l'impression éprouvée. Alors s'impose la nécessité de recourir à des guides.

Au Moyen-Age au contraire, le spectacle dramatique est un spectacle où le *public* se distingue mal des *acteurs*. C'est la ville toute entière qui, à travers les Confréries, participe à la préparation des Mystères, des Moralités, et, dans une certaine mesure, à leur exécution par la libre intervention des spectateurs. L'événement dramatique, au surplus, reste à mi-chemin de l'événement religieux. Ces Mystères, ces Moralités sont en priorité destinés au grand public populaire, qui est surtout sensible au luxe du cortège, à sa couleur, qui s'ébahit devant les diableries, l'évocation des prodiges et des supplices. Ces spectacles-là ne sont justiciables d'aucune critique, sinon de celle qu'exercent les autorités religieuses qui réprouvent l'adjonction d'éléments burlesques ou profanes: au point que, en 1548, le Parlement de Paris, bientôt suivi par d'autres Parlements, interdit à la Confrérie de la Passion de représenter des Mystères.

Au XVIè siècle s'amorce,puis s'amplifie le mouvement qui va aboutir à la création d'un public qui, peu à peu, se distingue de la foule. En même temps qu'elle prend connaissance des ouvrages des théoriciens de l'art dramatique (*Art Poétique* d'Horace, *De Arte Grammatica* de Diomède, *De Tragoedia et Comoedia* de Donat, *Poétique* d'Aristote) et aussi des œuvres du passé (Térence, Plaute, Sénèque, Sophocle, Euripide), l'élite découvre l'architecture propre aux manifestations théâtrales. Découverte capitale car, avec l'utilisation d'un édifice réservé à la représentation, celle-ci échappe à la rue, aux places publiques, aux parvis des cathédrales. Lieu clos, le théâtre impose une restriction du nombre des spectateurs: on s'oriente vers une sélection du public, le spectacle va cesser d'être une manifestation collective destinée, sans limitation, à la foule. Et cela d'autant plus que s'élabore, en même temps, un répertoire savant, imité du répertoire antique, et longtemps même rédigé en latin. C'est la progressive constitution d'un auditoire homogène, possédant son code de valeurs morales, intellectuelles, artistiques, qui va rendre possible l'exercice d'une critique dramatique qui, bien plus que l'expression de réactions individuelles, est la traduction, par quelques individus privilégiés, des goûts et des répulsions d'un groupe social cohérent.

Encore faut-il qu'il y ait effectivement représentation. Sans doute les œuvres dramatiques de la Renaissance ont-elles bien été jouées, et non pas conçues pour la seule lecture. Mais la portée réelle de ces représentations est très restreinte. La Pléiade a mené grand bruit autour de la création de la *Cléopâtre* de Jodelle (hiver 1552–1553); Ronsard a célébré l'événement à plusieurs reprises; Etienne Pasquier a évoqué le "grand applaudissement de toute la compagnie" à l'Hôtel de Reims, en présence d'Henri II, et le succès de la reprise, au collège de Beaumont, "où toutes les fenêtres étaient tapissées d'une infinité de personnes et la cour si pleine d'écoliers que les portes du collège en regorgeaient". Il reste que cette *Cléopâtre* ne fut jouée à Paris que deux fois et devant ce public officiel et artificiel de la Cour, des humanistes et des étudiants. Et c'est moins le mérite intrinsèque de l'œuvre qui est apprécié que la nouveauté d'une tragédie composée en français.

Dans la dernière partie du siècle, la production augmente et s'accélère[1]. Ecclésiastiques, magistrats, fonctionnaires, principaux et régents de collège surtout, écrivent pour le théâtre: on joue dans les châteaux, les lieux publics, dans certains couvents même. Mais il s'agit là de représentations quasi privées, manifestations sans lendemains, exercices d'école, commentés sans doute dans les libres conversations qui suivaient la représentation, mais dont aucun écho ne nous est parvenu.

La renommée de Garnier (sa première tragédie, *Porcie,* date de 1567; la dernière, *les Juives,* de 1583) fut considérable, comme en témoignent les réimpressions et les imitations dont son œuvre a été l'objet. Mais on n'est même pas sûr que *les Juives* aient été représentées par des comédiens professionnels à l'Hôtel de Bourgogne. Selon Balzac, chaque année, dans l'Angoumois où il vit, une confrérie pieuse monte *les Juives;* mais que Balzac mentionne le fait prouve qu'il s'agit là d'un événement exceptionnel. Dans une lettre à Peiresc (4 août 1611), Malherbe évoque la *Bradamante;* mais c'est que la Cour a organisé une sorte de divertissement inspiré par la tragédie: Madame (âgée de 9 ans), costumée en amazone, tient le rôle de Bradamante; elle étonne tout le monde par sa "bonne grâce"; "Monsieur et M. le duc d'Anjou y firent plus que l'on ne pouvait espérer de leur âge".

En fait, quelle qu'ait été la renommée de Garnier, on ne saurait parler de véritable vie dramatique dans la seconde moitié du siècle. Dans la vie sociale du temps, le théâtre ne tient qu'une place épisodique, et absolument secondaire.

En outre, la crise provoquée par les inexpiables guerres de Religion, l'arrivée au pouvoir d'un Henri IV moins nourri de préoccupations intellectuelles que les derniers Valois, provoquent une évolution qui se reflète dans les œuvres de Montchrestien et surtout de Hardy: faute de se voir soutenus par la classe sociale la plus évoluée, les troupes et leurs auteurs doivent faire appel au public populaire, amateur de spectacles colorés, directs et brutaux, qui ne s'embarrasse d'aucun souci des règles[2]. L'œuvre de Hardy illustre cette ambiguïté de la position de l'homme de théâtre à la charnière du siècle. Hardy est sinon un docte, du moins un humaniste, ses tragédies sont imprégnées de la lecture des Anciens. Pourtant il doit multiplier les concessions à un public qui attend des émotions fortes, qui n'a jamais entendu parler des unités ou du précepte "multa tolles ex oculis". La salle de spectacle est, à peu près, une annexe du cabaret ou du mauvais lieu; la bourgeoisie cultivée ne s'y risque guère; les femmes s'en écartent absolument. Dans ces conditions, quelle critique dramatique est concevable autre que celle qui s'exprime de la façon la plus sommaire dans les propos immédiatement échangés une fois terminée la représentation?

Dans la seconde moitié du XVIè siècle pourtant, s'amorce lentement l'élaboration d'une doctrine théâtrale, sous le patronage des Anciens bien entendu. En ce domaine, la part qui revient à la Pléiade est fort restreinte. En 1537, Baïf a bien donné, en tête de sa traduction d'*Electre,* une *Définition de la Tragédie;* mais la *Défense et Illustration* reste, en matière dramatique, très vague et, en une phrase (II, 4), du Bellay se contente d'émettre un vœu pieux: "Quant aux comédies et aux tragédies, si les rois et les républiques les voulaient restituer en leur ancienne dignité, qu'ont usurpée les farces et les moralités, je serais bien d'opinion que tu t'y employasses, et si tu veux le faire pour l'ornement de ta langue, tu sais où tu en dois trouver les archétypes".

L'Art Poétique de Pelletier du Mans (1555) est à peine plus précis: l'auteur, qui a seulement "ouï le bruit" suscité par la *Cléopâtre* de Jodelle (ce qui confirme l'exiguïté de l'audience de cette création), estime que "ce genre de poème, s'il est entrepris, apportera honneur à la langue française". Pour la comédie, il se contente de reprendre la formule de Livius Andronicus, "miroir de la vie", et de déplorer qu'il n'existe encore aucune œuvre comique française, à l'exception des "moralités et telles sortes de jeux auxquels le nom de comédie n'est pas dû".

C'est en 1561 qu'est esquissée, pour la première fois, une théorie des principes et des règles de la dramaturgie. Le *Bref Discours pour l'intelligence de ce théâtre* dont Jacques Grévin fait précéder l'édition de son *César* est placé sous l'autorité d'Aristote et d'Horace: la critique des tragédies scolaires, qui mettent des meurtres sous les yeux des spectateurs, dont l'action s'étend sur deux ou trois mois, équivaut à la prise en considération d'une unité de temps et au rappel du précepte "multa tolles ex oculis". Le Traité sur *l'Art de la Tragédie* qui ouvre, en 1573, l'édition du *Saül* de Jacques de la Taille (un élève de Dorat) complète le *Bref Discours* par l'énoncé d'une règle de l'unité de lieu, condamne les œuvres qui ne sont pas conçues au "moule des vieux", insiste sur la nécessité d'une véritable action dramatique, purgée de tout hors-d'œuvre, soucieuse d'imiter la vie humaine par le mélange de la joie et de la tristesse, le dénouement toutefois étant inévitablement funeste.

Il y a bien là la base du corps de la doctrine classique. Mais ces prises de position ne constituent pas des actes de critique dramatique. Elles sont de nature théorique et de portée didactique, elles ne peuvent toucher qu'un groupe restreint de doctes et d'humanistes que l'on ne saurait légitimement considérer comme un public. La meilleure preuve en est que l'énoncé de ces principes n'empêche pas le développement de la tragédie irrégulière, dont le théâtre de Hardy est la plus éclatante illustration. Dès 1582, Beaubreuil, puis Laudun (1597) s'en prennent à l'unité de temps; la définition de l'unité de lieu ne suffit pas à condamner dans la pratique le décor simultané; et la scène qui devrait, selon les doctes, épargner aux regards les spectacles de brutalité et de sensualité, reste le cadre constant de batailles, de supplices, de mises à mort et d'épisodes lubriques.

Le théoricien dramatique, qui n'est pas encore un critique dramatique, n'est écouté de personne. Son influence ne s'étend guère au-delà d'un cercle étroit de lecteurs, lesquels ne se hasardent guère dans la salle de spectacle.

Cette tentative de définition de principes dramatiques présente pourtant un aspect positif, dans la mesure où elle est inspirée par le souci essentiel d'élaborer un répertoire qui ne serait pas destiné au public populaire. Si Florent Chrestien félicite Grévin, c'est de ne pas "travailler pour les carrefours"; pendant toute sa carrière Hardy tente, à peu près vainement, d'attirer les spectateurs de bon ton et titrés. Théoriciens et auteurs, tous aspirent à faire du théâtre un divertissement de bonne société, à l'instar de la poésie, qui est devenue un passe-temps noble et peut faire l'objet, dans les réunions les plus choisies, de discussions et d'échanges.

S'il n'existe pas de critique dramatique avant 1620-1630, c'est que, au XVIè siècle, l'œuvre théâtrale n'appelle pas de jugement esthétique. Le répertoire destiné au public populaire décourage le commentaire élaboré; quant au répertoire savant, il est l'objet de représentations occasionnelles qui ne suscitent pas une activité suivie: en d'autres termes, le théâtre ne constitue pas encore un élément de la vie sociale.

Notes

1 R. Lebègue relève, entre 1573 et 1609, la publication d'une centaine de tragédies (*La Tragédie francaise de la Renaissance,* p. 66).

2 Cf. M. Descotes, *Le Public de théâtre et son histoire,* chap. I.

CHAPITRE II

I

C'est au cours de la décade 1620–1630 que se produit l'évolution qui aboutit à donner le goût du théâtre à la bonne société, même si la salle de spectacle est encore considérée comme un lieu peu fréquentable. Alors s'amorce le mouvement qui, en quelques années, va faire de l'art dramatique le divertissement privilégié d'un groupe social à peu près homogène.

Vers 1620, le répertoire de Hardy commence à être sérieusement contesté: versificateur inégal, auteur "capricieux en diable", davantage soucieux de quantité que de qualité (Besançon, *Satire du Temps*)[1], – griefs de malherbiens. Et en 1628, Hardy se trouve en pleine manœuvre défensive (préface à Liancour) contre le groupe des jeunes auteurs (Du Ryer, Auvray, Rayssiguier, Mareschal, Pichou)[2] qui, s'adonnant à la composition de tragi-comédies, élaborent un répertoire inspiré du genre favori des ruelles: le roman, plus ou moins dérivé de *l'Astrée.* En 1621, Th. de Viau (31 ans) fait représenter, avec un succès considérable, *Pyrame et Thisbé,* composé à l'intention du Roi, des Grands, des cercles aristocratiques. Au même moment, Racan (32 ans) renouvelle, avec ses *Bergeries*, la pastorale. En 1626 enfin, Mairet (22 ans) remporte avec la *Sylvie* un triomphe qui fait de lui en un jour le maître du genre.

En 1629–1630, à la sollicitation du comte de Cramail et du cardinal de la Valette, Mairet dote la scène française de sa première œuvre "régulière", *la Silvanire*[3], alors que le prieur Ogier, dans sa préface à la réédition du *Tyr et Sidon* de J. de Schélandre, ravive la contestation autour des règles (1628). De son côté, dans sa lettre à Godeau, le 29 novembre 1630, Chapelain définit les positions d'un théoricien favorable au strict respect des unités.

En 1630 enfin, une nouvelle troupe de comédiens fait son apparition à Paris, conduite par Charles Le Noir et par Montdory, le prochain interprète de Corneille, qui va devenir le premier acteur du temps.

En une dizaine d'années, ces divers événements ont un point commun: ils tendent tous à conférer au théâtre un lustre qui lui était jusqu'alors refusé. Alors que la création d'une pièce de Hardy ne paraissait pas à la bonne société digne d'attention, une "première" commence à être considérée comme un épisode notable de la vie mondaine. Un public est en voie de formation, qui n'est plus le public populaire de Gaultier-Garguille et de Hardy[4]; pour porter ses jugements, ce public inexpérimenté va se mettre en quête de conseillers: la critique dramatique va naître.

Mais cette vie dramatique prend son essor dans des conditions très particulières.

Elle ne s'organise pas, comme on s'y attendrait, autour de l'Hôtel de Bourgogne, encore encombré des turbulents spectateurs de Hardy. L'Hôtel reste un endroit où la présence des femmes honnêtes est impossible[5]. Pour satisfaire son goût croissant du théâtre, la bonne société organise donc des représentations "entre soi", dans les salons, dans l'entourage de Grands qui entendent se détacher des mœurs brutales de la Cour[6].

Il faut prendre conscience de cette réalité: à l'époque de Hardy, un auteur n'est strictement *rien* s'il n'est que le fournisseur habituel d'une troupe; son nom ne figure même pas sur l'affiche. La part des bénéfices qui lui revient est misérable, toujours incertaine. Il est un gueux que menacent la faim, le froid, la misère nue, s'il n'a pas la fortune d'être rattaché à la Maison d'un Grand.

Les auteurs de la nouvelle génération, ceux qui vont bientôt faire figure de critiques dramatiques (ce sont souvent les mêmes), gravitent ainsi dans l'orbite d'un personnage de qualité qui joue le rôle de mécène. Mais ce terme de mécène ne doit pas suggérer la noble image d'un commerce désintéressé, d'une déférente sollicitude à l'endroit d'un écrivain dont on respecte les studieux travaux. L'homme de lettres fait partie de la Maison, mais non en serviteur exclusif des Muses: il doit s'acquitter des tâches les plus diverses, et l'échelle des gratifications va de l'octroi des vieux pourpoints du protecteur à un traitement comportant le logement et la table, voire un bénéfice ecclésiastique. De plus, en Théophile, Racan ou Rotrou, c'est le rimeur qui est recherché, non l'auteur dramatique: le protégé est agréé en tant que poète, faiseur de madrigaux; il est accessoire qu'il écrive aussi pour le théâtre. Et par l'exemple d'Henri II de Montmorency, on discerne bien comment aux fonctions de factotums et d'ajusteurs de rimes, les gens de lettres au service des Grands ont été amenés à ajouter le rôle de critiques.

Le duc appartient à l'une des plus grandes familles du royaume. Beau-frère de Condé, prince du sang, il est encore filleul d'Henri IV et, en son Languedoc, il est un personnage considérable qui donne ombrage à Richelieu. Compromis dans l'affaire de la Journée des Dupes, il est finalement exécuté à Toulouse et le Cardinal porte sur lui ce jugement: "Il était le premier des Grands du Royaume"[7].

En 1620, le duc a vingt-cinq ans. Son esprit est médiocre et, comme celle de ses pairs, sa culture fort aride. Il est, selon Tallemant, "brave, riche, galant, libéral", il danse bien, est bien à cheval: un pur produit de la formation donnée au gentilhomme par l'Académie. Mais ces qualités-là, si appréciées par la génération précédente, ne suffisent plus à faire bonne figure en société depuis qu'on demande à ceux qui fréquentent les salons de l'esprit et de la conversation:

> Une fois qu'il voulut conter quelque chose qu'il savait fort bien, il s'embrouilla tellement que le Cardinal de la Valette par pitié fut contraint de prendre la parole et d'achever le conte. (...) Il ne disait pas de sottises, mais il avait l'esprit court.[8]

De cette indigence de manières, son père s'est fort bien accommodé: "à peine savait-il lire"[9]. Le duc Henri II, lui, – signe des temps nouveaux – a conscience de ses insuffisances: "il avait toujours avec lui des gens d'esprit à ses gages, qui faisaient des vers pour lui et *lui disaient quel jugement il fallait faire des choses qui couraient en ce temps-là*"[10]. Lorsque ces choses qui courent sont des pièces de théâtre, ces "gens d'esprit" à gages se muent tout naturellement en critiques dramatiques.

Le Clérante de *Francion* (1622) n'est sans doute pas le duc de Montmorency et il dut y avoir bien des modèles à ce grand personnage "stupide, ignorant et ennemi mortel des gens de lettres", mais qui finit par s'attacher le héros pour combler ses lacunes: "Il s'efforça de rendre menteurs tous ceux qui l'accuseraient désormais d'ignorance et se donna deux heures le jour pour être seul avec moi dans son cabinet, et y apprendre à discourir en compagnie, sur toutes sortes de sujets". En même temps, Francion se voit tenu de jouer le rôle d'entremetteur auprès de la belle Luce: pour le compte de son maître, Francion lui donne des vers "qui représentaient si naïvement les mignardises de l'Amour que la plus bigote femme du monde eût été émue des aiguillons de la chair en les lisant".

Les Grands découvrent la nécessité de faire la preuve de leur esprit, de leur jugement, de leurs dons de rimeurs. Mais nul ne songerait à tirer profit de ces activités intellectuelles; une préoccupation de ce genre paraîtrait entachée de la plus sordide mentalité mercantile. Corneille éprouvera à ses dépens la vigueur du préjugé.

Parmi ces Grands, quelques-uns commencent à manifester pour le théâtre un intérêt particulier. César de Vendôme (36 ans en 1630) a eu pour précepteur Vauquelin de la Fresnaye: Baro, en 1629, lui dédie sa *Célinde,* Mareschal sa *Sœur Valeureuse* (1634), du Ryer son *Cléomédon* (1634). Le maréchal de la Châtre protège aussi du Ryer. Dans le sillage du comte de Fiesque, du marquis Liancourt, des Soissons, des Longueville, on rencontre Rotrou, Corneille, Scudéry, du Ryer encore. Le comte de Belin se fait remarquer par la protection qu'il accorde à la troupe Le Noir-Montdory: "Le comte de Belin, qui avait Mairet à son commandement, faisait faire des pièces, à condition qu'elle (la Le Noir) eût le principal personnage; car il en était amoureux et la troupe s'en trouvait bien"[11].

Cramail et La Valette sont deux représentants typiques de cette nouvelle génération de Grands qui prêtent attention aux choses de la scène. Cramail, petit-fils du maréchal de Montluc, est doué de toutes les qualités propres aux gentilhommes: comme Montmorency il "était propre, dansait bien et était bien à cheval", fort "galant" au surplus[12]. A Toulouse, à Paris, il a activement participé à la vie littéraire, rédigé lui-même ou inspiré divers ouvrages. Il tient un cercle que Marolles compare aux "cabinets" de la douairière de Longueville et de la marquise de Rambouillet. La Valette (né en 1593) est un très grand personnage. Il est archevêque de Toulouse et, en 1621, cardinal: "libéral", "beaucoup d'esprit", très familier de Mme de Rambouillet[13]. C'est lui qui tire d'embarras le malheureux Montmorency empêtré dans une narration dont il ne vient pas à bout. Il a pour confident Voiture qui, pour lui, joue le rôle de magister en matière de goût: "Comme le cardinal souvent voulait faire l'enjoué, Voiture lui disait tout bonnement ce qui lui en semblait, et quelquefois devant des témoins"[14].

Cramail et la Valette se distinguent par l'intérêt qu'ils portent au théâtre et ce sont eux qui pressent Mairet de composer une pastorale qui, à l'imitation de *l'Aminta* ou du *Pastor Fido,* respectera les règles en usage dans le répertoire italien. Mairet, en 1630, donne *Silvanire,* première pastorale française conforme aux exigences des unités.

Mais la sanction officielle ne peut être conférée que par l'Hôtel de Rambouillet.

A l'origine, l'Hôtel ne se soucie guère de théâtre. Parmi ses familiers, on ne compte guère de beaux esprits qui s'intéressent à l'art dramatique: Gombault, Scudéry font exception. Gombault ne compose son *Amaranthe* qu'en 1630 et Scudéry son *Ligdamon et Lysias* qu'en 1630. La Marquise est certes attirée par les jeux de la scène: selon Segrais, elle est même le modèle de la Sestiane qui, dans *les Visionnaires* de Desmarets, est follement entichée de répertoire dramatique. Cette assimilation est douteuse. Mme de Rambouillet a longtemps refusé de côtoyer, à l'Hôtel de Bourgogne, un public bruyant et grossier. Divertissement social par excellence, le théâtre est d'abord pour elle une forme, parmi d'autres, de ces distractions qu'elle organise pour les membres de son salon. En 1629, on y représente *Sophonisbe;* mais c'est Julie d'Argennes qui tient le rôle de Sophonisbe, l'abbé d'Arnault celui de Scipion; et Mlle Paulet, en nymphe, chante entre les actes en s'accompagnant sur son théorbe. C'est entre soi que l'on goûte l'œuvre dramatique et le plaisir de se donner la comédie. Même lorsque le théâtre sera devenu un lieu fréquentable, on ne cessera de s'adonner à ce divertissement qui consiste à se transformer en comédiens: au début de 1639, on prépare une comédie italienne où les rôles doivent être tenus par Chapelain, Vaugelas, Gombault, Montausier[15]. Pour ce cercle-là, le théâtre est d'abord prétexte à animer la vie de société.

Mais l'Hôtel de la Marquise se devait de rester fidèle à son rôle d'arbitre du bon goût. Et bientôt ses jugements vont s'appliquer à toute l'activité théâtrale. Avant la représentation, les auteurs sollicitent sa caution en lui soumettant leurs œuvres: on écoute *Scipion l'Africain* (Desmarets, 1639), *Athénaïs* (Mairet, 1642), *Philoclée et Téléphonte* (Gilbert, 1642), *Polyeucte.* Ces lectures fournissent un aliment à l'exercice de ce qui reste le souci principal: les jeux de la conversation. Les la Valette, les Cramail, les Belin fréquentent l'Hôtel et c'est là que Belin demande la consécration pour les comédiens qu'il patronne: il obtient de Mme de Rambouillet qu'elle "souffre" que Montdory représente devant elle la *Virginie de* Mairet. Privilège inestimable: "Montdory a toujours eu de la reconnaissance pour Mme de Rambouillet; car ce fut de ce jour-là qu'il commença à entrer en quelque crédit". Admis au sein de la plus célèbre ruelle, l'art dramatique devient justiciable du tribunal des beaux esprits.

On ne reviendra pas sur le rôle essentiel tenu dans cette évolution par Richelieu[16]. En 1629, le Cardinal, dont le goût personnel pour le théâtre est indiscutable, donne la comédie au Roi; deux ans plus tard, son attention se porte sur l'application des règles à la pastorale et c'est là le début de l'action vigoureuse qu'il entreprend pour assurer la police matérielle de la salle de spectacle autant que la réglementation dogmatique des œuvres.

La conclusion est aisée à tirer: naguère abandonné au populaire, le théâtre qui, vers 1630–1635, bénéficie de l'intérêt de certains Grands; qui a obtenu droit de cité auprès des beaux esprits; qui n'échappe pas à l'attention des pouvoirs publics en la personne de leur plus haut représentant, le théâtre est devenu le divertissement privilégié d'une classe sociale. En 1634, dans *la Galerie du Palais,* s'échangent ces réparties significatives:

> *Le libraire* – La mode est, à présent, des pièces de théâtre.
> *Dorimant* – De vrai, chacun s'en pique; et tel y met la main
> Qui n'eut jamais l'esprit d'ajuster un quatrain. (I, 6).

Dans *L'Illusion comique* (1635), pour convaincre Pridamant, bourgeois de la vieille école, le magicien Alcandre, s'exalte:

> A présent le théâtre
> Est en un si haut point que chacun l'idolâtre,
> Et ce que votre temps voyait avec mépris

Est aujourd'hui l'amour de tous les bons esprits,
L'entretien de Paris, le souhait des provinces,
Le divertissement le plus doux de nos princes,
Les délices du peuple et le plaisir des grands;
Il tient le premier rang parmi leurs passe-temps. (V, 5)

Les Visionnaires de Desmarets datent de 1637. Dix ans plus tôt, le personnage de Sestiane aurait été inconcevable: une extravagante sans doute, qui refuse le mariage parce qu'elle s'exposerait à rencontrer chez elle "quelque bizarre humeur" quand elle voudrait aller à la Comédie, parce que le mari s'opposerait à l'assiduité au spectacle ("Pensez-vous, disent-ils, qu'on vous veuille souffrir A dormir tout le jour et la nuit à courir? "), parce qu'"on a des enfants qui vous sont sur les bras: Les mener au théâtre, ô Dieu, quel embarras!". Pour l'amour de la Comédie, Sestiane entend rester fille. Dans sa préface, Desmarets précise: "Il s'en trouve beaucoup comme elle, amoureuse de la Comédie, à présent qu'elle est si fort en règne, particulièrement de celles qui se mêlent d'en juger, d'en savoir les règles, d'inventer des sujets selon la portée de leurs esprits"[17].

***

Tout se trouve donc en place pour que s'organise une critique dramatique. Reste à déterminer par qui elle va être exercée, de quels moyens elle dispose, à qui elle est destinée.

Or le véhicule qui paraît aujourd'hui le plus naturel et le plus efficace pour l'exercice de la critique, la presse, n'existe pas. Sans doute le premier numéro de *la Gazette* de Renaudot paraît-il le 30 mai 1631; mais ce "journal" ne s'attache à rapporter que l'actualité politique et mondaine[18]. Il ne se fait l'écho d'aucune nouvelle littéraire ou dramatique. Le fascicule supplémentaire mensuel, *Relations des nouvelles du monde reçues dans le mois,* à partir de 1634, présente une assiette plus large: il relate les grands événements militaires, les cérémonies et fêtes de la Cour, publie des documents officiels. Mais, là encore, aucune place n'est faite à des jugements motivés. Car on ne saurait considérer comme ressortissant à la critique cette note (10 mars 1635) à propos de *la Comédie des Tuileries,* fruit de la collaboration des Cinq Auteurs, dont chacun sait qu'ils ont travaillé sur une idée de Richelieu: "Le soir du même jour, fut représentée devant la Reine, dans l'Arsenal, une comédie dont je ne sais pas encore le nom, mais qui a mérité celui d'excellente par la bonté des acteurs, la majesté de ses vers composés par Cinq fameux poètes et la merveille du théâtre".

Les moyens dont on dispose pour porter un jugement se ramènent donc à ceux qu'offrent la conversation, la correspondance, l'ouvrage imprimé, — "dissertation" ou libelle.

C'est l'échange oral qui joue le plus grand rôle, au sein d'un groupe où l'art de l'entretien constitue la pierre de touche du bel esprit et de l'honnêteté. Montmorency apparaît comme un sot parce qu'il n'est pas capable de venir à bout d'un récit; tout "mélancolique" qu'il soit, et peu "ouvert avec ses connaissances", ("c'est un défaut, je le sais bien, et je ne négligerai rien pour m'en corriger"), La Rochefoucauld ne manque pas d'insister, lorsqu'il entreprend de se dépeindre, sur ce trait de son caractère: "la conversation des honnêtes gens est un des plaisirs qui me touchent le plus". La fortune d'un roturier comme Voiture est due d'abord à son exceptionnelle agilité de conversation.

La correspondance n'est qu'un succédané de cette conversation mondaine: destinée à la diffusion la plus large, elle permet à l'absent de tenir son rôle dans les échanges qui animent les salons. C'est grâce à ses Lettres que Balzac, "l'ermite de la Charente", continue à participer à la vie parisienne, à ses polémiques politiques ou littéraires. Et c'est grâce à elles que, si irrégulières que soient des séjours dans la capitale, il s'impose comme l'un des arbitres les plus écoutés.

Ces échanges, ces jugements portés par les beaux esprits ou par les doctes ont un double but; éclairer les gens du monde et les fournir en thèmes de discussions, en canevas proposés à l'ingéniosité ou à l'érudition. Lorsque Balzac ou Chapelain font connaître leur sentiment sur une œuvre, il ne s'agit jamais d'inciter le grand public à fréquenter la salle de spectacle.

Ainsi se définit le premier critère auquel recourt cette première génération de critiques: une œuvre dramatique n'est digne d'intérêt que si son auteur ne s'est pas soucié de toucher le spectateur populaire. Le préjugé remonte à Ronsard. Il était partagé par Hardy qui, dans l'argument de la *Gigantomachie,* affirmait ne songer qu'aux "experts au métier des Muses"; mais Hardy, aux prises avec les peu reluisantes nécessités de l'époque antérieure, était loin de compte. Au contraire, à partir de 1630, auteurs, théoriciens, critiques, amateurs, sont unanimes. Colletet, l'un des Cinq enrôlés par Richelieu, pose dans la préface à ses *Divertissements* (1631) l'axiome de base: "Le peuple est un fort mauvais juge. S'il juge bien, c'est par hasard, puisqu'en effet il est dépourvu de cette partie qui est celle des honnêtes gens".

Dans la préface des *Visionnaires,* Desmarets répond à ceux qui lui reprochent d'avoir, dans sa comédie, utilisé trop de mots savants que beaucoup ne comprendront pas: "Nous ne sommes pas dans ces républiques où le peuple donnait le gouvernement et les charges; et où les poètes étaient contraints de composer ou des tragédies horribles, pour plaire à leur goût bizarre, ou des comédies basses pour s'accommoder à la portée de leurs esprits. Le peuple a l'esprit si grossier et si extravagant qu'il n'aime que des nouveautés grotesques".

Dans sa *Lettre sur les vingt quatre heures* (1630), Chapelain est catégorique: "Je ne conseillerai jamais à mon ami de se faire Tabarin plutôt que Roscius pour complaire aux idiots et à cette racaille qui passe en apparence pour le vrai peuple et qui n'est en effet que sa lie et son rebut". Pour cette génération, le vrai public, c'est "le Sénat, les chevaliers, et ce qu'il y a d'honnêtes gens parmi le peuple" (Seconde préface de *la Pucelle*).

Pour Scudéry, assigner comme fin à la comédie de donner du plaisir au peuple, "c'est mettre le poète au même rang que les saltimbanques et les violons": "Les spectacles qui proprement furent inventés pour lui sont les combats de gladiateurs, ceux des animaux sauvages et tout ce que l'hippodrome et le cirque ont exposé aux yeux d'Athènes et de Rome" (Réponse à Balzac). Dans son *Apologie du théâtre* (1639), Scudéry insiste sur la nécessité de cette proscription du parterre, "animal à tant de têtes et à tant d'opinions qu'on appelle peuple", "multitude ignorante": "puisque ces centaures demi-hommes et demi-chevaux ne sont pas capables de goûter les bonnes choses, qu'ils imitent au moins les oies qui passent sur le Mont Thaurus, c'est-à-dire qu'ils portent une pierre au bec qui les oblige au silence".

On doit avoir en mémoire ces formules pour mesurer quel mauvais service rendaient à Corneille ceux qui défendaient *le Cid* en invoquant l'approbation du parterre; et pour apprécier quelle indépendance d'esprit animera Molière lorsqu'il osera affirmer qu'il se préoccupe de recueillir, autant que celle de la Cour, l'adhésion du parterre.

La critique théâtrale, en ses débuts, c'est d'abord cet effort fourni par un groupe social qui, cédant enfin à l'attrait du plaisir dramatique, entend se prouver à lui-même que, ce faisant, il ne s'encanaille pas.

De ce parti-pris, découle naturellement le critère de moralité. Sans doute, cette exigence a-t-elle été formulée très tôt vis-à-vis de toute œuvre littéraire. Mais elle prend une valeur impérative à l'égard du théâtre. La lecture d'un ouvrage libertin peut s'opérer dans la discrétion du cabinet; la représentation, elle, implique une manifestation collective et l'on sait de quelle hostilité l'Eglise poursuit tout ce qui touche à la scène. Il importe donc de se garder avec vigilance de ce côté-là. Sur ce point, auteurs, théoriciens et critiques tombent d'accord: reprenant la formule de Ronsard (Seconde préface de *la Franciade*) selon laquelle la tragédie et la comédie sont "didascaliques et enseignantes", ils assignent tous à l'œuvre dramatique un but moral. Dès la préface à l'*Adonis* du cavalier Marin (1623), Chapelain insiste: "La fin de la poésie est l'utilité, bien que procurée par le moyen du plaisir".

Dans sa Lettre à Godeau sur les 24 heures, dans celle à Boisrobert sur la *Comédie des Tuileries,* la leçon est analogue. C'est le thème même de *l'Apologie du Théâtre* (1639). Pour la Mesnardière, la tragédie doit se donner pour but "la tranquillité de l'âme, puisque sa fin principale est de calmer les passions". Seuls quelques isolés comme Mareschal, dans sa préface à la deuxième journée de *la Généreuse Allemande* (1631), osent affirmer que "le théâtre n'est destiné qu'au plaisir". Mais d'Aubignac qui, d'abord, avait prétendu que "le poète ne travaille que pour plaire aux spectateurs" se reprend bientôt et, prenant à partie la *Sophonisbe* de Corneille, son *Sertorius* et son *Oedipe,* écrit: "Ce n'est pas assez qu'un grand poète cherche les moyens de plaire, il faut encore qu'il enseigne les grandes vérités, et particulièrement dans le poème dramatique"[19].

Ici encore il fallut à Corneille beaucoup de liberté d'esprit pour affirmer, dans son *Epître de la Suite du Menteur,* qu'il tient, avec Aristote et Horace, que son art "n'a pour but que le divertissement" (1645): "Pourvu qu'ils aient trouvé le moyen de plaire, ils (les auteurs) sont quittes envers leur art".

De la même façon, l'élaboration d'un code des *bienséances* est la manifestation de cette incertitude du groupe social sur la pureté des divertissements qu'il s'accorde au théâtre. Le mouvement provoqué par les salons est tout entier fondé, en réaction contre la crudité des attitudes, des gestes et des mots de la Cour, sur l'exigence du respect dû à la femme. Il importe donc qu'on bannisse du théâtre les choquantes situations du répertoire de Hardy (un viol dans *Scédase*), les termes crus, tout ce qui n'est pas conforme aux normes de l'honnêteté et de la galanterie. En 1630, le code est à peu près déterminé. Chapelain a été le principal artisan de cette élaboration.

Telles sont les limites à l'intérieur desquelles la bonne société accorde droit de cité au divertissement dramatique. Elles définissent les critères dont devront s'armer ceux qui se donnent pour tâche de légiférer en son nom.

Il en est d'autres qui tiennent de moins près à l'état des mœurs. L'histoire des théories dramatiques, si elle la détermine en partie, ne se confond pas avec celle de la critique dramatique. On ne reprendra donc pas ici l'étude de la progressive constitution du code esthétique des "règles". On en connaît bien la chronologie[20]. Un rappel sommaire des données essentielles doit suffire.

Appliquée pour la première fois par Mairet dans sa *Silvanire*, l'unité de temps est officiellement prônée par Chapelain dans sa Lettre à Godeau du 30 novembre 1630[21]. C'est à partir de là que se développe la contestation autour de l'utilité de ces règles, niée, par exemple, par Mareschal dans sa préface, où sont repris la plupart des arguments développés deux ans plus tôt par Ogier, à propos de *Tyr et Sidon*[22]. La première tragédie régulière, la *Sophonisbe* de Mairet, date de 1634. Quelques années encore et, la querelle du *Cid* ayant joué un rôle de cristallisation, les unités sont pratiquement admises par tout le monde: bon gré mal gré, Corneille lui-même doit s'y rallier.

Ce qu'on doit se demander, c'est pour quelles raisons ce critère, qui va désormais tenir une place considérable dans les jugements, a pu être si rapidement et si généralement adopté.

Dès le XVIè siècle, quelques théoriciens ont énoncé le principe de ces règles, sans que cette exigence soit ressentie comme une nécessité absolue. Comment se fait-il donc que, en dix ans, entre 1630 et 1640, les doctes aient réussi à imposer une contrainte qui, comme le remarquent avec pertinence les adversaires, aboutit à priver le public d'une partie de ce qui constitue le plaisir dramatique (le récit substitué au spectacle), à réduire la gamme des sujets possibles, à accumuler, contre toute vraisemblance, en une seule journée une foule d'accidents et de rencontres (toutes ces observations sont présentées par Ogier en 1628)? [23]

En incitant Mairet à composer une pastorale régulière, Cramail et la Valette ne sont certainement pas inspirés par un souci de dogmatisme[24]. C'est leur admiration pour la pastorale italienne régulière qui les a persuadés que l'observation des règles accroîtrait le plaisir dramatique. A l'origine, le point de vue adopté n'est donc en rien doctrinal.

Il le devient très vite, avec l'intervention des doctes, forts de leur science des théoriciens italiens (Scaliger, Castelvetro) et surtout de l'autorité d'Aristote auquel la génération de 1630 finit par vouer un culte dont Chapelain devient le grand-prêtre. Pour la Mesnardière (1639), Aristote est le "paranymphe de la poésie", un "second Orphée".

Il est sûr que, au sortir d'une longue période de troubles anarchiques, la nécessité d'une réglementation s'est fait sentir, dans le domaine de l'esprit comme dans celui de l'ordre politique et social. Il est sûr encore que le coup de maître de Chapelain est de rallier, vers 1635, à la cause qu'il défend Richelieu lui-même: c'est en février qu'a lieu la répétition générale de la *Comédie des Tuileries* mise en forme par les Cinq sur une esquisse du Cardinal. A cette occasion, Chapelain rencontre Richelieu, sans avoir, cette fois, à passer par Boisrobert. Selon toute vraisemblance, il est alors amené à justifier devant l'Eminence son souci des règles, puisqu'aussitôt après il adresse à Boisrobert une "dissertation" résumant les arguments qu'il vient de développer. Avant cette intervention, Richelieu connaissait l'existence de ces règles. Mais Chapelain a dû être très persuasif puisque c'est à partir de là qu'on voit le Cardinal soutenir la thèse de la régularité, inspirer des pièces où les règles sont respectées, inciter Desmarets à placer dans ses *Visionnaires* une scène où ces règles sont discutées, engager la Mesnardière et d'Aubignac à composer des ouvrages théoriques qui auront pour but de diffuser la nouvelle réglementation.

Ce qui est plus étonnant, c'est que le nouveau public, celui qui est issu des salons, ait adopté si aisément ce critère. Si pesante qu'elle ait été, l'autorité de Richelieu ne suffit pas à expliquer ce ralliement général. Il faut chercher ailleurs.

C'est que ce public qui s'efforce de codifier sa vie mondaine et intellectuelle et dont le goût, comme la science, est encore incertain, se trouve à la recherche de points de référence qui seraient d'un maniement commode pour juger une œuvre à propos de laquelle, livré à lui-même, il resterait hésitant. Dans leur étroite précision (24 heures, lieu unique), les règles fournissent un système d'autant plus facile à appliquer qu'il présente toutes les apparences de la rigueur. Il devient aisé d'apprécier une tragédie lorsque l'on dispose de critères aussi stricts. N'importe quelle femme du monde, n'importe quel bel esprit peut désormais se prononcer avec autorité sur une pièce nouvelle: il suffit de la mesurer à l'échelle des unités. Si les unités sont respectées, la pièce est recevable; si elles sont malmenées, elle est condamnable. La critique dramatique se trouve ainsi mise à la portée du spectateur le moins averti.

Le prestige des Anciens et d'Aristote joue dans le même sens. Cette société en formation n'est pas aussi sûre d'elle qu'on l'imagine. Elle reste écrasée par la découverte des chefs d'œuvre de l'Italie et de l'Antiquité et consciente de ne pas avoir grand'chose à leur opposer, dans le domaine dramatique en particulier. Le grand nom d'Aristote, la référence aux chefs d'œuvre du passé sont là pour rassurer, pour servir de patronage et de justification. Jugeant l'*Herodes Infanticida* de Heinsius, Chapelain écrit tout naturellement à Mesnard (16 juillet 1638) que cette tragédie n'a aucune condition "pour être dite bonne selon Aristote qui, comme vous savez, est "il maestro di color che sanno".

Dans ces conditions, quels vont être les juges naturels de l'œuvre dramatique?

Les doctes bien entendu, qui disposent des attributs qui font défaut à la masse du groupe social: l'érudition, l'autorité. Inévitablement, leurs critiques vont être dogmatiques, s'appuyer sur le code qu'ils ont eux-mêmes élaboré. Et, ce qui est le plus grave, ils vont constamment se placer en dehors de toute réalité scénique. Leurs préoccupations ne vont jamais à l'effet produit sur le spectateur par la représentation, ce qui est proprement la négation de la critique théâtrale.

Rien n'illustre mieux cette tendance à juger in abstracto, sur le seul texte, que l'analyse des deux querelles qui, vers 1640, occupent les érudits et dont les salons se font l'écho. Elles portent sur des pièces qui sont appréciées à la lecture, comme s'il s'agissait d'un roman ou d'une épopée.

En 1639, Chapelain demande à Voiture son opinion sur une comédie de l'Arioste, *I Suppositi*[25]. Voiture exprime son dégoût pour une œuvre trop truculente à son avis. C'est alors que le débat (tout théorique puisqu'à aucun moment il n'a été question d'une représentation) tourne au jeu de société. Les deux adversaires décident de s'en remettre à l'arbitrage de Julie d'Angennes, et le perdant donnera au vainqueur une paire de gants d'Espagne. Julie se prononce en faveur de la thèse de Voiture et Chapelain envoie la paire de gants. Mais il ne désarme pas: c'est son autorité personnelle qui est en jeu, bien davantage que le respect des convenances dans *I Suppositi.* Tous les habitués du Salon sont consultés et, cette fois, la balance penche en faveur de Chapelain; Pisani, seul, rejoint le camp de Voiture. Madeleine de Scudéry prend position avec netteté: dans cette comédie, elle n'aperçoit "point de tache" et "le peu de lumière" qu'elle a lui y fait "découvrir de grandes beautés".

La victoire ne semble pourtant pas complète à Chapelain: en effet Mme de Rambouillet semble pencher pour Voiture. Chapelain se juge alors "guère moins que terrassé" (à Balzac, 26 mars 1639). Il fait donc appel aux grands correspondants de province: Godeau évite de se compromettre, mais Balzac vient renforcer le camp hostile à Voiture qui, du coup, se pique et riposte. Balzac s'apprête alors à répondre par une dissertation en forme, textes latins à l'appui.

C'est alors qu'avec sa pétulance habituelle entre en scène Georges de Scudéry. A grand fracas, il prend fait et cause pour l'Arioste et adresse à Voiture un cartel en ces termes:

> Recevez donc, et notre défi et notre gantelet pour gage (...). Nous avons fait dresser nos tentes auprès de la Grotte de l'Ermite du Marais, vers le Temple des Chevaliers. Nous avons déjà marqué la place où nous devons élever vos armes en trophée. Et nous croyons que rien, que votre seule fuite, peut empêcher notre gloire de vaincre de si faibles ennemis.

Défi burlesque, mais qui manifeste bien que le débat critique tourne au jeu de société.

Finalement, pour ne pas compromettre l'équilibre mondain du cercle et la position personnelle qu'il y occupe, Chapelain s'en tire par une pirouette et un hommage à la Marquise: dans une lettre à Madeleine de Scudéry (26 mars 1639), il affecte de croire que, si l'incomparable Arténice a pris le parti de Voiture, c'est pour voler au secours du plus faible, pour signaler son esprit et son courage, sans s'inquiéter de savoir si Voiture a le bon goût pour lui[26].

Cette querelle peut paraître ridicule. Elle illustre pourtant bien ce qu'est la critique pour cette génération-là. Elle instaure un débat sans objet réel puisqu'il ne s'élève pas autour de la représentation de la comédie; elle engage doctes et gens du monde et devient, pour les uns un divertissement, pour les autres une confrontation qui met en jeu et leur position sociale et leur autorité de maîtres à juger. Les points de vue dogmatiques se trouvent mêlés au souci de ménager les susceptibilités et d'amuser la société. De l'œuvre elle-même, de sa valeur propre, il n'est à peu près pas question.

Un an plus tard (1640), s'élève une autre querelle qui va s'étendre sur près de 40 ans. Elle n'est pas elle non plus provoquée par un événement dramatique, puisqu'elle s'engage autour de l'*Héautontimorouménos* de Térence. Les protagonistes, d'autre part, d'Aubignac et Ménage, sont deux doctes qui appartiennent au même camp: ils sont, l'un et l'autre, des "réguliers".

Mais, à la différence de Chapelain, leur aîné, ils ne disposent pas encore d'une place privilégiée dans le beau monde. Ménage n'est qu'un jeune homme de 26 ans qui plaide au Palais, modestement[27]. Depuis un an seulement il a été introduit à l'Hôtel de Rambouillet. C'est un débutant, connu par sa seule *Requeste des Dictionnaires,* composée en 1636. Sa réputation de docte est donc encore à établir, comme sa fortune, ce qui revient au même. Il n'inaugurera ses réunions du mercredi, les "mercuriales", qu'en 1652, et la manne des bénéfices ecclésiastiques ne s'épandra sur lui que lorsqu'il sera entré dans la Maison du Coadjuteur de Paris.

François Hédelin, abbé d'Aubignac[28], a 36 ans en 1640. Sa carrière est plus avancée que celle de Ménage: il a eu la chance de devenir précepteur du neveu du Cardinal. Mais sa notoriété demeure incertaine: dans la correspondance de Chapelain, son nom n'apparaît qu'en 1639, à propos d'une tragi-comédie, *Phalène,* dont il a élaboré le plan et qui a été ensuite composée par Boisrobert. Un débutant, lui aussi. Il ne fera figure d'autorité dramatique que plus tard, lors de la polémique avec Corneille autour de sa *Pratique du Théâtre.*

Du débat qui s'ouvre à propos de Térence, ils attendent tous deux que l'attention soit attirée sur eux, que soient consacrées leur érudition et leur subtilité. Car, à cette date, se battre sur les règles est un exercice gratuit: leur cause est désormais gagnée. La contestation ne peut donc conduire qu'à raffiner, à byzantiniser. D'Aubignac, qui affirme que le poète latin a composé une œuvre parfaitement régulière, rédige un *Discours sur la Troisième Comédie de Térence;* Ménage réplique par une *Réponse au Discours sur la comédie de Térence.* Des deux côtés, on s'applique à "minuter" la pièce: Ménage tient que l'intrigue a besoin de 24 heures; d'Aubignac qui prétend que la tragédie ne doit représenter "que ce qui s'est fait en huit heures ou pour le moins en un demi-jour", cite, pour appuyer son exigence, l'exemple de la comédie de Térence qui, selon lui, ne réclame pas plus de dix heures (Préface à *la Pucelle d'Orléans,* 1642).

Ainsi lancée, la querelle se développe interminablement, se colore de surprenantes subtilités: dans son *Térence justifié* (1655), d'Aubignac précise qu'il convient, pour définir l'unité de temps, de tenir compte des saisons: une action qui se déroule en été peut, par exemple, s'étendre sur 15 heures. Plus tard, dans sa *Pratique du Théâtre,* il revient à l'assaut pour restreindre les 24 heures: sauf exceptions, l'homme n'agit pas la nuit; en 24 heures, il doit manger, dormir, autant de temps qui doit être retranché de la durée fixée. Dans son *Discours sur l'Héautontimorouménos,* Ménage en profite pour préciser ce qu'il entend par unité de lieu: une petite campagne, un quartier de vue, "tout ce que la vue peut distinctement découvrir à la fois". Dans sa *Pratique,* d'Aubignac en tient, lui, pour une unité qui porte aussi loin qu'"une vue commune (!) peut voir un homme marcher". Plus libéral, la Mesnardière (*Poétique*) élargit l'unité à celle d'une ville ou même d'un petit pays.

L'exercice de la critique ne consiste donc pas seulement à déterminer si une pièce respecte les règles, mais encore comment, dans quelle mesure elles y sont appliquées: sur cette voie, des possibilités infinies s'ouvrent à la discussion, à la conversation, mille occasions s'offrent de faire valoir son ingéniosité dialectique. L'autorité du critique devient fonction des ressources de sa subtilité.

Ce qui peut surprendre dans cette contestation, c'est que les arguments dogmatiques se corsent d'attaques contre les individus. Quand Ménage publie ses *Miscellanea* (1650), d'Aubignac y relève des injures à son égard; il prépare une réponse foudroyante, mais, avant de la publier, incite son adversaire à retirer de son texte les passages désobligeants. "Quod scripsi, scripsi" répond superbement Ménage. En 1655, d'Aubignac publie enfin son *Térence justifié*, "contre les erreurs de Me Gilles Ménage, avocat en Parlement". Et Ménage s'enflamme à son tour dans ses *Juris Amoenitates* (1664): il se glorifie d'avoir exercé la profession d'avocat, mais se défend avec véhémence contre l'insinuation d'avoir été un "avocat mercenaire". Il s'emporte contre d'Aubignac, "presbyter ille et concionator", qui a donné la mesure de son petit esprit, alors qu'il n'a jamais tiré honoraires de ses plaidoieries[29].

Pourquoi tant d'âpreté? Susceptibilité de cuistres? Sans doute Ménage a-t-il toujours eu la dent très dure et Tallemant a évoqué cette "humeur mordante" qui, dans la *Requeste,* traite l'important Boisrobert de "patelin et sodomiste". En réalité, ce ne sont pas les unités qui inspirent tant de flamme: comme pour Chapelain avec *I Suppositi,* derrière les préoccupations de critique dramatique, se découvre le souci de défendre une position personnelle péniblement acquise dans le monde et d'évincer des rivaux[30]. En donnant du "Maître" à Ménage, pour le déconsidérer dans les milieux où il est introduit, d'Aubignac utilise l'argument le plus propre à émouvoir des cercles aux yeux desquels la recherche d'un gain est un signe impardonnable de roture: puisque Ménage a tiré un profit financier de ses dons oratoires, il est un homme de peu, indigne de ces nobles fréquentations. Les attaques portées contre Corneille ("un grand avare", Tallemant; "poète vénal", Chapelain) ont la même portée.

Pour celui qui fait profession de critique dramatique, le souci de sauvegarder la place qu'il s'est faite au soleil est beaucoup plus vif que celui du service de l'œuvre théâtrale.

***

Quelle peut être, dans ces conditions, la position de l'auteur dramatique en face de ceux qui, faisant autorité dans le monde, s'instituent ses juges?

L'écrivain de 1630–1640 se trouve dans une position bien différente de celle d'un écrivain contemporain. Des éloges de la critique il n'attend pas qu'ils provoquent, par un afflux de public, une augmentation des sommes que lui verse la troupe. Les "droits d'auteur" sont faibles, incertains. Au lendemain du *Cid,* Corneille fait scandale en accroissant ses exigences vis-à-vis des comédiens et l'heure n'est pas venue où Molière devra lui verser 2.000 livres pour *Attila* (1667): alors Mlle Beauval évoquera avec nostalgie l'époque où une troupe obtenait de quoi entretenir son répertoire pour quelques pièces d'argent. Ce que l'auteur est en droit d'espérer, c'est que les louanges fassent grandir la considération dont il jouit dans la bonne société, qu'elles mettent en évidence son mérite auprès des Grands, auprès de ceux auxquels il est fructueux d'"appartenir". A partir du moment où Richelieu s'applique à s'attacher les gens de lettres, c'est à lui qu'il convient d'abord de plaire; or la protection du Cardinal passe par l'approbation de Boisrobert et de Chapelain.

Eviter d'être confondu avec les gueux du Parnasse, échapper à la hantise de la misère, améliorer peu à peu sa situation, tel est l'objectif principal de l'auteur dramatique. Le souci de la postérité ne peut habiter qu'un écrivain déjà assuré de ne plus en être réduit à ne pas savoir, comme Gombault, "de quel bois faire flèche" ou, comme Rotrou, à endurer une "servitude honteuse".

Le cas de Rotrou est exemplaire. Provincial, il est de petite bourgeoisie. A Paris, il a poursuivi, comme tant d'autres, des études de droit. Désireux de faire carrière au théâtre, il est d'abord contraint d'emprunter l'ingrate voie dans laquelle s'est épuisé Hardy; sa première pièce, *l'Hypocondriaque,* date de 1628 (il a alors 19 ans) et, en 1632, il est encore "poète à gages" de l'Hôtel de Bourgogne. Ce qui signifie que, pour des gains de famine, il est contraint à une production accélérée. Afin de sortir de cette déplorable situation, il n'existe qu'un seul moyen: se ranger dans le sillage d'un Grand. Pour commencer (dédicace de *l'Hypocondriaque*), il se déclare le "très humble sujet" du comte de Soissons; en 1630, le comte de Fiesque reçoit l'hommage de sa *Diane;* en 1631 (dédicace des *Occasions Perdues*), il se flatte d'être la "créature" de la comtesse de Soissons. Hommages rétribués, mais qui n'assurent pas la sécurité. C'est grâce à Fiesque qu'un pas en avant est franchi: Rotrou est présenté à Chapelain et à Mairet, auteur "arrivé" depuis la *Sylvie* et qui "appartient" au comte de Belin. Rotrou ne manque pas d'exprimer à Fiesque sa reconnaissance pour l'avoir fait bénéficier de son entregent.

Ce n'est pourtant que vers 1635 qu'il commence à sortir de la "servitude honteuse": il est placé par Belin parmi ses gentilshommes ordinaires; il collabore à la *Comédie des Tuileries,* ce qui indique que le Cardinal a l'œil sur lui. La manœuvre a été préparée de loin puisque, dès 1632, l'*Hercule mourant* a été dédié à Richelieu et que l'Ode qui précède l'édition utilise l'hyperbole avec toute l'application souhaitable pour louer le "savant génie" du Ministre, sa "sincérité", ses "travaux inouïs", sa soumission à la "volonté de Louis". En 1636 pourtant, il n'est encore qu'un "poète à gages" (Gaillard), qui vend au libraire Sommaville 14 de ses pièces pour 2.250 livres (Corneille tirera 2.000 livres du seul *Attila*). En 1639 enfin, Rotrou peut considérer que sa situation est définitivement assise: il lui a fallu dix ans pour en arriver là et se trouver en mesure d'acheter une charge de lieutenant civil, assesseur criminel et commissaire examinateur au comté et bailliage de Dreux. La courbe de cette carrière est édifiante.

En un temps où la presse écrite n'existe pas, le premier moyen dont dispose un écrivain pour se recommander à l'attention de la bonne société est de recueillir l'approbation de ses confrères. D'où l'habitude prise de faire précéder une édition de l'œuvre de louangeuses pièces de vers dues à la plume des collègues en art dramatique. On a souvent admiré la prodigieuse lucidité de Scudéry s'écriant au lendemain de *la Veuve* de Corneille: "Le soleil s'est levé; disparaissez, étoiles". C'est perdre de vue que les hyperboles sont monnaie courante dans ces poésies liminaires. En tête de la *Célimène* de Rotrou (1633), Mairet s'extasie de voir "tout un peuple idolâtre" des vers du confrère. En tête de cette même *Veuve,* qui est précédée de *vingt-six* hommages de cette sorte[31], Rotrou chante le "mérite" de Corneille, "à qui rien n'est égal". Mairet se pâme: "rare écrivain de France", "le premier des beaux esprits" qui fait revivre "l'esprit de Plaute et de Térence". Corneille a respecté la règle du jeu et l'on ne fait que lui renvoyer la balle: il a loué avec une apparente conviction le *Ligdamon et Lysias* de Scudéry (1630), son *Trompeur puni* (1631)[32].

Ces éloges confraternels n'ont que de lointains rapports avec l'exercice de la critique dramatique. Ils répondent, à une époque où l'homme de théâtre dispose de moyens très restreints pour se faire connaître, à la nécessité de s'imposer à l'opinion publique. Et la Querelle du *Cid* éclatera précisément au moment où les confrères découvriront que Corneille tire à lui, de façon par trop unilatérale, la couverture.

Mais la vraie méthode pour se ménager l'approbation des Grands, en attendant leurs gratifications, c'est de se conformer à leurs goûts, à leurs préjugés, c'est-à-dire aux jugements qu'ont peu à peu façonnés à leur intention les doctes et les beaux esprits. Scudéry, dans son *Apologie du théâtre* (1639) définit bien la tactique à suivre auprès de ces Grands: "C'est pour eux que les écrivains du théâtre doivent avoir toujours le pinceau à la main, prêt d'effacer toutes les choses qu'ils ne trouveront pas raisonnables, se faire des lois inviolables de leurs opinions".

En dépit des traits caricaturaux dont Desmarets l'a affublée, la Sestiane des *Visionnaires* représente bien ce type de femme du monde totalement endoctrinée par les leçons reçues: elle n'a de cesse qu'Amidor, le "poète extravagant", ne lui ait dit s'il approuve les unités (v. 561–563); et Amidor ayant exprimé son doute de pouvoir faire tenir en un jour "un sujet qui se passe en un mois" (v. 575), Sestiane reprend les arguments habituels en faveur des règles (v. 576 et sq.), en invoquant non pas l'autorité des Anciens, mais "le plaisir":

> Ce qui vous interrompt ôte tout le plaisir.
> Tout changement détruit cette agréable idée
> Et le fil délicat dont votre âme est guidée.[33]

Les doctes ont fini par persuader ceux qui les écoutent que l'intensité du plaisir dramatique est fonction de la stricte observance des règles.

On peut maintenant rassembler les éléments qui entrent en jeu dans l'exercice de la critique en ces années 1630–1640. Ils sont avant tout fonction de l'organisation sociale de l'époque et des exigences du nouveau public. Si constante et astreignante qu'elle soit, la référence aux règles (unités, bienséances, vraisemblable) n'est qu'un épiphénomène. L'homme de lettres, surtout s'il se consacre à la scène, n'est qu'un gueux s'il n'est pas admis par la bonne société, s'il ne tire pas de quelque haute protection les subsides nécessaires à son existence même. A ce point de vue, auteurs et critiques sont logés à la même enseigne.

Pour l'auteur, le succès remporté au théâtre peut lui valoir la promotion sociale qu'il recherche. Il lui faut pour cela renoncer à susciter l'applaudissement spontané du "peuple", satisfaire les exigences des cercles mondains, se conformer au code qui a été élaboré par les théoriciens. Le docte, appelé à jouer le rôle de critique, doit sa position sociale et mondaine à l'autorité qu'il a su s'acquérir dans les mêmes milieux. Mais, pour sauvegarder cette situation, il ne lui suffit pas d'épouser les préjugés de ceux auprès desquels il s'est peu à peu accrédité. Il doit encore ménager les susceptibilités, veiller à ne pas atteindre, derrière l'auteur qu'il juge, le protecteur; et à partir du moment où l'Etat se fait le pourvoyeur suprême de pensions, garder l'œil fixé sur le puissant Cardinal. Du *Cid* à *Horace*, Corneille fait sa soumission; les *Sentiments* de l'Académie l'ont irrité et il reste persuadé d'avoir raison: il s'apprête à riposter et, dans une lettre à Balzac du 15 janvier 1639, Chapelain le montre encore tout plein des arguments qu'il pourrait faire valoir en faveur de sa pièce: "Il ne parle plus que de règles et que des choses qu'il eût pu répondre aux académiciens... *s'il n'eût point craint de choquer les puissances"*. A jouer les francs-tireurs obstinés, Corneille court le risque de ruiner tous ses efforts antérieurs. Le 23 décembre 1637, il s'en est expliqué avec Boisrobert:

> Maintenant que vous me conseillez de n'y répondre point, vu les personnes qui en sont mêlées, il ne faut point d'interprète pour entendre cela: je suis un peu plus de ce monde qu'Héliodore qui aima mieux perdre son évêché que son livre, et j'aime mieux les bonnes grâces de mon maître que toutes les réputations de la terre: je me tairai donc, non point par mépris, mais par respect.

II

Par son ampleur, sa violence et sa signification, la Querelle du *Cid* permet d'observer, à propos d'un cas privilégié, le jeu des différents facteurs qui, entre 1630 et 1640, conditionnent l'exercice de la critique dramatique.

Dans l'histoire de notre théâtre, *le Cid* est la première œuvre qui ait donné lieu à une vaste contestation autour d'un véritable événement dramatique. Les remous suscités autour de la préface d'Ogier, de l'*Héautontimorouménos,* des *Suppositi,* ou encore de l'*Herodes Infanticida* (1636)[34], ne sont pas la conséquence de représentations devant le public. La *Silvanire,* la *Sophonisbe* ont été de francs succès; aussi ont-elles donné peu de prise au développement d'une polémique. Avec le *Cid,* c'est le monde théâtral tout entier qui se trouve en jeu: public, beaux esprits, auteurs rivaux, comédiens, pouvoirs publics et "critiques"[35].

Tous les témoignages concordent: l'accueil réservé aux premières représentations est triomphal. Le 18 janvier 1637, Montdory (Rodrigue) rend compte à Balzac de l'approbation unanime: "Il est si beau qu'il a donné de l'amour aux dames les plus continentes, dont la passion a même plusieurs fois éclaté au théâtre. On a pu voir en corps aux bancs de ces loges ceux qu'on ne voit d'ordinaire que dans la grande chambre dorée et sur le siège des fleurs de lys. La foule a été si grande à nos portes, et notre lieu s'est trouvé si petit que les recoins du théâtre qui servaient les autres fois comme de niches aux pages ont été des places de faveur". A Belin Chapelain rapporte, le 22 janvier: "Depuis quinze jours, le public a été diverti du *Cid* et des *Deux Sosies* (Rotrou), à un point de satisfaction qui ne peut s'exprimer".

Dans le mois qui suit sa création, la pièce est jouée trois fois au Louvre, deux fois au palais de Richelieu. Le Cardinal s'entretient avec Corneille, qui lui présente l'ouvrage de G. de Castro. Un peu plus tard le père de Corneille est anobli.

Il ne s'agit pas là d'un succès de coterie ou de "snobisme": à la veille du *Cid* Corneille n'est en aucune façon un auteur privilégié dont seraient déjà entichés les beaux esprits. Ses œuvres précédentes ont été accueillies de façon inégale (*la place Royale,* par exemple, a été assez mal reçue). Au surplus, il ne semble pas que la création ait été précédée de ce qui, pour l'époque, correspondait à une campagne de presse publicitaire: Corneille n'a pas procédé, avant la représentation, à une mise en condition du public mondain par des lectures dans les salons, comme il le fera pour *Horace* et pour *Polyeucte.* On se trouve donc bien en face d'un enthousiasme spontané: le spectateur réagit sans idée préconçue, mesurant son approbation au seul degré de la satisfaction qu'il a éprouvée. La lettre à Belin manifeste que Chapelain, à défaut d'un grand élan de jubilation, ne conteste pas la réussite: "Je vous ai fort désiré à la représentation de ces deux pièces" conclut l'épistolier.

Les premières manifestations de mauvaise humeur n'émanent pas des doctes, des "critiques". Tout se passe comme si, dans les salons, nul n'éprouvait le besoin de faire sanctionner par un avis compétent le plaisir ressenti au spectacle. Le tumulte vient des collègues en dramaturgie: à peu près en même temps Mairet[36] lance son *Auteur du vrai Cid espagnol* et Scudéry ses *Observations*[37]: Scudéry, celui-là même qui enjoignait aux étoiles de s'effacer devant le soleil levant; Mairet qui proclamait que Corneille avait fait revivre "l'esprit de Plaute et de Térence". A coup sûr, c'est l'éclat tout à coup trop marqué du soleil levant qui irrite les confrères. Mais bien davantage encore le ton pris par Corneille dans *l'Excuse à Ariste* (fin février):

> Je sais ce que je vaux, et crois ce qu'on me dit:
> Pour me faire admirer, je ne fais point de ligue,
> J'ai peu de voix pour moi, mais je les ai sans brigue,
> Et mon ambition, pour faire plus de bruit,
> Ne les va pas quêter de réduit en réduit (...)
> Mon travail sans appui monte sur le théâtre (...)
> Je ne dois qu'à moi seul toute ma renommée.

Sans doute ces vers, traduits de son *Excusatio* (1633), ne sont pas inspirés par le récent triomphe du *Cid.* Ils n'en sont pas moins considérés par les collègues comme une provocation de la part d'un confrère auquel le succès monte à la tête: à leurs yeux, Corneille claironne trop fort sa supériorité. Mais la suffisance du ton n'est pas pour effrayer les écrivains d'alors et Scudéry en a donné bien des preuves. L'outrecuidance du matamore lui est familière. Qu'on en juge: annonçant son *Arminius* (1643: "C'est mon chef d'œuvre, l'ouvrage le plus parfait qui soit sorti de ma plume... Il est certain que je n'ai jamais rien fait de plus grand et de plus beau, ni de plus juste...". A propos de son *Prince déguisé* (1635): "Jamais ouvrage de cette sorte n'eut plus de bruit. Tous les hommes suivaient cette pièce partout où elle se représentait, les dames savaient les stances par cœur". Ou ceci encore qui vaut largement les déclamations de *l'Excuse à Ariste* (préface aux *Œuvres* de Théophile, 1632): "S'il se rencontre quelque extravagant qui juge que j'offense sa gloire imaginaire, pour lui montrer que je le crains autant que je l'estime, je veux qu'il sache que je m'appelle DE SCUDERY". Sans doute est-on accoutumé à la jactance de Scudéry; pourtant on le prend au sérieux et l'oracle Balzac écrit: "Il a je ne sais quoi de noble et de grave qui me plaît".

La superbe de Corneille ne suffit donc pas à expliquer l'indignation de Scudéry et de Mairet.

Une lecture attentive de l'*Excuse* fournit une explication plus satisfaisante. Dans le texte de Corneille en effet figurent des traits qu'on ne relève pas dans les rodomontades de Scudéry: la déclaration claironnée que le succès remporté ne doit rien à la "brigue", que l'auteur du *Cid* ne s'en va pas "de réduit en réduit" quêter les approbations. C'est là le thème fondamental de l'*Excuse:* "Mon travail *sans appui* monte sur le théâtre", "Mes vers en tous lieux sont mon *seul* partisan", "Je ne dois qu'*à moi seul* toute ma renommée". C'est cela que Scudéry et Mairet ne peuvent laisser passer; Corneille proclame que les succès des rivaux sont le fruit de l'intrigue, il dénonce une entreprise d'encensement mutuel (à laquelle il a lui-même participé, comme on le voit par les pièces liminaires qu'il a naguère adressées à Scudéry), les démarches entreprises auprès des doctes ou des puissants pour s'assurer au préalable leurs suffrages: en une phrase, il met en cause le "système" et ce que nous appellerions aujourd'hui la complaisance intéressée de la critique dramatique. Du coup, c'est s'en prendre non seulement aux auteurs, mais aussi à ceux qui les jugent et les soutiennent.

La verte réponse de Mairet met en évidence cette préoccupation: Corneille se flatte de ne rien devoir qu'à lui-même? Scandaleuse outrecuidance puisque, en réalité, il doit tout à l'auteur espagnol, censé invectiver son plagiaire:

> Donc, fier de mon plumage, en corneille d'Horace,
> Ne prétends pas voler plus haut que le Parnasse,
> Ingrat, rends moi mon Cid jusques au dernier mot,
> Après tu connaîtras, corneille déplumée,
> Que l'esprit le plus vain est souvent le plus sot;
> Et qu'enfin *tu me dois toute ta renommée.*

Les *Observations* de Scudéry reprennent le débat sur un autre ton. Elles évitent de recourir à l'injure personnelle; mais l'intention est la même. Ce libelle constitue sans doute un essai de critique raisonné et systématique (au nom des unités, de la moralité, des bienséances[38]); mais la pensée profonde de Scudéry n'est pas là. Corneille a laissé entendre que les confrères ont obtenu des succès dûs à la complaisance; Scudéry va donc démontrer que le succès du *Cid* a été obtenu grâce à l'approbation des juges les plus méprisables qui soient: le parterre. Or tout l'effort poursuivi depuis que le théâtre est devenu un divertissement de société tend justement à rejeter l'opinion du grand public: "Aussi ne m'étonnai-je pas beaucoup que le peuple, qui porte le jugement dans les yeux, se laisse tromper par celui de tous les sens le plus facile à décevoir".

C'est quand il a constaté que Corneille "se déifiait d'autorité prince" que Scudéry a estimé qu'il ne pouvait "sans injustice et sans lâcheté abandonner la cause commune". La *cause commune,* l'expression est à retenir: la cause de la solidarité des écrivains qui poursuivent leur dur effort pour s'imposer au public de qualité. En clamant qu'il s'abstient de toute brigue, que les autres doivent leur réputation aux sollicitations et aux "ligues", Corneille a bien déserté la cause commune. Corneille n'a peut-être pas dérobé des applaudissements convenus; il a fait pire: il a abusé les honnêtes gens: "Le sujet du *Cid* étant d'un auteur espagnol, si l'invention en était bonne, la gloire en appartiendrait à Guilhem de Castro et non pas à son traducteur français".

Au factum de Mairet qui ne cherche pas à discuter et dont la violence fait la seule force, Corneille répond sur le même ton: injures d'homme à homme. Mairet n'est qu'un "jeune jouvencel" (il est pourtant son aîné de deux ans) et Paris entier "l'envoie au diable et sa muse au bordel". L'époque sans doute n'a pas la pudeur des mots et les *Historiettes* attestent la verdeur du langage pratiqué en dehors des ruelles; il n'empêche que le dernier trait décoché par Corneille, qui se réfère à la polissonnerie des *Galanteries du comte d'Ossonne*, poursuit un but précis: rappeler aux salons que ce Mairet n'est pas digne de leur estime, qu'il a donné dans la gauloiserie et manqué à la règle élémentaire des bienséances (or c'est au nom des bienséances d'abord qu'on attaque *le Cid*). L'affront n'est pas gratuit, injure échappée à la plume d'un polémiste exaspéré. La manœuvre est au contraire fort bien calculée: par un seul mot, Corneille cherche à ruiner la position mondaine de son adversaire.

Corneille répond à Scudéry par sa *Lettre apologétique*, qui semble refuser le débat: elle ne discute aucune des critiques motivées qui ont été formulées dans les *Observations*. Dérobade d'auteur embarrassé? affectation de dédain? Non pas. Corneille évite de suivre Scudéry sur le terrain choisi par l'adversaire parce qu'il a bien perçu l'intention qui inspire les *Observations* et que dissimulent les objections dogmatiques. Bien loin d'user d'un faux fuyant, il va droit au cœur du débat. Scudéry a renvoyé *le Cid* aux vils applaudissements du parterre: "Ne vous êtes-vous pas souvenu que *le Cid* a été représenté trois fois au Louvre, et deux fois à l'Hôtel de Richelieu? Quand vous avez traité la pauvre Chimène d'impudique, de prostituée, de parricide, de monstre, vous ne vous êtes pas souvenu que la Reine, les princesses, et les plus vertueuses Dames de la Cour et de Paris l'ont reçue et caressée en fille d'honneur".

Les deux réponses de Corneille sont inspirées par le même souci: en renvoyant la muse de Mairet au "bordel", en invoquant contre Scudéry le patronage de la reine et de la Cour, Corneille défend autant les mérites dramatiques de sa pièce que la *qualité* de la renommée qu'il s'est acquise, et qu'il s'est acquise *seul*, la place exceptionnelle qu'il est en train de se faire, lui, petit bourgeois rouennais et rimeur de profession, dans la haute société[39].

Derrière Aristote, Scaliger et Heinsius, derrière la dissection des vers et les références à l'auteur espagnol, tous ces pamphlets mettent en cause la position de l'écrivain davantage que la valeur de l'œuvre. La *Lettre à xxx sous le nom d'Ariste* est aussi violente que le factum de Mairet et elle reprend le même thème: Corneille est un "pauvre esprit qui veut paraître admirable et se rend ridicule à tout le monde"; sa renommée est usurpée: il doit sa *Médée* à Sénèque; ses comédies sont des *farces*, justiciables donc du seul parterre. Lorsqu'il se retourne contre Claveret, Corneille s'en prend à son honorabilité; ce Claveret qui "n'a jamais prétendu au-delà de sommelier dans une médiocre maison"; et il ajoute: "J'estime ceux qui, comme lui, s'efforcent de se tirer de la boue". A l'intention de Mairet, cette gentillesse: "On vous envoiera dans les offices vous saoûler de cette viande délicate pour qui vous avez tant d'appétit". A Scudéry, moins violemment, mais le souci de détruire une réputation reste le même: "Je verrai avec mes amis si ce que votre libelle vous a laissé de réputation vaut que j'achève de la ruiner".

A travers la valeur du poète dramatique, c'est toujours le crédit de l'homme qui est en cause: fausse gloire, ridicule, débauche, goinfrerie, naissance infamante. Cette partie de la Querelle, sous des apparences dogmatiques, illustre l'âpreté de la lutte que se livrent les gens de théâtre pour obtenir, avec l'approbation des gens de qualité, leur droit de cité dans la bonne société.

Le tournant de la Querelle est pris, en juin, avec la *Lettre de M. de Scudéry à l'Illustre Académie* et l'entrée en scène de Richelieu. Le recours à l'Académie va faire passer les débats du champ clos où s'insultent les auteurs qui, pour l'occasion, s'improvisent juges en matière dramatique, aux délibérations des doctes, les critiques professionnels.

Devant la tournure prise par la Querelle, Richelieu a fini par intervenir. Mairet en est venu à clamer son intention d'aller à Rouen pour affronter son adversaire; Scarron a prévenu Corneille que "cinquante coups de bâton bien appliqués" seraient "la véritable suite du *Cid*". Le 5 octobre, d'ordre de son Eminence, Boisrobert écrit à Mairet sans ambiguïté: "Tant que (son Eminence) n'a connu dans les écrits des uns et des autres que des contestations d'esprit agréables et des railleries innocentes, je vous avoue qu'Elle a pris bonne part au divertissement. Mais quand Elle a reconnu que dans ces contestations naissaient enfin des injures, des outrages et des menaces, Elle a pris aussitôt la résolution d'en arrêter le cours. Elle m'a commandé de vous écrire que, si vous voulez bien avoir la continuation de ses bonnes grâces, vous mettiez vos injures sous le pied et vous ne vous souveniez plus que de votre ancienne amitié". Corneille a été pareillement semoncé. Richelieu a "commandé" à Boisrobert de lui "remontrer le tort qu'il se faisait et de lui défendre de sa part de ne plus faire de réponse s'il ne voulait lui déplaire".

Les outrages, les menaces sont bien faits pour irriter un ministre soucieux d'ordre, qui porte un intérêt particulier aux gens de lettres qui sont plus ou moins (Corneille fait partie de la Société des Cinq) de sa domesticité. Pour Richelieu, le cas Corneille se trouve, depuis juin, entre les mains de l'Académie. Le jugement attendu ne doit pas être rendu dans cette atmosphère de "querelle de crocheteurs".

Des sentiments et des intentions du Cardinal, on a longuement débattu et il est inutile de reprendre les pièces d'un dossier qui a déjà été retourné en tous sens[40]. A y bien regarder pourtant, on détermine de façon précise comment est alors conçu l'exercice de la critique dramatique.

Il est sûr que le Cardinal a apprécié la pièce en sa nouveauté: les faveurs dont Corneille est l'objet n'ont pu être concédées sans son approbation[41]. Que Richelieu se soit égayé au pitoyable spectacle de la parodie montée par Boisrobert (" – Rodrigue, as-tu du cœur? – Je n'ai que du carreau") et interprétée par des laquais et des marmitons, ne révèle pas du tout chez lui une volonté systématique de dérision. Il entre dans les fonctions de Boisrobert de fournir à un Cardinal surmené quelques divertissements. Secrétaire autant que factotum, Boisrobert doit en effet s'appliquer à dérider l'Eminence dont Tallemant écrit: "Il lui prenait assez souvent des mélancolies si fortes qu'il envoyait chercher Boisrobert et les autres qui pouvaient le divertir, et il leur disait: – "Réjouissez-moi, si vous en avez le secret". Alors chacun bouffonnait, et quand il était soulagé, il se remettait aux affaires" (*Le Cardinal de Richelieu*).

Il ne devait pas être facile tous les jours de dérider le Cardinal, qui s'impatientait: "Ah! mon Dieu! le méchant bouffon! mais ne sauriez-vous me faire rire? ", et qui, "quand il était las de Boisrobert et de tous les autres divertissements", faisait quérir un autre amuseur, comme M. de Belay, c'est-à-dire Camus (*M. de Belay*). Pour obtenir que le Cardinal se détende, on fait feu de tout bois et les plus fines plaisanteries ne sont pas les plus efficaces: celles qui sont scatologiques semblent avoir été les plus appréciées; qu'on se reporte, chez Tallemant, aux anecdotes relatives à *M. Servient* (qui "pissait partout") ou au colonel Hailbrun qui, se sentant "pressé", s'en va "déposer son paquet" dans l'allée d'une maison bourgeoise, – conte "dont Boisrobert divertit son Eminence" (*Richelieu*). La parodie du *Cid* est un divertissement entre cent autres. Richelieu a fort bien pu apprécier le chef d'œuvre et prendre plaisir à la bouffonnerie de Boisrobert.

C'est encore Boisrobert qui informe le Cardinal sur le développement de la Querelle, et toujours dans la même intention: "Je vous avoue qu'Elle a pris bonne part au divertissement", écrit-il à Mairet. L. Batiffol a montré que l'année 1637 a été, pour Richelieu, une des plus pénibles de son ministère, qu'il a été le plus souvent absent de Paris. Richelieu n'a certainement pas eu le loisir de suivre le débat jour après jour. L'idée qu'il s'est faite de la contestation doit donc beaucoup à la présentation que lui en a faite Boisrobert. Serait-ce donc celui-là qui a amené le Cardinal à considérer d'un œil sévère une pièce qu'il avait d'abord applaudie? Il faudrait, pour y voir clair, connaître l'état exact des relations entre Corneille et l'abbé. A défaut de textes précis, on peut au moins déterminer un degré de vraisemblance.

Pour les gens de lettres, le rôle joué par Boisrobert auprès du Cardinal est essentiel[42]. Boisrobert est obligeant et les faveurs du ministre passent par son entremise. Mais il est aussi bien placé pour nuire à un confrère: "S'il a servi bien des gens, il a bien nui aussi à quelques-uns". Tallemant raconte comment, lisant au Cardinal, dans les *Remarques de Costart sur les Odes de Godeau et de Chapelain*, un passage où l'auteur loue fort une pièce écrite en hommage à Richelieu, Boisrobert attribue sciemment à Marbeuf une pièce qui est en réalité de Desmarets; comment Boisrobert, s'étant plaint au Cardinal de la tenue de ses gardes au théâtre, s'en va déclarer à ces gardes que c'est Desmarets qui les a dénigrés.

L'abbé n'est ni l'"âme damnée" du Cardinal, ni une sorte d'officieux Secrétaire d'Etat aux Arts et Lettres. Mais il dispose de mille moyens d'exercer une influence: en rapportant un propos (ou en le taisant), en caviardant un texte, en manipulant un dossier. Il est décidément très tentant de penser que c'est lui qui, par de petites calomnies de bouche à oreille, a provoqué le changement d'attitude du Cardinal.

S'il en est ainsi, en quoi le comportement de Corneille a-t-il pu irriter l'abbé? Boisrobert a collaboré avec Corneille au sein de la Société des Cinq. Au moment du *Cid*, Corneille n'a pas encore rompu avec le groupe, mais il a donné, en 1635, de fâcheuses marques d'indépendance aux yeux de celui qui, servant d'intermédiaire entre l'Eminence et ses auteurs, a pour souci essentiel de donner à son maître le sentiment que ses instructions sont exécutées sans à-coups. Au surplus Boisrobert est auteur lui-même: la jalousie que l'on a si souvent prêtée au Cardinal n'est peut-être rien d'autre que le reflet de celle de son secrétaire. On sait enfin que Boisrobert est hostile à l'hôtel de Liancourt dont Corneille est le familier.

Mais il faut revenir à la dénonciation par Corneille des menus services confraternels. Boisrobert, précisément, est célèbre par l'obligeance qu'il apporte à servir les collègues: "Boisrobert, bien établi chez le cardinal de Richelieu, se mit, car il est officieux, à servir tous ceux qu'il pouvait". "Il s'appelle, en je ne sais quelle épître imprimée, solliciteur des Muses affligées". Il envoyait souvent la pension à ces pauvres diables d'auteurs, et à loisir il se remboursait (Tallemant, *Boisrobert*). Il tient à lire personnellement au Cardinal le *Panégyrique* dans lequel Gombault loue l'Eminence: il passe la nuit à attendre le moment où le Cardinal voudra prendre connaissance du *Panégyrique* pour que la lecture n'en soit pas faite par le garçon apothicaire qui couche dans la chambre de Richelieu. Dans *la Précieuse* (I, 136–137), l'abbé de Pure insiste sur cette obligeance de Boisrobert: après qu'on a loué ses comédies, Eulalie ajoute: "Il est incomparable: il a rendu tant d'offices à tous ses amis que je puis dire que lui seul pouvait se vanter de faire plus de créatures à son maître que tout le reste de sa maison ensemble".

Boisrobert, en somme, est au centre des mille manœuvres qui ont pour but d'obtenir des faveurs, au centre de ces "brigues" dont Corneille se flatte si hautement de s'être affranchi.

De plus, quel est l'adversaire le plus violemment pris à parti par Corneille? Mairet, qui doit tant à Boisrobert. Boisrobert a consenti à oublier que Mairet a naguère bafoué ses pièces de théâtre et il est intervenu de façon pressante auprès du Cardinal en faveur du poète plongé dans la misère: le Cardinal a accordé 200 écus et Mairet s'est "mis à genoux" devant l'abbé (*Boisrobert*). Celui que Corneille malmène si brutalement est ainsi un protégé privilégié de Boisrobert et il fournit un exemple éclatant de ce que peut "la brigue".

Parmi ceux qui s'indignent des déclarations de Corneille, Boisrobert est donc sans doute le plus touché. Et dans les rapports qu'il présente à Richelieu sur le développement de la Querelle, la part belle a dû être faite au groupe de Mairet; Boisrobert doit être pour beaucoup dans l'évolution de Richelieu à l'égard du *Cid*.

Bien avant que le Cardinal ait fait enjoindre à Mairet de se tenir tranquille, l'Académie a été saisie de l'affaire, Scudéry l'ayant prise pour arbitre. Scudéry a-t-il agi de sa propre initiative? Y a-t-il été incité par le Cardinal? [43]. Ce qui est sûr, c'est que l'Académie est peuplée de créatures de Boisrobert: "Quand on fit l'Académie, Boisrobert y mit bien des passe-volants. On les appelait les enfants de la pitié de Boisrobert" (*Colletet*). S'il ne l'a pas lui-même suggérée, Boisrobert n'a certainement pas été hostile à l'idée d'un recours à l'Académie au sein de laquelle il compte tant d'obligés.

La lettre de Scudéry confirme que la contestation dramatique n'est qu'un aspect de la contestation qui s'établit autour des mérites acquis pour obtenir les faveurs de la bonne société. Le ton est donné dès la première phrase: "Puisque M. de Corneille m'ôte le masque, et qu'il veut que l'on me connaisse, j'ai trop accoutumé de *paraître parmi les personnes de qualité pour pouvoir encore me cacher*". "Mon nom, que *d'assez honnêtes gens* ont porté devant moi, ne me fera jamais rougir". Avant de disserter sur les règles ou les bienséances, il importe de faire sonner bien haut quels titres personnels, et autres que dramatiques, on possède à mériter l'estime de gens bien nés.

On s'est gaussé souvent de ces métaphores militaires dont Scudéry a orné sa Lettre: "mais comme il n'est pas glorieux de frapper un ennemi que nous avons jeté par terre...", "je l'attaque, il doit se défendre...", "soit qu'il m'attaque en soldat, maintenant qu'il est obligé de l'être...". Il est facile ici d'évoquer Matamore. Mais c'est ne pas voir que ces formules constituent autant d'allusions aux titres dont Scudéry, avide de se distinguer de la foule des rimeurs, se pare en tous lieux; ses titres de gloire militaire, infiniment plus capables d'en imposer, dans la société qu'il fréquente, qu'un succès remporté à l'Hôtel de Bourgogne. Il ne cesse d'évoquer ses exploits, l'action décisive qu'il a menée lors de la journée du Pas de Suse (1629): "j'ai usé plus de mèches en arquebuse qu'en chandelles et je sais mieux quarrer les bataillons que les périodes". Le rappel des faits d'armes a pour but de mettre toute la distance qui convient entre un gentilhomme d'épée et un robin de Rouen, fût-il auteur du *Cid*.

Dans sa Lettre, Scudéry ne perd pas de vue l'essentiel: cette affirmation que Corneille "ne doit qu'à lui seul toute sa renommée". Cette renommée dont Corneille s'octroie l'unique mérite, il la doit à G. De Castro. Il la doit aux corrections qu'il a apportées à sa pièce sur le conseil "de trois ou quatre de cette Compagnie". Il la doit enfin à ces "agréables trompeurs qui la représentaient", les comédiens qui, par leur talent, ont fait en sorte que "*le Cid* imprimé n'était plus *le Cid* que l'on a cru voir". Première apparition d'un argument qui sera indéfiniment repris par les critiques de toutes les époques lorsqu'il s'agit d'expliquer le succès d'un auteur par l'excellence des interprètes.

La Lettre l'établit de façon incontestable: Scudéry entend prouver que ses *Observations* constituent un judicieux document de critique dramatique; mais surtout que les titres de Corneille à l'estime de la bonne société sont douteux et que sa prétention à être le seul artisan de son succès est une imposture.

Le 16 juin, l'Académie désigne trois commissaires: Bourzey, Desmarets et Chapelain. Corneille a fini par se résigner à cet arbitrage: sa lettre du 13 juin à Boisrobert frise la désinvolture: "MM. de l'Académie peuvent faire ce qu'il leur plaira; puisque vous m'écrivez que Monseigneur serait bien aise d'en voir le jugement, et que cela doit divertir son Eminence, je n'ai plus rien à dire".

Les Académiciens ne sont guère empressés. Gombault et Chapelain ont clairement exprimé leur réserve, Chapelain surtout qui va se trouver au centre du débat. Aussi convient-il de déterminer avec précision la position, sociale autant que littéraire, de Chapelain en 1637, ses obligations autant que ses goûts du moment.

Chapelain a 42 ans. Et, pour imaginer l'homme, il faut faire abstraction des sarcasmes dont l'ont abreuvé Boileau, les auteurs du *Chapelain décoiffé*. Rien n'est plus irritant que le ton sur lequel des générations de commentateurs l'ont pris de haut avec "le pauvre Chapelain" et lui ont reproché sa myopie de critique qui a *manqué le Cid*[44]. Comme si Chapelain avait bénéficié de trois siècles d'enseignement appliqué à l'exaltation de Corneille[45].

Chapelain a des ridicules, ou plutôt des travers. Il est aisé de glaner dans les *Historiettes* les particularités qui font de lui un grotesque et un cuistre malpropre: "Vêtu comme un maquereau", portant toujours "les plus ridicules bottes du monde" et un justaucorps qui donnait à penser "que c'était un vieux cotillon de sa sœur". Et encore: "laid de visage", "crachottant toujours", bavant "comme une vieille putain", tirant des "mouchoirs si noirs que cela faisait mal au cœur" (*Chapelain*). Gesticulant "comme un possédé" (*Croisilles*); courant toujours "après un petit bénéfice de cent francs", mais se refusant à "faire la dépense d'une chaise" et à rien donner aux enfants de sa sœur pour leur mariage (*Chapelain*). Pour couronner le tout, insupportable pédant: une femme ayant coupé la tête de son fils, Chapelain va chercher "tous les exemples de l'Antiquité" qui peuvent illustrer un pareil geste. Le moyen de s'étonner qu'un aussi pitoyable individu soit resté insensible aux sublimes beautés du chef d'œuvre?

Chapelain est donc fort peu soigné de sa personne. Mais il serait équitable de rapprocher les traits rapportés sur son compte de ceux, aussi peu ragoûtants, qui concernent d'illustres personnages du même temps. Il faudrait surtout se demander à la suite de quelle aberration, dans les cercles les plus choisis, ce cuistre rapiécé a pu faire excellente figure.

Le reproche de ladrerie doit davantage retenir. Il est exactement celui dont on a accablé Corneille, accusé de déchoir en "vendant" ses pièces. Grief qui prend tout son sens si l'on pense que la haute société, fondée sur la naissance et la gloire, éprouve pour l'argent un souverain mépris. Or Chapelain et Corneille sont deux représentants typiques de cette petite bourgeoisie qui ne partage pas ce préjugé réservé aux gens bien nés.

Comme Corneille, Chapelain est un remarquable exemple de promotion sociale. Il est le fils d'un notaire qui, à sa mort, ne lui laisse, à 19 ans, aucun moyen de faire carrière. Aussi, pendant dix-sept ans, Chapelain a-t-il consciencieusement, pesamment si l'on veut, été l'intendant du marquis de la Trousse, dont il a aussi élevé les enfants. Cette longue période, il l'a agrémentée par l'étude des Anciens, des Italiens, des auteurs français. Ses connaissances sont, pour l'époque, à peu près universelles; elles s'étendent aux sciences et aux lettres et le réseau de ses correspondants couvre l'Europe entière.

Le pas définitif de cette difficile ascension est franchi lorsque, par l'intermédiaire des Arnault, Chapelain est admis à l'Hôtel de Rambouillet, vers 1627. Il y est accueilli comme un érudit; il a traduit *Don Guzman d'Alfarache*, donné à l'*Adone* de Marino une préface qui fait autorité. Nul ne le considère comme un pédant; de son côté il s'efforce de jouer à l'honnête homme et au poète. Dans le *Cyrus*, il est Aristhée: "Je ne pense pas qu'on puisse trouver un esprit plus éclairé, plus grand ni plus élevé, ni dont le savoir ne soit plus universel que le sien. Il parle de la poésie comme s'il avait instruit les Muses au lieu d'avoir été instruit par elles". Assurément, cette réputation de maître des Muses, qui débouche sur l'illisible *Pucelle*, rend à la postérité l'ironie facile.

Il y a chez lui moins du cuistre que de l'esprit dogmatique. Longtemps il a enseigné les enfants du marquis de la Trousse: dans les jugements qu'il porte à l'intention des gens du monde, on retrouve constamment le souci de l'efficacité pédagogique, de la netteté qui s'appuie sur des principes solides. Une de ses formules préférées est celle que l'on trouve dans sa Lettre à Godeau sur les 24 heures: "Je pose pour fondement que...". Il s'est constitué un corps de doctrine littéraire qui est rigoureux et d'un maniement facile: aussi ses principes sont-ils aisément adoptés dans les milieux qu'il fréquente et qui sont avides de disposer d'un système de références universel. Un système qui est, à peu de chose près, celui que reprendra Boileau et qui fera la gloire de *l'Art Poétique*.

Chapelain est accueilli avec faveur dans les salons vers les années 1630; sa situation sociale reste pourtant instable: lorsque, en 1632, il quitte le service du marquis de la Trousse, il se retrouve sans emploi. C'est le jeu des irremplaçables relations mondaines qui le tire d'embarras. Il est lié à du Tremblay, le frère du fameux P. Joseph, et par l'intermédiaire de l'Eminence grise, il tente d'obtenir le secrétariat à l'ambassade de Rome près de Noailles. Dans une lettre à du Tramblay, il s'offre sans équivoque: à Rome, il se placera dans la "dépendance absolue de Mgr le Cardinal et des siens". Fausse manœuvre: il se révèle bientôt que le poste se réduirait à des fonctions de secrétariat privé, ce dont Chapelain ne saurait se contenter; il refuse. Chapelain fait ici l'expérience des embûches dont est semée la route qu'il emprunte: sa déclaration d'allégeance au Cardinal s'est retournée contre lui. Il est en effet probable que, dans cette restriction apportée à l'office du secrétariat romain, il faut voir une précaution de Noailles: l'ambassadeur a pressenti que Chapelain ne serait auprès de lui qu'un agent du Cardinal et il s'applique à décourager le candidat. Comble d'infortune: cet échec lui vaut l'irritation du P. Joseph qui espérait avoir un homme à lui à l'ambassade. Pendant trois mois, Chapelain n'ose plus de présenter devant l'Eminence grise (Lettre au P. Joseph, 18 juin 1633).

En 1633, Chapelain est donc bien l'oracle des salons. Mais il est surtout un oracle sans emploi, empêtré dans les coteries politiques qui s'agitent autour du Cardinal. Et, tout autant que le souci de défendre les unités, c'est celui d'affermir sa position qui détermine son action.

En 1632, miser sur Richelieu n'est pas une opération aussi sûre qu'il nous paraît aujourd'hui. Connaissant la fin de l'histoire, nous savons que la toute-puissance du Cardinal ira s'affermissant jusqu'à sa mort; il semble donc tout naturel qu'un homme soucieux de faire carrière s'attache à Richelieu. Mais en 1632, les séquelles de la Journée des Dupes ne sont pas effacées: au milieu de l'année, Gaston d'Orléans bat la campagne à la tête des troupes rebelles. Quand, à la fin de 1632, Richelieu passe à Cadillac, chez le duc d'Epernon, sa méfiance est si grande qu'il n'y prend "qu'un bouillon qui n'était pas de la cuisine de M. d'Epernon". Dans l'entourage de l'irréductible Reine, on espère fermement que l'apostume qui retient l'Eminence à la chambre finira par l'emporter. La fortune du Cardinal est constamment remise en jeu. Pour Chapelain, en 1632, c'est bien d'un pari sur l'avenir qu'il s'agit.

Optant pour Richelieu, Chapelain joue bien. Ici encore, on retrouve l'irremplaçable Boisrobert. A la fin de 1632, Granier de Mauléon[46] demande à l'oracle Chapelain son avis sur *l'Histoire des Guerres de Flandre* du cardinal Bentivoglio; Chapelain répond, avec son application habituelle, par une dissertation où il déplore que Bentivoglio n'ait pas davantage porté de jugements sur les événements qu'il rapporte. Dissertation très appréciée. Fidèle à son rôle d'informateur littéraire, Boisrobert en donne lecture au Cardinal, qui manifeste son désaccord sur la thèse soutenue par Chapelain (sans doute l'Eminence n'apprécie-t-elle guère cette revendication du droit de juger pour l'historien). Le très réel mérite de Chapelain est d'avoir alors, contre les observations de Richelieu, maintenu son point de vue (à Boisrobert, 9 mai 1633)[47].

En même temps, l'oracle polit son *Ode à Richelieu.* Le Cardinal en fait une lecture minutieuse, approuve l'ensemble, suggère quelques corrections. L'*Ode* est une nouvelle manifestation des efforts tentés par Chapelain pour sortir du provisoire et attacher son destin à celui du ministre.

Ces offres de services répétées trouvent enfin leur récompense. Une nouvelle fois Boisrobert intervient: "Boisrobert le servit auprès du Cardinal, qui croyait lui être obligé à cause de son *Ode*" (*Chapelain*). Le Cardinal décide de s'attacher Chapelain. Les jeux sont faits désormais: dès le mois de mai, Chapelain "appartient" au Cardinal, mais sans appointements. La gratification viendra un peu plus tard, mais elle est renouvelable, donc révocable. Elle n'est transformée en "pension" qu'en décembre 1636.

L'homme auquel il revient, en 1637, de porter un jugement sur *le Cid* est donc certes un homme "arrivé": il se trouve officiellement dans le sillage du tout-puissant ministre; il fait partie de la Société des Cinq; ses revenus sont assurés. Mais ne commettons pas l'erreur de croire que tout est réglé et surtout que Chapelain s'est définitivement imposé au Cardinal et accède librement à son cabinet. Boisrobert, constamment, s'interpose entre Richelieu et lui.

Dans les positions que Chapelain est amené à prendre à propos du *Cid,* ce qui domine, c'est donc le souci de défendre une situation si malaisément et si récemment acquise. Non pas par l'effet d'une honteuse servilité, comme on l'a dit trop souvent, mais bien parce que Chapelain, pas plus que Corneille, ne peut songer, compte tenu des conditions sociales de l'époque, à jouer les Héliodores qui préfèrent perdre leur évêché plutôt que leur livre. A l'époque du *Cid,* Richelieu lit quelques parties de *la Pucelle;* il désigne personnellement les passages qu'il juge défectueux. Et Chapelain exprime, par une lettre à Boisrobert (et l'on devine quel est le véritable destinataire), la joie qu'il a éprouvée devant ces "précieux caractères" (27 janvier 1637).

Le comportement de Chapelain est entièrement déterminé par la nécessité de respecter les règles du "système". A son tour il se fait ami officieux: il signale à Boisrobert les cas d'hommes de lettres en détresse; il fait rétablir une demi-pension à Gombault (lettre du 26 octobre 1633), à Vaugelas. Toute sa critique est, de même, commandée autant par le souci de fidélité à une doctrine désormais solidement élaborée que par la crainte de compromettre sa place: c'est-à-dire par le désir de ne mécontenter personne. La besogne est malaisée dans un monde plein de susceptibilités personnelles, de subtils jeux d'influences, dans lequel une querelle de rimeurs débouche inévitablement sur la mise en cause des protecteurs attitrés des poètes. Aussi Chapelain déploie-t-il toutes les ressources de la prudence et de la diplomatie; il se fait indulgent, louangeur jusqu'à l'hyperbole: "l'excuseur de toutes fautes", selon Voiture. Dans le développement de cette délicate stratégie, le code des règles se révèle une fois de plus un instrument d'un maniement remarquablement approprié: quand Chapelain porte un jugement, ce n'est pas lui qui condamne ou qui loue, c'est Aristote, ou Scaliger, ou Castelvetro. Sa responsabilité personnelle s'efface derrière ces autorités reconnues. Et le verdict découle automatiquement de ce postulat d'une simplicité rassurante: une œuvre conforme aux prescriptions ne peut pas ne pas être un chef d'œuvre.

L'action de Chapelain est constamment inspirée par la peur de voir mis en cause son magistère, donc sa position sociale. Tallemant le considère comme "un des plus grands cabaleurs du royaume", mais non un cabaleur agressif qui trouverait son plaisir à ruiner les réputations. La suite du texte de Tallemant le précise bien: "il a toujours une douzaine de cours à faire". Il se méfie de la "mordacité" de Ménage, qu'il craint "comme le feu"; aussi ne manque-t-il pas une fois "d'aller à son académie"; il rend aussi visite "bien soigneusement" au "petit Boileau". Le trait le plus cruel décoché à Chapelain par Tallemant est en fin de compte celui-ci: "Pour Chapelain, il n'est pas persuadé de Pellisson; mais il le sera à cette heure que l'autre est bien avec le surintendant Fouquet" *(Conrart).*

On ne doit donc pas imaginer un Chapelain sûr de lui, ravi d'être pris une fois encore pour arbitre. En ce mois de juin 1637, Chapelain est un homme profondément embarrassé, qui se trouve, bien malgré lui, engagé dans une affaire où il pressent qu'il y a plus de coups que d'éloges à recevoir. Et Corneille vient, en face de Mairet et de Scudéry, de faire la preuve qu'il manie la plume sans souci des convenances et de l'entregent. Le jugement porté par le critique sur *le Cid* semble inspiré par la volonté d'appliquer à l'œuvre le code des Réguliers. Et c'est bien en effet au nom d'Aristote, des unités, des bienséances, qu'il est rendu. Mais les composantes de ce verdict viennent d'ailleurs.

Il y a, d'abord, Richelieu. Chapelain lui "appartient". Mais cette situation est constamment révocable et bien des progrès restent encore à faire de ce côté-là. C'est en 1640 seulement que Richelieu songera à Chapelain pour les fonctions de secrétaire auprès de Mazarin qui va négocier la paix générale à Cologne.

Il y a ces salons, dont Chapelain est l'oracle et dont les familiers ont bruyamment applaudi *le Cid.*

Il y a, sous la houlette de Boisrobert, la coterie des confrères: les Mairet, les Scudéry, les Colletet, qui ont commis l'erreur de soulever cet intempestif tumulte et qui exigent maintenant (sur quel ton!), au nom de la solidarité du groupe, que l'on tranche en leur faveur.

Il y a Corneille, esprit sans nuances, qui a maladroitement et bruyamment dénoncé ce que tout le monde admet tacitement et dont chacun profite: la "brigue", les "ligues".

Il y a enfin la position doctrinale de Chapelain, celle sur laquelle il s'est appuyé, depuis une dizaine d'années, pour s'imposer dans la société: les règles, et rien que les règles. Par-delà les éclats soulevés autour de l'œuvre, une seule question se pose: *le Cid* est-il conforme, oui ou non? C'est Aristote qui se prononcera.

Les sentiments de Chapelain sont exprimés avec précision dans sa lettre à Balzac du 13 juin: "Dieu veuille que nous en sortions plus à notre honneur que ceux qui nous ont rendus juges souverains et réguliers par leur déférence". En d'autres termes, Scudéry est un sot d'en avoir appelé à l'Académie qu'il oblige ainsi à prendre parti. La position d'oracle a de ces servitudes et de ces retours de fortune.

Chapelain aurait souhaité être sollicité, mais sans risque et de manière à paraître une fois encore sous les traits de l'ami officieux et efficace. Alors que le succès du *Cid* n'a pas encore dégénéré en Querelle, Mlle Paulet l'a prié d'intervenir auprès de Desmarets. Dans *les Visionnaires,* Scudéry a en effet relevé quelques vers qui le choquent. Le 15 février, Chapelain rassure sa correspondante: "Suivant vos ordres", écrit-il, il a vu Desmarets et obtenu gain de cause. Il a aussi fait retrancher un passage dans lequel Desmarets, ironiquement, déclarait préférer *le Cid* à sa propre *Aspasie.* Intervention heureusement équilibrée, et Chapelain ajoute que, "en cette matière de préférence du *Cid* à *l'Aspasie*", il se "garderait bien de donner un arrêt". Chapelain n'oublie pas qu'*Aspasie* a été patronnée par le Cardinal. Le 6 mars, à Balzac il fait part de ses craintes à mots couverts: il espère se rendre "aimable compositeur entre les gens qui font profession de lettres et ceux qui ne leur ressemblent pas en tout". L'allusion vise ceux qui s'empoignent autour du *Cid;* et la formule "ceux qui ne ressemblent pas en tout" aux gens de lettres doit désigner Corneille qui, par les excès que l'on sait, a faussé les règles du jeu qui se pratique entre auteurs.

Quels pouvaient être les sentiments *personnels* de Chapelain à l'égard du *Cid* quand il est appelé à présenter un rapport sur la pièce?

Au contraire de Boisrobert, de Mairet, de Scudéry, Chapelain n'est pas auteur dramatique lui-même. C'est en matière de poésie qu'il est orfèvre et que ses arrêts sont le plus écoutés. Il n'a donc pas (comme Scudéry, qui oppose au *Cid* son *Amant libéral*) à défendre une œuvre personnelle contre le succès d'un rival. Mais il n'a, des expériences propres à la scène, aucune expérience directe. Lacune fâcheuse pour un homme appelé à se prononcer sur une pièce dont les vertus sont éminemment dramatique. Chapelain ne s'en trouvera que plus à l'aise pour passer la tragédie au crible de son code, sans songer à tenir compte de l'optique particulière au théâtre.

A l'égard de Corneille lui-même, Chapelain ne doit éprouver que des sentiments réservés, si l'on en juge par son attitude lorsqu'il a été sollicité par l'auteur du *Cid* en vue de faire parvenir la pièce à Balzac. A celui-ci, le 1er avril, Chapelain écrit: "Ne sachant si vous vouliez être engagé à lui répondre, je reçus sa proposition avec une manière de civilité qui l'en pourrait bien avoir diverti, car il m'a vu depuis et il ne m'en a point reparlé". Ce qui signifie que, invité à rendre à Corneille un service aussi courant que celui d'une lettre d'introduction, Chapelain s'est offert le plaisir de décourager ce poète qui dénonce si haut les manœuvres de la "brigue".

Les véritables *sentiments* de Chapelain sont exprimés dans sa lettre à Balzac du 13 juin, écrite au moment où l'Académie est saisie: "J'apprends avec plaisir que *le Cid* ait fait en vous l'effet qu'en tout notre monde. La matière, les beaux sentiments que l'Espagnol lui avait donnés et les ornements qu'a ajoutés notre poète français ont mérité l'applaudissement du peuple et de la Cour, qui n'étaient point encore accoutumés à de telles délicatesses". Dans ce genre de lettres, qui n'ont qu'en apparence un caractère personnel, tous les termes sont calculés. Chapelain confirme le succès de la pièce: il constate une évidence. Mais c'est au poète espagnol que revient le mérite de la matière (le sujet, l'intrigue) et des "beaux sentiments"; à Corneille celui des seuls "ornements". Chapelain s'oppose ainsi à la thèse défendue par Scudéry et Mairet: il est loin de voir en Corneille un simple traducteur. Mais de ces "ornements", quelle est la valeur?

> Il est bien vrai, entre nous, que *le Cid* est bien heureux d'avoir été traité par un Français, et en France, où la finesse de la poésie au théâtre n'est point encore connue. En Italie, il eût passé pour barbare et il n'y a point d'Académie qui ne l'eût banni des confins de sa juridiction.

Voilà qui réduit fort la part des éloges: l'auteur n'aurait pas été applaudi en Italie (qui, pour Chapelain, représente la finesse du goût le plus sûr), la pièce y eût paru "barbare", c'est-à-dire contraire aux règles et aux bienséances. La virulence en moins, c'est le point de vue même de Scudéry qui, à propos du 3ème acte tant applaudi, affirme que ces manifestations d'enthousiasme ont été le fait de "tous ceux qui ne savent pas discerner le bon or d'avec l'alchimie". "Ce qui a donné beau jeu à M. de Scudéry (...) d'objecter les fautes que vous verrez remarquées dans le volume que je vous envoie, auxquelles le bon Corneille a mal répondu dans la lettre en forme d'apologie qui y est jointe, quoi qu'elle soit verte et que par endroits il y ait montré beaucoup d'esprit". Hommage à Corneille polémiste, mais blâme à l'égard d'un poète qui se refuse à discuter les arguments qu'on lui oppose.

Une fois évanouie l'émotion créée par la représentation, Chapelain a confronté l'œuvre et la doctrine dont il est le champion. Il a lu les *Observations* et constaté que tous les arguments y sont développés sous le patronage d'Aristote, d'Heinsius, ceux-là dont il se réclame lui-même. Il a observé que Scudéry, par le biais de l'épisode de l'Infante, s'en prend à l'absence de l'unité d'action; que les bienséances sont bafouées, alors qu'il a lui-même, Chapelain, affirmé que le souci de réalisme doit le céder à celui de la conformité aux mœurs du siècle *(De la Lecture des Vieux Romans).* Bref, *le Cid* ne correspond pas aux canons dont Chapelain a assuré la diffusion. Même si sa conviction intime l'incitait à se prononcer en faveur de la pièce, il ne le pourrait pas sans paraître se renier lui-même et son enseignement avec lui. La plupart des griefs de Scudéry se trouveront entérinés dans *les Sentiments de l'Académie.*

A Chapelain sont adjoints deux commissaires, Desmarets et Bourzey.

Desmarets est exactement le contemporain de Chapelain et son ami personnel. Il est aussi un esprit très éclectique; sa compétence va de la théologie à l'architecture et à la musique. Auprès du Cardinal, il tient "emploi d'esprit" (Bayle): il revoit ses discours, ses ouvrages de théologie; il s'emploie à le distraire, menaçant ainsi directement les prérogatives de Boisrobert qui, on l'a vu, s'applique à le desservir auprès de l'Eminence. Il est aussi homme de théâtre, ce dont il rend grâces au Cardinal qui a fait jouer son *Aspasie* devant le duc de Parme (19 février 1636): "Quand j'ai fait des comédies, qui n'ont été que très honnêtes, ç'a été par le grand désir que m'en témoigna le cardinal de Richelieu". Il est conseiller du roi, contrôleur de l'extraordinaire des guerres, secrétaire général de la Marine du Levant. C'est sur l'injonction de Son Eminence qu'il a inséré dans *les Visionnaires* une scène où il est débattu de la question des règles. Chapelain a dû intervenir pour que fût effacée, dans cette comédie, l'allusion ironique au *Cid.* Desmarets est auteur dramatique; il est, de plus, parfaitement intégré au "système". Son indulgence pour Corneille connaît ainsi inévitablement des limites étroites.

Quand à Bourzey (né en 1606, il a l'âge de Corneille), la carrière de cet ecclésiastique s'annonce bien. Spécialiste des langues orientales, théologien, prédicateur, il a été l'une des premières personnalités désignées pour l'Académie. Mais ses soucis vont ailleurs qu'à l'application des règles dramatiques: ses sermons suscitent bien des envieux qui, bientôt, réussiront à lui interdire l'accès de la chaire.

Un peu plus tard, en vue de "polir" l'*Examen,* sont appelés à intervenir, entre autres, Gombault, Cérisy, Sirmond. Mais, en dépit des protestations de modestie que Chapelain a multipliées dans sa correspondance pour se confondre prudemment dans l'anonymat de la Compagnie, il est bien l'artisan principal du jugement; c'est sa doctrine qui a inspiré le document et il assure personnellement auprès de Richelieu la défense du texte qui a été élaboré.

Dans la seconde quinzaine de juillet, le Cardinal rejette ce texte. Il le fait sans ménagements, puisque Chapelain, après avoir tenté de plaider en faveur de son *Examen* devant Boisrobert, reprend ensuite sa démonstration dans une longue lettre qui, à travers l'abbé, est destinée au Cardinal. Cette lettre révèle les critiques formulées par Richelieu à l'égard de cette ébauche: fond et forme, tout a été mis en cause.

Quant au fond, Chapelain expose les raisons qui l'ont "obligé de (s') y prendre comme (il a) fait":

> Vous me feriez une singulière grâce de lui (Richelieu) dire qu'estimant ce poème défectueux en ses plus essentielles parties, j'ai cru que le moyen de désabuser ceux que ces fausses beautés ont prévenus, était de témoigner qu'en beaucoup de choses non essentielles, nous ne le croyons pas repris avec justice, et nous montrer favorables à quelques-uns des sentiments de ceux qui n'y trouvaient rien à redire; qu'autrement, si nous lui paraissions contraires en tout, bien qu'aux choses principales nous l'eussions censuré justement, nous passerions dans l'esprit du commun pour partiaux de ses événements et pour juges injustes.

Ce texte parle de lui-même. Bien loin d'avoir, comme le prétend Pellisson, demandé que le texte de Chapelain "jetât quelques fleurs" au *Cid*, le Cardinal a exigé un durcissement. Et c'est là la véritable énigme que pose la Querelle: ce 30 juillet, Richelieu fait preuve contre Corneille d'un acharnement qui ne s'est manifesté nulle part encore. A. Adam affirme que "cette attitude du Ministre ne doit pas nous étonner": elle lui aurait été inspirée par les répugnances de Corneille à soumettre sa pièce à l'Académie et par le "fâcheux esprit d'indiscipline" qu'elles trahissaient, par la probable influence défavorable qu'exerçaient sur lui les Boisrobert et les d'Aubignac[48]. Ces explications ne semblent pas assez fortes pour rendre compte de l'âpreté soudaine du Cardinal. Depuis longtemps, et au sein même de la Compagnie des Cinq, Corneille fait preuve d'esprit d'indépendance. L'hostilité des Boisrobert et des d'Aubignac a dû se donner libre cours dès les premiers jours. On peut certes penser que le peu d'empressement apporté par Corneille à accepter l'arbitrage de l'Académie a été la goutte d'eau qui a fait déborder le vase. L'explication pourtant n'emporte pas tout à fait l'adhésion. Il dut y avoir autre chose. Et dans l'ignorance où l'on se trouve, on risque peu à hasarder une hypothèse.

Corneille a ardemment souhaité que Balzac se prononce sur *le Cid*. Or Balzac a émis un jugement favorable puisque, le 13 juin, Chapelain lui écrit: "J'apprends aussi avec plaisir que *le Cid* ait fait en vous l'effet qu'en tout notre monde". Dans sa lettre à Scudéry (27 août), Balzac justifie par des raisons pertinentes son opinion; il s'abstient des grossièretés qui sont devenues monnaie courante entre les adversaires; il s'exprime avec fermeté, évoque avec une douce ironie les embarras des juges-académiciens ("Je ne doute point que MM. de l'Académie ne se trouvent bien empêchés dans le jugement de votre procès et que, d'un côté, vos raisons ne les ébranlent et de l'autre, l'approbation publique ne les retienne. Je serais en la même peine si j'étais en la même délibération. . ."[49]). Cette lettre résume et reprend tous les arguments que Balzac a dû tenir sur *le Cid*. Tout ermite qu'il soit devenu, Balzac est, pour la société parisienne, un autre oracle[50]. Et cette prise de position, qui élève si nettement le débat, qui va dans le sens même de l'opinion publique, favorable au *Cid*, apporte à Corneille un appui considérable, très capable de contrebalancer le verdict, encore à venir, de l'Académie.

Or depuis longtemps, depuis la parution du *Prince* en particulier (1631), Balzac est tenu par Richelieu pour un personnage inquiétant. Dans sa retraite de Charente (d'où, par ses lettres, il continue à exercer une forte influence sur l'opinion parisienne), Balzac prépare ses épigrammes contre le Cardinal-"Tibère". Pourquoi ne pas penser dès lors que Richelieu s'irrite de trouver encore sur son chemin cet adversaire? qu'il s'irrite de voir le parti du *Cid* se grossir d'un allié de poids? et que, par voie de conséquence, il enjoint à Chapelain de donner à ses attaques plus de mordant?

En tout cas, Chapelain est sommé de reprendre son ébauche. Sa vanité d'auteur doit être profondément affectée par les observations qui concernent son style et qui se reconstituent à partir de sa lettre à Boisrobert. Traduites en termes clairs, les remarques de l'Eminence reprochent à Chapelain d'être lourd et pédant ("grave"). Chapelain, après de longues protestations de modestie ("j'en connais la faiblesse...", "je confesse..."), se justifie: il a toujours pensé que "de tous les styles il n'y avait que le grave dont on pût se servir dans cette occasion, laquelle, nous ayant rendus juges, me semble à nous obliger à fuir les mouvements et les ornements qui font toute l'éloquence de ceux qui attaquent ou qui défendent, et à conserver seulement la force du raisonnement et la netteté de l'expression, pour instruire plutôt que pour plaire...". En dépit de toutes les précautions oratoires dont s'entoure Chapelain ("ce que je ne dis point pour maintenir bon ce que j'ai fait, si Son Eminence juge qu'il soit mauvais..."), il plaide sa propre cause devant son "supérieur et maître en toutes choses" avec une persévérance qui, dans la situation où il est placé, est franchement méritoire.

Sur le fond, et une fois faite la part des inévitables concessions, Chapelain ne cède pas. Tout son raisonnement tend à prouver que cette ébauche désapprouvée par le Cardinal est plus dure qu'il y paraît et que la part des louanges est rendue indispensable si l'on veut se présenter en juge équitable en donnant quelques satisfactions aux partisans de Corneille.

Le mot-clé de cette apologie est celui-ci: il importe de "nous décharger de la haine publique, laquelle autrement nous serait inévitable". Là se manifeste l'obsession de Chapelain tout au long de la Querelle: le succès remporté par *le Cid* heurte en lui le doctrinaire, puisque la pièce ne satisfait pas aux canons qu'il a contribué à imposer. Mais le fait est là, incontestable depuis la création: le public acclame *le Cid*. Et non pas seulement le méprisable parterre, mais tous ces familiers des salons qu'il rencontre chaque jour, auprès desquels il s'est peu à peu accrédité et qui, contre Scudéry, contre Mairet, ont pris le parti de Corneille. Balzac s'est prononcé. Voiture, s'adressant à Julie, parle de ce "grand *Cid* que tout le monde admire", incite Corneille à se moquer de la "jalousie envie":

> Quand le festin agrée à ceux que l'on convie,
> Il importe fort peu qu'il plaise aux cuisiniers.

Chapelain a fait ce qu'il a pu pour échapper à la pression exercée sur lui par le Cardinal. Il a peur de se couvrir de ridicule, de prendre position à contre-courant, en un mot de compromettre son autorité mondaine. "Ce qui m'embarrasse, et avec beaucoup de fondement, est d'avoir à choquer et la Cour et la Ville, et les grands et les petits... Et croyez-moi, Monsieur, qu'il n'y a rien de si odieux et qu'un honnête homme doive éviter davantage, que de reprendre publiquement un ouvrage que la réputation de son auteur ou la bonne fortune de la pièce a fait approuver à chacun... car le moins qu'on en doive attendre est de se voir accueilli de pasquins, de satires et de malédictions, et de défrayer la compagnie..." (A Balzac, 22 août). Et, après la publication des *Sentiments,* quelle insistance à demander à Balzac son opinion sur le jugement rendu par l'Académie! quelle application à répéter qu'il n'est pas seul responsable de l'ouvrage! quelle satisfaction et quel soulagement lorsqu'il reçoit une approbation!

Le texte des *Sentiments* diffère assez peu, au total, du texte primitif. Et il est, dans l'ensemble, fort sévère. Dès le 5 octobre, en même temps qu'il enjoint à Mairet de se tenir coi désormais, Boisrobert, dans une sorte de post-scriptum où il parle cette fois en son nom, s'applique à rassurer son correspondant: "Vous verrez un de ces jours son *Cid* assez malmené par les *Sentiments* de l'Académie".

On connaît les grandes lignes du jugement. Le sujet n'est pas bon, il pèche par son dénouement, il est chargé d'épisodes inutiles; la bienséance y manque en beaucoup de lieux aussi bien que la "bonne disposition du théâtre"; beaucoup de vers sont bas et de façons de parler impures. Voilà pour la partie négative, et elle représente bien certainement l'opinion de Chapelain, tant les attendus du verdict sont conformes à tout ce qu'il a écrit auparavant.

Mais l'intérêt est dans la partie réservée aux éloges. Dans sa correspondance, Chapelain a insisté sur la part qu'il revendique en propre dans l'œuvre collective: l'exorde et la péroraison ("ils sont tous de moi et c'est ce qui me semble de plus solide", à Balzac, 21 février 1638).

L'exorde précise les difficultés que l'on rencontre à hasarder une décision qui peut déplaire (toujours la même hantise); la péroraison est dominée par le souci de justifier la sévérité et de l'équilibrer par la louange. Chapelain a d'abord écrit (texte autographe) ce passage: les adversaires du *Cid* "doivent penser qu'il n'a pas pu plaire si universellement sans avoir beaucoup de choses agréables[51] et qu'il est raisonnable que ceux qui y reconnaissent des défauts les souffrent avec quelque indulgence puisque ces défauts ont eu le bonheur d'agréer au commun (...); le goût de notre peuple n'est pas encore venu à ce point de délicatesse qu'il serait nécessaire pour ne se contenter que de viandes fort exquises et fort bien apprêtées". C'est l'idée même qui est développée dans la lettre à Balzac (pièce "barbare" que rejetterait une Académie italienne): le succès du *Cid* s'explique par le manque de discernement du public.

Dans la version définitive, la même thèse se complète de ces considérations: "Les passions violentes bien exprimées font souvent en ceux qui les voient une partie de l'effet qu'elles font en ceux qui les ressentent véritablement. Elles ôtent à tous la liberté de l'esprit et font que les uns se plaisent à représenter les fautes que les autres se plaisent à commettre. Ce sont ces puissants mouvements qui ont tiré des spectateurs du *Cid* cette grande approbation, qui doivent aussi la faire excuser. L'auteur s'est facilement rendu maître de leurs âmes après avoir excité le trouble et l'émotion". Ce que Chapelain et ses collègues découvrent là, c'est la puissance de l'action dramatique et du mirage de la scène, contre lesquelles toute réglementation est impuissante: c'est, en somme, la nécessité d'une critique théâtrale qui ne se confonde pas avec la dogmatique ou la critique purement littéraire.

Les *Sentiments* sont riches de bien des leçons en matière d'évolution des théories dramatiques. Mais, sur le plan de la critique dramatique pure, leur intérêt essentiel réside dans cette prise de conscience de l'originalité propre à l'œuvre théâtrale. Au moment même où Chapelain proclame son intention de ne juger qu'en considération de la "pure doctrine", il se trouve amené, malgré lui, à faire intervenir dans son jugement des éléments qui sont d'une autre nature: il fait sa place à la psychologie, aux passions lorsque, par exemple, il analyse les sentiments éprouvés par Chimène; à la vertu du spectacle collectif lorsqu'il décèle (pour en déplorer les effets sans doute) la force mystérieuse qui unit, dans une salle de théâtre, et non plus dans le cabinet de lecture, le spectateur aux héros qui s'animent sur la scène.

La Querelle a provoqué des épisodes qui nous paraissent aujourd'hui burlesques ou odieux. Elle n'en marque pas moins, en France, le début de l'exercice de la véritable critique dramatique.

***

Pour s'en persuader, il suffit de relire le *Jugement sur le Cid composé par un bourgeois de Paris, marguillier de sa paroisse*[52]. Ce texte commence par poser un principe qui est aux antipodes de celui de Chapelain: "Je n'ai jamais lu Aristote et ne sais point les règles du théâtre, mais je règle le mérite des pièces selon le plaisir que j'y reçois".

Le relevé des "erreurs" commises par Corneille est rigoureux: il n'y a pas "d'apparence qu'une fille ait voulu épouser le meurtrier de son père"; Don Gormas est un fanfaron; le Cid fait trop d'actions en un seul jour; l'Infante est un personnage inutile; Don Sanche est un "pauvre badin"; l'unité de lieu est constamment transgressée, etc. Mais, à chaque grief, le critique improvisé trouve la parade qui, toujours, est commandée par le souci de considérer *le Cid* selon l'optique propre au théâtre: ce que dit Don Gormas est d'un fanfaron, mais ses propos ne sont pas "désagréables" au peuple; Chimène ne devrait pas aimer l'assassin de son père, "mais cela a donné sujet à dire de belles pointes", etc.

> Ces sortes de pièces, qui se récitent dans les lieux publics, ne veulent pas être considérées de si près; elles n'ont besoin que d'un certain éclat, et il ne nous importe qu'il soit trompeur, pourvu qu'il plaise. (...) Celle-ci a je ne sais quoi de charmant dans son accident extraordinaire; il n'y a personne qui, après avoir vu le mariage résolu de deux amants, n'entre en de grandes craintes pour eux assitôt que les pères commencent à se quereller; (...) qui ne s'attendrisse de pitié voyant le combat en Rodrigue entre son honneur et son amour.

L'anonyme observe encore que, s'ils disaient la vérité, les détracteurs de la pièce reconnaîtraient "qu'ils en ont été charmés la première fois" (ce que Chapelain ne contesterait pas) et qu'aucun ouvrage ne résiste à la vétilleuse critique qui a été faite au *Cid.*

Ce texte complète admirablement celui des *Sentiments:* il en est le pendant et l'antidote. A la critique dogmatique et purement analytique, il oppose une critique d'impression, subjective et synthétique, qui considère l'œuvre en elle-même, et non par référence à des critères préétablis. Il repose sur la célèbre formule d'Agnès dans *l'Ecole des Femmes:* "Et le moyen d'empêcher ce qui fait du plaisir? ". Cette critique, qui inspirera l'esthétique dramatique de Molière (non celle de Racine ni de Boileau, beaucoup plus proches, l'un et l'autre, de ce Chapelain tant moqué) s'expose au danger que l'on devine: fondée sur la seule impression individuelle, sur l'humeur, elle est celle qui fera un triomphe aux faux chefs d'œuvre, à *Timocrate* ou aux drames de Dumas fils.

Le "marguillier de sa paroisse" a beau proclamer qu'il n'a point lu Aristote, il est le contraire d'un spectateur inculte. Son mémoire prouve, par la réfutation qu'il en propose, qu'il est parfaitement au courant des griefs formulés contre *le Cid.* Il dit avec trop d'ostentation: "Nous autres qui sommes du peuple" pour qu'on l'en croie sur parole. Il appartient à cette partie du public qui éprouve pour le plaisir du théâtre un invincible penchant et qui n'admet pas que ce plaisir lui soit gâché par ceux que Scudéry fustigeait naguère, avant de faire appel à eux contre un confrère: ces "éplucheurs de syllabes" *(Au lecteur,* en-tête de *Ligdamon et Lysias),* "qui ne mettent la perfection d'une pièce qu'en la seule économie des mots, qui s'amusent à ergoter sur mes vers"; à ceux-là Scudéry prétendait apprendre "que cette molle délicatesse ne se trouve jamais dans les tableaux hardis qui, bien qu'admirables, ne se doivent pas regarder de si près".

Si célèbre qu'elle soit, la lettre de Balzac constitue un document moins original que ce jugement du marguillier. Elle est adressée à Scudéry en réponse à l'envoi des *Observations.* Elle constitue donc surtout la critique d'une critique. Au surplus, Balzac, semble-t-il, n'a pas *vu* la pièce: il se prononce donc à partir d'une lecture et surtout sur les positions prises par les antagonistes.

Car la thèse développée par Balzac se résume à ceci: dans la contestation, *le Cid* a pour lui "toute la France"; ce succès dément donc le préjugé de l'infaillibilité des règles. La Lettre ne se prononce pas sur la valeur de la pièce, elle ne pèse aucun des arguments avancés pour l'attaquer ou pour la défendre. Elle part d'une simple constatation: le triomphe remporté par l'œuvre. Et elle en tire cette conclusion: "ne vous attachez point avec tant de scrupule à la souveraine raison". Cette lettre est en fait une prise de position, à propos d'un exemple précis, sur un problème dogmatique. A ce point de vue, mais à ce point de vue seulement, elle constitue un chef d'œuvre de justesse et de douce ironie: "Quand vos arguments seraient infaillibles, et que votre adversaire y acquiescerait, il aurait toujours de quoi se consoler glorieusement de la perte de son procès, et vous pourrait dire que c'est quelque chose de plus d'avoir satisfait tout un royaume que d'avoir fait une pièce régulière".

La lettre débouche alors sur des considérations relatives à l'efficacité des règles: "il y a des beautés parfaites qui sont effacées par d'autres beautés, qui ont plus d'agrément et moins de perfection", "savoir l'art de plaire ne vaut pas tant que savoir plaire sans art"; sur l'importance du jugement du grand public: "s'il est vrai que la satisfaction des spectateurs soit la fin que se proposent les spectacles". "Mais vous dites, Monsieur, qu'il a ébloui les yeux du monde et vous l'accusez de charme et d'enchantement. Je connais beaucoup de gens qui feraient vanité de cette accusation, et vous me confesserez vous-même que, si la magie était une chose permise, ce serait une chose excellente. Ainsi vous l'emportez dans le cabinet et il a gagné au théâtre".

Scudéry fut-il assez sot pour ne pas percevoir l'ironie? ou bien affecta-t-il d'être beau joueur? Toujours est-il qu'en son style habituel ("Que si l'âme de l'homme en général, selon Héraclite le Physicien, est une étincelle du feu des étoiles, la vôtre, en particulier, est un rayon de celui du soleil"), il se déclare satisfait du jugement prononcé: "Que M. Corneille triomphe donc sur le théâtre, ses victoires ne me réveilleront pas s'il est vrai que je le surmonte en votre cabinet".

La lettre de Balzac est celle d'un homme de goût et d'esprit. Elle est surtout celle d'un homme que l'échec de ses ambitions politiques et sa demi-retraite ont rendu indépendant de toutes les servitudes qui pèsent sur les confrères qui, comme Chapelain, sont liés par le souci de la carrière à parfaire. Gageons encore que cette approbation du *Cid* doit quelque chose au plaisir que doit éprouver Balzac à louer hautement une œuvre dont il sait que le Cardinal la destine à la condamnation.

***

Cette Querelle fonde la critique dramatique dans notre histoire littéraire. Elle définit deux modes de jugement: celui qui repose sur la seule intensité du plaisir éprouvé et celui qui se réfère à des normes théoriques. Elle engage dans le débat des gens en place et des indépendants. Elle met en cause des autorités dont le magistère s'étend bien au-delà de la littérature. Elle exprime le mouvement de structures sociales en évolution. Elle n'en consacre pas moins le triomphe du parti des Réguliers: Corneille fait sa soumission.

Notes

1 A. Adam, *Histoire de la Littérature française au XVIIe siècle,* I, 208.

2 Id., I, 428

3 Cf. *Théâtre du XVIIe siècle,* tome I, Pléiade, 1975.

4 Cf. M. Descotes, *Le Public de théâtre et son histoire,* chap. 3.

5 Cf. M. Descotes, op. cit., p. 35–37.

6 Magendie, *la Politesse mondaine et les théories de l'honnêteté au XVIIe siècle* (PUF, 1925); Descotes, op. cit., p. 66–68.

7 Cf. Mongrédien, *La journée des Dupes,* p. 129 et sq.

8 Tallemant, *M. de Montmorency.*

9 Id., *Le Connétable de Montmorency.*

10 Hardy lui dédie le premier tome de son théâtre (1624).

11 Tallemant, *Montdory.*

12 Id., *Cramail.*

13 Tallemant, *Mme la Princesse.*

14 Id., *Voiture.*

15 Chapelain, I, 339 et sq.

16 Cf. Adam, op. cit., p. 466 et sq.; Descotes, op. cit., p. 91 et L. Lacour, *Richelieu dramaturge,* 1926.

17 Cf. *Les Visionnaires,* (Didier, 1963); M.A. Caillet, *Un visionnaire du XVIIe siècle: Desmarets.* (1938).

18 Cf. Duplantier, *Théophraste Renaudot,* 1947.

19 Cf. R. Bray, *La Formation de la doctrine classique en France,* 1963, p. 71 et sq.

20 Cf. id., p. 254 et sq.

21 C'est en 1630 que Chapelain se fait le champion des règles. La mention de l'unité de temps, dans la préface de l'*Adone* (1620) n'est qu'une simple allusion: un poète épique ne doit pas donner à son œuvre "plus de cours que d'un an", "celui d'un jour naturel" est le cours de "ceux qui ont embrassé la poésie représentative". Remarque qui n'a rien d'impératif, à peine un conseil.

22 Cf. R. Bray, p. 263 et sq.

23 En 1630, dans sa Lettre, Godeau prétend démontrer que l'unité de temps est une invention inconnue des Anciens, une règle trop étroite, inutile, illogique; qu'elle diminue le plaisir dramatique. En 1637, l'auteur anonyme du *Discours à Cliton* répond aux *Observations* de Scudéry sur *le Cid* que l'application des règles conduit à exclure du théâtre les meilleurs sujets et la diversité des actions.

24 Cf. Adam, op. cit., p. 434 et sq.

25 Cf. E. Magne, *Voiture et l'Hôtel de Rambouillet,* p. 142 et sq.; G. Collas, *Jean Chapelain,* p. 162 et sq.

26 Chapelain, I, p. 395–415; Balzac, *Œuvres,* 1665, I, p. 786–798.

27 Samfiresco, *Ménage polémiste, philologue, poète,* 1902.

28 C. Arnaud, *Etude sur la vie et les œuvres de l'abbé d'Aubignac,* 1887; L. Lacour, *Richelieu dramaturge et ses collaborateurs,* 1926.

29 La mort de d'Aubignac n'arrête pas la querelle. Apprenant que Mme Dacier prépare un travail sur Térence et partage le point de vue de l'abbé, Ménage reprend sa réfutation. Il s'est pourtant engagé à ne plus rien dire contre son adversaire: avant de publier sa dernière dissertation, il se fait relever de son vœu par des casuistes de la Sorbonne.

30 Tallemant (*Ménage*) donne une bonne idée des querelles de portefaix auxquelles se trouve mêlé Ménage. En 1652, celui-ci est convié à un dîner auquel participe Rousseau, intendant du cardinal de Retz, son protecteur. La bonne chère aidant, on en vient à se jeter à la tête des bouteilles et des verres. "Rousseau et trois autres prirent Ménage en badinant et l'élevant en l'air, se mirent à dire: "Voici notre philosophe, il faudrait le mettre dans ce tonneau, ce serait Diogène". Ménage dit qu'il ne prenait point plaisir à cela et en mordit un bien serré. Rousseau lui donna un soufflet; et son frère l'abbé, qui est un vrai crocheteur, lui donna en même temps un coup de poing à assommer un bœuf".

31 *Les Chevilles de Me Adam* (Adam Billaud, 1644) sont accompagnées de *62* pièces françaises et de 7 pièces grecques, latines, espagnoles, et italiennes.

32 Cf. *Œuvres complètes* de Corneille (éd. Marty-Laveaux), X, p. 57 et 61.

33 Amidor réplique: "La diversité plaît; c'est ce qui nous surprend".

34 La pièce d'Heinsius respectait les règles. Balzac lui reprocha de mêler des éléments religieux et des éléments profanes. Heinsius répliqua sans aménité. Les deux adversaires se

brouillèrent et la querelle, dont les échos se répandirent dans toute l'Europe lettrée, dura pendant toute l'année 1636.

35 Cf. documents rassemblés par Gasté, *La Querelle du Cid,* 1898.

36 Cf. E. Dannheisser, *Studien zu Mairets Leben und Werken,* 1888; W. Blandford Kay, *The theater of Mairet,* Los Angeles, 1965.

37 Cf. Ch. Clerc, *Un Matamore des lettres,* Scudéry, 1929; E. Dutertre, *Scudéry et la Querelle du Cid,* in *XVIIe siecle,* 1969.

38 "Je prétends donc démontrer contre cette pièce du *Cid*: Que le sujet ne vaut rien du tout, Qu'il choque les principales règles du Poème dramatique, Qu'il manque de jugements en sa conduite, Qu'il a beaucoup de méchants vers, Que presque tout ce qu'il a de beautés sont dérobées".

39 L'argument, fondamental pour les défenseurs du *Cid,* est repris dans la conclusion de *La Voix publique à M. de Scudéry: le Cid* "s'est rendu assez considérable pour nous obliger à le traiter favorablement puisqu'il a eu l'honneur de plaire au Roi et aux grands esprits du Royaume". A l'autorité *dogmatique* d'Aristote ou Scaliger, on oppose une autorité bien supérieure: celle du souverain.

40 Cf. Gasté, *La Querelle du Cid,* 1898; Batiffol, *Richelieu a-t-il persécuté Corneille?* in *Revue des Deux Mondes,* 1er avril 1923; A. Adam, *A travers la Querelle du Cid* in *Revue d'Histoire de la Philosophie,* (1938); A. Adam, op. cit., I, 513 et sq.

41 *Le Cid* est dédié à Mme de Combalet. Le Cardinal n'aurait pas toléré qu'une pièce qu'il désapprouvait fût ainsi offerte à sa nièce. S'il avait été hostile dès la première heure, il n'aurait pas accepté non plus que Corneille fît valoir auprès de ses rivaux, pour s'en glorifier, les deux représentations qui avaient été données en son Hôtel.

42 Cf. E. Magne, *Le plaisant Abbé de Boisrobert,* 1909; J. Carcopino, *Boisrobert,* 1963.

43 Pellisson, dans son *Histoire de l'Académie,* hésite à affirmer que Scudéry était manipulé par Richelieu: en publiant ses *Observations,* Scudéry cherchait à "se satisfaire lui-même" ou, "comme quelques-uns disent, à plaire au Cardinal".

44 On trouvera de bons exemples de cette facile condescendance chez A. Fabre, *Chapelain et nos deux premières Académies.*

45 Cf. G. Collas, *Jean Chapelain,* 1911.

46 Associé à un libraire, il éditait des manuscrits. Il réunissait chez lui une "petite académie", avant la fondation de la Grande.

47 Chapelain a recours à une dialectique subtile: l'humanité moyenne n'a pas, comme Richelieu, les lumières nécessaires pour tirer elle-même les leçons d'un récit; l'historien doit donc venir au secours de sa faiblesse.

48 Op. cit., I, p. 516.

49 Balzac était membre de la Compagnie. Mais il jouissait de la faveur exceptionnelle d'être dispensé d'assister aux séances.

50 Cf. G. Guillaume, *Balzac et la prose française,* 1927; F. E. Sutcliffe, *Balzac et son temps,* 1959.

51 Ici un passage raturé (à n'en pas douter, pour ne pas faire la part trop belle à l'ouvrage): "agréables, et qu'ayant su gagner *le cœur de tout un peuple,* ce serait une espèce de *témérité* que l'accuser d'avoir le goût mauvais en une matière de laquelle il semble être le juge naturel".

52 On l'a parfois attribué, sans preuve décisive, à Charles Sorel.

CHAPITRE III

I

Au-delà de 1640, la situation de l'homme de lettres, du critique, reste inchangée. Ses moyens d'existence dépendent toujours du bon vouloir des protecteurs. Même en 1675, un écrivain "arrivé" comme Corneille, qui a réussi à se constituer une fortune immobilière[1], qui tire de substantielles ressources de l'édition de ses œuvres, accuse rudement le coup qui lui est porté par la suspension de la pension royale. Si, pour un auteur privilégié, la situation demeure ainsi incertaine, que peut-il en être pour un débutant?

La mort de Richelieu a mis en évidence la précarité des positions acquises par les gens de plume. Le mécénat assumé par le Cardinal n'a jamais séduit Louis XIII, qui a hésité à accepter la dédicace de *Polyeucte* quand il a appris qu'il en a coûté 200 pistoles à M. de Montauron pour celle de *Cinna.* Moins clairvoyant sur ce point que son prédécesseur, Mazarin n'a pas perçu le rôle que peuvent jouer dans l'Etat des écrivains; les pensions n'ont pas été rétablies et peu nombreux ont été les auteurs qui se sont ralliés au nouveau ministre. La manne du jour au lendemain tarie, il a fallu, en toute hâte, improviser pour assurer sa vie matérielle. On en est revenu aux travaux forcés de traductions, de vers sur commande, de secrétariat, à l'étranger même (Suède, Danemark; Scarron envisage un départ pour l'Amérique). On a souvent protesté contre le dirigisme de Richelieu; la liberté retrouvée se révèle être un cadeau désastreux. Le relais est pris, partiellement, par les Retz, les Condé, les hauts financiers. Conti recrute Sarrasin; Gondi, Ménage; Séguier, Jacques Esprit. Mais aucune volonté venue d'en haut n'harmonise plus les efforts. Les Doctes poursuivent leur œuvre critique, mais en ordre dispersé. Pour ce qui est des théories dramatiques, il importe assez peu: la cause des Règles est gagnée et les batailles qui vont s'engager autour de nouvelles œuvres théâtrales ne seront plus menées que pour la forme au nom d'Aristote[2].

D'autre part, en 1660, ceux qui, vers 1636, donnaient le ton en matière de critique dramatique, sont, pour la plupart hors de jeu ou tout à fait assagis. Balzac est mort en 1654. Boisrobert a perdu l'office qu'il tenait auprès des gens de plume; sans doute Mazarin et les nièces Mancini ont-ils continué à le protéger, mais le nouveau ministre ne se préoccupe guère de se rallier les écrivains et Boisrobert n'est plus qu'un poète à la mode, comme tant d'autres. Son rôle actif est terminé; il meurt en 1662. La disparition de Richelieu a mis fin aussi à la carrière de Desmarets. A partir de 1645, retiré en Poitou, il tombe dans la dévotion; aux yeux de beaucoup, il passe pour "le plus fou des poètes". La Mesnardière qui, sur les injonctions de Richelieu, a élaboré une *Poétique*, publie des *Poésies françaises et latines* (1656), des relations de guerre. Son rôle, à lui encore, est terminé (il meurt en 1663). Mairet, qui a si bouillamment bataillé contre *le Cid,* a été banni en 1653 par Mazarin; rentré à Paris (1659), il comprend que son temps est révolu et se retire définitivement à Besançon. Le pétulant Scudéry a cessé d'écrire pour le théâtre, tout occupé qu'il est à polir sa carrière de romancier; au surplus, compromis dans la Fronde des Princes, il a dû s'enfuir en

Bretagne; à son retour, l'âge et le mariage aidant, il a beaucoup perdu de sa pugnacité.

D'Aubignac a mis en chantier, à l'invitation de Richelieu, sa *Pratique du Théâtre.* Mais la mort du Cardinal a ruiné ses espoirs: c'est en 1657 seulement que le grand œuvre de d'Aubignac finit par paraître. L'abbé conserve pourtant une réelle influence et il joue un rôle actif dans la contestation élevée autour de *Sophonisbe* et de *Sertorius.* Mais, on le verra, cette contestation s'établit, si l'on peut dire, autour d'une littérature dramatique figée.

Quant à Chapelain, sa carrière est au zénith. Mais, dans le sillage de Colbert, il n'est plus un théoricien ou un critique: il est, en quelque sorte, un haut fonctionnaire de ministère, tout appliqué aux règlements de problèmes administratifs et financiers.

Pas un seul de ces grands noms de la veille ne sera prononcé au cours des débats que vont susciter les œuvres de Molière ou Racine. Subligny et Boileau (nés en 1636), Visé (1638), l'abbé de Villars (1635), Boursault (1638), Villiers (1648), d'autres encore qui prendront parti dans les discussions élevées autour des œuvres nouvelles, appartiennent tous à la jeune génération. Et ceux-là ont, à leur tour, à régler le problème fondamental de se faire une place au soleil. Segrais (né en 1625), Saint Evremond surtout (né en 1616) font figure d'ancêtres.

Ce vieillissement et cet effacement des anciens cadres de la critique s'accompagnent d'une prise de conscience, par cette génération déclinante, d'une communauté de corps. Le recul du temps aidant, et aussi la nostalgie des années révolues, les "anciens" se persuadent de plus en plus que l'époque de 1630 a été une grande époque et l'on se réconcilie autour de valeurs que l'on avait naguère contestées: en matière dramatique, pour ceux-là, Corneille brille de tous ses feux. La grande crise de 1637–1638 est bien oubliée: les rapports de Corneille avec Chapelain, Boisrobert, et même d'Aubignac se situent désormais au niveau des services mutuellement rendus[3]; et la polémique qui se développe avec d'Aubignac n'atteint jamais la violence qui avait caractérisé, à l'époque du *Cid*, les échanges entre Corneille et ses détracteurs. Elle conserve le bon ton des débats académiques qui se développent autour de problèmes désormais réglés et à peu près périmés.

Saint Evremond représente cette attitude de la façon la plus typique. Il a servi sous Condé, Turenne; il s'est acquis, selon son biographe des Maizeaux, "l'estime des plus grands capitaines de son siècle"; il est pleinement de la génération frondeuse qui a trouvé, dans le théâtre de Corneille, l'expression dramatique de son idéal. S'il apprécie ces tragédies-là, ce n'est pas pour leur régularité, leur conformité aux préceptes d'Aristote: "il faut convenir que la *Poétique* d'Aristote est un excellent ouvrage; cependant il n'y a rien d'assez parfait pour régler toutes les nations et tous les siècles. Corneille a trouvé des beautés pour le théâtre qui ne lui étaient pas connues"[4].

Il le répète à Lionne: les Anciens ont appris à Corneille à bien penser, mais Corneille finit par penser "mieux qu'eux". Et il déplore que le goût du nouveau temps n'aime "que la douceur et les larmes", ce goût que satisfait si fâcheusement Racine et auquel Corneille, se reniant lui-même, s'efforce de s'adapter. *Attila* au contraire lui paraît un chef d'œuvre; "moins propre au goût de votre Cour qu'à celui de l'antiquité". Corneille est inimitable: chez lui, "la grandeur se connaît par elle-même"; il ne détourne pas l'âme par de "petits soupirs ennuyeux qui, pour être cent fois variés, sont toujours les mêmes"[5]; il "enlève l'âme"[6]. C'est pour "la honte de nos jugements" que le nouveau public reproche à Corneille qui, seul, "a la bon goût de l'antiquité", d'avoir conservé "à la fille d'Asdrubal (Sophonisbe) son véritable caractère"[7]. L'Antiquité n'est évoquée là que pour la forme, pour fournir la caution traditionnelle. Ce qu'expriment les regrets de Saint Evremond, c'est la nostalgie d'un certain style de vie, celui de la génération déclinante[8].

On a reconnu là les formules mêmes de Mme de Sévigné (née en 1626), écrasant *Bajazet* de la comparaison avec le répertoire cornélien. Mais cet enthousiasme révèle moins une admiration sans nuances pour les œuvres *nouvelles* de Corneille que la volonté d'opposer une référence prestigieuse aux succès de Racine. En 1662, l'échec de *Pertharite* a été si piteux que Corneille a lui-même conclu: "Il est temps que je sonne la retraite". La Bruyère a eu un mot cruel, mais juste, sur les "vieillards" qui, à travers *Oedipe,* s'attendrissent sur leur jeunesse.

Né en 1625, Segrais est entré, grâce au comte de Fiesque, en 1648, au service de cette Grande Mademoiselle qui a joué, lors de la Fronde, un rôle essentiel. Pendant vingt-quatre ans, il est son gentilhomme ordinaire. Reflet de celle de sa protectrice, sa vénération pour Corneille est sans faille. "C'est Corneille qui a fait Racine"; ce qui n'est pas faux, mais qui manifeste déjà l'intention d'établir la supériorité de l'Ancien sur le turbulent débutant qui n'est rien de plus qu'un élève. D'autre part, "on verra, dans trente ou quarante ans, si l'on lira les ouvrages de Racine, comme on lit présentement ceux de Corneille qui ne vieillissent pas". Les griefs contre Racine ne sont que l'envers des arguments avancés pour exalter Corneille: à Racine "la matière manque"; il accumule "les choses très communes" pour donner à ses scènes "la longueur qu'elles doivent avoir": "il y a plus de matière dans une seule scène de Corneille que dans toute une pièce de Racine".

Quand Segrais s'emporte contre Racine et Boileau qui "n'estiment que leurs vers" ("ils ne louent personne"), il dénonce sans doute une manifestation de la vanité de poètes arrivistes et sectaires; il s'insurge surtout contre cette volonté de renvoyer au musée les gloires de la génération précédente, contre cette façon cavalière de fonder sa propre réputation sur le dénigrement de chefs d'œuvre que l'on déclare dépassés.

Le "parti cornélien" est, comme on l'a dit souvent, le parti de la Vieille Cour; il est surtout le parti de ceux qui, vers 1660, ont atteint ou dépassé la quarantaine.

Cette situation générale fournit à la jeune critique dramatique un élément nouveau: à la renommée montante de Corneille, en 1637–1638, on n'avait à peu près rien à comparer sinon, outre les préceptes d'Aristote, les lointains chefs d'œuvre de l'Antiquité. Désormais, la confrontation Corneille-Racine devient un des thèmes inévitables de la critique (en matière de comédie, au contraire, on ne trouve à peu près personne à opposer à Molière, hors Térence). Cette confrontation n'est pas de type académique ou scolaire, telle qu'elle s'établira dans les années 1690: elle correspond à la réalité immédiate du monde des théâtres et des coulisses: de 1665 à 1674 (*Suréna*), cette vie dramatique paraît se réduire à l'affrontement des deux auteurs, saison après saison, pièce contre pièce.

En matière de tragédies, les querelles sont, pendant une dizaine d'années, dominées par la résistance que le groupe de ceux dont la jeunesse s'est longtemps alimentée aux élans de Corneille oppose à l'auteur qui prétend détrôner l'écrivain qui a enchanté leurs belles années. C'est beaucoup moins un débat dogmatique élevé autour du respect de certaines règles qu'un conflit de sensibilités.

Les transformations qui s'opèrent dans les milieux mondains sont au moins aussi importantes. Après la Fronde, le retour au calme s'accompagne d'une reprise de la vie sociale qui se manifeste par la prolifération des salons, dont le *Grand Dictionnaire* de Somaize fournit l'interminable liste. Le rétablissement de l'ordre public, la démobilisation des esprits à l'égard de la chose politique et de l'action directe confèrent un lustre accru aux activités intellectuelles: le grand seigneur ignare et fier de l'être, contempteur de tout ce qui n'est pas intrigues ou grands coups d'épée, devient l'exception. Il s'avère donc nécessaire de se donner un vernis, l'apparence d'être capable de participer aux joutes de l'esprit. La nécessité de maîtres à juger se fait toujours sentir; mais la nouveauté est en ceci que chacun prétend avoir son opinion personnelle, quand bien même elle n'est que le reflet des préjugés du milieu ou de la génération.

Dans ce cadre-là, le code critique n'est plus dominé par la référence systématique à Aristote. L'individu revendique désormais son droit à l'autonomie de jugement. Dans *la Précieuse*[9], Eulalie qui vient d'exprimer une opinion personnelle, le précise: "je ne veux point être ici accusée de porter *jugement;* je vous supplie, Mesdames, d'observer que je ne parle que de mon *goût*".

Dégagé des querelles scholastiques, le spectateur entend se déterminer par rapport à l'intensité du plaisir dramatique éprouvé, le principal critère de l'acuité de ce plaisir dramatique étant la profusion, plus ou moins grande, des larmes versées. C'est le triomphe du point de vue exprimé naguère par le marguillier qui refusait de prendre en considération les conclusions des Doctes sur *le Cid.*

Le théâtre devenant le plaisir social par excellence, un besoin nouveau et impérieux se manifeste partout, celui de l'information. Il est particulièrement vif en province. Magdelon, des *Précieuses Ridicules,* en est convaincue: "Paris est le grand bureau des merveilles, le centre du bon goût, du bel esprit et de la galanterie" (sc. 9); aussi est-elle avide de connaître tout ce qui s'y passe: "les petites nouvelles galantes, les jolis commerces de prose et de vers", ce sont là "choses qu'il faut savoir de nécessité". Molière n'exagère rien. Les Rouennais vivent dans l'attente des informations que leur transmet *la Gazette* de l'abbé de Pure, qui rend compte à Corneille du succès de son *Oedipe*, raconte les débuts de Molière au Petit Bourbon. M. de la Coste écrit à l'abbé: la compagnie "soupire après vos relations".

La *Gazette* de Renaudot ne fait aucune part à l'actualité intellectuelle, artistique, théâtrale. C'est pour combler cette lacune que commence alors à s'organiser une prose qui va orienter l'opinion en matière de jugements littéraires et dramatiques, faire ou défaire des réputations.

Pour l'histoire de la critique, l'événement est d'une importance primordiale puisqu'il correspond à la naissance d'un mode d'expression encore inconnu, qui va marquer le déclin progressif de l'influence exercée par les épistoliers ou par les auteurs d'ouvrages d'érudition.

Le mouvement est déclenché en 1650. Répondant au désir exprimé par la Magdelon de Molière, le normand Jean Loret entreprend de relater en vers de mirliton les menus faits de la chronique parisienne, à l'intention d'abord de Marie d'Orléans, belle-fille de la duchesse de Longueville. Cette initiative correspond à un besoin si profond que, très vite, il devient nécessaire de recopier l'unique exemplaire de cette gazette du samedi, puis de l'imprimer (à partir du 20 septembre 1652). En 1656, on réunit les feuilles volantes qui forment ainsi la première édition de *la Muse Historique.* A l'affût de l'actualité, Loret fait une place à la vie théâtrale en même temps qu'aux fêtes de la Cour et aux potins de la Ville. Il ne s'agit pas de critique: l'hyperbole dans le compte-rendu est trop systématique et, dans la mesure où ils existent, les jugements ne sont à peu près jamais motivés. Le 25 janvier 1659, par exemple, *Oedipe* apparaît au chroniqueur comme un chef d'œuvre si éclatant que "Jamais, dit-on, dans l'univers On n'entendit de si beaux vers"; le 4 mars 1662, *Sertorius* passe *le Cid* en beautés, en force et en grâces.

Tout semble se passer comme si, à chaque production nouvelle, le poète devenait supérieur à lui-même. C'est que Loret entend moins faire œuvre de censeur que d'échotier. Et sa *Gazette* est soumise à trop de servitudes pour qu'il puisse prendre le risque de susciter des mécontentements. Rimeur impécunieux, il est toujours en quête de subsides, voire de bons repas (si on le convie à un festin à titre de simple spectateur, il ne manque pas de faire observer que "de tout" il mangea "goulûment... Mais ce fut des yeux seulement"). Son escarcelle s'ouvrant à tous les bailleurs de fonds, il importe de pratiquer la méthode de la louange universelle. Loret bénéficie largement des libéralités de Fouquet: il lui est impossible de ne pas porter aux nues *Oedipe*, que Corneille a rédigé pour le Surintendant. Acide, d'Aubignac fera observer, un peu plus tard, que cet *Oedipe* serait tombé dès la première représentation si "un grand ministre du temps" n'avait soutenu l'entreprise et si la cabale n'avait ainsi "exigé de nos courtisans des applaudissements intéressés"[10]. Au moment où d'Aubignac fait cette mise au point catégorique, il risque peu: le Surintendant est emprisonné depuis deux ans.

Dès 1654–1655, Ch. Robinet a lancé des *Lettres en vers à Madame,* puis *à Monsieur;* la Gravelle de Mayolas des *Lettres en vers à la duchesse de Nemours,* puis *au Roi;* Subligny des *Lettres au Dauphin;* Donneau de Visé ses *Nouvelles Nouvelles* (1663). Après quelques années de confusion et de rivalités, la situation se stabilise: Robinet subsiste seul, à partir de 1667. Mais grâce à toute cette activité, Subligny, Boursault, Visé ont réussi l'opération qui pour eux est essentielle: ils ont commencé à se faire un nom et c'est eux que l'on va désormais trouver à la tête de la critique dramatique.

On retrouve chez Robinet bon nombre de ces traits irritants que l'on a relevés chez Loret: la platitude indéfiniment diluée, l'hyperbole développée en termes incolores, l'inexistence ou la médiocrité de l'inspiration. Mais alors que Loret était un louangeur jamais lassé, avec Robinet la relation se colore de l'expression de partis-pris plus ou moins dissimulés. Né vers 1608, Robinet appartient à la génération qui a vibré aux tragédies de Corneille et sa *Muse Royale* est le reflet de cette prédilection. Corneille est son homme: contre le verdict du public qui vient de découvrir l'*Alexandre* de Racine, il célèbre *Agésilas*[11]; *Attila,* "Cette dernière des merveilles De l'aîné des fameux Corneilles"; *Pulchérie,* alors que

Mme de Coulanges écrit que la nouvelle tragédie "n'a point réussi" (24 février 1673). Autant qu'à Pierre, Robinet est favorable à Thomas (*Laodice,* 1668; *Théodat,* 1672). Il loue aussi volontiers Boyer (né en 1618). Et toutes ces sympathies recouvrent une hostilité latente à Racine. Le compte-rendu de la création de *Britannicus* (21 décembre 1669) est un petit chef d'œuvre de perfidie confraternelle: "Vers d'un style magnifique Et tout remplis de politique", "Jeu tout miraculeux" des acteurs, "Vêtements merveilleux", tous avantages qui font

> Qu'il faudrait de nécessité
> Trouver maintes choses très belles
> Quand elles ne seraient point telles.

En d'autres termes: le succès de *Britannicus* est le fruit de l'Illusion Comique. Et, faussement modeste, Robinet, qui a lui-même composé un *Britannicus,* affecte pour cette raison de se récuser; il n'en développe pas moins ses critiques: monotonie du sujet, froideur des caractères, défaut de liaison entre les actes, "catastrophe" trop précipitée. Quant aux qualités de style, elles sont le fruit des leçons tirées par Racine des observations présentées par Subligny à propos d'*Andromaque.*

Pour *Bérénice*, la partialité se manifeste autrement. Alors que Robinet annonce, six jours à l'avance et à grand bruit, la tragédie de Corneille, d'ores et déjà qualifiée de "non pareille" (22 novembre 1670), sur celle de Racine (qui a pourtant été représentée le 21) il garde le silence jusqu'au 29; mais même à cette date, il n'en rend compte que par ouï-dire[12]. C'est le 20 décembre seulement qu'il se prononce sur cette "amoureuse Bérénice", éloge perfide pour un Cornélien. En réalité, la relation porte sur tout ce qui est étranger à la pièce: sur le mariage de Mlle de Thianges à l'occasion duquel *Bérénice* a été présentée en "divertissement"; sur les acteurs, "vrais enchanteurs" (classique procédé pour leur attribuer le mérite du succès). Et le chroniqueur s'empresse de revenir à Corneille pour le louer. Même parti-pris à propos de *Bajazet* (30 janvier 1672): Bajazet est un "Turc aussi doux qu'un Français", – et c'est l'un des principaux griefs formulés par les cornéliens, par Mme de Sévigné. La louange adressée à *Mithridate* est moins réservée; c'est qu'il est malaisé de se montrer trop tiède à l'égard d'une pièce qui a obtenu l'entière approbation royale. Robinet n'en retarde pas moins d'un mois sa chronique (21 février 1673, alors que la première est du 13 janvier): Racine est un "auteur adroit" (on est très loin des hyperboles utilisées pour Corneille), "sujet fort bien traité", et la nouvelle tragédie offre, à côté de "quantité de grands vers", "quantité d'un style tendre": ce qui équivaut à marquer la distance qui sépare le répertoire racinien du sublime répertoire cornélien. Même style pour *Iphigénie:* la Cour s'est prononcée en faveur de l'œuvre, et Robinet en prend acte (1 septembre 1674), mais après avoir souligné qu'il s'agit d'un succès de larmes ("la Cour toute pleine de pleureurs"), obtenu donc au prix de concessions à la mode du jour.

En somme, sous couvert de présenter un simple écho de la vie mondaine, les vers de Robinet, inoffensifs en apparence, attestent une permanente partialité en faveur de Corneille.

Vis-à-vis de Molière, la position de Robinet varie, comme si le gazetier, d'abord hostile, finissait par découvrir le génie du poète. En 1663, l'opuscule qu'il consacre à *l'Ecole des Femmes* n'est un *Panégyrique* que par antiphrase: Robinet

participe à la croisade déclenchée contre Molière. Trois ans plus tard, *le Sicilien* est porté au rang de "chef d'œuvre" (*Lettre à Madame,* 19 juin 1666); en 1668 (*Lettre* du 15 septembre), *l'Avare* est salué en des vers qui ne reculent pas devant le mot "génie". A sa mort, le poète est devenu "notre vrai Térence français" (*Lettre* du 18 février 1673). On aimerait penser qu'il s'agit là d'un chemin de Damas enfin trouvé. En fait, ces variations de jugement s'expliquent par des considérations qui ne doivent pas grand chose à l'exercice d'une libre critique. En 1663, Robinet, tout inféodé à Corneille, se contente à son habitude d'épouser les querelles du Maître: or, à cette heure, les rapports entre Corneille et Molière sont mauvais[13]. En 1668, au contraire, ces relations se sont nettement améliorées: un an plus tôt c'est Molière qui a monté *Attila.* Au surplus, la politique du soutien gouvernemental aux gens de lettres est désormais en application: la protection royale s'étend sur Molière avec assez d'ostentation pour que l'on ne poursuive pas contre lui de trop ardentes polémiques. Le moyen de dénigrer un *Sicilien* qui a été composé pour le divertissement du souverain lui-même?

En 1667, Robinet l'a emporté sur les autres imitateurs de Loret: Boursault, la Gravette de Mayolas, Subligny. La Gravette reste pour nous un inconnu. Mais nous en savons assez sur Boursault et Subligny pour déterminer ce qui se dissimule derrière leurs éloges et critiques.

Boursault est né en 1638, Subligny en 1636. Ils n'appartiennent donc pas, comme Robinet, à la génération qui admire Corneille. Mais, dans les années 1660, ils sont des débutants, jeunes loups que tenaille la nécessité de faire carrière, donc de s'attacher à un puissant protecteur. Ils se sont répandus dans les salons, ont joué le rôle, désormais banal, d'informateurs mondains et littéraires. Boursault s'est bien placé: secrétaire des commandements de la duchesse d'Angoulême, il est en relations avec Montausier, Condé, Turenne, Fouquet; et, aux yeux de ceux-là, Corneille conserve son prestige. A la mort de Loret, Corneille, Quinault, Boyer, le poussent à se saisir de la succession ouverte, mais elle lui échappe, Loret ayant désigné la Gravette pour poursuivre son œuvre. Boursault tente donc sa chance d'une autre façon, toujours soutenu par les Cornéliens: il lance ses *Lettres* qui obtiennent un vif succès, et le Roi lui octroie une pension de 2.000 livres pour une gazette hebdomadaire en vers. Heureux départ, que viennent malheureusement compromettre des imprudences: la publication doit cesser. Boursault n'en est pas moins désormais en selle: contre *l'Ecole des Femmes,* il se fait le porte-parole de l'hostilité des Cornéliens; et contre *Britannicus,* il épouse la querelle du même groupe[14].

La situation de Subligny, avocat au Parlement de Paris, est moins nette. Avec sa *Muse Dauphine,* il joue dans les salons le même rôle que Boursault jusqu'au moment (avril 1667) où une décision de police interdit la publication. On le trouve, en 1666, aux côtés de Molière qui monte sa pièce *le Désespoir extravagant* (1670) et dont il loue avec persistance les comédies. Pour défendre les intérêts de Molière lésés par les mauvais procédés de Racine, Subligny se lance, en 1668, dans la querelle d'*Andromaque,* alors qu'il a proclamé à propos d'*Alexandre:* "Jamais tragédie au théâtre Ne pourra faire un plus beau feu". Mais, en 1665, Racine était joué par Molière.

Tous ces gazetiers sont donc animés par un autre souci que celui de l'équitable pesée des mérites d'une pièce nouvelle. Au sein d'une société où, si l'on n'est pas *né,* ou au moins fortuné, toute promotion est fonction de l'entregent, ces

débutants songent d'abord à faire carrière par cet exercice nouveau de l'information. Pour eux, il est impératif de s'agréger à un groupe capable de les aider et dont on reproduit fidèlement les antipathies ou les engouements.

Qui est ce Barbier d'Aucour qui, en 1676, se signale au public par son attaque contre *Mithridate* dans le pitoyable *Apollon vendeur de Mithridate?* un avocat besogneux, qui, vers 1664 (il a 23 ans), met sa plume au service des Jansénistes, faute d'avoir réussi à se faire une place au barreau. Ses pamphlets contre les Jésuites participent moins d'une conviction personnelle que des nécessités passagères de sa tâche de polémiste à gages (*L'Onguent pour la brûlure ou le secret d'empêcher les Jésuites de brûler les livres*). Barbier s'en prend d'abord à Racine en 1667; et il s'agit bien d'un travail effectué sur commande: c'est le poète infidèle à ses maîtres qui est visé, pour soutenir Nicole dans la querelle des *Visionnaires.* L'*Apollon* n'est qu'une compilation qui reprend, en vers laborieusement badins, et à travers une affligeante allégorie[15], tous les lieux communs déjà accumulés contre le poète: la Racine a absorbé le suc de Céladon et endort en un "honteux repos" les rois, les princes (Racine fade et galant): *la Thébaïde* doit tout à Rotrou; *Alexandre* fait voir "un vaincu plus grand que son vainqueur" (critique de Saint Evremond); l'Oreste d'*Andromaque* est un piètre ambassadeur qui n'agit que "comme un argoulet" (écho de Scudéry); *Bérénice* ne fait que sangloter, Marion "veut qu'on la marie" (reprise du mot de Chapelle); *Bajazet* n'a rien de turc, *Mithridate* est infidèle à la vérité historique, *Iphigénie* présente un dénouement postiche. Dans tout ce verbiage, il ne se révèle pas une seule opinion personnelle. C'est que la discussion des mérites de ce théâtre est le moindre souci du critique: il s'agit seulement de ruiner la réputation d'un auteur qui s'est dressé contre Port-Royal à qui il doit tout. L'intention véritable est précisée, dès le début, avec le rappel de la dette contractée, puis reniée, par le poète: cette *Racine* n'aurait jamais été qu'une "misérable Racine", si elle n'avait pas été fécondée par la "vertu sans égale D'un *Maître* de nom et de fait (Lemaître de Sacy) qui répandit sur elle une liqueur *Royale* (Port-Royal)"[16].

Qui est cet abbé de Villars[17] qui, après avoir attaqué la *Bérénice* de Racine, n'a pas été plus tendre pour l'œuvre rivale de Corneille? Un aventurier, fils d'un hobereau languedocien, qui a connu la Bastille en 1661 (à 26 ans) et qui, rendu à la liberté, se fait une place dans les salons en déplaçant beaucoup d'air. En 1673, il sera accusé de meurtre, puis assassiné.

La *Première Lettre sur Bérénice* (Janvier 1670) se place sous le patronage de Corneille: c'est "pour s'éloigner du genre d'écrire de Corneille" que Racine a rabaissé la tragédie au niveau "des faiseurs de recueils de pièces galantes"; et, sous la plume de Villars, se retrouvent, avec une monotonie rare, tous les griefs déjà utilisés: Titus est un Céladon, dépourvu de vertu héroïque, qui se tue "par maxime d'amour"; la juive monothéiste Bérénice "ne parle que des dieux et des immortels" (Junie n'entrait-elle pas déjà chez les Vestales comme on se réfugie au couvent?). Quant au style, il n'est qu'un tissu "de madrigaux et d'élégies" pour la commodité "des dames, de la jeunesse de Cour". Ce réquisitoire banal est le fait d'un des pamphlétaires qui gravitent autour de Corneille.

Pourtant il précède de peu un texte qui malmène *Tite et Bérénice*. "N'en déplaise à la vieille Cour, M. Corneille a oublié son métier": personnages épisodiques mal choisis, mal utilisés; Bérénice et Domitie sont "deux harengères qui nous apprennent l'une de l'autre des choses qui nous feraient horreur si la manière

dont elles le disent ne nous faisait rire". De cette contradiction on peut conclure, avec A. Adam[18], que Villars appartient au groupe qui se réunit autour de d'Aubignac et que sa double critique procède des observations de ses doctrinaires. Mais on comprend mal alors pourquoi la première *Lettre* glorifie Corneille et reprend les arguments de ses partisans. On peut aussi penser que Villars a commencé par espérer que son premier pamphlet lui vaudrait les grâces, monnayées, des Cornéliens; et que, déçu en quelque façon, il a pris ensuite sa revanche sur ceux qui n'avaient pas reconnu ses mérites.

Subligny, Barbier, Villars ne sont que des figurants. Si l'histoire du théâtre attache tant d'importance à leurs témoignages, c'est en raison de la rareté des documents écrits: faute de mieux. Mais leurs jugements ne sont pas le reflet de goûts personnels, le fruit d'une libre critique: ils sont l'expression des préjugés, des rancunes, des manœuvres de toutes ces coteries, mondaines avant d'être littéraires, qui animent la vie sociale d'une Ville fragmentée en mille cercles qui sont autant de clans plus ou moins rivaux.

Aucun de ces gazetiers ne mérite la même attention que le plus important d'entre eux: Donneau de Visé[19].

Ce fils de famille s'est jeté très tôt dans la carrière qui s'ouvre aux jeunes gens avides de jouer un rôle dans les salons, depuis que les milieux mondains sont dévorés par cette soif d'information qu'illustre *la Précieuse.* Il a été lui-même ce Straton qu'il évoque, en 1663 (il a alors 25 ans), dans ses *Nouveaux Règlements du Parnasse,* nouvelliste et coureur de coulisses. Straton est en quête de toutes les indiscrétions de la scène: il cherche à découvrir comment sera distribuée la prochaine pièce et il se hâte de rapporter que tel rôle a été attribué à Mlle XXX parce qu'un "grand Prince" est intervenu auprès du directeur de la troupe. Il a parfaitement décelé quels mécanismes commandent le succès d'une œuvre, le rôle essentiel que jouent les gens "de qualité", snobs avant la lettre, dont les jugements catégoriques ne sont jamais que l'écho de vagues rumeurs mondaines (ceux-là même que Molière étrille dans *la Critique de l'Ecole des Femmes*). Tel jeune homme de qualité dénigre la pièce nouvelle; on lui oppose qu'elle est de Corneille; aussitôt il se contredit sans la moindre gêne: "Il y a des endroits inimitables et qui ne peuvent partir que d'un Corneille". On lui affirme que la pièce n'est pas de Corneille: "N'avais-je pas raison de ne la pas trouver bonne, et si j'ai trouvé beaux quelques endroits, c'est que l'acteur les a si bien récités...".

Une fois encore, pour les détracteurs, l'évocation de la qualité de l'interprétation constitue le suprême recours.

Straton connaît bien la stratégie mise au point par les auteurs en vue de fausser l'exercice de la critique: elle est fondée sur la publicité qui précède la représentation. Clorante compose pour le théâtre; de son œuvre prochaine il s'en va donc "parler dans toutes les belles compagnies de Paris". Ariste a beau affirmer que "lorsque les lectures ne sont pas préjudiciables, elles sont inutiles", l'efficacité de la méthode ne fait pas de doute, d'abord parce qu'elle flatte la vanité de ceux qui peuvent s'enorgueillir d'avoir bénéficié d'une primeur. Tel jeune auteur, avant même la création, peut ainsi affirmer que le succès lui est assuré: il a établi un *Mémoire de ceux qui m'ont promis de voir jouer ma pièce;* ceux-ci seront présents à la première, ceux-là à la seconde représentation, et ainsi de suite jusqu'à la huitième: "Tous ceux qui m'ont promis de venir savent déjà les beaux endroits par cœur, afin de ne pas les laisser passer sans applaudir".

L'auteur confirmé peut se dispenser de cette préparation systématique. Mais, sous une autre forme, la même nécessité s'impose à lui: faire parler de ses projets, entretenir sa réputation, et pour de telles besognes les Subligny, les Barbier, les Villars offrent toujours leurs officieux services: "Nous voyons tous les jours quantité de pièces qui réussissent par la bonne opinion que l'on a d'un auteur et par la déférence que l'on a pour son nom; et ce qui est remarquable, c'est que ces pièces sont souvent applaudies de tout le monde, avant qu'elles aient été vues de personne, avant qu'elles soient achevées, et même quelquefois avant qu'elles soient annoncées". Le sort d'une œuvre est ainsi en grande partie joué avant même la représentation.

Visé aurait pu devenir un critique théâtral digne de ce nom dans la mesure où, au contraire d'un Chapelain, il a perçu que l'œuvre dramatique doit être jugée suivant les critères propres à la représentation. L'Ariste des *Nouvelles Nouvelles* le fait observer, en une phrase qu'aurait faite sienne Molière: "La représentation fait découvrir des beautés que la lecture ne peut faire voir". Et, dans le premier volume du *Nouveau Mercure Galant* (1677), il définit un principe qui est rigoureusement celui que claironnera F. Sarcey dans les années 1880: le critique dramatique ne peut être que le porte-parole de l'opinion moyenne du public:

> Je ne voudrais pas que l'auteur du *Mercure Galant* nous donnât son sentiment particulier. Il y aurait de la présomption à s'établir juge dans une cause où on pourrait dire en quelque sorte qu'il serait partie intéressée. Mais, *pourvu qu'il ne fit que recueillir les sentiments du public*, je ne vois pas que MM. les auteurs puissent avoir rien à lui imputer[20].

Si Visé avait été cet observateur-là, ses chroniques du *Mercure* seraient irremplaçables, parce qu'elles nous rapporteraient l'écho des réactions du public et non pas celui des partis-pris d'un clan.

A partir du 1 janvier 1672, Visé publie sa lettre hebdomadaire en prose. Il s'agit encore d'une gazette où la part la plus large est faite aux mondanités, aux mariages, aux décès, aux hauts faits militaires, aux "nouvelles des ruelles les plus galantes". Mais, dès le départ, il est bien précisé que les jugements seront portés sur "toutes les comédies nouvelles". De fait une place importante est aussitôt accordée au théâtre, à commencer par la création de *Bajazet*.

Mais, pas plus en 1663 (parution des *Nouvelles Nouvelles*, querelle de *l'Ecole des Femmes*) qu'en 1672, Visé n'est guidé par le souci de porter des jugements motivés sur les pièces dont il rend compte. En 1663, le jeune homme se préoccupe d'abord d'attirer sur lui l'attention, en faisant du bruit, beaucoup de bruit, en prenant des positions en flèche, quitte à se déjuger s'il lui paraît que son intérêt lui commande un tel retournement: ainsi agit-il vis-à-vis de Molière et de Corneille. Au-delà de 1672, le problème se pose pour lui en termes différents: il s'agit désormais de consolider la position qu'il s'est acquise, d'asseoir sur des bases solides *le Mercure Galant*: protection du Roi, solidarité avec les Corneille, particulièrement avec Thomas qui, en 1681, devient officiellement son associé à la direction de la Gazette.

Intérêt bien entendu, commençant par le service de soi-même: le journal se préoccupe d'abord d'assurer le succès aux œuvres de son rédacteur en chef et fondateur, lequel est au surplus le fidèle collaborateur de Thomas Corneille

(*Circé, l'Inconnu, la Devineresse, la Pierre philosophale,* etc.). La cause de Visé se trouve donc confondue, sur la scène comme dans la salle de rédaction, avec celle de Thomas. L'attaque portée contre *Bajazet* sur le ton du persiflage (tragédie qui "*passe* pour un ouvrage admirable"; "le sujet de cette tragédie est turc, *à ce que rapporte l'auteur*"; "*ses amis* le placent entre Sophocle et Euripide") reflète d'abord le dépit éprouvé à l'égard d'un confrère qui, par le succès de sa tragédie, a gêné la carrière de son propre *Mariage de Bacchus et d'Ariane,* représenté à la même date (9 janvier 1672). L'*Ariane* de Thomas (5 mars 1672) est louée en termes hyperboliques: "On ne peut rien voir de plus touchant, et cette princesse s'exprime avec des sentiments si tendres et si nouveaux que personne ne croit qu'on puisse mieux réussir en ce genre d'écrire". Annonçant les créations prévues pour 1672–1673, Visé, qui ne peut tout de même pas passer sous silence que Racine va faire jouer *Mithridate,* remarque perfidement: "Cet ouvrage réussira sans doute, puisque les pièces de cet auteur ont toujours eu beaucoup d'amis" (6 août 1672). Quand il s'agit de juger la tragédie, il suffit de reprendre le vieil argument de la méconnaissance du réalisme historique: Mithridate "adouci", devenu "un des meilleurs princes du monde", entouré de "*nos* amants et amantes".

Visé sait que, l'assistance à une première étant devenue un rite obligatoire, il importe d'attirer très tôt l'attention sur l'événement qui se prépare. Aussi, habile à piquer la curiosité, le *Mercure* s'ingénie-t-il toujours à préjuger du succès de la pièce qu'il entend soutenir. *La Devineresse,* due à la collaboration de Thomas et de Visé, qui n'est jouée qu'en novembre 1679, est annoncée dès août, puis en octobre. Le numéro de janvier 1679 prédit que l'on va "courir en foule" à la reprise de *l'Inconnu* de Thomas (Visé, co-auteur, se garde de citer son propre nom): quelle Climène, quel Marquis serait assez négligent pour ne pas être présent dans la salle où va se dérouler une création dont on parlera, le lendemain, aux quatre coins de Paris? Et si la reprise du *Festin de Pierre* est si chaudement recommandée, ce n'est pas en hommage à Molière, mais parce que cette version expurgée de *dom Juan* est de la plume de Thomas.

La critique pratiquée au *Mercure* est ainsi toute entière commandée par la nécessité de soutenir les intérêts d'un groupe où figurent en bonne place, autour du directeur-fondateur, ceux qui appartiennent au clan cornélien.

Une seule limite ne doit en aucun cas être franchie: celle qui est déterminée par les volontés royales. L'arrivée de la Reynie à la police (1667) correspond à une volonté de sérieuse reprise en main , rendue nécessaire par la persistance de libelles où sont dénoncés l'autoritarisme du régime, le scandale des mœurs de la Cour. Subligny, avec l'interdiction de sa *Muse Dauphine,* a le premier fait l'expérience de ce désir d'en finir avec les manifestations d'anticonformisme. La survie du *Mercure* passe donc par la soumission absolue au pouvoir. Il s'établit même, entre le *Mercure* et les pouvoirs publics, une collaboration discrète pour agir sur l'opinion: si le projet n'en était pas approuvé en haut lieu, jamais Thomas ne pourrait faire jouer, en pleine Affaire des Poisons, cette *Devineresse* qui est pleine d'allusions au procès en cours, alors que La Reynie a interdit aux gazettes toute référence aux événements. En janvier 1681, Thomas encore, en collaboration avec Visé, donne la *Pierre philosophale,* hostile aux Roses Croix, ce qui entre dans les vues du pouvoir.

Si Molière, Racine ne sont pas trop malmenés, c'est qu'on ne tient pas à s'en prendre systématiquement à des auteurs qui jouissent de la protection du souverain. Au moment des deux *Phèdres,* peu soucieux de s'engager dans une bagarre où se trouvent mêlés de puissants personnages, le *Mercure* se garde de prendre parti. Dans un second article, on se contente d'indiquer discrètement où vont les préférences de la gazette, en cherchant des excuses à l'échec de Pradon: obligé de terminer sa pièce en trois mois, le poète n'a pas eu le temps de "polir" ses vers. Pour la même raison, Lulli, organisateur officiel des divertissements royaux, est choyé: monte-t-il, en février 1686, son *Armide,* on précise que le livret (Quinault) a été choisi par Louis XIV lui-même. Le compte-rendu d'*Achille et Polyxène* (novembre 1687) se transforme en article nécrologique consacré au compositeur décédé avant que l'œuvre soit achevée, et la faveur royale dont a bénéficié le disparu est abondamment soulignée. *Esther* peut-elle ne pas être une grande œuvre puisque "le Roi l'a honorée plusieurs fois de sa présence"? Et, dans sa livraison de janvier, *le Mercure* s'évertue à apaiser les craintes suscitées par l'initiative prise par Mme de Maintenon d'introduire des divertissements profanes dans une maison d'éducation:

> Il faut que jeunesse se divertisse, et particulièrement quand elle n'a pas renoncé au monde comme la plupart de ces demoiselles, et principalement dans un carnaval, parce que, l'usage ayant autorisé les plaisirs de cette saison, on n'en peut refuser à la jeunesse (...). Cela s'est fait depuis des siècles, et se fait encore dans les couvents très austères où les pensionnaires représentent des tragédies saintes.

Mais il ne suffit pas d'échapper aux foudres d'une autorité de plus en plus vigilante. Il importe encore de ne pas manquer la providentielle occasion offerte par la nouvelle ligne politique que le régime s'est fixée à l'égard des gens de plume. Et les mesures prises par Colbert au nom du roi contribuent de façon notable à modifier les conditions de l'exercice de la critique.

Plus perspicace que Mazarin, Fouquet déjà avait compris quelle force peut tirer un homme public de l'action des cohortes d'écrivains en quête de patron. A partir de 1657, il a donc poursuivi systématiquement son entreprise: Pellisson lui sert d'intermédiaire et de guide. Les deux Corneille, Scarron, Quinault, Mlle de Scudéry, Molière, La Fontaine, Loret et cent autres de moindre importance participent bientôt efficacement à l'illustration de la Cour de Vaux (décrite, dans la *Clélie,* sous le nom de Valterre). Aux heures difficiles (et elles viennent bientôt, puisque Fouquet est arrêté à la fin d'août 1661) certains de ces gens de lettres restent attachés au Surintendant: ce sont eux qui provoquent en sa faveur le retournement qui se produit dans l'opinion publique au cours de l'interminable procès[21].

Colbert a entrepris très tôt son lent travail de sape contre Fouquet, du vivant même de Mazarin. Chapelain déjà évolue dans son sillage, et aussi Furetière, les frères Boileau. La satire I de Boileau, dans sa version originale, se fait ainsi naturellement l'écho de la campagne qui s'amorce contre le Surintendant, représenté sous le nom d'Oronte, dont "l'impudence a causé la fortune".

La chute de Fouquet permet à Colbert de mettre en œuvre la grande opération de récupération des gens de plume. Et il ne faut pas longtemps pour que les ex-protégés de Fouquet deviennent les pensionnés du souverain. Car Colbert est bien décidé à faire transférer sur le jeune roi les adulations, monnayées, en prose et en vers, de tous ceux qui se retrouvent en disponibilité. Comme Fouquet a dû recourir aux lumières de Pellisson, Colbert use de Chapelain, avec lequel il entretient des relations de longue date. Un an après l'arrestation de Fouquet, Chapelain adresse à Colbert son rapport sur les mesures à prendre pour utiliser les gens de lettres dans une opération qui a pour but, à une époque où la propagande politique ne dispose d'aucun autre moyen d'expression, d'assurer la publicité du règne. Lettre qui est complétée, à la fin de 1662, par le *Mémoire sur quelques gens de lettres vivant en 1662:* non pas panorama de la littérature du temps, mais suite de 90 notices individuelles appelées à fixer les idées de Colbert sur les personnes, leurs titres, et leur aptitude à servir à l'exaltation du règne.

C'est dans cette perspective proprement politique (et non dans celle de récompenses décernées à partir de considérations esthétiques) qu'il faut considérer ce *Mémoire.* Pour les écrivains peu connus, on tient compte d'abord du degré d'empressement qu'ils sont capables de mettre au service du roi. Il importe peu que les écrivains aient naguère "appartenu" à Fouquet. On ne se préoccupe pas de rallier des partisans en fonction de la fermeté de leurs convictions; on recrute des propagandistes dont on attend d'abord l'efficacité. L'encens brûlera au pied d'un nouvel autel, rien de plus. Ainsi sont proposés les deux Corneille, et Quinault, et Molière. Aussitôt que, un peu plus tard, Racine a fourni à Chapelain quelques échantillons de ses dons poétiques et fait la preuve de son immense bonne volonté à entrer dans la voie officielle, le débutant est placé sur la liste des candidats aux largesses gouvernementales.

Chapelain a défini lui-même son rôle dans cette affaire. Il ne dispose d'aucun pouvoir de décision; il est seulement conseiller technique: "Cela se limite à lui (Colbert) dire avec candeur et liberté mon intime sentiment des choses dont il juge quelquefois nécessaire de me consulter" (à Tanguy-Lefebvre, 27 juin 1663). Sur 46 gratifiés de 1664, 36 ont été signalés par Chapelain.

Les premières libéralités royales ont pour effet immédiat de provoquer, au sein du Parnasse, le tollé des écrivains déçus, en tête desquels se trouvent les deux Boileau. Ceux-ci, à l'apogée de Fouquet, se sont pourtant trouvés du bon côté, celui de Chapelain, donc de Colbert. L'amertume est grande: elle se manifeste dans la mention qui est faite de Racine par Despréaux: parmi tant de "beaux esprits" que distingue la faveur royale, figurent "un Racine, un Ménage!". Cette désobligeante mention de l'auteur de la récente *Thébaïde* ne constitue pas un jugement sur les mérites du poète dramatique: elle traduit l'aigreur des Boileau à l'égard d'un confrère qui, "habile", a mené sa barque avec une agilité qui rend jaloux. Dans les jugements hostiles portés sur Racine, il sera toujours malaisé de faire le départ entre ceux qu'inspire une sincère aversion pour son théâtre et l'envie portée à un intrigant trop bien en Cour.

A partir de 1664, Colbert consulte peu Chapelain, sauf pour les écrivains étrangers, qu'il connaît mal. Rien ne manifeste mieux le déclin naissant de Chapelain: alors que Molière et Racine se placent dans le camp de ceux qui le brocardent, leurs pensions ne cessent d'augmenter. C'est désormais Colbert et le roi en personne qui distinguent les mérites. L'augure des années 1630–1640, mué en 1662 en conseiller du ministre dans l'exercice de cette très spéciale "critique", ne joue plus désormais qu'un rôle secondaire.

La puissance du souverain, qui se heurte à celle de l'Eglise, n'est pas telle qu'elle puisse assurer toujours le succès à un auteur: Molière en fait l'expérience avec *Tartuffe.* Elle est suffisante pourtant pour empêcher que la querelle de *Phèdre* ne dégénère en bastonnade: querelle qui n'éclate pas à partir des qualités comparées des deux tragédies, mais à partir de la rivalité de deux clans mondains. Elle est surtout déterminante pour créer les courants d'opinion ainsi que le prouve la mésanventure du *Bourgeois Gentilhomme.* A la création, Louis XIV semble rester froid; aussitôt la Cour interprète ce silence comme s'appliquant à "un homme en disgrâce" ("en disgrâce"; non pas: un auteur qui vient de décevoir):

> – Molière nous prend assurément pour des grues, de croire nous divertir avec de pareilles pauvretés.
> – Qu'est-ce qu'il veut dire, avec son Halaba Balachou?
> – Le pauvre homme extravague; il est épuisé...

Trois jours plus tard, le roi exprime à Molière sa satisfaction: la pièce est "excellente". Et la Cour de faire chorus: "– Cet homme-là est inimitable; il y a une vis comica dans tout ce qu'il fait..." (Grimarest, *Vie de Molière*). Combien de jugements dramatiques sont ainsi, dans un système où, par les voies les plus diverses, tout remonte au roi, dépendants de l'opinion formulée en haut lieu?

Ainsi, plus se développe la vie théâtrale, plus elle devient le centre d'intérêt de cercles élargis, et plus le critique se trouve enserré dans le jeu des partis mondains, politiques, littéraires, voir religieux. Le chroniqueur est à peu près totalement à la merci de qui l'emploie; et, comme l'employeur peut varier selon la loi du plus offrant, il ne saurait, dans ses jugements, se faire une règle de la cohérence et de l'objectivité: à quelques semaines de distance, Visé se fait le détracteur, puis l'apologiste de Molière.

Saint Evremond est probablement le seul à faire figure d'esprit libre. Ses origines sociales, ses débuts prometteurs (maréchal de camp en 1652) le placent audessus des soucis du lendemain; sa plume n'est pas à louer. Jointe à sa naturelle indépendance d'esprit, sa situation le met en posture de juger en dehors de toute soumission aux exigences d'un groupe. Il a pu affirmer que les "règles" absolues sont peu nombreuses, et fondées sur la raison (Molière ne dit pas autre chose); que la plupart des prescriptions sont fonction de la coutume, du temps, du pays; que la raison doit gouverner la mode et non la tyranniser. De plus, exilé à partir de 1661, il échappe, par la force des choses, aux intrigues de la vie parisienne et aux exigences du culte royal.

Les limites qu'il convient d'assigner à la portée de ses jugements sont ailleurs. Loin de Paris, il n'a pas une connaissance directe, visuelle, des pièces sur lesquelles il se prononce: il lit *Alexandre, Andromaque,* il ne les voit pas représentés et son champ d'appréciation en est faussé. De plus il est né en 1614; l'année du *Cid*, il commande une compagnie au siège de Landrecies: il appartient ainsi pleinement à la génération qui a participé aux ferveurs cornéliennes et il n'est pas préparé à la nouvelle esthétique, celle de Racine, d'autant plus que son éloignement le fige dans le culte des valeurs auxquelles il s'est naguère attaché.

II

Tel est le cadre général dans lequel s'inscrivent les grandes querelles dramatiques de 1663–1667, qui s'élèvent autour de *Sophonisbe*, de *l'Ecole des Femmes*, de *Tartuffe*, d'*Andromaque*. Episodes apparemment distincts les uns des autres, mais étroitement liés entre eux par un fil directeur.

C'est de Corneille encore qu'il faut partir. Corneille qui est alors une véritable puissance, par le prestige de son nom, par la consécration des succès obtenus, mais aussi parce qu'il est devenu le symbole dramatique de la grandeur de toute une génération, enfin parce que, associé à Thomas qui tient le *Mercure*, il est le pivot de la vie théâtrale du temps.

Corneille a été, en 1658, tiré de sa retraite par Fouquet pour lequel il a composé *Oedipe*. Le frère Thomas s'est placé, lui aussi, comme tant d'autres, dans le sillage du Surintendant auquel il dédie *la Mort de Commode*. *La Toison d'Or* (décembre 1660) a été un succès; elle a moins ébloui par ses vertus dramatiques que par le déploiement d'une mise en scène à grand spectacle: "surprenantes machines", "concerts délicieux", "cent ornements admirables", "magnificence" de "l'excessive dépense" (Loret, 19 février 1661). *Sertorius* (février 1662) a reçu un accueil qui ne laisse pas présager que la nouvelle tragédie va bientôt donner lieu à polémique. Créée au Marais, l'œuvre est jouée cette même année à l'Hôtel de Bourgogne et au Palais Royal. Les Corneille ont passé sans encombres le cap de la crise provoquée par la disgrâce de Fouquet: en octobre 1662, ils reviennent s'installer à Paris, chez le duc de Guise, où se retrouvent les fidèles du groupe, à commencer par l'abbé de Pure qui a servi aux deux frères d'"antenne" parisienne pendant leur séjour à Rouen. On trouve encore là quelques-uns des nouveaux venus de la carrière littéraire, Boursault, Visé, qui sont tout prêts à soutenir, pour se servir de lui, le Grand Auteur.

En janvier 1663, est créée *Sophonisbe* dont Loret (nous savons ce que vaut son témoignage) affirme que "De longtemps pièce nouvelle Ne reçut tant d'éloge qu'elle" (20 janvier). Et l'on se croirait revenu à la belle époque du *Cid*. D'abord parce que la querelle se déroule au nom des "règles", ensuite parce qu'elle est lancée par un de ces Doctes qui, trente ans plus tôt, étaient les seuls maîtres de la critique: d'Aubignac qui provoque le débat avec l'ardeur de ceux qui trouvent enfin l'occasion de sortir de l'effacement auquel les a condamnés l'apparition de Temps Nouveaux. Car d'Aubignac qui, en 1640, a caressé tant d'espoirs sous la protection du Cardinal et mis en chantier son grand ouvrage de *la Pratique du Théâtre*, a dû, Richelieu disparu, se contenter de jouer l'oracle des ruelles.

Enfant bien tardif, *la Pratique* a vu le jour en 1657. Corneille y est constamment cité, et la plupart du temps avec éloge. Mais cette parution a eu pour effet d'aiguillonner Corneille dans le projet qu'il conçoit, dès 1656, d'exposer "quelques réflexions" à partir des expériences qu'il a tirées de son commerce avec la Muse tragique. Le 25 août 1660, Corneille annonce à l'abbé de Pure qu'il achève les *Trois Discours sur le Poème dramatique;* et il précise que, s'il contredit quelquefois M. d'Aubignac et MM. de l'Académie, il se gardera de jamais les nommer. Ce qui resurgit là, ce sont les rancœurs, qu'il a fallu rentrer naguère, sur ordre venu de très haut: Corneille entend, enfin, réfuter les "maximes" et les "propositions" sur lesquelles l'Académie a fondé sa condamnation du *Cid*[22]. Les Combattants de l'ancienne génération déterrent la hache de guerre, pour régler les comptes restés en suspens.

Les *Discours* ne constituent pas seulement une réponse aux réserves formulées par d'Aubignac dans sa *Pratique:* ils ont une portée plus générale. Mais les remarques sur *Horace*, par exemple, réfutent très précisément les objections de l'abbé à propos des "bienséances". Enfin, in cauda venenum, la fin du 3e *Discours* peut être considérée comme une perfidie à l'égard d'un théoricien éminent, bien incapable de tirer une réalisation de ses beaux principes: "Voilà mes opinions ou, si vous voulez, mes hérésies concernant les principaux points de l'art. Je ne doute point qu'il ne soit aisé d'en trouver de meilleurs moyens, et je serai tout prêt de les suivre lorsqu'on les aura mis en pratique aussi heureusement qu'on y a vu les miens". C'est, retrouvé, le ton vainqueur de *l'Epître à Ariste.* C'est surtout rappeler que les savantes théories d'Aubignac, lorsqu'elles ont été mises en pratique, ont abouti aux obscurs *Cyminde* et *Zénobie.*

Ces piques, qui ne portent que sur un répertoire désormais classé, prennent brusquement une âpreté inattendue. D'Aubignac se fait volontiers le "précepteur" des gens du monde qui se laissent aller à écrire pour la scène. Il prête ainsi ses lumières à Mlle Desjardins, qui a déjà commis une *Alcidamie* (1661) et qui compose un *Manlius Torquatus.* Ce *Manlius* est créé en avril 1662, le *Sertorius* de Corneille l'a été à la fin de février. Coïncidence regrettable car, *Manlius* ayant échoué, on peut juger sur pièces de l'excellence de ces "meilleurs moyens" dont l'abbé prône l'efficacité. Corneille, qui a toujours la dent dure, ne manque pas d'exploiter l'avantage acquis avec la comparaison des deux œuvres.

A d'Aubignac l'occasion d'une revanche est bientôt offerte par la médiocre réussite de *Sophonisbe* (12 janvier 1663). On imagine avec quelle alacrité l'abbé, "ferme dans la dispute, fort comme un Turc sur ses principes, ne démordant jamais de son opinion", comme eût dit Diafoirus, se répand dans les salons pour exploiter le demi échec du trop glorieux rival. Car c'est certainement un écho des propos de l'abbé que l'on entend dans l'attaque portée, un peu plus tard, par Visé contre cette *Sophonisbe.*

Selon la chronologie, Visé apparaît ici pour la première fois. En 1663, il a 25 ans et de vertes ambitions. Il a tenté son coup d'essai avec ses *Nouvelles Nouvelles* qui se présentent sous la forme de conversations sans lien entre elles; cette structure lâche permet d'insérer à la dernière minute les réflexions que lui inspire la récente tragédie de Corneille. Et celles-ci, dans la bouche de Straton, ne sont pas tendres pour Corneille dont il est proclamé qu'il n'est plus que l'ombre de lui-même et ne se survit que grâce à une réputation désormais démentie: "si cette tragédie était d'un autre que Corneille, elle serait trouvée très méchante".

Dans son attaque, Visé ne s'est pas mis en frais d'imagination, l'argument principal étant la traditionnelle référence aux comédiens qui sauvent une pièce médiocre: Montfleury (Syphax) "qui joue avec jugement, qui pousse tout à fait bien les grandes passions et qui ne manque jamais de faire remarquer les beaux endroits de ses rôles"; Floridor (Massinisse) "qui a un air si dégagé et qui joue de si bonne grâce". L'exécution est ainsi parachevée: "tout y ennuie, rien n'y attache (...); elle produit des effets contraires à la grande tragédie et fait rire en beaucoup d'endroits". Avec une condescendance inattendue chez un débutant, Visé reconnaît à Corneille quelques mérites: avoir "introduit la belle comédie en France, avoir purgé le théâtre de choses que l'on veut y faire remonter", hommage aux œuvres de la première période et qui place Corneille parmi les vieilles gloires. Et le chroniqueur conclut: "Il a pris un vol si haut que l'âge oblige, malgré lui, de descendre un peu".

Pourquoi Visé s'en prend-il ainsi à Corneille? On peut penser que le jeune homme a bien déterminé cette règle d'or du polémiste qui, entendant, non pas faire valoir des idées, mais se faire valoir lui-même, doit choisir sa cible le plus haut possible. On peut aussi penser qu'il a d'abord estimé avantageux de se placer dans le sillage de d'Aubignac et d'épouser sa querelle. De toute façon, comme le prouve la suite du débat, il est exclu que cette prise de position corresponde à une conviction esthétique personnelle. Quel qu'il soit, il y a eu, de la part de Visé, calcul tactique.

De son côté, d'Aubignac fait imprimer ou laisse imprimer (il affirme que l'édition a été entreprise à son insu) ses *Remarques sur la tragédie de Sophonisbe.* Entre ses observations et celles de Visé, les analogies sont évidentes: l'abbé se présente aussi en admirateur du *Cid;* il met à son tour en cause la trop grande confiance en soi de l'aigle qui a volé si haut: l'échec de *Sophonisbe* est une bonne leçon donnée à un "auteur qui voyait tout le Parnasse au-dessous de lui" et qui vient de claironner son sentiment de supériorité. L'abbé accable *Sophonisbe* de la comparaison avec celle de Mairet ("plus judicieuse et mieux conduite", "les personnages y sont plus héroïques et la bienséance mieux observée"), dont la perfection aurait détourné un esprit moins infatué de soi de s'attacher à un sujet déjà magistralement traité: "les personnes d'honneur" ont sévèrement jugé cette outrecuidance.

Pour le reste, le réquisitoire date de l'époque des discussions autour des règles: unité de lieu mal respectée, mouvements d'acteurs mal motivés, "disposition" incertaine de la pièce. Il s'en prend encore au caractère de Massinisse, trop veule pour arracher aux Romains Sophonisbe à laquelle il survit; il déplore que Corneille ait laissé vivre Syphax, alors que Mairet le faisait disparaître. D'Aubignac, en somme, refait la tragédie telle qu'il l'aurait conçue s'il s'était institué le "précepteur" de Corneille comme il l'a été de Mlle Desjardins.

Ces arguties ne présentent d'intérêt que parce que le réquisitoire de l'abbé provoque, chez Visé, un retournement spectaculaire. Car c'est Visé qui répond aux *Remarques* avec une *Défense de Sophonisbe.* Visé est déjà trop habile pour se perdre dans les minuties de dogme. Il sait que dans ce genre de querelle l'argument ad hominem est plus efficace que les démonstrations et qu'avant de discuter les thèses de l'adversaire il est congruent de déconsidérer l'adversaire. Les *Remarques* sont donc présentées comme inspirées par la pure jalousie: " – M. de Corneille, dit-il (d'Aubignac) un jour devant des gens dignes de foi, ne me vient pas visiter, ne vient pas consulter des pièces avec moi, ne vient pas prendre de mes leçons, toutes celles qu'il fera seront critiquées". D'Aubignac n'est donc pas, comme on le croit, un critique érudit qui juge selon ses principes: il est un fat, un sectaire borné, à peu près un ridicule.

Puis, sans la moindre vergogne, Visé retourne en faveur de Corneille toutes les remarques qui lui ont, quelques semaines plus tôt, servi à dénigrer l'œuvre. "Erixe est un personnage entièrement inutile à la pièce", a-t-il d'abord décrété. Dans le second "jugement": "M. de Corneille rend le rôle d'Erixe nécessaire". Et, reprenant les différents points de l'argumentation de l'abbé pour les contester les uns après les autres, Visé justifie le comportement de Syphax, celui de Massinisse, de Sophonisbe; et il loue fort Corneille de n'avoir pas plagié Mairet en faisant mourir Syphax.

Il faut toutefois expliquer au lecteur cette si complète conversion: "Je sais me rendre à la raison. Je n'avais été voir la *Sophonisbe* que pour y trouver des défauts; mais l'ayant été voir en disposition de l'admirer, et n'y ayant découvert que des beautés, j'ai cru que je n'aurais pas de gloire à paraître opiniâtre". En cet aveu dépouillé d'artifice, le lecteur est invité à reconnaître la sincérité d'une âme qui ne peut résister, une fois qu'il a retenti, à l'appel de la "raison". On peut aussi penser que, son premier coup porté, Visé découvre que, s'attaquant à la puissance cornélienne, il s'en est pris à bien forte partie; que se placer dans le camp de l'abbé, c'est se ranger dans le rang de doctrinaires qui ont fait leur temps. En tout cas, la conformité est absolue entre les arguments développés par Visé – seconde manière – et ceux de Corneille dans son *Avis* au lecteur de *Sophonisbe,* à propos notamment des distances prises vis-à-vis de l'œuvre de Mairet.

Piqué au vif, d'Aubignac en rajoute. Il publie une seconde édition de ses *Remarques,* une *Dissertation* qui étend le débat jusqu'à *Sertorius,* qui, représenté à la fin de février 1662, a obtenu un succès beaucoup plus net que *Sophonisbe.*

Corneille, dans l'*Avis*, s'est placé au dessus des querelles de personnes et ses attaques visent l'abbé sans le nommer. Sa haute situation lui recommande d'éviter de tomber dans la polémique personnelle. Ce qui donne à penser que la besogne de dénigrement de l'adversaire a été dévolue par Corneille à Visé, c'est que, tout en conservant le ton de la dignité sereine, le poète agit de tout autre façon en sous-main. D'Aubignac a formellement accusé Sercy, le libraire qui a imprimé les *Remarques,* de l'avoir trahi au profit de Corneille: "Corneille a usé de voies indirectes et violentes et fait le petit ministre du roi d'Yvetot, ne pouvant rien souffrir qu'on imprimât contre ses intérêts ou ses fantaisies". L'abbé précise que Corneille a délégué des exempts pour le menacer de saisir ses presses et ses copies.

Indigné, l'abbé finit par mettre en cause dans les termes les plus imagés le gazetier des *Nouvelles Nouvelles:* "J'apprends que, par la cabale de M. de Corneille, toute la racaille du Parnasse ou, pour mieux dire, la vermine qui rampe auprès de cette pénible montagne, est fort émue et que tous les faiseurs de Nouvelles et les pédastres naissants prennent les armes pour sa défense".

Puis *Sertorius* est passé au crible, on devine avec quelle objectivité. Il est malaisé de contester le succès de *Sertorius:* ce succès est tout pareil à celui du *Cid* qui a fait naguère illusion par un faux éclat: "ils y ont trouvé quelque scène brillante par la grandeur des raisonnements, ou par la véhémence des passions, et sans rien examiner au delà, on a voulu que tout le reste fût digne d'une pareille estime. Et quand on leur a découvert la faiblesse et le manque des autres endroits, ils en ont été bien convaincus, mais ils ont voulu se défendre par un: qu'importe!". Ce *Sertorius* contient "cinq histoires qui peuvent toutes, indépendamment l'une de l'autre, fournir des jugements raisonnables à cinq pièces de théâtre".

Visé, dont la conversion est cette fois définitive, se charge encore de répondre. Pédastre naissant, il n'est pas tenu à une attitude de noble détachement: "puisque la guerre est déclarée entre nous, je combattrai d'une manière qui divertira tout le monde" (*Défense de Sertorius*). Et l'abbé est présenté comme un vieillard radoteur qui ferait mieux de se préparer à la vie éternelle: "J'espère qu'au lieu de vos remarques, vous nous donnerez dans peu les moyens de se bien préparer à la mort". Quant à l'apologie de *Sertorius,* elle repose sans surprise sur l'opposition entre le consensus du public et les vétilleuses réserves du critique: "Personne n'entrera dans vos sentiments puisque tout Paris...".

D'Aubignac est animé par la constance des doctrinaires: une troisième *Dissertation* s'étend à *Oedipe*; une quatrième enfin s'en prend au poète lui-même dont, en particulier, sont mis en doute les titres de noblesse; ce qui suffirait à prouver que cette "querelle dramatique" est une querelle personnelle et que c'est de positions à défendre dans le monde qu'il est question.

D'Aubignac ne perçoit pas que sa pugnacité s'exerce dans le vide: ses deux dernières *Dissertations* ne suscitent pas de réponse. En réalité, d'Aubignac ne compte plus. La désertion de Visé, au premier engagement, constitue déjà un indice inquiétant. La parution, en décembre, du roman allégorique de l'abbé, *Macarise,* complète la démonstration. Selon Tallemant, d'Aubignac "oblige tous les jouvenceaux qui lui faisaient la cour à lui donner des vers pour mettre au devant de son livre". De fait, *Macarise* s'ouvre sur des textes de 16 auteurs; la collecte est pourtant maigre quant à la qualité; à l'exception de Patru, les 15 autres sont à peu près inconnus. Ceux qui passent pour être des familiers de l'abbé (Cotin, Furetière, Gilles Boileau) s'abstiennent prudemment. D'Aubignac ne fait plus autorité; on ne peut plus faire carrière dans son sillage. Visé, comme d'autres, l'a bien perçu – à temps.

Un simple résumé de la querelle[23] n'aurait pas permis d'en saisir la portée, qui ne se décèle qu'à travers les épisodes de détail. Elle n'a pas atteint l'ampleur de celle du *Cid.* Mais elle marque la fin de la première époque de la critique dramatique. Elle constitue un règlement de comptes à partir de vieilles rancœurs, et au nom de principes dont la discussion n'intéresse plus personne: c'est pourquoi, au contraire de ce qui se passe pour *l'Ecole des Femmes,* elle ne trouve pas d'écho profond dans le monde du théâtre.

***

La querelle de *l'Ecole des Femmes* est beaucoup plus verte, faisant appel à d'autres moyens d'expression que les dissertations ou les discours[24].

La comédie est "frondée" dès sa création (26 décembre 1662). Selon d'Aubignac (4e *Dissertation*), la cabale serait le fait de Corneille: "cette comédie que vous avez essayé de détruire dès la première représentation".

Il est certain que les rapports entre Corneille et Molière laissent alors fort à désirer[25]. Dans le tragique, Molière est mal à l'aise et sa façon de servir le répertoire cornélien ne peut flatter l'amour-propre de l'auteur. Le Boulanger de Chalussay, un détracteur, évoque les débuts de Molière: *Héraclius, Rodogune, Cinna* sifflés et "le *Cid* tout charmant Reçut avec Pompée un pareil traitement". Après l'échec d'un *Oreste et Pylade* (novembre 1659) de Coqueteau de la Clairière, un ami des Corneille, Thomas, dans une lettre à l'abbé de Pure, s'exprime avec dédain sur les dons de Molière, rendu responsable de l'insuccès: ces comédiens "ne sont propres qu'à soutenir" des "bagatelles" du genre des *Précieuses,* "la plus forte pièce du monde tomberait, entre leurs mains" (1er décembre). Par les Cornéliens, Molière est considéré comme un baladin dont les pitreries pervertissent le public qu'elles détournent de la tragédie.

Les coquetteries de Corneille auprès de la du Parc, en 1659 toujours, n'ont rien dû arranger: c'est à cette époque que l'actrice et son mari, quittant Molière pour un an, passent au Marais sur les intérêts duquel les Corneille veillent avec un soin particulier. Il ne serait donc pas étonnant que les préfaces des *Précieuses* et des *Fâcheux* contiennent des pointes destinées à Corneille, à ses *Examens* trop savants et à sa conception des règles.

En tout cas, *l'Ecole* contient deux traits qui visent directement le Grand Auteur et son frère: l'ironie exercée à l'encontre d'Arnolphe qui se fait appeler M. de la Souche, des faux nobles comme ce Gros Pierre

> Qui n'ayant pour tout bien qu'un seul quartier de terre
> Y fit tout à l'entour faire un fossé bourbeux
> Et de Monsieur de l'Isle en prit le nom pompeux.

Dans sa 4e *Dissertation,* d'Aubignac n'omet pas de rappeler à Corneille que son "petit frère", devenu écuyer sieur de l'Isle, est tombé dans le même travers.

D'autre part, lorsqu'Arnolphe congédie Agnès: "Je suis maître, je parle, allez, obéissez", Molière prête à son personnage les termes mêmes utilisés, dans le tout récent *Sertorius,* par Pompée pour renvoyer Perpenna.

Tout cela ne suffit assurément pas à faire des Corneille les instigateurs de la "fronde" qui accueille *l'Ecole.* Mais si l'attaque n'est pas partie de là, il est sûr que, sitôt lancée, elle est soutenue par les Corneille: la participation de Visé et Boursault, qui leur sont tout dévoués, le garantit.

Si l'on se rapporte aux *Stances* de Boileau, qui semblent bien être la première pièce écrite à propos de *l'Ecole,* on lit:

> Laisse gronder tes envieux:
> Ils ont beau crier en tous lieux
> Qu'en vain tu charmes le vulgaire...

Cette indication précise le premier grief qui fut mis en avant. Il est de nature davantage sociale que dramatique: Molière recherche les suffrages de la populace, leit-motiv qui reviendra tout au long de la Querelle. Molière va replonger la scène dans la vulgarité dont tant d'efforts l'ont péniblement tirée. L'attaque est donc venue des salons que *les Précieuses* ont déjà indisposés. Mais le grief est tout proche de celui qui a été énoncé par Thomas vouant Molière à la présentation de "bagatelles".

Dans ses *Nouvelles Nouvelles* (9 février), Visé, qui commence à se pousser dans les salons et qui, à ce moment, n'est pas encore rallié à Corneille, donne un compte-rendu où se retrouvent tous les griefs qui traînent dans les ruelles hostiles. Il ne nie pas le succès[26], position qui serait insoutenable. Mais il affirme que tout ce qui fait la "beauté" de la comédie se trouve déjà dans *les Nuits facétieuses du seigneur Straparole;* que le sujet est fort mal conduit; qu'"il n'y a point de scènes où l'on ne puisse faire voir une infinité de fautes"; que c'est, argument toujours disponible, l'interprétation qui sauve la pièce: "Jamais comédie ne fut si bien représentée, ni avec autant d'art; chaque acteur sait combien il doit y faire de pas, et toutes les oeillades sont comptées". A cette critique il ne manque même pas le trait qui, par le ridicule, doit déconsidérer l'homme aux yeux des gens de qualité: "Si vous voulez savoir pourquoi presque dans toutes ses pièces il raille tant les cocus, et dépeint si naturellement les jaloux, c'est qu'il est du nombre de ces derniers".

Son ralliement à Corneille fournit à Visé d'autres raisons de s'en prendre à Molière[27]. Représentée le 1er juin 1663, *la Critique de l'Ecole des Femmes* porte de rudes coups aux délicats qui se sont offusqués de "tarte à la crème", du "potage", du "*le*" et autres "obscénités"; aux marquis qui ne font que répéter les jugements portés par les oracles; aux Lysidas, auteurs entichés de "pièces sérieuses" de ton guindé et à péripéties invraisemblables, et qui, pleins de leurs références à Horace et Aristote, oublient que "la grande règle de toutes les règles" est de plaire.

La Critique ne constitue pas seulement la plaisante évocation d'un salon. Elle est une redoutable pièce de combat, utilisant un mode d'expression autrement efficace que les Discours ou les Dissertations. Elle touche un public beaucoup plus vaste et varié que celui des écrits savants. Elle porte le débat de la façon la plus vive devant les spectateurs mêmes. Elle voue au ridicule les discussions dogmatiques. Et les coups tombent tout à la fois sur les tenants de la tragédie (auteurs, et parmi eux le plus célèbre, si même Lysidas ne doit pas certains traits à l'Illustre poète), sur les Comédiens de l'Hôtel de Bourgogne, sur les précieux, les pédants, les marquis, les nouvellistes, les prudes et les dévôts. On comprend pourquoi la querelle prend alors une autre ampleur.

De fait le tintamarre s'amplifie brusquement et réunit dans la même opposition les cornéliens, les comédiens rivaux, les habitués des ruelles, les rigoristes.

La première riposte vient de Visé qui ne saurait manquer pareille occasion de se mettre en valeur et de soutenir les intérêts auxquels il s'est tout récemment attaché. Le 4 août, il publie sa *Zélinde* dont le ton est autrement plus monté que celui de ses *Nouvelles Nouvelles.* L'analyse de la pièce est menée scène après scène; mais elle ne présente aucune vue originale: elle tombe dans la vétille ou le regrattage et prouve surtout que Visé, jugeant selon le critère de la vraisemblance réaliste, ne se soucie en rien des nécessités propres à la scène. Ainsi, par un effet facile, se gausse-t-on de cette ville qui paraît vidée de ses habitants et où il semble qu'il n'y a guère "de carrosses puisque l'on y fait si facilement apporter des sièges au milieu de la rue". On se demande si ce M. Arnolphe sait qu'un "grès est un pavé qu'une femme peut à peine soulever". A ce genre de critiques, Molière ne juge pas même bon de répondre.

Mais *Zélinde* contient des attaques qui manifestent que les critiques d'ordre dramatique ne sont que hors d'œuvre destinés à couvrir le vrai réquisitoire qui vise la personnalité de l'auteur, sa situation et les périls qu'il fait courir à la Société. Molière est un "dangereux personnage", un espion à l'affût des vies privées: "On peut dire qu'il ne va point sans ses yeux ni sans ses oreilles; on commence à se défier partout de lui, et je sais des personnes qui ne veulent plus qu'il aille chez elles". Molière est décrit s'installant dans une boutique, et écoutant.

Le succès est sommairement expliqué par la sottise des marquis qui "aiment trop" un Molière qui "leur donne sujet de se rire les uns des autres", par l'absence de concurrents qui prendraient la peine de rivaliser avec lui, et surtout par le scandale: "Je ferai voir que sans ce *le*, cet impertinent *le* qu'il a pris dans une vieille chanson, l'on n'aurait jamais parlé de cette comédie". Visé reprend là un des thèmes développés par les détracteurs. Dans *la Critique,* Molière a déjà répondu, à vrai dire de façon peu convaincante: "Si vous voulez entendre dessous quelque chose, c'est vous qui faites l'ordure, et non pas elle, puisqu'elle parle seulement d'un ruban qu'on lui a pris"[28].

On en arrive ainsi au reproche d'impiété, beaucoup plus grave que celui de gauloiserie: les *Maximes du Mariage* "choquent nos mystères": il n'est pas nécessaire d'en parler davantage "puisque tout le monde en murmure hautement". Sur cette question, Molière s'est défendu dans *la Critique* par "l'extravagance d'Arnolphe et l'innocence d'Agnès". On ne se contente plus d'affirmer que la comédie est populacière, irrévérencieuse: elle devient inquiétante, impie et ainsi, à une époque où l'on ne badine pas avec de telles accusations, propre à faire tomber son auteur sous le coup des lois. Zélinde s'indigne de la passivité des courtisans qui, aussi "lâches" que les auteurs moqués (Lysidas), acceptent de se voir jouer "sous le nom du Marquis Turlupin".

Les auteurs ne sont pas aussi passifs que le prétend Zélinde: quelques semaines plus tard, *Le Portrait du Peintre* est représenté à l'Hôtel de Bourgogne.

Boursault (25 ans) entre ainsi en scène. Celui-là n'a pas connu les hésitations de Visé: il s'est rangé d'emblée sous la bannière des Corneille. Pierre l'appelle "mon fils" et ne cesse pas, par la suite, de lui accorder sa protection: lorsque Boursault fait jouer son *Germanicus* (1673), Corneille, cinq mois après *Mithridate,* affirme en pleine Académie, qu'il ne manque "à cette pièce que le nom de M. Racine pour être achevée". Boursault, de plus, s'est fait connaître par quelques comédies et ses intérêts se confondent avec ceux des acteurs qu'inquiètent les succès de Molière. Car l'hostilité n'est pas seulement celle des salons, des dévots: elle est celle de la troupe qui, devant la vogue des "petites comédies" présentées au Palais Bourbon, se voit contrainte, pour retenir le spectateur, de monter des *Apothicaire dévalisé* ou des *Mariage de rien.* Selon Guéret, "on vit tout à coup ces comédiens graves devenir bouffons". Villiers, qui fait partie de la troupe, est, lui aussi, un cornélien convaincu. Ainsi se rejoignent, à travers Boursault, les rancœurs du Grand Auteur et celles des Grands Comédiens.

Le Portrait du Peintre (septembre-octobre 1663) ne fait que reprendre le réquisitoire déjà mené contre *L'Ecole:* le *le*, bien entendu; les puces qui ont inquiété Agnès la nuit; le grès; *tarte à la crème*; la faiblesse du dénouement. Mais Boursault revient avec une insistance inquiétante sur le caractère douteux de la personnalité de Molière et sur l'impiété de son œuvre:

> Outre qu'un satirique est *un homme suspect,*
> Au seul nom de sermon nous devons du respect; (...)
> Un sermon touche l'âme et jamais ne fait rire;
> De qui croit le contraire on doit se défier,
> Et qui veut qu'on en rie, en a ri le premier. (...)
> Ainsi, pour l'obliger quoi que vous puissiez dire,
> Votre ami du sermon nous a fait la satire.

Mais Boursault apporte un élément nouveau dans la polémique. Visé a évoqué la vie privée de Molière, présenté comme un cocu jaloux. Dans *le Portrait,* reparaissent les mêmes allusions au cocuage, mais agrémentées de l'ordurière chanson sur la "coquille", due à la plume de Visé (que Boursault supprime dans l'édition)[29].

La réplique de Molière, immédiate, est portée sur la scène elle aussi: *l'Impromptu de Versailles.* Boursault y est présenté pour ce qu'il est: un obscur tâcheron ("c'est un nommé Br... Brou... Brossaut qui l'a faite") qui, porte-plume d'une coterie d'auteurs et de comédiens, s'efforce de se faire un nom. Quantité négligeable en quelque sorte. Les Grands Comédiens sont ridiculisés (à l'exception du seul Floridor, le chef de troupe); les auteurs coalisés, depuis "le cèdre jusqu'à l'hysope" (et le cèdre désigne assurément le Grand Auteur), sont pris une nouvelle fois à parti à travers Lysidas, revenant de *la Critique;* et Molière, élevant le débat, donne à tous le célèbre avertissement:

> Je ne prétends faire aucune réponse à toutes leurs critiques et à leurs contre-critiques. Qu'ils disent tous les maux du monde de mes pièces, j'en suis d'accord. Qu'ils s'en saisissent après nous, qu'ils les retournent comme un habit pour les mettre sur leur théâtre; et tâchent à profiter de quelque agrément qu'on y trouve et d'un peu de bonheur que j'ai, j'y consens; ils en ont besoin, et je serai bien aise de contribuer à les faire subsister, pourvu qu'ils se contentent de ce que je puis leur accorder avec bienséance. (...) Je leur abandonne de bon cœur mes ouvrages, ma figure, mes gestes, ma parole, mon ton de voix et ma façon de réciter, pour en faire et dire tout ce qu'il leur plaira, s'ils en peuvent tirer quelque avantage (...). Mais en leur abandonnant tout cela, ils me doivent faire la grâce de me laisser le reste et de ne point toucher à des matières de la nature de celles sur lesquelles on m'a dit qu'ils m'attaquaient dans leurs comédies.

Molière définit bien là les limites que la critique doit s'interdire de transgresser. Mais pour se faire entendre, il faudrait que ses adversaires ne nourrissent pas d'autre intention que celle de juger une comédie. Or, sous le voile de la critique, il s'agit de bien autre chose: pour les comédiens de l'Hôtel, de protéger le monopole dont ils bénéficient; pour Corneille et son groupe, de défendre des réputations menacées; pour les divers "nouvellistes", d'attirer sur eux l'attention des gens de qualité dont on prétend venger les hauts intérêts lésés par les attaques du poète comique.

La hautaine mise au point de Molière demeure lettre morte. Boursault, si dédaigneusement renvoyé à son néant, n'entend pas passer pour un simple prête-nom; et, faisant imprimer son *Portrait*, il en avise le lecteur: "Il n'est pas juste que je me laisse dépouiller d'un bien qui ne peut enrichir personne...". Quant à Corneille, "le cèdre", qui voit ridiculisée la façon dont l'Hôtel interprète ses chefs d'œuvre (toutes les parodies de *l'Impromptu* sont empruntées à son répertoire), il n'est certainement pas étranger à la relance de la querelle. On fait appel, cette fois, non plus à un débutant, mais au chevronné Robinet, vieux Cornélien celui-là. Le *Panégyrique de l'Ecole des Femmes* (fin novembre 1663) ne constitue qu'une reprise des arguments déjà avancés, encore que le personnage de Crysolite, chargé de la défense de *l'Ecole,* reprenne avec assez d'exactitude et de chaleur le plaidoyer de Molière lui-même[30]. Le *Panégyrique* prétend prouver "démonstrativement" que l'Ecole n'a "rien du tout de la belle comédie", qu'"en un autre temps" elle n'aurait été bonne "qu'à divertir la lie du peuple dans les carrefours"; qu'elle contraint les Grands Comédiens à jouer "des bagatelles et des farces"; que l'amour, "qui fait tout l'agrément du beau comique", y est tourné en dérision par le spectacle de ce "brutal" qui ne se propose d'avoir pour femme qu'un "corps sans esprit" et "fait nourrir son Agnès comme une oie"; que les bienséances sont bafouées par cette manière d'évoquer "la disgrâce des maris en termes qui font soulever la pudeur sur les fronts les plus assurés"; que l'obscénité du *le* force "le sexe à perdre contenance"; que les *Maximes* constituent une impiété par cette "noble instruction qu'on y donne pour gâter l'image de Dieu"[31]. Le *Panégyrique,* où ne manquent ni l'éloge du "Grand Ariste" (Corneille) ni la flatteuse mention de Visé présenté comme le petit David s'attaquant à Goliath-d'Aubignac[32], constitue un bréviaire pour gens du monde auxquels il fournit un répertoire d'arguments à développer dans les conversations.

Mais aux Grands Comédiens il ne suffit pas que Robinet déclare que Molière, "le plus détestable comédien qu'on ait jamais vu", fausse le goût de ses contemporains en faisant passer de mode la tragédie. Et Visé reprend la plume pour composer la *Réponse à l'Impromptu de Versailles,* pendant que Montfleury, le fils du tragédien parodié, lance son *Impromptu de l'Hôtel de Condé.* En réponse aux moqueries de Molière sur le style de jeu de l'Hôtel, on riposte par la dérision du jeu d'Elomire, caricaturé dans son rôle de César (*la Mort de Pompée*), avec son perpétuel hoquet, sa perruque "plus pleine de lauriers qu'un jambon de Mayence", sa récitation les bras croisés. Quant aux membres de sa troupe, des "singes" et des "guenons". Un trait particulier est réservé à l'âge de Madeleine Béjart, qui a représenté une nymphe dans *les Fâcheux:* "on croyait tromper nos yeux en nous la faisant voir et nous faire trouver beaucoup de jeunesse dans un vieux poisson"[33]. Ces grossièretés ne suffisant pas, on revient aux attaques sur la vie privée; Sganarelle n'est qu'une copie de son créateur,

> cet auteur burlesque d'aujourd'hui,
> De ce daubeur de mœurs qui, sans aucun scrupule,
> Fait un portrait naïf de chaque ridicule,
> De ce fléau des cocus, de ce bouffon du temps,
> De ce héros de farce acharné sur les gens
> Dont pour peindre les mœurs la veine est si savante
> Qu'il paraît tout semblable à ce qu'il représente.

Visé va au-delà des sous-entendus: Ariste évoque une représentation de la comédie de Boursault: "Il a été plus de cocus qu'il (Molière) ne dit voir *le Portrait du Peintre.* J'y en comptais un jour jusques à trente et un (...). Trente de ces cocus applaudirent fort, et le dernier fit tout ce qu'il put pour rire, mais il n'en avait pas beaucoup d'envie".

Enfin quand, à la mi-décembre, Visé publie ses *Diversités Galantes,* allant au bout d'une argumentation qui n'a encore été que suggérée, il présente franchement Molière comme un écrivain subversif dont les bouffonneries déconsidèrent les plus solides soutiens de l'ordre social: "C'est tourner le royaume en ridicule, railler toute la noblesse et rendre méprisable des noms éclatants pour qui on devrait avoir du respect. Lorsqu'il joue toute la Cour et qu'il n'épargne que l'auguste personne du Roi, il ne s'aperçoit pas que cet incomparable monarque est toujours accompagné des gens qu'il veut rendre ridicules".

Molière s'est engagé à ne plus répondre, et il se tait[34]. Mais du côté des adversaires, on use déjà d'autres méthodes qui montrent bien que, depuis longtemps, la querelle de critique dramatique n'est qu'un prétexte: en même temps qu'il fait jouer son *Impromptu*, Montfleury présente à Louis XIV le mémoire par lequel il accuse Molière "d'avoir épousé la fille et d'avoir autrefois couché avec la mère".

C'est *Tartuffe* qui sert de complément aux empoignades autour de *l'Ecole.* Puisqu'il est désormais avéré que le débat sur les "bagatelles", le *le*, le grès, n'est qu'-

un faux-semblant, Molière va au fond du problème. On a dénoncé l'immoralité et l'impiété de *l'Ecole:* dans *Tartuffe,* Molière met à nu le vrai visage de ses détracteurs. En 1665, Rochemont souligne le lien étroit qui unit les deux comédies: "Voyant qu'il choquait toute la religion et que tous les gens de bien lui seraient contraires, il a composé son *Tartuffe* et a voulu rendre les dévots des ridicules et des hypocrites. Il a cru qu'il ne pouvait défendre ses maximes qu'en faisant la satire de ceux qui le pouvaient condamner".

Aussi, à propos de *Tartuffe* et de *Dom Juan,* n'est-il plus question de peser les mérites dramatiques ou de disserter sur les règles. Il s'agit de s'en prendre à un "démon vêtu de chair et habillé en homme", "le plus signalé impie et libertin qui fût jamais dans les siècles passés" (P. Roullé, curé de St. Barthélemy), à une "comédie très dangereuse" (Hardouin de Péréfixe, archevêque de Paris).

Cette querelle de *l'Ecole des Femmes* consacre d'abord l'entrée en lice, provisoirement dans le sillage de Corneille, de toute une génération de débutants aux convictions incertaines, pour lesquels la critique est un moyen de se mettre en valeur, même au prix de la mauvaise foi et de la calomnie. Boursault n'ira pas très loin; mais Visé est désormais bien en selle: l'exceptionnelle réussite du *Mercure* est là en germe, dans ces manœuvres d'un camp à l'autre et dans cette totale absence de scrupules. Aussi, attentif à se concilier un nouveau venu dont il a perçu l'influence naissante, Molière ne tarde-t-il pas à *récupérer* Visé: le 23 octobre 1665, il joue, de lui, *la Mère Coquette*[35]. Visé, une fois encore, change de bord: et c'est lui qui, en 1667, donne, en préface à l'édition, sa *Lettre écrite sur la comédie du Misanthrope,* lettre de ton juste ("héros plaisant sans être ridicule", "fait rire les honnêtes gens sans dire des plaisanteries fades et basses") et toute favorable à Molière qui, un peu plus tard, monte de lui encore *la Veuve à la mode.*

La querelle, d'autre part, met en évidence, par sa concomitance avec celle de *Sophonisbe,* la portée nouvelle prise par les débats dramatiques. La querelle de *Sophonisbe* semble toute tournée vers le passé, par un certain accent de cuistrerie et son caractère théorique. Celle de *l'Ecole* s'anime au contraire à l'intérieur de la salle de spectacle, elle mêle des écrivains confirmés à de jeunes arrivistes, aux comédiens: elle prend les proportions d'une véritable Guerre Comique au cours de laquelle aucun argument n'est proscrit, y compris ceux qui peuvent conduire l'adversaire en prison. A l'une et à l'autre, Corneille est associé, tant est grande sa puissance dans le monde du théâtre: autour de lui, moins pour le servir que pour se servir, s'empressent les gazetiers. Les Comédiens de l'Hôtel enfin s'engagent cette fois dans une bataille où sont lésés leurs intérêts et leurs privilèges. Les doctrinaires, comme d'Aubignac, suivent le train, mais ils ne le commandent plus; Chapelain reste en dehors du débat et le jeune Boileau, qui rompait des lances en sa faveur, ne tarde pas à déserter ce camp où ne se joue plus l'avenir. Ce tumulte atteste que la pratique dramatique ne correspond plus à un exercice d'école. La querelle embrasse tout un ensemble d'intérêts personnels, corporatifs, sociaux, qui n'est aussi complexe que parce que, en trente ans, a été assurée la définitive promotion du théâtre, devenu le centre des divertissements parisiens.

***

Au même moment, Racine est, lui aussi, comme l'a mis en évidence R. Picard, un jeune homme en quête d'une position. Il a proposé au Marais une *Amasie*, à l'Hôtel une pièce sur Ovide: double échec. Et c'est Molière, toujours à la recherche d'auteurs, qui lui a finalement donné sa chance. On a relevé le ton désinvolte que Racine adopte dans ses trois lettres de novembre-décembre 1663, lorsqu'il parle de Molière: c'est que, pour lui, la troupe de Molière ne constitue qu'un pis-aller, appelé à être aussi provisoire que possible. Seuls les Grands sont capables d'imposer une réputation tragique. Au surplus, ce que l'on sait sur ses conceptions en matière de diction donne à penser que Racine est plus sensible au style d'interprétation de l'Hôtel qu'à celui du Palais-Royal. En tout cas, enlevant au Palais-Royal *Alexandre* et la du Parc, Racine se fait de Molière un ennemi. D'autre part, le succès d'*Alexandre* a de quoi inquiéter les Cornéliens: toujours fidèle au Maître, Robinet relève que l'amant de Cléophile est "plus tendre Que ne le fut l'ancien Alexandre" (27 décembre), donnant ainsi le ton d'une campagne qui poursuivra Racine tout au long de sa carrière: Racine infidèle au réalisme historique, fade, n'écrivant que pour les femmes et les galants. De son exil, Saint Evremond est trop plein de son admiration cornélienne pour rendre les armes devant la nouvelle tragédie: Racine n'a pas "connu" le véritable Alexandre et le véritable Porus ("Porus est ici purement français", "Je ne connais ici d'Alexandre que le seul nom"); Racine croit que "le premier but de la tragédie (est) d'exciter des tendresses dans nos cœurs"; il n'atteint pas, dans la scène entre Porus et Alexandre, à la grandeur qui se révélait dans "la conversation de Sertorius et de Pompée".

Alexandre ne provoque néanmoins aucune querelle. Les partis sont pris, les thèmes posés, mais encore sans éclats. C'est *Andromaque* qui cristallise les oppositions esquissées, celle de Molière et de ses amis, celle des Cornéliens, auxquelles on peut ajouter, à travers l'affaire des *Imaginaires,* celle de la puissante coterie janséniste.

Soucieux de prévenir les manœuvres hostiles, Racine couvre la création de sa tragédie du patronage le plus illustre: celui d'Henriette d'Angleterre, animatrice de cette Jeune Cour qui, séduite par les tentations de la galanterie, se révèle peu sensible aux "sublimes beautés" de Corneille. La ruelle de la Princesse est, selon l'expression de Robinet (22 décembre 1668), le "fameux polissoir" à l'entrée duquel tremblent "tous les auteurs les plus brillants". Racine prend grand soin de mettre en valeur cette protection: "la Cour vous regarde comme l'arbitre de tout ce qui se fait d'agréable"; il se flatte des conseils que la Princesse lui a dispensés, ce qui, associant Henriette au destin de sa tragédie, constitue le meilleur moyen de créer un mouvement de snobisme mondain. Quand il voudra démontrer que la réussite d'*Andromaque* ne prouve rien, Subligny insistera sur le fait que tout ce grand bruit est dû à ce que "vingt personnes de la première qualité l'ont trouvée incomparable".

Tout cornélien qu'il soit, Robinet ne peut que prendre acte du succès remporté par "l'heureux auteur". Mais sa Lettre du 26 novembre est avant tout constituée par un long développement sur les mérites des différents interprètes.

Pour en appeler du verdict du public, ceux que ce succès préoccupe entreprennent une action double: d'une part on sollicite le dernier des grands oracles dramatiques, Saint Evremond; d'autre part, reprenant la technique qui a si bien réussi pour *l'Ecole des Femmes,* on porte le débat sur la scène même.

Saint Evremond a naturellement été tenu informé de l'engouement suscité par *Andromaque.* Son jugement, avant tout, témoigne de son embarras. On y sent d'abord le souci de ne pas aller franchement à contre-courant de la faveur qui a accueilli l'œuvre: "Votre *Andromaque* est fort belle...", "elle m'a semblé très belle". Les réserves s'expriment en formules contournées, par la recherche de la nuance: "Je crois qu'on peut aller plus loin dans les passions, et qu'il y a encore quelque chose de plus profond dans les sentiments que ce qui s'y trouve. Ce qui doit être tendre n'est que doux; et ce qui doit exciter de la pitié ne donne que de la tendresse (...). Il ne s'en faut presque rien qu'il n'y ait du grand. Ceux qui n'entreront pas assez dans les choses l'admireront, ceux qui veulent des beautés pleines y chercheront je ne sais quoi qui les empêchera d'être tout à fait contents". En d'autres termes, *Andromaque* ne saurait satisfaire que les esprits superficiels et les âmes que ne touche pas la vraie grandeur.

Chacune des lettres à Lionne aboutit à la même conclusion: "*A tout prendre,* c'est une belle pièce, et qui est fort au-dessus du médiocre, quoiqu'un peu au-dessous du grand"; "*A tout prendre,* Racine doit avoir plus de réputation qu'-aucun autre, après Corneille".

La lecture comparée d'*Attila* et d'*Andromaque* se révèle, – à tout prendre –, nettement favorable à Corneille. Au passage, Saint Evremond ne manque pas de recourir à l'habituel argument de la pièce sauvée par l'excellence des interprètes: "Vous avez raison de dire que cette pièce est déchue par la mort de Montfleury, car elle a besoin de grands comédiens qui remplissent par l'action ce qui lui manque".

Ce dénigrement à mots couverts a quelque chose de patelin qui finit par irriter. C'est parce que le critique est soucieux de ne pas compromettre son audience en se prononçant trop nettement contre l'opinion générale qu'il s'applique à distiller ses griefs par prétérition. Cette volonté, plus aiguë encore chez un exilé, de ne pas se trouver en retrait des modes se manifeste dans le travail qu'opère Saint Evremond, pendant l'année 1668 où s'affirme le succès de Racine, sur les textes qu'il a composés à propos d'*Alexandre: la Dissertation sur le grand Alexandre* gomme les aspérités trop voyantes et surtout s'efforce de créer l'illusion que l'on a, dès 1666, prévu le futur chef d'œuvre; alors, mais alors seulement, est ajoutée la célèbre formule: "Depuis que j'ai lu *le Grand Alexandre,* la vieillesse de Corneille me donne beaucoup moins d'alarmes".

Dans la suite, la position de Saint Evremond ne varie pas, s'exprimant toujours dans le style du "oui, mais...". *Britannicus* lui fait "remarquer de belles choses", admirer la magnificence du verbe. Puis: "Je ne serais pas étonné qu'on y trouvât du sublime". Racine, en somme, se rapproche de Corneille. Ou plutôt *on* (c'est-à-dire: d'aucuns, que n'habite sans doute pas le meilleur goût) en pourra juger ainsi. Il ne reste plus qu'à déplorer que tant de talent ait été mis au service d'un "sujet qui ne peut souffrir une représentation agréable": l'idée que le spectateur se fait de Néron, Agrippine, Narcisse, est si noire que "l'horreur" produite "détruit en quelque manière la pièce".

L'accueil réservé à *Bérénice* procède de la même attitude, en des termes qui rappellent ceux utilisés pour *Andromaque:* on regrette que l'Histoire soit défigurée par l'excessif désespoir prêté à Titus: "Dans le Titus de Racine, vous voyez du désespoir où il ne faudrait qu'à peine de la douleur. L'histoire nous apprend que

Titus, plein d'égards et de circonspection, renvoya Bérénice en Judée; et le poète en fait un désespéré qui veut se tuer lui-même plutôt que de consentir à cette séparation".

Jusqu'au bout Saint Evremond s'en tiendra à cette position. En 1677, il constate que la vogue de Racine éclipse désormais celle de Corneille, mais c'est sur le ton de la nostalgie: "Racine est préféré à Corneille et les caractères l'emportent sur les sujets" (*Défense de quelques pièces de théâtre*). Et le grand parallèle entre les deux auteurs (*Jugements sur quelques auteurs français,* 1692) est établi suivant la recette, pratiquée depuis vingt ans par Saint Evremond, d'un savant équilibre apparent: "Corneille ne souffre pas d'égal, Racine pas de supérieur (...). Le premier enlève l'âme, l'autre gagne l'esprit; celui-ci ne donne rien à censurer au lecteur, celui-là ne laisse pas le spectateur en état d'examiner...".

Saint Evremond, dont l'indépendance d'esprit a été remarquable lors des contestations élevées autour de Corneille, en 1636–1640, n'a pas fait preuve, trente ans plus tard, de la même perspicacité. Dans ses jugements sur Racine, il n'entre pas d'acrimonie partisane comme chez ceux qui, campant sur le terrain, se trouvent directement mêlés au jeu des intrigues. Détaché des contingences, soucieux de mesure garder pour conserver le prestige acquis, il se complaît dans l'attitude du sage. Mais il ne fait que reproduire, au fond, les préjugés de la génération à laquelle il appartient.

Corneille, en tout cas, manifeste sa parfaite identité de vues avec lui. Accusant réception de la *Dissertation sur le Grand Alexandre,* il reprend ses thèmes favoris, avec une âpreté dont son correspondant s'est gardé: c'est pitié que de voir les auteurs de la nouvelle vague refondre "les anciens héros à notre mode" et faire de l'amour "passion trop chargée de faiblesse... la dominante dans une pièce héroïque".

L'entrée en scène de Subligny donne à la discussion plus de nerf. Celui-ci a d'abord songé à se faire une place dans le monde en briguant la succession de Loret. En 1667–1668, l'autorisation de publier sa Gazette lui a été retirée et il se trouve, sans moyen d'action, dans l'orbite de Molière. Or Molière vient d'être bafoué par Racine qui a porté *Alexandre* à l'Hôtel. D'autre part, à cette date, l'hostilité entre Corneille et Molière s'est effacée: Molière monte cet *Attila* qui entre en concurrence directe avec *Andromaque*, jouée par les Grands Comédiens. Subligny se trouve ainsi devenir à la fois le porte-parole du groupe cornélien et l'instrument de la revanche de Molière.

La Folle Querelle est créée le 25 mai 1668. Le schéma de cette comédie reproduit, en gros, celui de *l'Impromptu,* mais interminablement étiré sur trois actes à grand peine soutenus par une ombre d'intrigue: le désaccord qui se développe entre un amant, aveugle admirateur d'*Andromaque,* et sa maîtresse qui juge la tragédie avec sévérité.

Quand on se reporte à la contestation élevée à propos de *l'Ecole,* la différence de ton est frappante. Les critiques accumulées par Subligny peuvent paraître vétilleuses et partisanes, mais on ne sort jamais de la polémique courtoise et purement littéraire. La personne de Racine n'est pas mise en cause, alors pourtant que son comportement vis-à-vis de Molière, de Port-Royal, prête à de sévères allusions. Subligny affecte de tenir le poète en grande estime et il couvre ses critiques d'une intention officieuse qui, certes, ne saurait tromper personne, mais qui manifeste le désir de rester dans le bon ton: "La France a intérêt à ne point arrêter au milieu de sa carrière un homme qui promet visiblement de lui faire beaucoup d'honneur". A en croire Subligny, les observations présentées doivent aider Racine à atteindre la perfection.

> L'auteur d'*Andromaque* n'en est pas moins en passe d'aller un jour plus loin que tous ceux qui l'ont précédé et, s'il avait observé dans la conduite de son sujet de certaines bienséances qui n'y sont pas, s'il n'avait pas fait toutes les fautes qui y sont contre le bon sens, je l'aurais déjà égalé sans marchander à notre grand Corneille (*Préface*).

A quoi tient cette modération? Subligny veut peut-être éviter de choquer la Jeune Cour: "Quelque chagrin que puissent avoir contre moi les partisans de cette belle pièce...". Sans doute aussi Molière tient-il à ce que l'on ne tombe pas dans les excès qu'il a tant désapprouvés chez ses adversaires.

Robinet insiste sur l'urbanité d'un critique qui

> Est toujours un homme d'honneur,
> Car sa critique, ou bien satire,
> Loin qu'un auteur elle déchire,
> En le louant elle l'instruit[36].

En présence d'un succès, le critique réagit comme ses aînés au moment du *Cid*. On ne peut nier l'engouement du public, mais on l'évoque avec une ironie dédaigneuse: "Cuisinier, cocher, palefrenier, laquais et jusqu'à la porteuse d'eau, il n'y a personne qui ne veuille discourir d'*Andromaque*. Je pense même que le chien et le chat s'en mêleront, si cela ne finit bientôt" (I, 1). Succès de foule, donc succès équivoque. Et on lit dans la *Préface:*

> Je fus charmé à la première représentation d'*Andromaque* (...) Si l'on veut se donner la peine de lire l'*Andromaque*, avec quelque soin, on trouvera que les plus beaux endroits où l'on s'est étrillé (...) sont toutes expressions fausses, ou sens tronqués qui signifient tout le contraire ou la moitié de ce que l'auteur a conçu lui-même.

On retrouve là l'erreur de perspective, commise déjà avec *le Cid*, du critique qui, ayant cédé à l'efficacité scénique de l'œuvre, veut se persuader et persuader autrui que, spectateurs, on a été victimes d'une illusion d'optique.

Quant aux griefs, ils sont d'abord ceux des Cornéliens. Racine n'a pas ce sens de l'histoire qui est si vif chez le Grand Auteur. Alcipe observant que Pylade était roi de Phocide, que son père se nommait Strophius, Eraste s'esclaffe: "– L'histoire! ah! il est bon là: l'histoire! c'est bien les gens comme moi, va, qui se soucient de l'histoire! c'est assez que j'ai lu *Clélie*". Pour les Cornéliens, il est encore entendu que le génie de Racine est celui du romanesque tendre: Alcipe considère comme une faute grave "d'avoir changé un événement aussi connu que la mort d'Astyanax", "mais il ne sait pas que c'est ce qui fait la beauté de nos romans".

Le reproche qui a trait aux fautes contre la bienséance émane des salons précieux: brutalité de Pyrrhus qui se conduit comme "un de nos braves du Marais dans une maison d'honneur où il menace de jeter les meubles par les fenêtres si on ne le satisfait pas promptement". Des mêmes cercles, épris de pureté de la langue, proviennent les critiques qui portent sur la correction du style, l'incohérence des métaphores, le galimatias.

Avec cette critique d'*Andromaque,* se trouve fixé, pour dix ans, le répertoire des critiques qui seront adressées à Racine, sans que ses détracteurs se préoccupent de renouveler leur arsenal: action trop languissante (Boursault, à propos de *Britannicus;* Villars, à propos de *Bérénice*); fadeur trop galante ou larmoyante des personnages (Villars, *Bérénice*); surtout histoire défigurée (*Britannicus, Bérénice, Bajazet, Mithridate, Iphigénie*).

La polémique vaut à *la Folle Querelle* ce que Subligny en attendait: un beau succès, attesté par 30 représentations, et soutenu, naturellement, par les confrères du clan qui, comme Robinet, certifient que la pièce est "grandement lancée" et engagent les "curieux" à aller s'en persuader "sur les lieux".

Dans la carrière d'un auteur dramatique, les discussions autour d'*Andromaque* constituent une péripétie normale; elle ne débouche pas sur la lutte passionnée dont *l'Ecole des Femmes* est le point de départ: C'est que la tragédie de Racine n'intéresse vraiment que le monde du théâtre: nul n'y peut déceler les pernicieux dangers que l'on dénonce dans la comédie de Molière.

C'est au moment d'*Iphigénie,* et surtout de *Phèdre,* que le débat prend une tournure menaçante et quasi ordurière. Mais alors la comparaison des mérites des deux *Phèdre* n'est qu'un prétexte à règlements de comptes entre factions mondaines, voire politiques (l'hostilité de la duchesse de Bouillon et de ses sœurs à la Cour, protectrice de Racine, est bien connue). Et l'affaire ne prend une telle ampleur que lorsque la polémique, oubliant le prétexte dramatique qui l'a provoquée, tombe sur de hauts personnages: lorsque, le sonnet injurieux pour le duc de Nevers ayant été attribué à Racine, on peut croire qu'un homme de théâtre, homme de peu, attaque un très grand seigneur. Bussy s'indigne alors de constater que "deux auteurs" s'en prennent à "un officier de la couronne" et conclut nettement: "bien que ces injures (Nevers est accusé de n'être ni courtisan, ni guerrier, ni chrétien", d'aimer sa sœur, "une coureuse") fussent des vérités, elles devraient attirer mille coups d'étrivières à des gens comme ceux-là"[37].

Dans leur ensemble, les témoignages qu'a laissés la critique dramatique contemporaine ont été sévères pour Racine. La *presse* de ses tragédies a été la plupart du temps "mauvaise": Saint Evremond, Villars, Visé, Boursault, Subligny ont orchestré une campagne dont l'hostilité a été permanente et rares sont les textes que l'on peut opposer à ces prises de position défavorables. Mais il s'agit là de la seule critique *écrite*, qui se manifeste pour contrecarrer un succès déjà obtenu auprès du public: l'accueil des spectateurs dispense le poète de recourir aux libellistes. Car, en ses débuts, cette critique écrite n'a pas, comme aujourd'hui, pour but de drainer la masse des spectateurs vers la salle de théâtre: ce rôle-là est joué par la critique orale ou par les annonces de l'"orateur". La critique écrite se ressent encore de son établissement par les érudits de l'époque de Louis XIII; même lorsqu'elle dérive vers la polémique personnelle, elle prétend porter des décrets en matière de goût ou de dramaturgie, avertir de ses erreurs d'appréciation un public mal informé. Elle est critique de régularisation, normative.

Mais le succès obtenu sur la scène ne confère pas seulement la gloire dramatique: il est instrument de promotion dans le monde, par le jeu des pensions ou des bénéfices, des hautes protections conquises. Inévitablement la critique s'étend ainsi aux personnalités. Dans l'effort entrepris par les gens de lettres pour s'affirmer dans une société qui ne leur fait qu'une place marginale, tous les coups apparaissent autorisés, et particulièrement recommandés sont ceux qui permettent, par calomnie ou médisance, de faire trébucher un rival en démontrant que celui-là est indigne de s'élever dans l'échelle sociale: parce que, roturier d'origine, roturier il demeure (donc indigne de frayer avec les "gens de qualité") ainsi que le prouve la vulgarité des divertissements qu'il propose, tout justes bons à enchanter la "lie" (Molière), ou sa méconnaissance des usages de la haute société (l'ambassade d'Oreste, l'incongruité de Pyrrhus), ou encore son mépris de "règles" que l'on a établies pour codifier ce bon ton qui distingue les vrais élus, ou enfin – le plus grave – la pernicieuse influence exercée par des spectacles qui s'en prennent aux fondements mêmes de l'ordre social (les Grands ridiculisés, la religion caricaturée).

Ces trois querelles, de *Sophonisbe,* de *l'Ecole des Femmes,* et d'*Andromaque* permettent ainsi de définir la structure et les tendances de cette critique dramatique naissante. Avec la génération de Chapelain, préoccupée d'abord de rassurer le public de qualité sur l'honnêteté du divertissement théâtral, elle définit les normes que le genre doit respecter pour se rendre acceptable; elle est didactique, vise à fournir des critères de jugement à des spectateurs encore peu familiers de la scène. Vers 1660, le théâtre devenu élément essentiel des divertissements de société, donc efficace moyen de parvenir, la critique s'organise en activité autonome, pour la défense des positions acquises, que ce soit celle du Grand Auteur ou celles d'une troupe de comédiens à la primauté jusque là inconstestée. Enfin la critique apparaît désormais comme l'une des voies ouvertes au jeune ambitieux qui sait mettre sa plume au service, non pas de ses goûts personnels, mais d'une coterie, qu'elle soit littéraire ou mondaine – ce qui, en fait, revient au même.

***

Dans tout cela, il n'a guère été question de Boileau.

C'est que, dans les polémiques des années 1660–1677, son rôle a été plus effacé qu'on ne l'imagine, ses interventions rares et fort peu écoutées.

Sa première prise de position notable en matière de théâtre est celle que l'on connaît à propos de *l'Ecole des Femmes.* En 1663, Boileau a 27 ans. Il ne semble pas qu'alors il connaisse personnellement Molière. On est trop mal informé sur ses fréquentations à l'époque[38] pour déterminer avec précision à quel groupe il se trouve alors intégré. D'Aubignac affirme que les *Stances à M. de Molière,* parues en 1663 dans *les Délices de la Poésie Galante,* ont été inspirées par le désir de dire son fait à Corneille et à son entourage, ces "mille esprits jaloux" qui "osent avec mépris" censurer la nouvelle comédie[39]. Mais la pièce vise aussi, de façon plus générale, les beaux esprits et les Comédiens de l'Hôtel qui ne cessent de reprocher à Molière de charmer le "vulgaire".

Le jugement critique porté dans ces *Stances* ne brille pas par l'originalité: "charmante naïveté" de *l'Ecole,* rire agréable, savant badinage, autant de formules qui, comme l'assimilation à Térence, sont de portée incertaine. Ce qui transparaît clairement, c'est l'intention de disculper Molière du double reproche d'encanailler la scène et d'être un agent de perversion morale.

La pièce ne s'anime que dans sa dernière strophe (supprimée dans l'édition de 1701), lorsque Boileau évoque le "plaisir" que l'on éprouve toujours au spectacle des complots féminins contre la sottise des maris. L'observation n'est pas d'une grande originalité. Elle prouve pourtant que Boileau n'est pas encore engagé dans la voie qui le conduira à déplorer plus tard les facilités de la scapinade: pour le moment, le comique gaulois, qui fait horreur aux cercles précieux, ne le choque pas. Boileau est loin d'être alors un écrivain officiel, donc conformiste.

Le couplet initial de la *Satire* II, parue en 1665 et dédiée à Molière, n'offre pas une analyse sérieuse du génie de Molière: louer la fertilité de l'écrivain, sa facilité, l'aisance avec laquelle il trouve la rime juste, ce serait passer à côté du sujet si Boileau avait là l'intention de juger l'auteur comique. Mais ces vers ne sont en réalité rien d'autre que la manifestation d'une sympathie.

L'Art Poétique est publié en juillet 1674 (Molière a disparu depuis seize mois). Présenté au Roi en janvier, fort de la promesse d'une pension de 2000 livres, ayant enfin obtenu le privilège pour l'ensemble de son œuvre (qui lui avait été refusé par Colbert un peu plus tôt), Boileau n'est plus très éloigné de la consécration définitive: la nomination au poste d'historiographe du roi, en octobre 1677. Aussi *l'Art Poétique* fait-il des réserves à l'égard d'un écrivain qui, trop "ami du peuple", a fait "souvent grimacer ses figures", "à Térence allié Tabarin". Le sac de Scapin n'est plus acceptable. Les Comédiens de l'Hôtel, les détracteurs les plus acharnés n'ont pas dit autre chose, en 1663, à propos de *l'Ecole.* Et ce jugement rejoint curieusement celui que, dès 1662, a porté Chapelain dans son *Mémoire:* Molière loué pour le caractère de son comique, l'invention de ses meilleures pièces, mais formellement prévenu: "il n'a qu'à se garder de la scurrilité".

Même l'Epître VII, *à Racine* (1677), qui évoque avec émotion la mort du poète et le scandale de ses funérailles, ne comporte pas d'analyse du génie de Molière. Ce que Boileau dénonce, c'est la sotte partialité de l'Ignorance et de l'Erreur "en habits de Marquis, en robes de Comtesses", l'intolérance du "défenseur zélé des Bigots". Et ce qui est développé, c'est simplement ce lieu commun suivant lequel la mort seule, ici-bas, peut, sur le nom d'un auteur, imposer silence à l'injustice et l'envie.

Si donc il est indiscutable que, au début surtout, lorsqu'il est encore un esprit indépendant, Boileau a été sensible aux mérites de Molière, on ne saurait affirmer que son action de critique se soit fortement engagée en faveur de ce répertoire. Pour ce que nous en savons du moins, dans les luttes soutenues par Molière Boileau n'a joué qu'un rôle effacé.

Dans les polémiques ouvertes autour du vieillissement de Corneille, la part de Boileau apparaît encore bien modeste. La portée exacte de l'épigramme sur *Agésilas,* "hélas", et Attila, "holà", reste obscure[40]. Au surplus, l'épigramme n'a été publiée qu'en 1701; elle a beaucoup circulé au moment de la création d'*Attila;* elle n'a pas, favorable ou non, pesé d'un grand poids sur le sort d'une tragédie qui connut 20 représentations consécutives, ce qui était alors tout à fait honorable. En réalité, comme l'a établi G. Couron, l'attitude de Boileau vis-à-vis de Corneille ne semble s'être durcie qu'après la mort du tragique (1684): ce qui l'emporte alors, c'est le souci de proclamer la supériorité de Racine, dont la renommée est étroitement associée à la sienne propre. Ici encore, dans le débat, étendu sur dix ans, de la rivalité entre Corneille et Racine, le rôle de Boileau semble avoir été à peu près négligeable.

Ce rôle enfin est tout aussi modeste dans la défense de Racine. On ne voit pas que, dans la querelle d'*Andromaque,* Boileau ait pris parti. Les éloges décernés à *Britannicus* ("Et peut-être ta plume aux censeurs de Pyrrhus Doit les plus nobles traits dont tu peignis Burrhus") datent de 1677, c'est-à-dire d'une époque où l'amitié est devenue étroite entre les deux hommes. Sur *Bérénice,* même silence. Et même, si l'on en croit Mme de Sévigné, si défavorable à Racine, contre *Bajazet* Boileau "en dit encore plus que moi" (lettre du 16 mars 1672). Si l'on tient compte du fait que *Mithridate* et *Iphigénie,* officiellement cautionnées par la Cour, sont les pièces qui ont été le moins sujettes à débats, on concluera que Boileau, avant *Phèdre,* ne paraît avoir pris aucune position marquante, capable de soutenir efficacement la carrière de Racine[41]. Ce qui fait illusion, c'est l'intimité qui s'établit entre eux, hommes de lettres consacrés hommes de Cour, c'est-à-dire une fois que Racine a renoncé au théâtre.

C'est contre Quinault que Boileau a porté ses jugements les plus sévères, et cela dès la *Satire* dédiée à Molière:

> Si je pense exprimer un auteur sans défaut,
> La raison dit Virgile, et la rime Quinault[42].

Quinault qui, dans la *Satire* III (1664) est loué par un sot, au détriment de l'*Alexandre* de Racine:

> Les héros chez Quinault parlent bien autrement,
> Et jusqu'à "je vous hais," tout s'y dit tendrement.

par un fat qui décrète: "Quinault est un esprit profond".

L'Art Poétique, même en sa partie consacrée aux genres dramatiques, est une œuvre de théoricien et de législateur. Il faut en convenir: dans l'histoire de la critique théâtrale, Boileau compte moins que Saint Evremond ou Visé.

Notes

1 Cf. Couton, *La Vieillesse de Corneille,* 1949, p. 5.

2 Cf. Couton, *Corneille et la Fronde,* 1951.

3 Cf. Couton, *la Vieillesse de Corneille,* p. 46.

4 *De la Tragédie ancienne et moderne, Œuvres,* III, p. 106.

5 *Sur les Tragédies, Œuvres,* III, p. 253 et sq.

6 *Jugements sur quelques auteurs français, Œuvres,* I, p. 258.

7 *Dissertation sur Alexandre, Œuvres,* II, p. 449.

8 Cf. A.M. Schmidt, *Saint Evremond,* 1931; H.T. Barnwell, *Les Idées morales et critiques de Saint Evremond,* 1957.

9 I, p. 135–136.

10 *Troisième Dissertation sur la tragédie d'Oedipe* (1663); d'Aubignac garde rancune à Corneille de ne lui avoir fait aucune place dans ses *Discours* et *Examens* (1660).

11 "Son charmant Agésilaus Où sa veine coule d'un flux Qui fait admirer à son âge Ce grand et rare personnage".

12 "... N'ayant été l'auditeur, Ni peu ni prou le spectateur, De ce Poème dramatique, Point d'en parler je ne me pique". La précision enlève beaucoup de sa portée à l'éloge ("grande tendresse") dont la responsabilité est reportée à un "on" anonyme.

13 Cf. *Théâtre* de Molière, éd. Pléiade, I, p. 1011 et sq.

14 Cf. Saint-René Taillandier, *Boursault,* 1881; Piette, *Les Comédies de Boursault,* Los Angeles, 1971.

15 Histoire d'une misérable plante pour laquelle Apollon a conçu une folle tendresse: "cette misérable *Racine*". Le poème est fondé sur des calembours: la plante a acquis "dit-on, des vertus sans pareilles, Depuis que dans un *Champ* orné de mille fleurs, Elle empruntait l'éclat d'une assez belle *Rose*". Le succès de Racine est rapporté à l'interprétation de la Champmeslé.

16 Barbier fut précepteur d'un fils de Colbert, ce qui lui valut un fauteuil à l'Académie.

17 Cf. P. Doyon, *Vie, Aventures, Mort tragique de l'abbé Montfaucon de Villars,* 1940–1942.

18 Op. cit., IV, p. 372n.

19 Cf. P. Mélèse, *Un Homme de lettres du temps du Grand Roi, Donneau de Visé,* Droz, 1936; Mongrédien, *Le Fondateur du Mercure Galant, J. Donneau de Visé, Mercure de France,* 1 octobre 1937.

20 Cf. novembre 1687: "Un particulier ne doit jamais donner son sentiment pour règle sur une chose dont on peut juger si différemment".

21 Cf. Mongrédien, *L'Affaire Fouquet,* passim.

22 Cf. édition des *Trois Discours,* SDES, 1963. Sur la querelle, cf. Couton, *La Vieillesse de Corneille,* p. 48–57.

23 Cf. M.O. Sweester, *les Conceptions dramatiques de Corneille d'après ses écrits théoriques,* Droz, 1962, par. 5: *la Querelle de Sophonisbe;* R. Bray, *La tragédie cornélienne devant la critique classique d'après la querelle de Sophonisbe,* Hachette, 1927.

24 Cf. Introduction aux *Œuvres* de Molière, éd. Grands Ecrivains, III. La Pléiade présente les pièces du dossier (I, 1011 et sq.; chronologie détaillée, p. 1013–1014).

25 Cf. Couton, op. cit., p. 57 et sq.

26 Pour expliquer ce succès, ce curieux argument : si l'on trouve dans la salle tant de gens de qualité, c'est que ceux-ci donnent "eux-mêmes, avec beaucoup d'empressement, à l'auteur des mémoires de tout ce qui se passait dans le monde, et des portraits de leurs propres défauts, et ceux de leurs meilleurs amis"; les gens de qualité se pressent au théâtre parce que "tous ceux qui lui donnent des mémoires veulent voir s'il s'en sert bien; tel y va pour un vers, tel pour un demi-vers, tel pour un mot, et tel pour une pensée, dont il l'aura prié de se servir".

27 Dans sa *Lettre des Nouvelles Nouvelles,* Visé annonce la reprise de *la Critique.* Nouvelle perfidie: "Elle n'est pas de lui, elle est de l'abbé du Buisson, qui est un des plus galants hommes du siècle".

28 Par la bouche de Zélinde, Visé répond: "Il aurait été bien fâché que l'on ne l'eût pas pris dans le sens qu'on a fait". On ne saurait donner tort à Visé.

29 Cf. G. Couton, éd. du *Théâtre* de Molière, p. 1385–1386.

30 Au dénouement, Crysolite s'explique: en défendant Elimore (anagramme de Molière), il n'a eu pour intention que "le divertissement de la compagnie": "Vous m'outrageriez si vous expliquiez autrement ma défense d'Elimore". Et à son tour il reprend le réquisitoire . . ."

31 G. Couton relève la mention du "zèle de l'un de nos plus sages magistrats" qui a "témoigné pour la suppression d'une si méchante et si détestable chose". L'appel à l'intervention des pouvoirs publics est ici direct.

32 "Il s'est trouvé un petit David qui a fait si vigoureusement claquer sa fronde contre lui qu'il l'a bientôt obligé à rengainer sa bravoure pédantesque, sans que le Grand Ariste ait eu besoin de se mettre en aucune manière sur la défensive". Corneille s'est bien déchargé sur Visé du soin d'en découdre avec d'Aubignac.

33 L'ordurière *Chanson de la Coquille* vise directement Madeleine.

34 La défense de Molière fut reprise par l'acteur Chevalier dans l'acte I des *Amours de Calotin* et par Ph. de la Croix dans *la Guerre comique.*

35 Sur cette affaire, née d'une rivalité entre Visé et Quinault, cf. Mélèse, op. cit., p. 48 et sq.

36 Racine tint compte des observations de Subligny sur la langue, comme le prouvent les corrections de l'édition de 1676.

37 Lettre au Président Brular, 30 janvier 1677.

38 Cf. A. Adam, op. cit., III, p. 69 et sq.

39 G. Couton, op. cit., p. 138 et sq., conteste cette intention hostile à Corneille dans les *Stances.*

40 Cf. G. Couton, op. cit., p. 139 et sq.

41 Cf. R. Picard, op. cit., p. 97.

42 Cf. *Satire* IX: ironiquement: "Je le déclare donc, Quinault est un Virgile".

CHAPITRE IV

I

Tout l'indique, les années 1680–1690 marquent en France le grand tournant du siècle. A partir de cette décade en effet, aucun problème, qu'il soit politique, social, religieux, esthétique ou intellectuel, ne se pose plus dans les mêmes termes que pour la génération antérieure.

En quelques années, entre 1683 et 1691, disparaissent les plus efficaces serviteurs du régime: Colbert, le Tellier, Louvois, Lionne. En 1685, la Révocation de l'Edit de Nantes rompt brusquement l'équilibre intérieur, déjà précaire, de la nation, provoque la constitution de la redoutable Ligue d'Augsbourg. L'ère des conquêtes glorieuses est terminée et s'ouvre celle des conflits âpres et ruineux, sans fruit réel, qui ébranlent la stabilité sociale, compromettent le progrès économique, en même temps qu'ils assurent la promotion de catégories de citoyens enrichis au détriment des classes naguère privilégiées.

La vie littéraire et théâtrale s'engage, elle aussi, en des voies nouvelles. Molière meurt en 1673; Corneille, qui va disparaître en 1684, se tait depuis 1674; après *Phèdre* (1677), Racine se consacre à la Cour et à sa vie familiale; compte tenu des conditions dans lesquelles elles sont montées, les représentations d'*Esther* (1689) et *Athalie* (1691) ne peuvent pas être considérées comme des événements dramatiques justiciables de la critique au même titre qu'*Andromaque* ou *Phèdre*.

Les personnalités qui ont joué un rôle important dans les querelles théâtrales s'effacent, elles aussi, ou voient leur audience s'amenuiser. Boursault est, depuis 1672, receveur des tailles à Montluçon: il ne revient à Paris en 1688 que pour publier des comédies mêlées de fables. Subligny, après avoir donné *la Fausse Clélie* en 1670, se fait peu à peu oublier. Villars a disparu, mystérieusement assassiné en 1673. Chapelain meurt en 1674, d'Aubignac en 1676. Seuls se manifestent encore Visé, Saint Evremond, Boileau; leurs prises de position ne sont pas indifférentes, mais ils représentent une génération assise; Boileau se fige peu à peu dans son rôle d'oracle d'Auteuil. La Querelle qui débute en 1687 autour des Anciens et des Modernes dépasse les limites du traditionnel conflit des générations, puisqu'elle devient très vite un affrontement où s'opposent des conceptions différentes de l'œuvre d'art et des modes de pensée.

Sur les conditions du développement de la vie théâtrale, donc de la critique, l'évolution personnelle du Roi a une importance capitale. En 1670, les éclats de rire de Louis XIV suffisaient à imposer au peuple "singe du maître" l'applaudissement général. Vers 1690, la Cour, peu à peu privée de divertissements dramatiques, n'a plus à modeler ses louanges ou ses blâmes sur les jugements de l'arbitre suprême. Et la Ville acquiert, en matière de goût, une indépendance qui lui était encore inconnue.

Sous l'influence de Mme de Maintenon et de scrupules religieux qui lui ont été jusqu'alors étrangers, Louis XIV se détourne des plaisirs de la scène, publiquement tout au moins. Le parti dévot, qui n'a jamais désarmé mais qui, un temps, a dû modérer ses attaques, profite de la nouvelle attitude de Louis XIV pour relancer bruyamment sa campagne d'hostilité au théâtre[1], au point que, en 1694, on craint pour de bon que les spectacles ne soient purement et simplement interdits. Le point le plus aigu de la polémique est atteint avec les anathèmes lancés par Bossuet contre le Père Caffaro.

Cette querelle sur la moralité du théâtre s'étend en fait sur tout le siècle et se prolonge au siècle suivant[2]. Or, par la nature des arguments échangés, par certaines de ses conséquences, elle joue, dans l'évolution de la critique, un rôle important.

Mais il faut écarter la *Lettre* du P. Caffaro où la démonstration ne va pas au-delà de remarques générales et purement théologiques. Dans sa réponse à Bossuet (11 mai 1694), le Père confesse humblement qu'il n'a "jamais lu aucune comédie, ni de Molière, ni de Racine, ni de Corneille (...). Je m'étais fait une idée métaphysique de la bonne comédie". Et, à l'archevêque de Paris: "Je ne savais pas bien même ce que c'était que la Comédie Française de la manière qu'elle se joue à Paris, n'ayant jamais lu de comédie de Molière, et n'en ayant lu que fort peu d'autres". Cet apologiste du théâtre, qui est à peu près ignorant du répertoire, ne saurait être un critique.

On peut aussi négliger les interminables controverses théoriques, élevées autour de l'interprétation à donner des textes de St. Thomas, St. Antonin, St. Ambroise ou St. Basile[3].

Ceci dit, Bossuet et ceux qui s'engagent dans le débat[4] s'arrogent bien les fonctions qui appartiennent à la critique: ils portent des appréciations sur des œuvres théâtrales précises; ils justifient ces jugements à l'aide d'arguments qui, sans doute, paraissent aujourd'hui peu recevables mais qui, pour les contemporains, étaient convaincants. Et surtout ils cherchent, les uns et les autres, à agir sur ceux qui les lisent ou les entendent, pour leur faire prendre le chemin des spectacles ou pour les en détourner: ils se proposent bien de guider l'opinion en matière de théâtre. Si l'on songe au rôle exceptionnel joué alors dans la vie quotidienne par les exigences d'une religion qui n'est objet de doute ou de contestation que pour une infime minorité, il est clair que l'Eglise, que ne bride plus la complaisance du Roi pour la scène, représente une force considérable dans la critique du temps.

A une époque où le critère du plaisir éprouvé se substitue à celui de la moralisation, c'est tout d'abord du plaisir dramatique même qu'est dénoncée la nature pernicieuse. Pascal déjà, persuadé que "tous les grands divertissements sont dangereux pour la vie chrétienne", avait proclamé que "entre tous ceux que le monde a inventés, il n'y en a point qui soit plus à craindre que la comédie". En termes violents, Nicole (janvier 1666) avait condamné comme "empoisonneur public, non des corps, mais des âmes des fidèles", tout ensemble le faiseur de romans et le poète de théâtre. Mme de Sablé, Mme de Longueville, Conti avaient soutenu la même thèse. Ces réquisitoires n'avaient pas entravé le développement de la vie dramatique. Mais, les temps ayant changé, la reprise de la campagne cessait d'être inoffensive. C'est un argument analogue que Bossuet reprend et il s'adonne à une analyse rigoureuse, sur des exemples précis, de la nature du plaisir éprouvé par le spectateur:

> Que veut un Corneille dans son *Cid* sinon qu'on aime Chimène, qu'on l'adore avec Rodrigue, qu'on tremble avec lui lorsqu'il est dans la crainte de la perdre, et qu'avec lui on s'estime heureux, lorsqu'il espère de la posséder? (*Lettre*).

> On se voit soi-même dans ceux qui nous paraissent transportés par de semblables objets; on devient bientôt un acteur secret dans la tragédie; on y joue sa propre passion, et la fiction au dehors est froide et sans agrément, si elle ne trouve au dedans une vérité qui lui réponde (*Maximes et Réflexions*,IV).

Ainsi la condamnation ne tombe pas seulement sur "les impiétés et les infamies dont sont pleines les comédies de Molière (...) qui remplit encore tous les théâtres des équivoques les plus grossières dont on ait jamais infecté les oreilles des chrétiens", sur "les prostitutions et les adultères dont les comédies italiennes ont été remplies (...) et qu'on voit encore toutes crues dans les pièces de Molière" (*Lettre*), sur la complaisance à étaler "au grand jour les avantages d'une infâme tolérance dans les maris" et à solliciter "les femmes à de honteuses vengeances contre leurs jaloux". La condamnation concerne aussi Corneille, Racine, et les "tendresses de sa *Bérénice*". Et certains ajoutent que, même si le plaisir dramatique était complètement innocent, le jeu des comédiens le rendrait pernicieux, ces comédiens se croyant obligés "de suppléer par l'immoralité des gestes à la modestie de la poésie"[5].

Dans cette offensive, les coups les plus durs tombent sur le répertoire qui fait place à la passion amoureuse. En 1674, Samuel Chappuzeau, protestant converti, auteur d'une apologie du théâtre, en fait l'observation: "On veut de l'amour, et en quantité, et de toutes les manières (...). L'*Hérode* de M. Heinsius, l'un des poèmes les plus achevés, plairait peu à la Cour et à la Ville, parce qu'il est sans amour, et la Sophonisbe qui a de la tendresse pour Massinisse jusqu'à la mort (Mairet) a été plus goûtée que celle qui sacrifie cette tendresse à la gloire de sa patrie (Corneille)" (*le Théâtre français*).

Les exégètes modérés s'appliquent à démontrer qu'une tragédie sans intrigue amoureuse ne perdrait rien de sa valeur. En 1675, le P. de Villiers annonce que le "grand succès de l'Iphigénie a désabusé le public de l'erreur où il était, qu'une tragédie ne pouvait se soutenir sans un violent amour". Selon lui, *Pompée, Rodogune, Andromaque, Nicomède, Héraclius, Cinna* ont conquis le public par d'autres beautés que celles qu'on trouve dans cette passion"[6], ce qui, pour *Andromaque* au moins, est franchement paradoxal. En 1707, Boileau tient des propos de même nature: il désapprouve la condamnation globale portée contre le théâtre par Massillon: "L'amour, exprimé chastement dans cette poésie, non seulement n'excite point l'amour, mais peut contribuer à guérir de l'amour les esprits bien faits pourvu qu'on n'y répande point d'images, ni de sentiments voluptueux"[7]. Bossuet lui-même, en 1702, une fois retombée la ferveur polémique, adresse à Longepierre ses compliments pour une *Electre,* "pièce sans intrigue d'amour, où tout se soutient par la terreur"[8].

Après avoir, sur le ton de Bossuet et sous le patronage de Platon et des "sages législateurs du paganisme", condamné les spectacles où l'on ne présente les passions corrompues que "pour les allumer", Fénelon fournit la recette: "On pourrait donner aux tragédies une merveilleuse force, sans y mêler cet amour volage et déréglé qui fait tant de ravages". Le glissement opéré par rapport à la thèse de Bossuet est très net: c'est un point de vue de critique, et non plus de directeur de conscience, qu'adopte Fénelon. Sans intrigue sentimentale, la tragédie gagnerait en *force:* c'est une faute *dramatique* que Corneille a commise dans *Oedipe*, en distrayant le spectateur "par l'épisode d'un froid amour de Thésée pour Dircé";

de même Racine s'est égaré en concevant cet Hippolyte "soupirant contre son vrai caractère": "il fallait laisser Phèdre toute seule dans sa fureur; l'*action* aurait été unique, courte, vive et rapide". Le jugement porté n'est pas d'un prélat soucieux de moraliser, mais d'un amateur éclairé qui formule une critique d'esthétique dramatique et cherche à déterminer comment pourrait être accru le plaisir du spectateur.

Sur cette pente on rencontre inévitablement le problème posé par la tragédie sacrée qui, à première vue, doit permettre de tenir une position moyenne entre les rigoristes et les complaisants. Au lendemain du succès de sa *Judith* (1695), l'abbé Boyer, dans la préface à l'édition, souhaite que "de pareils sujets soient quelquefois représentés sur la scène française pour édifier et divertir en même temps. La comédie se doit faire honneur à elle-même en faisant honneur à la religion".

De fait, les tragédies religieuses se multiplient en ces années 1680–1690, destinées d'abord à St Cyr, puis, dans certains cas, montées au Théâtre Français. Mais, auprès du vrai public, ces expériences restent, la plupart du temps, sans lendemain, Ces tragédies paraissent fades et elles heurtent les convictions de toute une partie de la critique. Boileau déjà, au chant III de son *Art Poétique* (1674), a condamné la "dévote imprudence" de ceux qui, "docteurs prêchant sans mission", ont représenté sur la scène "les Saints, la Vierge et Dieu". A la même époque, Fontenelle *(De la Tragédie ancienne et moderne,* 1672) démontre que le genre est hybride, que "le théâtre perd tout son agrément dans la représentation des choses saintes, et (que) les choses saintes perdent beaucoup de la religieuse opinion qu'on leur doit, quand on les représente sur le théâtre": on suscite l'indignation des dévots, et l'intérêt psychologique de l'œuvre se trouve affaibli par l'adjonction des éléments sacrés.

Le Roi délaissant officiellement les plaisirs dramatiques, c'est Saint-Cyr qui lui fournit l'occasion de ces divertissements. Louis XIV, qui n'apprécie guère les couvents, a souhaité que, dans la nouvelle institution, on ne trouve "rien qui sente le monastère". Aussi, de 1686 à 1689 *(Esther),* une large place y est elle faite au théâtre[9] : les pensionnaires, aussi bien que *Polyeucte,* jouent *Andromaque, Cinna, Alexandre,* tragédies purement profanes. C'est pour ne plus recourir à un tel répertoire que Mme de Maintenon demande à Racine une tragédie biblique.

Mais se posent à Saint Cyr les mêmes problèmes, tant est forte la pression de l'Eglise. Si les gens de Cour, comme Mme de Sévigné, s'extasient devant "l'excès de l'agrément de cette pièce", l'innocence et le sublime des jeunes interprètes, l'initiative suscite de très vive oppositions. Hébert, le curé même de Versailles, dénonce l'influence pernicieuse de ces séances où l'ingénuité des pensionnaires émoustille des courtisans blasés par les faciles succès que leur offre la vie de Cour: "Quelques courtisans m'ont avoué que la vue de ces jeunes demoiselles faisait de très vives impressions sur leurs cœurs; que, sachant qu'elles étaient sages, ils en étaient incomparablement plus touchés que de la vue des comédiennes"[10]. Cohérent avec lui-même, le curé justifie son refus d'assister à une des représentations: "Si j'assiste à cette tragédie de Saint Cyr, le peuple qui m'a entendu si souvent prêcher contre les comédiens n'aura-t-il pas sujet d'être mal édifié de ma conduite? ".

Mme de Maintenon n'a fait que suivre l'exemple qui est depuis longtemps donné par certains collèges, ceux des Jésuites en particulier, qui font fréquemment jouer par les élèves des pièces instructives composées par les Pères eux-mêmes (la plus célèbre comédie du P. Ducerceau s'intitule *la Défaite du Solécisme*)[11]. Dans ses *Maximes,* Bossuet qui, par deux fois au moins (26 janvier et 19 février), a supporté la représentation d'*Esther,* semble faire quelques concessions: "On voit des représentations innocentes: qui sera assez rigoureux pour condamner dans les collèges celles d'une jeunesse réglée, à qui ses maîtres proposent de tels exercices pour leur aider à former ou leur style ou leur action, en tout cas leur donner, surtout à la fin de leur année, quelque honnête relâchement? ". Mais, Bossuet s'empresse de rappeler les limites qu'il convient d'assigner à de tels divertissements, dont "le meilleur est, après tout, qu'(ils) soient très rares": les œuvres ne doivent être écrites qu'en latin, porter sur un "sujet saint et pieux"; les intermèdes des actes seront aussi en latin et ne s'éloigneront en rien de la bienséance; on n'introduira "aucun personnage de femme, ni jamais l'habit de ce sexe". Ainsi conçue, la représentation constitue une simple variante de l'exercice du discours latin.

Ces précisions marquent à quel point, encore jamais atteint, la vigilance des autorités religieuses se fait, en cette fin de règne, constante et universelle. A moins d'appartenir au groupe restreint des esprits libres, celui qui émet un jugement dramatique ne peut éviter de tenir compte de ce véritable tabou qui constitue un critère essentiel. Avant de se prononcer sur la valeur d'une œuvre, il doit déterminer dans quelle mesure celle-ci répond à l'exigence de sanctification et de moralisation. Le plus souvent, les lieux communs sur le "castigat ridendo mores" ou la purgation des passions suffisent à satisfaire à ce préalable.

C'est sans doute dans les jugements de Fénelon que l'on observe le mieux cette pesanteur du préjugé qui explique l'ambiguïté de sa position lorsqu'il considère Molière: "Il faut avouer que Molière est un grand poète comique. Je ne crains pas de dire qu'il a enfoncé plus avant que Térence dans certains caractères (...). Encore une fois, je le trouve grand". Cette admiration est profonde et sincère. Mais l'auteur de la *Lettre à l'Académie* perçoit ce que cet éloge a de surprenant de la part d'un haut prélat. Aussi, lorsqu'il aborde le problème de l'immoralité de ce répertoire, s'en tire-t-il par une dérobade: mieux vaut ne pas "entrer dans cette longue discussion"; et il se contente de la très classique référence à l'Antiquité: "Je soutiens que Platon et les autres législateurs de l'antiquité païenne n'auraient jamais admis dans leurs républiques un tel jeu sur les mœurs".

Lorsque l'on entend apprécier une opinion dramatique émise à cette époque, il est indispensable de tenir compte de la nécessité, pour celui qui la donne, de recourir au critère moral et religieux. Le paradoxe est en ceci que ceux qui devraient veiller à son application prennent eux-mêmes les plus grandes libertés. En 1686, J.B. Thiers, curé de Chamrond, s'étonne: "Ceux-là mêmes qui croient que les comédies, les farces et autres spectacles vains et profanes leur sont défendus, s'imaginent que (l'opéra) leur est permis"[12]. Le curé Hébert s'indigne de la présence de certains confrères aux représentations de Saint Cyr: "On y vit plusieurs évêques qui, ayant été du nombre des suppliants pour avoir une place dans la salle de la tragédie, furent du nombre des spectateurs et des admirateurs de cette pièce; des religieux, plusieurs abbés, grand nombre des Pères de l'Oratoire, des jésuites furent aussi emportés que les autres à y être reçus".

En fait, les déclamations contre les spectacles ne font que répondre à l'obligation de se conformer à la nouvelle ligne officielle, davantage subie que sincèrement approuvée.

L'établissement de la censure est un élément notable, même si la systématisation de mesures policières ne semble pas avoir de rapports avec l'exercice de la critique. La censure est même la négation de la critique, puisqu'elle tend à empêcher la formulation de jugements indépendants, en interdisant une œuvre ou en ne permettant que la présentation d'un texte amendé. Pourtant l'intervention du pouvoir politique, comme celle de l'Eglise, constitue bel et bien l'expression d'un jugement. La fin recherchée, la démarche intellectuelle suivie sont, en leur fond, analogues. La censure se donne pour but d'écarter le public d'une œuvre jugée dangereuse. Mais le critique qui se livre à un éreintement entend lui aussi détourner les spectateurs d'une œuvre. Il y a, dans les deux cas, jugement de valeur portée par un tribunal.

La censure se prononce en fonction d'attendus qui sont étrangers à la qualité de la pièce examinée. Mais c'est céder à l'illusion optimiste de croire que le critique, dans la plupart des cas, conserve cette neutralité idéologique qui paraît si souhaitable et qui, en réalité, est à peu près impraticable. Quand Fréron, Geoffroy condamnent le répertoire voltairien, ils mettent bien en avant des arguments qui sont apparemment de nature dramatique; mais l'examen précis de leurs articles démontre que ces arguments-là, sans constituer à proprement parler de simples prétextes, recouvrent bien d'autres intentions. Ils sont, en fait, des "censeurs" en puissance, auxquels il ne manque que le pouvoir de faire interdire une œuvre. A moins de considérer le théâtre comme totalement dégagé des préoccupations de l'époque, il faut admettre que la censure constitue l'aboutissement extrême, mais logique, de la critique[13].

Les difficultés croissantes rencontrées par Louis XIV entraînent, bien entendu, un raidissement du pouvoir qui s'applique à pourchasser toute manifestation d'anticonformisme. Les règlements de la librairie se font rigoureux, comme les mesures prises pour mettre fin au colportage des libelles hostiles que font déferler les officines hollandaises.

C'est le parti dévot encore qui, vers 1697, réclame l'institution de "commissaires examinateurs de toutes les pièces de théâtre avant qu'elles soient représentées"[14]. Et c'est en 1701 qu'est prescrite aux comédiens l'obligation de communiquer au lieutenant général de police les pièces dont la création est envisagée; en 1702 (ou, selon Mélèse, en 1706), la censure théâtrale est officiellement créée.

Les critères qui servent à motiver les "jugements" prononcés par la censure sont avant tout d'ordre moral. Toucher, de près ou de loin, à la Religion équivaut à s'en prendre au régime politique lui-même, le Roi étant l'Oint de Dieu. Les allusions qui paraissent contrevenir au respect dû au souverain et aux princes sont naturellement prohibées. C'est à peu près certainement pour avoir joué *La Fausse Prude* de le Noble que les Italiens sont expulsés en 1697: la possibilité d'applications désobligeantes à Mme de Maintenon entraîne la décision. Pourtant les exigences du respect n'interdisent pas toute espèce de liberté et la susceptibilité royale n'est pas aussi contraignante qu'on le dit parfois. Les contemporains ont aisément trouvé dans *Esther,* en même temps qu'un hommage à la piété de Mme de Maintenon, des échos de la disgrâce de Mme de Montespan, voire une dénonciation de l'orgueil de Louvois. Mais, au fur et à mesure que décline le règne, les auteurs doivent s'armer de plus de circonspection. Lorsque Campistron porte à la scène le *Don Carlos* de Saint Réal, il se garde d'évoquer directement le drame trop contemporain de Philippe II meurtrier de son fils et il transporte son intrigue dans une antiquité indifférente (*Andronic*, 1685).

En fait, c'est plus tard, avec le développement du mouvement philosophique que, l'esprit public passant du conformisme à la fronde, la censure va devenir, pour le théâtre, une institution efficace et redoutable. En cette fin du règne, la scène n'est pas encore considérée comme une tribune. Mais l'institution est en place. Parallèlement à la critique traditionnelle, s'établit, et pour longtemps, cette autre forme de critique, officielle et strictement répressive. Et l'on verra bientôt *les mêmes hommes* exercer l'office de censeur au profit des pouvoirs publics et porter dans leurs écrits des jugements de valeur sur les œuvres dramatiques nouvelles.

***

On est tenté de croire que la presse, portée déjà à un haut degré d'efficacité par D. de Sallo ou Visé, joue un rôle capital dans l'exercice de la critique. D'autant plus que le succès a suscité de nombreuses imitations: en mars 1684, Bayle, réfugié en Hollande, lance ses *Nouvelles de la République des Lettres* dont la renommée devient européenne. Dans son *Histoire de la Presse en France*, E. Hatin a dressé la liste des publications qui, jusqu'en 1738, voient ainsi le jour: une trentaine de titres. Mais dans la majorité des cas, elles émanent de l'étranger. Pour la France, on ne peut guère citer (l'exception est capitale) que les *Mémoires pour servir à l'histoire des Sciences et des Beaux-Arts*, c'est à dire le célèbre *Journal de Trévoux* (à partir de 1701). D'autre part, même s'ils portent un autre titre, ces journaux se présentent comme des "Bibliothèques": ils s'emploient à analyser les ouvrages de parution récente, à en publier des extraits, mais ce sont surtout des ouvrages savants qui sont pris en considération[15].

En fait, pour se former une opinion, l'amateur en est toujours réduit au seul *Mercure*, lequel, à partir de 1680, voit encore croître son importance. Depuis 1678, il est mensuel; l'association de Visé et de Thomas (1681) lui donne une assise plus stable et, le 22 février 1684, Visé obtient ce qu'il sollicite depuis plusieurs années: une pension royale de 6.000 livres (portée à 12.000 en 1691).

Cette consécration entraîne l'alignement définitif du journal sur les positions gouvernementales: le *Mercure* va faire une place de plus en plus importante à la glorification des faits et gestes du Roi, d'autant plus que Visé ambitionne d'obtenir la fonction d'historiographe de Louis XIV.

La place réservée à l'actualité dramatique reste substantielle, à la mesure du goût personnel de Visé pour le théâtre, de son désir de préparer le public à la représentation de ses propres œuvres[16]. Mais les jugements du *Mercure* attestent les diverses servitudes de la gazette: le moyen de faire preuve d'indépendance à l'égard d'un opéra comme *Armide* dont Louis XIV a lui-même choisi le livret, ou d'*Esther*, tragédie d'un auteur naguère dénigré: "Le Roi l'a honoré plusieurs fois de sa présence"?

Le *Mercure* continue d'autre part à soigner les intérêts du clan qui l'a lancé: ainsi la *Bradamante* de Thomas (1695) est l'objet d'un très élogieux article où, tout en se défendant de se laisser influencer par sa "liaison d'amitié" avec l'auteur, le chroniqueur ne manque pas de chanter les rares mérites de l'œuvre nouvelle.

En ces années 1680–1700, lire le *Mercure* fait partie du code de la vie mondaine. Evoquant l'existence mécanique de ce Narcisse qui "se lève le matin pour se coucher le soir", qui "va tous les jours fort régulièrement à la belle messe aux Feuillants et aux Minimes", bref qui "fera demain ce qu'il fait aujourd'hui et ce qu'il fit hier", la Bruyère en fait la mention expresse: dans cet emploi du temps sans surprise, la lecture de la presse est une obligation. C'est "exactement" que Narcisse lit *la Gazette de Hollande* (pour l'information générale et politique)[17] et le *Mercure* pour la satisfaction du bel esprit.

Ce quasi-monopole exercé par Visé irrite naturellement ceux qui dénoncent la médiocrité et la partialité de ses jugements. En mars 1683, Boursault, que tourmente sans doute la réussite de l'ancien compère, donne une comédie intitulée *le Mercure galant*[18]. Visé s'inquiète. Et il est assez influent pour obtenir l'intervention du lieutenant de police qui impose un changement de titre: l'œuvre devient ainsi, plaisamment, *la Comédie sans titre,* satire agréable, non pas du journal et de ses directeurs, mais de ses clients, naïfs ou prétentieux, tous ridicules et avides de voir le journal leur faire une place dans ses colonnes. Tant il est vrai que "Qui veut qu'on l'imprime et n'a point d'autre but Croit que, hors du *Mercure,* il n'est point de salut".

C'est à l'époque de cette prospérité (1688) que la Bruyère porte son attaque contre le "H... G..." (*Hermès Galant,* transparente allusion au *Mercure*), placé "immédiatement au-dessous de rien", attaque dont il est douteux qu'elle ait enlevé à Visé un seul lecteur[19]. On ne devait pas oublier, au *Mercure,* cette déplaisante formule. Lorsque, cinq ans plus tard, la Gazette évoque la réception de la Bruyère à l'Académie, on règle les comptes, tout en saisissant l'occasion de manifester l'aigreur que suscite, chez les Cornéliens, l'exaltation du rival. En effet, le discours de la Bruyère comporte un éloge de Racine, académicien *vivant*, ce qui paraît incongru à beaucoup. Le *Mercure* affirme que ce discours a été jugé par l'Académie, suivant l'expression déjà utilisée, "directement au-dessous de rien". Dans la préface à son discours, la Bruyère réplique aux "vieux corbeaux" qui font la loi au *Mercure* et, dans la 8e édition des *Caractères,* apparaît Cydias, caricature de Fontenelle, le neveu de Corneille. Serein, Visé écrit: "Il y a dix-sept ans que le *Mercure* est au goût du public, il est un peu tard pour l'attaquer".

Cette puissance du *Mercure* n'irrite pas que la Bruyère. Une épigramme anonyme de 1698 dénonce le journal comme étant "l'égoût du Parnasse français":

> Ah fi! direz-vous, quelle ordure!
> De Visé cependant en fait sa nourriture
> Et Corneille (Thomas) s'en lèche les doigts.

La même année, F. Gacon[20] entreprend une campagne de pamphlets contre ce "livre méprisé" qui prodigue "l'encens au flatteur mercenaire", qui "porte jusqu'aux cieux l'auteur le plus vulgaire"[21]. Visé n'est qu'un roturier (on retrouve là le vieil argument) "de cœur et d'esprit" auquel on pourrait aussi reprocher "la honte de son lit" (sa femme est fille d'un artisan)[22].

Quand Visé meurt (8 juillet 1710), quelques mois après Thomas, le *Mercure*, en dépit de toutes ces attaques, qui démontrent surtout son audience, reste le seul organe de presse possédant une réelle influence dans les milieux mondains.

***

L'information sur l'actualité s'effectue toujours par l'intermédiaire des *nouvellistes.* Mais, dans la dernière partie du règne, l'esprit qui les anime n'est plus celui des anciens pourvoyeurs des ruelles[23]. Ces nouvellistes s'efforcent de rassembler sur la vie *publique* des renseignements que la gazette officielle ne fournit pas[24]: il y a là, selon Adam, la "première forme d'un esprit public indépendant des mots d'ordre du pouvoir"[25]. Néanmoins ils sont toujours à l'affût des nouveautés littéraires et dramatiques, mouches du coche de la vie intellectuelle. Leurs prétentions vont au-delà de la simple quête des renseignements: ils entendent porter des jugements. C'est ce que la Bruyère leur reproche: "Le devoir du nouvelliste est de dire: il y a un tel livre qui court, et qui est imprimé chez Cramoisy en tel caractère, il est bien relié et en beau papier, il se vend tant. Sa folie est d'en vouloir faire la critique" (*Des Ouvrages de l'Esprit*).

Ces nouvellistes se répandent dans les cours qui, Versailles ne jouant plus son rôle d'attraction, se constituent autour des Princes (duchesse du Maine, Vendôme, duc d'Orléans) et dans les différents salons. Or ces salons se préoccupent de patronner leur auteur dramatique de prédilection, dont ils soutiennent la carrière. Les interventions de ces coteries contribuent ainsi, à leur tour, à peser sur l'exercice de la critique. L'opération montée par la duchesse de Bouillon pour imposer la *Phèdre* de Pradon est en passe de devenir une pratique courante. L'exiguïté du public dramatique du temps permet aisément de se rendre maître, pour quelques représentations, de la salle de spectacle. Ainsi se constituent, plus efficaces que la presse officielle ou les nouvellistes, de véritables groupes de pression qui peuvent décider du sort d'une œuvre.

C'est ainsi que, après le succès de sa *Virginie* (1683), Campistron apparaît comme l'homme du Temple, des Vendôme et des Conti, coterie de critiques intransigeants et partiaux qui "s'étaient érigés en censeurs des auteurs vieux et nouveaux, prétendant se distinguer par un mérite extraordinaire et ne voulant souffrir que personne eût d'esprit qu'eux et leurs amis"[26]. La Grange-Chancel, qui débute avec *Adherbal,* est aussi un protégé des Vendôme: sollicité par la princesse de Conti, Racine lui décerne des éloges outranciers et, le jour de la création, Conti prend place sur le théâtre: lui et ses gens donnent le ton, forçant le succès.

La réputation d'un auteur, la réussite d'une pièce sont plus que jamais à la merci de ces manœuvres qui tendent à créer une opinion préfabriquée, donc à prévenir, dans toute la mesure du possible, les jugements indépendants.

Dans ce jeu déjà compliqué, intervient un nouvel élément. Les gens de lettres prennent peu à peu la mesure de la force qu'ils représentent et commencent à se constituer en corps. Ils se rencontrent entre eux, sans souci de protocole et de bon ton: dans les cafés[27]. On y échange des nouvelles, des jugements. On y débat avec animation de la primauté des Anciens ou des Modernes; on s'y préoccupe de l'accueil à réserver aux œuvres dramatiques. Les auteurs se regroupent au gré des sympathies personnelles ou de la concordance des intérêts; ils se font naturellement apologistes de leurs propres œuvres et détracteurs de celles de certains confrères.

Le café de la Veuve Laurens, par exemple, est un des hauts lieux de ce que l'on appellera plus tard "la camaraderie", mais une camaraderie fluctuante, riche en retournements qui avivent les aigreurs entre compères de la veille. Ainsi, J.B. Rousseau, en même temps qu'il est familier du Temple, s'est-il, selon son expression, "acoquiné à la hantise" de ce café Laurens. Il y retrouve des gens de lettres dont l'activité dramatique n'est pas négligeable: le maître de ballet Précour, Houdard de la Motte, Boindin, Danchet. Rousseau, lui aussi, est tenté par le théâtre et il fait jouer, mais sans succès, deux comédies, *le Flatteur* (1696) et *le Capricieux* (1700): de son échec, ce sont ses confrères, les habitués du café Laurens, qu'il rend responsables et dont il se fait justice en lançant contre eux des couplets si grossiers qu'un scandale éclate et qu'il est traduit devant le Parlement.

Lorsque l'on s'attache à l'histoire, si peu glorieuse, de ces années de la vie dramatique, on est bientôt agacé par le retour permanent de cette antienne entonnée par les auteurs tombés: ils ont été victimes de *la cabale.* Et l'on est tenté de ne voir là qu'une facile excuse offerte à l'écrivain déçu. Mais la cabale existe. Elle est une réalité où, de façon confuse, se mêlent tous ces éléments disparates: les partis-pris des salons et des cours, les intrigues des protecteurs, les combinaisons élaborées dans les cafés, la partialité du *Mercure*, sans parler des intérêts personnels des comédiens. Et ce dont, en fin de compte, se plaignent les auteurs, c'est de l'impossibilité de voir leurs ouvrages jugés par une critique dégagée de ces compromissions qui l'empêchent d'être libre.

Avant même la représentation, le spectateur est circonvenu, à son insu bien souvent; un jugement préfabriqué lui est imposé, si encore on ne lui interdit pas tout simplement d'écouter (l'usage du sifflet devient courant à partir de 1686). Le public et la critique du temps sont, très exactement, aliénés.

En décembre 1694, Visé, sans doute partial puisqu'il entend trouver une explication honorable au mauvais sort de ses propres œuvres, se justifie ainsi de renoncer peu à peu à jouer son rôle de critique:

> Le plus souvent, on ne lui (au public) laisse pas le pouvoir d'en décider. On ne jugeait autrefois des pièces qu'après leur avoir donné toute l'attention nécessaire (...). Mais aujourd'hui tout va par cabale, et il s'en voit quelquefois d'outrées, pour faire échouer ce qu'on ne veut pas qui réussisse. La même cabale en fait quelquefois réussir d'autres qu'on trouverait pitoyables si elle ne s'en mêlait pas. Ainsi j'ai raison de ne point parler, puisque mon sentiment serait souvent inutile.

La Bruyère évoque aussi les méfaits des actions menées par ceux qui entendent imposer leur jugement sur l'œuvre dramatique, parce qu'ils se considèrent comme des connaisseurs: ils

> se donnent voix délibérative et décisive sur les spectacles, se cantonnent et se divisent en des partis contraires, dont chacun, poussé par un tout autre intérêt que par celui du public ou de l'équité, admire un certain poème ou une certaine musique, et siffle tout autre. Ils nuisent également, par cette chaleur à défendre leurs préventions et à la faction opposée et à leur propre cabale; ils découragent par mille contradictions les poètes et les musiciens, retardent le progrès des sciences et des arts, en leur ôtant le fruit qu'ils pourraient tirer de l'émulation et de la liberté qu'auraient plusieurs excellents maîtres de faire, chacun dans leur genre et selon leur génie, de très beaux ouvrages (*Des Ouvrages de l'Esprit*).

***

Au milieu de ce tumulte, et particulièrement à travers la Querelle des Anciens et des Modernes, s'achève pourtant l'élaboration d'un corps de doctrine dramatique.

Il s'agit toujours de définir un certain nombre de critères faciles à manier et dont l'utilisation, en donnant au moins l'illusion du jugement personnel, permet d'échapper aux manœuvres et aux cabales. Si un tumulte bien organisé réussit à imposer une tragédie nouvelle, il est commode, pour qui n'approuve pas ce verdict truqué, de passer l'œuvre au crible des exigences codifiées et d'en appeler ainsi d'une sentence prononcée dans des conditions douteuses. Il s'agit ensuite de mettre au point, en fonction de l'état de la société, un code du bon ton, qui ne peut plus être celui conçu par la génération de Richelieu.

Le premier critère de ce Goût nouveau, auquel bientôt Voltaire dédiera un *Temple*, est celui qui suppose et impose une sélection rigoureuse dans le répertoire et l'éviction du public mal policé. C'est en ces dernières années du siècle que se généralise le parti-pris qui opère une sélection entre le Molière du *Misanthrope* et celui qui a voulu "plaire au parterre, frapper les spectateurs les moins délicats"[28], celui qui, sous prétexte de "naturel", demande quelques scènes au paysan ou à l'ivrogne[29].

D'autre part, dans une société au sein de laquelle s'accuse de plus en plus le souci de marquer les distances, le Goût apparaît comme inséparable de la pratique de la discrétion, de la litote: il est ennemi de l'outrance, signe de vulgarité, et de la "vaine enflure qui est contre toute vraisemblance" (Fénelon). A ce titre, il se confirme que Corneille constitue un déplorable modèle; à ce titre le récit de la mort d'Hippolyte est entaché de pompeuse déclamation puisque Théramène, bouleversé par l'événement, devrait tout juste être capable de prononcer ces mots: "Hippolyte est mort. Un monstre envoyé du fond par la colère des dieux l'a fait périr. Je l'ai vu".

Enfin, et dans la même ligne, le Goût se décèle à la pureté de la langue. Selon Fénelon toujours, si Molière pense bien, "il parle souvent mal", il tombe dans le "galimatias". La Bruyère, Bayle (*Dictionnaire philosophique,* article *Poquelin*), Vauvenargues partagent le même préjugé et donnent le ton à tout le siècle: le *Commentaire* de Voltaire sur Corneille peut exaspérer aujourd'hui, avec ses chicanes de puriste, il n'en correspond pas moins exactement aux exigences du nouveau code.

On comprend ainsi pourquoi, entre les critiques officiels et le grand public, le divorce devient de plus en plus flagrant. Les leçons de Molière sont bien oubliées, qui entendait faire rire le parterre sans éloigner du théâtre les honnêtes gens. Le parterre reste étranger aux contestations sur la correction grammaticale, aux débats sur la conduite de l'action et l'harmonieuse liaison entre les scènes. Il s'en va rire à plein gosier avec les Italiens, aux spectacles de la Foire, qui paraissent ne pas relever d'une critique digne de ce nom. Quand, dans la *Critique de la comédie de "Turcaret" par le Diable boiteux* (1709), Don Cléofas s'étonne de voir un public aussi fourni dans la salle de théâtre, tant de "dames" notamment, le Diable lui répond: "Il y en aurait davantage sans les spectacles de la Foire: la plupart des femmes y courent avec fureur. Je suis ravi de les voir dans le goût de leurs laquais et de leurs cochers".

Le critique ne parle jamais que pour le groupe social et intellectuel au nom duquel il témoigne. Pour s'en convaincre, on peut s'adresser, ici encore, à Visé lorsque, en octobre 1691, il prépare la publicité de son *Aventurier.* Dans un article où il se garde de se présenter comme l'auteur de la pièce, il met par avance en valeur les mérites de la prochaine comédie:

> Son succès dépend de l'attention que les auditeurs lui prêteront, parce que le sujet étant fort plein et tout rempli d'incidents, dont il n'y a aucun qui n'ait liaison avec un autre, il est malaisé que l'on n'en perde la suite et qu'on s'aperçoive de ces liaisons pour peu que l'on soit distrait. Ainsi tout ce qui compose un corps agréable pourra ne paraître qu'un amas de pièces détachées aux ennemis du silence (...). Cette pièce, quoique comique, n'a rien de bas ni rien d'équivoque dont l'imagination puisse être salie; et comme ce qu'on y a mêlé de plaisant n'est pas de la nature que demandent les gens de méchant goût, il y a sujet de croire que les personnes d'esprit s'y divertiront.

Le critique, qui donne ici la main à l'auteur, connaît les exigences du code: une intrigue solidement liée, un comique délicat, auquel ne peut être sensible qu'un public choisi, une parfaite décence de langage et de situations.

Molière disparu, Racine se tenant à l'écart, le théâtre français est entré dans une période de marasme, dont on a souvent mis en évidence les causes[30]. Mais il faut relever encore que disparaissent aussi les grands débats dramatiques, comme ceux élevés autour du *Cid*, de *Sophonisbe,* d'*Andromaque* ou de *l'Ecole des Femmes.* Les tumultes et les créations houleuses ne manquent pas, mais les controverses autour d'une œuvre semblent désormais se dissoudre dans le chahut des coteries rivales et le brouhaha du parterre sans jamais s'élever au-dessus de la polémique immédiate et brutale. C'est que le jeu de la critique est faussé par celui des partis-pris, des intrigues et des intérêts. Et l'on est bien en peine de découvrir, pour cette période, des œuvres dont la création a donné lieu à des "querelles" comparables par l'ampleur et la portée à celles qu'ont suscitées Molière ou Racine.

Faute de mieux, on prendra donc ici en considération deux événements dramatiques, notables sans doute, mais de maigre envergure: les créations du *Légataire Universel* et de *Turcaret.* Par la minceur même de leur retentissement, elles mettent en valeur à quel point se trouve alors dégradé l'exercice de la critique.

II

Quand, en 1708, Regnard (il a 53 ans) fait représenter *le Légataire,* il a déjà remporté au Théâtre Français de beaux succès avec *le Joueur* (1696), *les Folies amoureuses* (1704) et *les Ménechmes* (1705). Il vient, comme bien d'autres, du Théâtre Italien où il a débuté en 1688. De cette expérience et d'une collaboration de quatre ans (1693–1697) avec Dufresny, il a conservé le goût de la gaieté franche, voire osée, une semi-indifférence à l'égard des canons de la pièce bien construite pourvu que le rythme et le mouvement soient sauvegardés[31]. Sa situation sociale est bien établie; il possède un château où l'on mène bonne vie, dans une indifférence totale aux misères de la nation; il fréquente Enghien, Conti, et d'autres épicuriens moins titrés. Sa position littéraire est honorable, sans plus; l'activité dramatique n'est pour lui qu'un passe-temps agréable: c'est pour occuper ses loisirs qu'il a entrepris naguère d'écrire des scènes en français pour la troupe italienne. Le théâtre n'est pas pour lui un moyen de parfaire une position sociale: aussi bien est-il indépendant vis-à-vis de ces dogmes que l'on doit respecter pour ne pas encourir la désapprobation de ceux qui, donnant le ton, font ou défont une réputation.

Avec sa *Satire contre les maris,* réplique à la *Satire* X contre les femmes, il s'est ainsi offert en 1694 l'amusement de rompre des lances avec Boileau, "critique affaibli par les ans". Puis il s'est réconcilié avec lui[32] et lui a dédié, en termes dithyrambiques, ses *Ménechmes* (1705). Boileau, dit-on, a fini par en convenir:"Regnard n'est pas médiocrement gai". Mais à la veille de sa mort, Boileau, lointain et de plus en plus solennel, ne fait plus autorité dans la salle de spectacles, – s'il l'a jamais fait.

Ce n'est pas de ce côté que Regnard peut avoir à se garder. Sa collaboration avec Dufresny a pris fin dans les difficultés qui, au moment du *Joueur,* se sont élevées entre les deux confrères s'accusant mutuellement d'avoir dérobé à l'autre le sujet de sa comédie. Dufresny a alors monté, contre la pièce de Regnard, une "cabale très forte... composée des plus séditieux frondeurs des spectateurs"[33], cabale qui a bien failli faire tomber l'œuvre nouvelle.

Le Légataire est créé le 9 janvier 1708, en pleine guerre de Succession d'Espagne, au cœur d'une crise financière aiguë, alors que l'opinion se rebelle de plus en plus vivement contre la pression des impôts. Le succès est attesté par une série de 23 représentations en 40 jours.

Il n'y a pas à vrai dire *querelle,* si l'on entend par là éclosion de discussions animées, polémique accompagnée de sévères échanges d'arguments. L'accueil réservé à la comédie ne fait que mettre en évidence le divorce qui s'est établi entre le grand public et ceux qui jouent les critiques qualifiés. Le rondeau de Palaprat marque bien les limites du débat:

> Il est aisé de dire avec hauteur
> Fi! d'une pièce *en faisant le docteur*
> Qui pour arrêt nous donne sa grimace.
> Contre Regnard la grenouille croasse.
> En est-il moins au goût du spectateur?
> Je le soutiens et ne suis point flatteur.

Comme Regnard, Palaprat a fréquenté les Comédiens Italiens, composé pour eux (*Arlequin Phaéton,* 1692), et il a mesuré l'efficacité d'un répertoire qui ne s'embarrasse pas de préjugés dogmatiques. On comprend qu'il ait pris la défense du *Légataire.*

La situation de Regnard est banale: de sa comédie, "les bas envieux, race vile" disent beaucoup de mal et pourtant le public afflue, ce qui manifeste à quel point, en dehors du monde des coteries, le spectateur se soucie peu de suivre les avis de ceux qui prétendent le guider.

Deux documents permettent de déterminer sur quels thèmes est menée la campagne de dénigrement: la critique (anonyme) parue dans le *Nouveau Mercure* de février 1708, la comédie en 1 acte que fait jouer Regnard, le 19 février, sous le titre *la Critique du Légataire Universel.*

Le *Mercure* n'est pas systématiquement hostile: le ton est mesuré et il reconnaît la gaieté et le mouvement de la pièce; mais il donne à entendre que le public y rit contre les règles et contre le goût. Le réquisitoire s'oriente suivant deux directions.

La critique en place s'est désormais dotée de nouvelles références: la comparaison avec Molière, celui du *Misanthrope,* non le farceur (s'il s'agit d'une tragédie, la comparaison est établie avec Racine), considéré comme l'archétype, est permanente. Molière à peine disparu, Boileau a donné le ton:

> L'aimable comédie avec lui terrassée
> En vain d'un coup si rude espéra revenir
> Et sur ses brodequins ne put plus se tenir.

Ainsi la Lisette de Regnard est sans doute un personnage plaisant, "mais non pas tout à fait avec les mêmes grâces" que Toinette et Dorine; Clistorel, l'apothicaire, n'est qu'un avatar dégénéré de M. Purgon: "Molière a mis en jeu les apothicaires, mais il l'a fait à propos".

Les éloges sont décernés de la même façon: quand F. Gacon salue le succès du *Joueur,* il formule le compliment suprême:

> Tu remets en honneur le théâtre comique
> Qui jadis par les soins de Molière *anobli*
> Avec lui pour jamais semblait enseveli.

Tout en s'appliquant à imiter le Maître qu'on ne cesse de leur désigner, les auteurs perçoivent ce qu'a de stérilisant cette perpétuelle référence: dans le prologue de son *Négligent* (1692), Dufresny se lamente au moment où il aborde le Français: "Molière a bien gâté le théâtre. Si l'on donne dans son goût: bon, dit aussitôt le critique, cela est pillé, c'est Molière tout pur. S'en écarte-t-on un peu, oh! ce n'est pas là Molière".

En cette fin du siècle, alors que les esprits prennent conscience d'avoir vécu une époque exceptionnelle et que s'élabore le mythe du Grand Siècle, Racine et Molière sont ainsi appelés à jouer le rôle tenu, pour les générations antérieures, par Aristote. Ils incarnent désormais les modèles inégalables qui ont porté le théâtre au plus haut point du goût. Dans sa *Critique,* M. Boniface[34], pâle copie du Lysidas de Molière, qui a "voix délibérative aux cafés" (sc. 5), s'en prend à la structure de la comédie: "La pièce est vicieuse a capite ad calcem (...). Nous avons un peu lu notre Poétique d'Aristote" (sc. 4). Et il est bien vrai que le *Légataire* ne répond pas aux canons de la pièce bien faite; qu'il est conçu dans l'esprit des comédies italiennes où le souci de l'enchaînement de l'intrigue s'efface devant celui de la virtuosité apportée à faire se succéder des situations plaisantes, la plupart du temps indépendantes les unes des autres.

Comme le Dorante de Molière, le Marquis, porte-parole de l'auteur, oppose aux critiques l'approbation du grand public: "Qu'avons-nous affaire ici de tous les grands mots grecs et latins dont M. Boniface fait une parade fastueuse? Il s'agit de divertir les gens d'esprit avec art" (sc. 4). De divertir surtout ce public qui prend de plus en plus le chemin des spectacles de la Foire: ceux que, dans *le Chinois* (1691), Regnard appelait Mgr le Parterre, "éperon des auteurs, frein des comédiens, contrôleur des bancs du théâtre, ... juge incorruptible". Au comédien qui fait observer que "c'est le public qui détermine le sort des ouvrages d'esprit", le Chevalier répond: "Voilà un beau garant que le public! le public! le public! c'est bien à lui que je m'en rapporte!" (sc. 2).

La critique en place ne cesse de récuser ce public qui rit de peu, et contre les règles. A ses yeux, l'apothicaire Clistorel est un personnage détestable: parce qu'il est "inutile" (l'intervention de ce comparse contrevient donc aux règles qui régissent la manière de mener une intrigue); mais surtout parce que (comme si Molière n'avait pas, lui aussi, usé de tels effets) il est affublé d'un nom "tiré de la seringue" et permet le développement de ces "gentillesses" inspirées par le clystère ou par la puissance de procréation des vieillards: "On prétend qu'il faut de ces sortes d'objets au parterre". Au contraire, M. Bredouille, l'amateur de bonne cuisine, trouve ce personnage fort bien venu: "Quand une chose me plaît, je ne vais point m'alambiquer l'esprit pour savoir pourquoi elle me plaît. Il suffit qu'elle me plaise en gros. M. Clistorel m'a guéri de toute la mauvaise humeur que j'y (à la pièce) avais apportée".

Cette critique s'exerce sur les moindres détails, au nom de la vraisemblance la plus étroite. On ne saurait ainsi admettre que le valet fasse un testament, car "le Code Justinien, titre XII, paragrapho primo de testamentis, nous apprend que ceux qui sont sous la puissance d'autrui ne peuvent pas tester. Le valet est sous la puissance de son maître; ergo, je soutiens que le valet..." (sc. 4).

Le second critère utilisé est celui de la moralité. Les frères Parfaict se font l'écho des réserves exprimées à ce point de vue: Crispin est un fripon, Lisette une soubrette de mauvais exemple, un vent d'immoralité générale entraîne les personnages.

Et il est encore vrai que la comédie se développe en dehors de toute préoccupation d'édification, avec ce Crispin qui se flatte d'avoir fermé les yeux sur la liaison de sa première femme et de son maître (aucun valet de Molière n'aurait fait de tels aveux), avec cette Lisette qui, "si l'on croit le lardon scandaleux", n'a pas été sévère à Géronte. La pièce tire une partie de son comique des plaisanteries à demi obscènes et scatologiques: les odeurs de lavements (v. 287–288), le plaisir qu'éprouve Géronte à recevoir ses clystères de la main de Lisette, les pressantes coliques (v. 375, 380)[35], les matières fécales (v. 465), les possibilités génésiques de Géronte (v. 586, 704 et sq.), et même les maisons closes "où l'honnêteté souffre et la pudeur gémit" (v. 1035). Ces plaisanteries, que les théâtres de la Foire offrent beaucoup plus épicées encore ne peuvent trouver grâce aux yeux de juges qui exigent que le théâtre sauve toujours les apparences. Les témoignages contemporains confirment l'affaissement des mœurs à la fin du règne de Louis XIV, le relâchement des contraintes derrière la façade de dévotion de Versailles. Le théâtre de Regnard est plein de juges non seulement ridicules comme le Dandin de Racine, mais odieux et vénaux, de nobles dégénérés, hommes et femmes rivalisant dans le libertinage et la passion du jeu[36]. Spectacle scandaleux qui, s'il est présenté sur la scène, est dénoncé comme démoralisant. Par ses porte-parole, cette société, comme toute société en voie de désagrégation, refuse de se reconnaître dans l'image que la comédie lui renvoie d'elle-même; et elle en appelle d'autant plus sévèrement au respect de ces valeurs en lesquelles elle ne croit plus guère.

Pas plus qu'il n'accepte de reconnaître la réalité des défaites militaires[37], l'officieux *Mercure* n'admet que le siècle est en voie de perversion, comme le suggère la comédie de Regnard.

***

Quand est créé *Turcaret* (14 juillet 1709), Lesage a 41 ans[38]. Sa carrière dramatique, encore mal assurée, va se dérouler suivant un processus inverse de celle de Regnard. Longtemps fournisseur des Italiens, Regnard s'est peu à peu imposé sur la scène du Français; Lesage, lui, a débuté au Français en 1702, avec une comédie traduite de F. de Rojas (*le Point d'honneur*), puis avec *Don César Ursin* et *Crispin rival de son maître* (1707). Mais après *Turcaret,* écœuré par le sort réservé à son œuvre, il abandonne les Comédiens officiels et, de 1712 à 1735, réserve sa production aux théâtres de la Foire, auxquels il donne une centaine de pièces.

Moins qu'une *querelle* dramatique, *Turcaret* suscite une *affaire,* où est mise en évidence, derrière les arguments esthétiques en apparence, l'intervention d'un groupe de pression dont les préoccupations n'ont rien à voir avec l'intention de juger l'œuvre.

La pièce a été lue devant les Comédiens le 15 mai 1708. Le succès remporté, un an plus tôt, par *Crispin rival de son maître* fait bénéficier Lesage d'un préjugé favorable. Or la pièce n'est créée que neuf mois après cette lecture. Dans l'histoire du Théâtre Français, de tels retards sont monnaie courante et les gémissements des auteurs impatients n'ont jamais cessé de résonner dans les coulisses. Mais dans le cas de *Turcaret,* ces atermoiements ne sont pas le fait de l'inertie ou de la mauvaise volonté de la troupe.

Turcaret met en scène un *traitant,* un de ces hommes d'argent auxquels le pouvoir royal a sans cesse recours pour faire face au déficit budgétaire qu'entraînent les dépenses de guerres qui n'en finissent plus, et qui érigent des fortunes colossales sur le dos des contribuables et de l'Etat. Dans la première partie de son règne, Louis XIV s'est constamment efforcé de contrôler le pouvoir de l'Eglise; c'est désormais la toute-puissance de l'argent qu'il affronte, sans oser s'en prendre à elle de front tant il en a besoin[39]. L'opinion publique, les pamphlétaires, les moralistes, les prédicateurs dénoncent constamment l'omnipotence, la grossièreté de ces financiers et de leurs douteux collaborateurs. Les auteurs dramatiques ne sont pas en reste et, en 1709, le personnage du Financier est devenu un type traditionnel de la scène[40]. En concevant son *Turcaret,* Lesage n'est donc pas un novateur.

Dans son réquisitoire contre les détenteurs des *Biens de fortune,* la Bruyère s'inquiétait déjà: "Si les pensées, les livres et leurs auteurs dépendaient des riches et de ceux qui ont fait une belle fortune, quelle proscription!". En 1709, pour les auteurs dramatiques et leurs œuvres, ces temps-là sont venus.

En 1685, Visé, annonçant dans le *Mercure* son *Usurier,* a dû multiplier les déclarations rassurantes pour prévenir une campagne d'hostilité: "On y découvre, *sans choquer personne,* et en marquant seulement les vices *en général,* tous les secrets de la Banque". L'œuvre a pourtant été attaquée avec violence et Visé, navré, a repris l'argumentation habituelle: il déplore de voir que certains peuvent "se reconnaître dans des portraits généraux"; "l'auteur n'en a eu aucun en vue, mais seulement les vices de leur profession".

Devant la montée de l'hostilité, les Financiers ne restent pas inactifs et, pour être discrets, leurs moyens d'action ne manquent pas d'efficacité. Il y a tout lieu de croire que les manœuvres dilatoires des Comédiens à l'égard de *Turcaret* s'expliquent par l'intervention des traitants pour empêcher la représentation d'une nouvelle pièce les mettant en cause. Car les Comédiens ne peuvent pas rester insensibles à leurs arguments: depuis qu'a été inaugurée la nouvelle salle du Jeu de Paume de l'Etoile, qui lui a coûté 200.000 livres (1689), la troupe est empêtrée dans une dette qui ne cesse de croître (en 1699, une ordonnance a en outre prescrit l'obligation de verser à l'Hôpital Général le septième de la recette brute): l'arriéré de l'année 1718 atteint 300.000 francs. Une situation aussi désastreuse restreint considérablement l'indépendance des Comédiens à l'égard des puissances d'argent.

Selon les frères Parfaict, c'est un ordre officiel (13 octobre 1708) qui, par l'intermédiaire du Grand Dauphin, met fin aux atermoiements et enjoint aux Comédiens "d'apprendre et de jouer incessamment une petite pièce intitulée *Turcaret ou le Financier*". Il n'y a rien là d'invraisemblable. Le Roi ne peut se passer des brasseurs de fonds, ces Crozat, ces Legendre et ce célèbre Samuel Bernard qui, en 1697, a dû trouver en 24 heures, pour le compte du souverain, un million en or et dix en argent[41]. Louis XIV doit leur concéder, outre les énormes bénéfices réalisés par la manipulation des redevances, des satisfactions de vanité: en 1708 précisément, Samuel Bernard est reçu à Marly. Mais cette tutelle est supportée avec impatience par un monarque qui se voudrait absolu et qui n'est pas fâché d'assister au développement d'un mouvement d'opinion hostile à ceux qui limitent son pouvoir de décision.

Turcaret est donc joué malgré l'opposition des traitants qui, bien entendu, n'entendent pas s'avouer vaincus: les manœuvres vont donc se poursuivre, obliquement toujours. Puisqu'il faut concéder la création, il importe d'abréger au plus tôt le cours des représentations. La méthode la plus simple est de faire donner la "critique" et de faire proclamer détestable et nocive cette inopportune comédie.

Lesage essaie de rassurer: son œuvre ne s'en prend pas à une corporation, mais à ceux qui la déshonorent (l'argument de Molière pour *Tartuffe*): "Il y a de fort honnêtes gens dans les affaires... il y en a qui, sans s'écarter des principes de l'honneur et de la probité, ont fait actuellement leur chemin, et dont la Robe et l'Epée ne dédaignent pas l'alliance. L'auteur respecte ceux-là".

Dans leur manœuvre, les traitants se découvrent sans peine des alliés: les auteurs rivaux qui, en matière dramatique, s'arrogent le droit de jugement. Dans sa *Critique du Légataire Universel,* Regnard a déjà signalé la présence, dans la salle, des chers confrères "tout prêts à donner l'alarme dans le quartier et à sonner le tocsin sur un mot qui ne (leur) plaira pas" (sc. 4). Lesage, à son tour, dénonce cette cabale des auteurs. Conscient du danger et aussi de l'inefficacité de ces professions de bonne foi, il met en place un contre-feu en préparant la soirée: "Il y a ici tous ses amis, avec les amis de ses amis". Comme pour Regnard, mais plus violemment, la "critique" va se faire sur le terrain même, à chaud.

Lesage n'exagère pas: "En dépit des cabales", sa comédie réussit, les recettes le prouvent[42]: "le public aime à rire aux dépens de ceux qui le font pleurer" (*Critique de la comédie de "Turcaret"*).

La création rassemble un public très fourni ("Remarquez-vous combien on a de la peine à trouver des places? "); le succès de rire est indiscutable: "Les ris sans cesse renaissants (...) ont étouffé la voix des commis et des auteurs".

La cabale est ici bien mise en évidence, comme le procédé utilisé, banal et efficace: créer un tumulte qui empêche d'écouter. L'accueil spontanément favorable est aussitôt contrebattu, dans la salle même. Lesage évoque les manœuvres de tous ceux, commis et auteurs, qui, à la fin de la représentation, forment "des pelotons dans le parterre" pour y répandre "leur venin": "J'aperçois, entre autres, trois chefs de meute, trois beaux esprits qui vont entraîner dans leur sentiment quelques petits génies qui les écoutent".

Cette "critique" est d'une action beaucoup plus immédiate que la critique écrite. Or ce qui importe, c'est que la carrière de la pièce soit interrompue au plus tôt.

Pour dénigrer la comédie, on ne se met pas en peine d'arguments nouveaux. Et d'abord: "Ils disent que tous les personnages en sont vicieux". Comme pour *le Légataire,* il est vrai que ces personnages sont fort peu recommandables, exclusivement dévoués au culte de l'Argent, depuis la protagoniste jusqu'aux aigrefins comme M. Furet, aux usuriers comme M. Rafle; la baronne est une demi-mondaine avant la lettre, le chevalier et le marquis étalent sans vergogne leur brillante corruption, et les valets ne valent pas mieux que ceux de Regnard. Pour plaider sa cause, Lesage fait valoir que les méchants sont punis au dénouement (Turcaret arrêté, la baronne dépitée) et que le triomphe de Frontin ("Voilà le règne de M. Turcaret fini; le mien va commencer") n'est que provisoire: "Son règne finira comme celui de Turcaret". La défense ne vaut pas plus cher que l'attaque car l'une et l'autre s'établissent en porte-à-faux: le débat sur la moralité dissimule la vraie question posée par la pièce: l'auteur peut-il s'arroger le droit de dénoncer publiquement les abus du système et de ceux qui en profitent? En une seule et courte phrase, Asmodée l'énonce bien: "L'auteur a peint les mœurs de trop près".

Un autre argument se rapporte plus étroitement aux préoccupations de ceux qui mènent la campagne. On affirme que, des milieux d'affaires, la comédie donne une caricature, entreprise de pure calomnie: l'auteur livre aux sarcasmes du public des opérations financières auxquelles il ne connaît rien: le caractère de Turcaret est "manqué", parce que "les affaires ont des mystères qui ne sont point ici développés". L'auteur se trouve présenté comme un faussaire.

Dans ce débat, les arguments dramatiques sont à peu près inexistants. C'est tout juste si Lesage fait ironiquement allusion à un "cavalier espagnol qui crie contre la sècheresse de l'intrigue". Grief sans consistance à propos duquel Lesage se contente de répondre que l'attention du public ne doit pas être détournée de la peinture des caractères par l'accumulation des événements et par des "intrigues trop composées". Il est clair que l'*affaire* de *Turcaret* n'est pas une affaire dramatique.

Les représentations sont interrompues au bout de 7 séances, bien que la recette demeure honorable. La carrière de l'œuvre n'est donc pas brisée par la défection du public, mais par la réussite, un peu tardive, de la manœuvre développée pour empêcher la création. Les Comédiens ont obtempéré à l'injonction: ils ont joué. Mais, ceci fait, avec leurs difficultés financières, ils ne peuvent s'offrir le luxe de s'aliéner la complaisance de ces traitants qui sont autant de bailleurs de fonds. D'autant moins que ces Nouveaux Maîtres sont attirés par les éléments féminins de la troupe. Lesage ne manque pas de le signaler: quand Frontin vante à la baronne les mérites de la "jeune personne" qu'il va lui donner comme femme de chambre, il n'omet pas de préciser qu'on la destine à l'Opéra.

***

Ces années 1680–1715, si pauvres en œuvres de valeur, sont tout aussi décevantes si l'on considère l'activité de la critique.

Devenu l'un des éléments importants de la vie mondaine, le théâtre, jadis réglementé par la spontanéité d'un public sans apprêts, se voit, revanche de cette promotion, engagé dans toutes les exigences et les intrigues de la collectivité qui le fréquente désormais. Et les règles énoncées par les théoriciens, appliquées par ceux qui portent des jugements, ne font que refléter les préoccupations de ce groupe, même si elles paraissent formulées dans une perspective théâtrale. Par la mise en application d'un code rigide, fondé sur la régularité, les bienséances, le purisme, la référence obligée à Racine et à un Molière épuré, on veut d'abord effacer les dernières traces qui subsistent encore des douteuses origines du genre. L'image que doit donner le théâtre est celle que ce public, désormais majoritaire, entend contempler de lui-même: soucieux d'ordre harmonieux, de moralité, de noblesse. Si l'œuvre tient des propos différents de ceux, édifiants, que l'on attend d'elle, elle est condamnée par le biais de griefs qui ne sont esthétiques qu'en apparence.

La critique est ainsi moins que jamais l'art de juger en fonction de l'intensité du plaisir dramatique. Elle est un instrument mis au point en vue de vérifier que les valeurs officiellement prônées sont bien respectées.

Notes

1 A ce moment, la politique religieuse se radicalise: dès 1679, prodromes d'une reprise de la persécution des Jansénistes; en 1680, épanouissement de la querelle du Gallicanisme. La Révocation de l'Edit de Nantes est au bout de l'évolution. Cf. Mélèse, *Le Théâtre et le public à Paris sous Louis XIV;* Adam, op. cit., V, p. 251 et sq.

2 Cf. Urbain et Levesque, *L'Eglise et le théâtre,* Introduction.

3 Cf. Bossuet, *Maximes et Réflexions sur la comédie,* XXII–XXXIII. Le P. Caffaro s'était couvert de l'autorité de St. Thomas pour présenter sa thèse.

4 En 1674, contre le P. Caffaro sont publiées, outre celle de Bossuet, six dissertations: celles du P. Lelevel, du P. de la Grange, de Jean Gerbais, de L. Pérugier, du P. le Brun, de P. Coustel.

5 L. Pérugier, *Décision faite en Sorbonne...* (1694).

6 *Entretien sur les tragédies de ce temps.*

7 A Losme de Monchesnay, septembre 1707, cité par le P. Desmolets, *Mémoires,* t. VI, 2e partie.

8 Cf. *Journal* de Ledieu, 12 février 1702.

9 Cf. A. Taphanel, *Le Théâtre de Saint Cyr,* 1876.

10 *Mémoires,* p. 122.

11 Cf. Boysse, *Le Théâtre des Jésuites* (1880); Gofflot, *Le Théâtre au collège* (1907).

12 *Traité des jeux et des divertissements qui peuvent être permis ou qui doivent être défendus aux chrétiens.*

13 Cf. Hallays-Dabot, *Histoire de la censure théâtrale en France,* Delaforest, 1862.

14 Cf. Mélèse, op. cit., p. 74 et sq.; Adam, op. cit., p. 258 et sq.

15 Cf. Mélèse: le nombre de comptes-rendus détaillés se rapportant dans cette presse à des œuvres de théâtre, *entre 1659 et 1715*, n'est que de *63*.

16 La place de l'actualité théâtrale diminue à partir du moment où Visé rencontre des difficultés à se faire jouer.

17 La formule désigne l'ensemble des publications en français éditées en Hollande.

18 En 1681, les Italiens ont joué un *Arlequin Mercure galant.* La farce n'avait aucun caractère satirique.

19 Cette attaque s'explique par la Querelle des Anciens et des Modernes: elle est portée contre un journal dont Fontenelle, "moderne" convaincu, est un collaborateur assidu. (Cf. Mélèse, op. cit., p. 193).

20 Oratorien qui ne tarde pas à quitter sa congrégation pour une carrière de polémiste qui se distingue par sa violence et par sa grossièreté.

21 *Satire* IX, *Contre les auteurs du Mercure Galant.*

22 *Satire* X, *Contre le Sieur de Visé.*

23 Cf. Funck-Brentano, *Les Nouvellistes,* 1905.

24 Après la mort de Renaudot, (1653), la *Gazette* a été gérée par ses enfants. De 1680 à 1720, elle est dirigée par le petit-fils, l'abbé Renaudot.

25 Op. cit., V, p. 33.

26 Cité par A. Adam, op. cit., V, p. 269.

27 La mode du café a été lancée par Soliman-Aga, ambassadeur de la Sublime Porte. Un Arménien ouvre le premier à la Foire Saint Germain. Le plus célèbre est celui qu'établit, en 1689, le silicien Procope. En 1696, l'abbé du Bos en compte déjà 200.

28 Cf. M. Descotes, *Molière et sa fortune littéraire,* p. 36–43.

29 La Bruyère, *Des Ouvrages de l'esprit.*

30 Cf. par exemple A. Adam, op. cit., V, p. 274 et sq.

31 Cf. A. Calame, *Regnard, sa vie et son œuvre,* 1960.

32 Dans l'édition de 1701 de son *Epître* X, Boileau remplace par celui de Lignère le nom de Regnard qu'il a d'abord cité (1695) parmi ceux de médiocres poètes.

33 Préface des éditions de 1697 et 1700.

34 Il a écrit 25 comédies, 25 tragédies. "Les comédiens n'en veulent jouer aucune. Mais ce qu'il y a de beau, c'est que ses comédies font pleurer et que ses tragédies font rire à gorge déployée".

35 Le vers 380 rappelle impudemment celui de Tartuffe: "Certain devoir pieux me rappelle là-haut": "Certain devoir pressant m'appelle en certain lieu".

36 Cf. Calame, op. cit., p. 240 et sq.

37 *Le Légataire* est joué en janvier 1708. Six mois plus tard, après la défaite d'Oudenarde, le *Mercure,* soucieux de soutenir les thèses du pouvoir, rassure les esprits: "Tout ce que les alliés ont rapporté touchant ce combat est presque entièrement faux... les exagérations sont autant de fables...". Pourtant la défaite a ouvert la frontière de Flandre, coûté 3.000 morts, 4.000 blessés, 8.000 prisonniers, sans compter 3.000 déserteurs.

38 Cf. Linthillac, *Lesage*, 1893; S. Tzoneff, *L'Homme d'argent français jusqu'à la Révolution,* 1934.

39 Une ordonnance de 1705 avait fixé à 30.000 livres la finance à payer par les agents de change; puis, en 1709, à 60.000 livres. La résistance opposée à cette dernière décision est si vive que le Roi doit céder et ramener le chiffre à 20.000 livres.

40 Dès 1682, J. Robbe a fait jouer *la Rapinière ou les Intéressés.*

41 S. Bernard (1651–1739) a amassé sous le ministère Chamillard, au département de la Guerre, une fortune évaluée à 33 millions.

42 La 7e et dernière représentation rapporte plus de 650 livres. Or le seuil de recettes fixé pour qu'une pièce soit déclarée "tombée dans les règles" est de 500 livres en hiver. Il n'y a donc aucune raison d'arrêter là les représentations.

CHAPITRE V

La disparition du vieux monarque, en 1715, est accueillie comme une délivrance[1]. On se souvient de l'évocation laissée par Voltaire dans *le Siècle de Louis XIV:* "Nous avons vu ce même peuple qui, en 1686, avait demandé au ciel avec larmes la guérison de son roi malade, suivre son convoi funèbre avec des démonstrations bien différentes. J'ai vu de petites tentes dressées sur le chemin de St. Denis. On y buvait, on y chantait, on y riait. Les sentiments de Paris avaient passé jusqu'à la populace".

La Régence apparaît ainsi volontiers comme le brusque éveil de l'esprit moderne rejetant le carcan des contraintes officielles. En fait, l'avènement de Philippe d'Orléans joue surtout le rôle de révélateur de courants restés bien vivants mais dont le conformisme obligé a effacé les manifestations. Etudiant la correspondance de Chaulieu, Sainte Beuve arrivait déjà à cette conclusion que les historiens modernes ont vulgarisée: à savoir que, en dessous du Siècle, "noble, majestueux, magnifique, sage et réglé jusqu'à la rigueur, décent jusqu'à la solennité", les mœurs et l'esprit de la Régence existent déjà sous Louis XIV: "il a suffi d'un simple changement à la surface pour qu'on les vît déborder" (*Lundi* du 25 mars 1850). La contestation de l'autorité et de l'ordre établi, la croyance au progrès opposée au pessimisme chrétien, l'appétit de bonheur et de jouissance ont été seulement exposés au grand jour par l'épanouissement des Lumières ou la démoralisation étalée par les "roués".

Le brassement social provoqué par les transferts de fortunes que les années de guerres ont précipités a commencé depuis longtemps. L'ahurissante aventure de Law met en évidence que le véritable pouvoir n'est plus là où la splendeur du Roi-Soleil donnait à croire qu'il résidait. Pendant quelques mois il est beaucoup plus important d'obtenir une entrevue avec Law que de s'attirer les bonnes grâces du Régent. L'époque où le courtisan sollicitait humblement la faveur d'une invitation à Marly est révolue.

Décision symbolique: le pouvoir quitte Versailles. Sans doute la Cour regagne-t-elle bientôt (1722) l'illustre château; mais jamais plus celui-ci ne redeviendra ce pôle d'attraction exclusif qu'en avait fait Louis XIV. Depuis longtemps (la grande époque du mécénat royal est terminée dès 1690)[2] la fortune des gens de lettres n'est plus attachée aux gratifications du Roi; on sollicite encore le pouvoir, mais ses générosités, à quelques exceptions près, n'ont plus qu'une valeur d'appoint.

La situation de l'homme de plume évolue en même temps que le reste de la société. Il est en bonne voie d'acquérir une certaine indépendance matérielle, inconcevable un demi-siècle plus tôt. Au lendemain de *Phèdre,* Racine a pu considérer que ses fonctions d'historiographe équivalaient à une consécration définitive; alors que, nourrissant la même ambition, Voltaire n'entend pas lier sa carrière aux aléas de la seule bienveillance royale. A peine entré dans le monde, il se place dans le sillage de ces puissants frères Paris auxquels, après la débâcle de Law, le gouvernement fait appel pour remettre de l'ordre dans les finances; de leurs conseils et leur entregent, il tire les premiers bénéfices qui vont faire de lui un remarquable homme d'affaires. L'homme de lettres famélique, parasite permanent, existe toujours. Mais son sort n'est plus le sort commun et obligé.

Le culte du luxe, si cher à Voltaire, du superflu "chose si nécessaire", la vie mondaine connaissent alors, chez les privilégiés, un épanouissement exceptionnel; car si le Trésor Public va s'appauvrissant, c'est au profit des fortunes individuelles. Et de 1715 à 1740 s'instaure une période de paix et de prospérité, favorable au développement des distractions de groupes. Ce mouvement qui pousse vers le plaisir s'oriente vers la pratique du plus social de tous les divertissements, le théâtre. On joue la comédie partout, dans les châteaux, dans les résidences des financiers, des nantis, de certains magistrats. Le bourgeois Francaleu qui, dans la *Métromanie* de Piron (1730), rêve de faire chausser le cothurne à toute sa maison succède à l'Oronte qui se piquait de rimer le madrigal et le sonnet.

Devant cette effervescence de l'activité théâtrale, on s'attend à ce que la période qui s'ouvre soit une grande période de critique dramatique. D'autant plus que l'esprit du temps se caractérise par la soif d'indépendance intellectuelle qui pousse tout homme éclairé vers l'exercice de son jugement propre, dégagé du poids de l'autorité. Ainsi Diderot va-t-il bientôt créer la critique d'art, tirant de ses seules émotions personnelles toute une esthétique. En bonne logique, l'engouement pour le théâtre devrait susciter une renaissance de cette critique dont on a, au chapitre précédent, observé la décadence.

Tel que nous l'avons défini, le critique dramatique est un homme auquel sa personnalité, sa compétence ou son originalité de vues confèrent assez d'autorité pour le mettre en état d'orienter l'opinion publique; un homme qui est capable d'exercer une véritable influence sur le succès d'une œuvre nouvelle.

Or une grande partie de l'activité dramatique de l'époque échappe au magistère du critique puisque tant de spectacles ne sont pas donnés en présence d'un vrai public, mais pour un groupe de familiers qui recherchent d'abord le plaisir de se retrouver ensemble. Ce public-là, faux public, n'a pas besoin d'être éclairé, dirigé: il est conquis d'avance. Ainsi *la Mort de César* (Voltaire, 1733) est créée à l'hôtel de Sassenage, puis au collège d'Harcourt (elle n'est représentée sur une scène véritable qu'en 1743). Les louanges dispensées par les "dix jésuites" devant lesquels est lue la pièce[3] n'ont qu'une valeur très restreinte. Voltaire sait d'avance que cet auditoire approuvera une tragédie qui ne comporte aucun rôle féminin et il perçoit fort bien que l'accueil des vrais spectateurs serait tout différent: "nos jeunes gens de la Cour ne goûtent en aucune façon ces mœurs stoïques et dures". Quand il fait jouer ses œuvres par ses amis (il joue lui-même, les pères nobles de préférence), les compliments qu'il recueille, sans parler de ceux qu'il se décerne à lui-même, sont plus proches des congratulations de bonne compagnie que de l'exercice de la critique. L'observation s'applique à tous les genres: les "parades" de Gueullette, la Chaussée, Piron, sont destinées au seul public des salons et jouées par leurs habitués; c'est pour le cercle du fermier général d'Etioles que Beaumarchais, plus tard, compose ses premières parades. Toute cette partie de la vie théâtrale échappe à la juridiction de la critique.

D'autre part, achèvent de s'affirmer les institutions déjà mises en place en vue de réglementer l'activité dramatique: le contrôle exercé sur les théâtres par les Gentilshommes de la Cour et surtout la censure. Il convient d'en préciser le fonctionnement afin de déterminer dans quelle mesure les décisions prises par ces autorités vont se confondre avec l'expression de jugements dramatiques.

Les censeurs royaux sont membres de l'Académie pour la plupart. Ils se partagent l'examen des livres pour la délivrance du permis d'imprimer. C'est au "censeur de la police" (Crébillon à partir de 1733) qu'il revient d'étudier les œuvres théâtrales nouvelles. S'il juge la pièce inoffensive, il accorde le visa sous sa propre responsabilité. Sinon il en réfère aux premiers Gentilshommes de la Chambre; dans certains cas, la question est portée devant le ministre de la Maison du Roi.

L'attitude de Voltaire en face de cette censure est exemplaire. Pour lui la censure n'est pas une institution abstraite, organisme d'Etat sans visage. Elle est, de façon très précise, représentée par Crébillon, le plus célèbre auteur dramatique de la génération précédente, en qui il voit un rival jaloux[4]. A ses yeux, le censeur n'est donc pas le représentant du pouvoir, mais un critique hargneux qui, fort des droits que lui confère son autorité officielle, s'acharne à ruiner le sort de ses pièces.

La *Correspondance* est pleine de récriminations contre ce censeur malveillant qui abuse, pour des motifs personnels , de ses prérogatives. Ces récriminations ne doivent pas être toutes prises à la lettre. Il est douteux, par exemple, que *Mahomet* ait été, en 1742, l'objet d'un veto de la part de Crébillon. Sur le moment, Voltaire ne fait aucune allusion à une telle prise de position, alors qu'il ne manque pas, en 1733, de signaler (lettres des 12 et 15 avril) que "le père de Rhadamiste (lui) a un peu rogné les ongles" pour *le Temple du Goût.* C'est vingt ans après (1761) que Voltaire ajoute ce grief à tant d'autres. Aussi peu sûre est la version (*Avertissement* de l'édition de Kehl) selon laquelle Crébillon aurait donné un avis défavorable sur la pièce "parce qu'on l'avait persuadé que *Mahomet* était le rival d'*Astrée*": *Astrée* a été créée en 1707. Quel qu'ait pu être le désir de Crébillon de protéger sa tragédie de toute comparaison qui pouvait lui être défavorable, ç'aurait été remonter bien loin dans le temps.

Mais cette attitude de Voltaire met en valeur que la censure passe pour servir, non la cause de l'ordre public, mais les rivalités et les rancunes. Le *Journal* de Collé[5] rapporte la mésaventure survenue à Antoine Bret[6]. Le fermier général Bouret (que Diderot a vivement pris à parti dans *le Neveu de Rameau*) a prêté 50 louis à Robbé, poète satirique et érotique, et lui a procuré un emploi; à plusieurs reprises, celui-ci vient chez son créancier pour s'acquitter de sa dette et, à chaque fois, le portier refuse de l'introduire: " – C'est que vous êtes un nigaud, il fallait dire à mon portier que vous êtes à moi. – Par Dieu, lui répliqua Robbé, je n'appartiens à personne; voici votre argent que je vous rapporte, et je ne veux plus de votre emploi". Dans une de ses comédies, Bret reprend cette fière réplique de Robbé. Alors Bouret "accompagné de son frère et de son gendre, tous deux fermiers généraux comme lui, a été chez M. de Sartine pour empêcher la représentation de la comédie dans laquelle on le jouait". Il obtient satisfaction.

La censure tend donc à devenir une arme déloyale de critique dramatique, au profit des intérêts particuliers, y compris de ceux des auteurs rivaux. Il existe, par exemple, jusqu'en 1760, une coterie Crébillon face à la coterie Voltaire et les partisans du vieux tragique s'indignent de voir Voltaire reprendre les thèmes déjà traités: pour ceux-là, Voltaire n'est qu'un "usurpateur de la scène, Petit bâtard d'Apollon" qui devrait au moins attendre, pour refaire une *Sémiramis,* que "Melpomène Soit veuve de Crébillon" (Roy). Persuadé que Crébillon va abuser de ses fonctions pour faire interdire sa propre tragédie (à d'Argental, 18 mars 1749: "On ne peut pas abuser davantage de la misérable place qu'il a de censeur de la police"), Voltaire écrit à Berrier, lieutenant de police: "M. Crébillon, commis par vous à l'examen des ouvrages de théâtre, a fait autrefois une tragédie de *Sémiramis* et peut-être ai-je le malheur qu'il soit mécontent que j'aie travaillé sur le même sujet" (27 juin 1748). Berrier ne manque pas d'agir auprès de Crébillon qui ne demande que la suppresion de quatre vers, d'ailleurs rétablis après une nouvelle intervention de Voltaire auprès du lieutenant de police.

Aux yeux de Voltaire, les décisions de Crébillon ne sont inspirées que par une jalousie d'auteur vieillissant: lorsque, en 1761, Crébillon, au nom de la décence publique, censure *le Droit du seigneur,* présenté comme étant l'œuvre d'un certain M. le Gouz, Voltaire s'indigne: "Le pauvre vieux fou a cru que j'étais l'auteur du *Droit du seigneur,* et sur ce principe il a voulu se venger de l'insolence d'*Oreste* qui a osé marcher à côté d'*Electre.* Le pauvre vieux est désespéré du succès d'*O-reste*" (à Damilaville, 11 octobre 1761).

Collé traite volontiers Crébillon de bas valet: c'est qu'il ne lui pardonne pas d'avoir demandé la suppression d'une trentaine de vers dans *Aménophis* (1758) qui est de la plume d'un de ses protégés, Saurin: trente vers de déclamation contre les rois et les prêtres. Car, avec le développement de l'esprit philosophique, c'est bien entendu sur la défense des souverains et de l'Eglise que se porte d'abord la vigilance de la censure.

Avec la montée des périls qui la menacent, l'Eglise, de son côté, est amenée à multiplier les interventions dans le domaine du théâtre, en faisant interdire certaines pièces, mais aussi en confiant à ses hommes de plume le soin de juger les œuvres nouvelles.

La querelle sur la moralité des spectacles, qui va atteindre son point culminant avec la *Lettre à d'Alembert,* se poursuit, monotone, autour des thèmes déjà développés par les générations précédentes. Curieusement, Voltaire abonde dans le sens de ceux qui dénoncent le caractère pernicieux d'intrigues où l'amour joue un trop grand rôle. On connaît les efforts qu'il déploie pour imposer sur la scène une tragédie sans amour: efforts inaugurés avec *Oedipe,* à laquelle les comédiens reprochent de ne pas faire une assez large part à la tendresse, et qui aboutissent au triomphe de *Mérope* (1743). En face d'œuvres aussi chastes, les juges les plus sourcilleux voient leur sens critique émoussé: la valeur de la pièce importe peu puisque celle-ci satisfait à l'exigence essentielle. Les Jésuites du collège d'Harcourt accueillent avec empressement cette *Mérope,* "vraie pièce pour eux" (à d'Argental, 5 janvier 1739); "Père Brumoy a lu *Mérope,* il en est content; Père Tournemine en est enthousiasmé" (à Thiériot, 9 janvier).

Au contraire, pour ceux qui jugent en fonction de critères purement religieux, une pièce comme *Mahomet* suscite de très vives réserves: on s'inquiète de ce portrait d'un créateur de religion fourbe et imposteur. En 1742, Voltaire ne cesse de récriminer contre ces "dévots" qui ont été "révoltés" par ce nouveau *Tartuffe* (à Frédéric, 29 août): "C'est Tartuffe le Grand; les fanatiques en ont fait supprimer à Paris les représentations, comme les dévots étouffèrent l'autre Tartuffe dans sa naissance" (à Missy, 1er septembre).

Si certains ecclésiastiques (abbé de Saint Pierre, P. Porée, abbé Yart) s'efforcent de concilier l'esprit religieux et les plaisirs du théâtre, d'autres continuent à mener une véhémente campagne pour dénoncer *le Danger du Spectacle* (abbé Arcere, 1748), pour montrer que la comédie est "contraire aux principes de la morale chrétienne" (abbé Mahy, 1754).

Pourtant, désormais, c'est moins par de tels mandements que l'Eglise intervient dans l'activité dramatique que par les jugements qu'elle inspire aux chroniqueurs de la presse qu'elle contrôle, — on y reviendra.

***

Avant d'étudier le rôle joué, en matière de critique, par la presse écrite, il faut s'interroger sur l'ampleur de son influence. Aujourd'hui, pour évoquer l'accueil reçu par une pièce nouvelle, on se reporte naturellement aux articles rédigés au lendemain de la création. Mais c'est là céder à l'illusion d'une perspective moderne, celle d'une presse quotidienne. La presse du XVIIIe siècle est assurément plus riche, plus variée dans ses tendances, que celle du siècle précédent[7]. Mais il n'est pas sûr que cette presse soit capable de décider du sort d'une œuvre, ni même de déterminer des fractions importantes du public.

Ainsi la *Sémiramis* de Voltaire est créée le 29 août 1748. Elle est jouée 15 fois, la dernière représentation ayant lieu le 5 octobre. Or le compte-rendu du *Mercure* paraît dans le numéro de septembre, c'est-à-dire, compte tenu des délais de livraison, au moment où la série des représentations est pratiquement achevée. Louangeur ou défavorable, l'article intervient trop tard pour créer un mouvement d'opinion. De même, *la Surprise de l'Amour* est montée pour la première fois le 3 mai 1722; seize représentations sont données en mai-juin, puis 5 en septembre. Or le *Mercure* ne rend compte de cette création que dans son numéro de mai, c'est-à-dire à un moment où le sort de la pièce est déjà réglé.

Au surplus, ces articles s'attachent surtout à résumer l'œuvre, à en donner de larges extraits, la place réservée à la véritable critique étant la plupart du temps extrêmement réduite. Ainsi pour *la Double Inconstance.* Le *Mercure* détaille l'intrigue alors que le jugement tient en moins de dix lignes: "beaucoup d'esprit", la "métaphysique du cœur y règne un peu trop", "les connaisseurs y ont trouvé de quoi nourrir l'esprit". Jugement prudent, presque neutre, terne en tout cas, dont on ne voit guère comment il pourrait façonner l'opinion. En réalité, lorsque paraît l'article, *la Double Inconstance* n'est déjà plus d'actualité.

La diffusion de cette presse, enfin, reste faible: environ 2.000 abonnés, semble-t-il, pour le *Mercure.* Ces abonnements sont en effet très onéreux: 33 livres par an. Assurément les exemplaires circulent largement de main en main; ils ne touchent pourtant qu'un public restreint.

En ces années 1715–1750, ce n'est pas encore dans ce que nous appelons les salles de rédaction que se modèle l'opinion.

Il est vrai que cette presse croît en importance, mais c'est surtout parce qu'elle se diversifie et se spécialise. L'art dramatique ne la retient que fort peu: *le Journal des Savants,* qui a été acquis par l'Etat en 1701, longtemps dirigé par l'efficace abbé Bignon, se consacre presque exclusivement à l'étude des ouvrages scientifiques. Le *Mercure,* parce qu'il est devenu une affaire très florissante, se garde de toute prise de position trop tranchée: il cultive le style inoffensif ou badin; il fait état du succès ou de l'échec d'une œuvre, mais il ne se préoccupe pas de contribuer à ce succès ou à cet échec. Ce n'est pas de ce côté-là qu'il faut chercher la nouveauté.

Parce qu'il est animé par des préoccupations polémiques, *le Journal de Trévoux*[8] offre des ressources beaucoup plus riches. Tenu par les Jésuites, il s'est donné pour règle, dès sa fondation, de respecter une honnête neutralité, mais avec cette capitale restriction: "Excepté lorsqu'il s'agira de la religion, des bonnes mœurs ou de l'Etat, en quoi il n'est jamais permis d'être neutre" (janvier 1712); "dans ce dessein où nous sommes d'attaquer sans ménagements les ennemis déclarés de la religion, et de démasquer ses ennemis cachés..." (janvier 1708).

A partir d'une telle intention, le journal suscite les plus vives oppositions. On connaît celles de Voltaire (lançant, au chant III de *la Pucelle*, une invocation à la "grosse déité" Sottise et à ses enfants les plus chéris: les rédacteurs du *Journal de Trévoux*) et les sarcasmes dont il poursuit le P. Berthier. Mais le périodique ne porte à l'activité dramatique qu'une attention très indirecte[9], qui ne s'éveille que si l'orthodoxie religieuse paraît menacée. Cette presse cléricale n'en constitue pas moins une force qu'il est prudent de neutraliser. Voltaire s'y applique en conservant de bons rapports avec les Pères. C'est vers eux qu'il se tourne, en 1746, pour plaider la cause de son *Mahomet.* Vigilantes, les *Nouvelles Ecclésiastiques* ne sont pas tombées dans le panneau de la dédicace au Souverain Pontife que le Pape a accueillie avec bienveillance; elles ont déploré que "de ce même siège d'où partaient autrefois les foudres contre Pélage et ses sectateurs, on ne voit partir maintenant que des anathèmes contre des hommes qui n'ont commis d'autre crime que celui de s'opposer hautement au Pélagianisme renaissant". Accomplissement du scandale, "Sa Sainteté écrit à son cher fils le sieur de Voltaire un bref de compliment sur sa belle tragédie de *Mahomet,* tragédie que le ministère public a défendu de représenter sur le théâtre français (...). Tout n'annonce-t-il pas que la vérité se retire et nous abandonne? ". Le 1er avril, Voltaire écrit au P. de la Tour, principal du collège Louis le Grand, rappelant qu'il a été "élevé longtemps dans la maison que vous gouvernez"; et il lui demande instamment "d'engager les Révérends Pères qui travaillent au *Journal de Trévoux* à vouloir bien honorer d'une place dans leur recueil" la défense qu'il entend présenter pour en appeler de l'anathème jeté contre sa tragédie par les *Nouvelles Ecclésiastiques.*

***

Le défaut commun à toutes ces publications est leur ton trop doctrinal. Justifiant auprès de Formont sa décision de placer en tête de l'édition de *Zaïre* une "lettre badine" (21 décembre 1732), Voltaire en fait l'observation: "Le public est las de préfaces sérieuses et d'examens critiques. Il aimera mieux que je badine avec mon ami en disant plus d'une vérité que de me voir défendre *Zaïre* méthodiquement et peut-être inutilement".

Or le premier journaliste qui ait ainsi conçu sa besogne de critique sans raideur ni dogmatisme est précisément cet abbé Desfontaines que Voltaire a poursuivi d'une haine dont la tenacité n'est dépassée que par celle qu'il voue un peu plus tard à Fréron.

Visé avait inventé le journalisme "galant": à des lecteurs préoccupés de s'initier à la vie intellectuelle il avait, sur le ton des ruelles, apporté des informations vivantes, plus proches de l'écho que de la critique. Desfontaines, lui, invente une forme de journalisme qui, sans doute, est de moins bon ton, mais qui est beaucoup plus vivante: le compte-rendu s'anime des ressources de la raillerie, de la polémique menée sans souci de ménager les personnes, selon un style que l'on qualifierait volontiers de voltairien[10]. Aussi les écrits de Desfontaines sont-ils beaucoup plus efficaces que les articles habituels, trop pâles, ou trop soucieux de pondération.

Sans retracer l'étonnante carrière de Desfontaines[11], il est indispensable de cerner rapidement les traits essentiels d'une personnalité qui, pendant plus de vingt ans, a marqué le développement de la profession de journaliste, à l'époque où l'opinion publique devient une réalité.

Personnalité douteuse assurément que celle de ce jeune homme brillant qui est d'abord accueilli par les Jésuites en 1700 (il a alors 15 ans); qui, avide de liberté, se démet de ses fonctions (1715) pour se consacrer à la vie littéraire dont il ne craint pas d'explorer les sentiers les plus bourbeux; qui, tombant en 1725 sous une accusation de sodomie[12], est tiré de prison par l'intervention de Voltaire, son camarade de collège; qui s'attire la rancune de ce même Voltaire pour l'âpreté avec laquelle il critique ses œuvres; qui répond coup pour coup à la campagne de dénigrement menée contre lui; qui se trouve encore mêlé à une assez louche affaire de librairie où il est accusé de "rançonner les auteurs"; qui meurt, en 1745, après avoir fait, en recevant les derniers sacrements, "un discours qui toucha les assistants jusqu'aux larmes" (la Porte). Un homme donc qui peut-être vaut mieux que sa réputation (c'est presque toujours à travers Voltaire que l'on voit Desfontaines), mais qui est, aux yeux de beaucoup, perdu de réputation. A d'Argenson qui lui reproche d'être vénal, l'abbé répond: "– Je dois bien vivre". Et d'Argenson: "–Je n'en vois pas la nécessité" (Desnoireterres).

Pourtant son influence sur le public est indiscutable. Elle s'est très tôt établie; lorsque, en 1723, le languissant *Journal des Savants* recherche les moyens de conjurer une crise de mévente si grave que les libraires refusent de l'imprimer, c'est à Desfontaines que l'on fait appel et, quelques mois plus tard, la publication a repris vie: la Porte affirme que "les suffrages constants de toute l'Europe soutinrent (le Journal) avec éclat pendant tout le temps que l'abbé Desfontaines y travailla". La collaboration dure jusqu'en avril 1727 et c'est en 1731 que l'abbé lance son premier périodique: *le Nouvelliste du Parnasse,* en collaboration avec l'abbé Granet[13]. L'esprit du journal est bien défini: il ne s'agit plus simplement de donner des extraits d'ouvrages ou des résumés:

> "Le but de cet ouvrage périodique n'a jamais été de faire des extraits de livres nouveaux (...). *Un nouvelliste du Parnasse ne doit pas être un gazetier:* il doit penser, *juger* et raisonner. Notre critique est un peu hardie (...). Si nous annoncions les livres sans les juger, (...) on sait assez dans quel mépris nous tomberions. Nous jugeons librement".

Les Journalistes de Trévoux ne se méprennent pas sur l'originalité d'une entreprise qui peut leur faire une concurrence directe et ils affectent de la traiter par le dédain: "Cette feuille se proposait de parler en style léger, et superficiellement, des petits ouvrages qui restent quand les journaux des savants sont remplis de ce qu'il y a de solide". Au bout d'un an, *le Nouvelliste,* qui présente l'avantage d'être quasi hebdomadaire, est interdit par le Ministère public et cette seule mesure manifeste déjà à quel point cette feuille "superficielle" est redoutée par les auteurs critiqués et par leurs éditeurs.

En 1735, Desfontaines obtient un nouveau privilège et lance, toujours avec Granet, ses *Observations sur les écrits modernes*[14], hebdomadaire encore, qui vont se livrer à un véritable feu d'artifice d'ironie, de vivacité contre les auteurs en crédit, et d'abord contre les philosophes et leur chef de file. C'est la grande époque de l'échange des pamphlets avec Voltaire. Les escarmouches commencent lorsque Voltaire attribue à l'abbé des *Observations critiques sur "le Temple du Goût"* et le fustige, sans toutefois le nommer, dans son *Discours sur l'Envie,* où il s'en prend à ce "fripier d'écrits que l'intérêt dévore, Qui vend au plus offrant son encre et ses fureurs".

> La police est sévère; on fouette les Zoïles.
> Chacun avec mépris se détourne de toi;
> Tout fuit, *jusqu'aux enfants, et l'on sait trop pourquoi.*

Le ton est ainsi donné, pour plus de dix ans. Et c'est par une reprise de sa critique contre *le Temple du Goût* que Desfontaines inaugure la première série de ce nouveau périodique.

Le sommet de la querelle est atteint avec la publication par Voltaire de ce *Préservatif ou Critique des Observations sur les écrits modernes* qui, sous prétexte de "préserver" les lecteurs de la "mauvaise foi et de l'ignorance" du journal, reprend contre son rédacteur toutes les ignominies déjà suggérées à son sujet: sot, présomptueux, vénal, perdu de vices. *La Voltairomanie* (1738), puis *le Médiateur* (1739), réponse que Desfontaines lit avec le plus vif succès dans les salons, pendant que Voltaire se trouve à Cirey, sont écrits de la même encre: Voltaire est un "homme déshonoré dans la société civile par ses lâches impostures, par ses fourberies, par ses honteuses bassesses, par ses vols publics et particuliers, et par sa superbe impertinence". Au surplus, écrivain qui porte "ses extravagances jusqu'à l'Autel", faux génie dramatique, rimeur cahotique, philosophe dont la doctrine est celle d'un "écolier qui bronche à chaque pas". C'est l'époque où Voltaire écume contre lui, en vers comme en prose:

> Vous ne savez pas à quel point Desfontaines est l'oracle des provinces. On m'écrit de Paris que mon ennemi est méprisé[15], et moi je vois que ses *Observations* se vendent mieux qu'aucun livre (A d'Argental, 9 février 1739).

En 1743 enfin, les adversaires obtiennent gain de cause: le conseil d'Etat, "informé que (...) l'auteur ne respecte ni les gens de mérite ni les corps les plus distingués"[16], révoque le privilège de l'abbé. Et pourtant, un an plus tard, Desfontaines reprend son activité, avec un nouvel hebdomadaire, *Jugements sur les Ouvrages nouveaux,* qui paraît jusqu'à sa mort (16 décembre 1745).

La maladive susceptibilité de Voltaire ne suffit pas à expliquer son acharnement prolongé, pas plus que le seul talent de Desfontaines ne suffit à justifier sa réussite. Tout tient à ce que Desfontaines n'est pas un homme seul. Si, tout décrié qu'il soit, l'abbé finit toujours par retomber sur ses pieds, par obtenir le rétablissement d'un privilège, c'est que de hautes protections jouent en sa faveur. Et si ses prises de position rencontrent un tel écho dans le public, c'est qu'elles ne sont pas celles d'un simple individu, si talentueux soit-il, c'est qu'elles reproduisent un courant d'opinion dans le débat capital qui est en voie de s'instaurer. Desfontaines, en effet, bénéficie de l'appui de cette cour de Lunéville où règne l'ancien roi de Pologne, Stanislas, et qui est en voie de devenir un des centres les plus actifs de résistance à l'idéologie nouvelle. S'il se sent menacé, Desfontaines peut se couvrir de la défense des valeurs établies, de "l'Autel" en particulier – et son destin ne fait là que préfigurer celui de Fréron, son disciple et son continuateur sur tant de points.

Avec Desfontaines on peut observer de façon précise à quel point l'audience d'un journaliste, d'un critique, est fonction, quand bien même il apparaît indépendant, de l'adéquation de ses prises de position à un important mouvement de pensée. En ce début du XVIIIe siècle, on enregistre déjà les prodomes du grand débat qui va s'engager autour de la philosophie et partager le pays en deux camps irréconciliables. Dans ce débat, Desfontaines prend parti (et peu importe que ce soit par conviction intime ou parce qu'il est soldé), et c'est ce qui explique la solidité de sa carrière, l'âpreté des polémiques qu'il suscite, le succès qu'il obtient auprès d'une large partie de l'opinion publique. Desfontaines affirme sa volonté de *juger*. Il juge en effet, mais beaucoup moins en fonction de son humeur personnelle que d'une certaine conception du monde, de la Société, donc de l'œuvre d'art.

La critique dramatique ne tient, dans l'activité de Desfontaines, qu'une place modeste. Etrillant Voltaire, l'abbé dénigre tout autant *la Mort de César* que *la Henriade* ou *Charles XII*. Au contraire de celle pratiquée par les périodiques antérieurs, cette critique est dominée par le souci de juger beaucoup plus que par celui de rendre compte: "notre critique est un peu hardie". Hardie par le caractère acéré de beaucoup des jugements prononcés: mais aussi par ce parti-pris, toujours apprécié du lecteur avide de voir contestées les idoles, de s'en prendre d'abord aux écrivains en vogue dont il considère la réputation comme surfaite auprès d'un public facilement abusé. Pour ses débuts, il s'attaque à un ouvrage qui fait grand bruit, *la Religion prouvée par les faits*, de l'abbé d'Houtteville, avec l'intention marquée de démontrer que la réputation du livre est usurpée.

Mais c'est le second essai critique de l'abbé, ses *Paradoxes littéraires au sujet de la tragédie d'Inès de Castro* (Houdard de la Motte)[17] qui permet le mieux d'établir que, lorsqu'il ne s'agit que de conceptions littéraires et dramatiques, Voltaire et Desfontaines partagent le même point de vue, les différences ne se faisant jour qu'à partir du moment où sont en cause des considérations qui vont au-delà de la confrontation esthétique.

En matière de théâtre, Houdard est un esprit vraiment novateur: il a dénoncé l'inutilité des unités et on a beaucoup discuté de l'initiative qu'il a prise en donnant un *Oedipe* en prose que Voltaire combat avec véhémence[18]. Son *Inès de Castro* (1723) obtient un exceptionnel succès, que Voltaire constate avec dépit: "On joue *Inès* deux fois la semaine, et tout y est plein jusqu'au cintre" (à Mme de Bernières, 12 juin 1723). Voltaire observe que la pièce suscite, à la représentation, un vif plaisir parce qu'elle est "touchante", ce qui correspond mal à son idéal d'alors d'une tragédie dégagée de la galanterie. Mais bientôt il remarque (à Moncrif, 24 septembre) qu'*Inès* est "furieusement enlaidie sur le papier", que la satisfaction éprouvée par le spectateur est frelatée, en d'autres termes que l'œuvre ne résiste pas à la *lecture* du texte.

Or c'est à peu près la même opinion que soutient Desfontaines: "Deux choses sont incontestables: la première, que la tragédie d'*Inès* a paru très belle sur le théâtre; et la seconde qu'elle paraît aujourd'hui fort défectueuse sur le papier"[19]. Le point de vue adopté est donc chez l'un et l'autre celui, très traditionnel, du critique qui juge un texte, et non un spectacle. Les critères retenus par Desfontaines sont aussi académiques que possible, ceux de *l'Art Poétique:* "La tragédie d'*Inès de Castro* pèche contre les *mœurs* et contre la *vraisemblance*". Mais l'essentiel du jugement porte sur la pureté de la langue et de la versification: "La plupart des vers de la tragédie d'*Inès de Castro* sont durs, plats, prosaïques, pleins de solécismes et de barbarismes". Engagé dans la querelle qui, depuis la fin du XVIIe siècle, se développe autour des méfaits du néologisme[20], Desfontaines échenille le texte et Pitaval définit ainsi sa critique: "Il a épluché de cette pièce jusqu'aux accents graves, aigus et circonflexes. Il a crié à pleine tête qu'elle était irrégulière, monstrueuse, que l'auteur ne savait écrire ni en prose ni en vers".

Desfontaines et Voltaire éprouvent une méfiance profonde à l'égard des impressions ressenties pendant la représentation: une pièce ne devient œuvre d'art qu'à partir du moment où, imprimée, elle échappe aux séductions trompeuses de l'Illusion Comique. Voltaire, à propos de sa *Marianne* (1724), distingue ainsi soigneusement une "pièce de société" et une pièce "destinée au théâtre"; pour cette seconde catégorie, "une ou deux situations, l'art des acteurs" sont capables d'"attirer des suffrages aux représentations, mais il faut un autre mérite pour soutenir le grand jour de l'impression".

En 1735, une polémique s'élève entre Desfontaines et Voltaire à propos de *la Mort de César*[21]. Elle s'engage lorsque Voltaire apprend que sa tragédie a été, à son insu, imprimée à Amsterdam: "pleine de fautes, de transpositions, et d'omissions considérables (...). Ce n'est plus mon ouvrage"[22].

Cette mise au point est adressée, le 7 septembre, à Desfontaines qui est prié "d'en dire deux mots dans l'occasion" dans son périodique: preuve supplémentaire de l'importance que Voltaire attribue aux informations que l'abbé fournit à ses lecteurs. Or, un peu plus tard, Voltaire exprime son mécontentement: en dépit de cette mise en garde, en dépit de la reconnaissance qu'il attend du journaliste ("qui me doit tout, à qui j'ai sauvé l'honneur et la vie, que j'ai tiré de Bicêtre"), celui-ci rend compte de *la Mort de César* sans faire la moindre allusion aux réserves formulées par Voltaire sur un texte désavoué: Desfontaines ose dire que la pièce est "contre les bonnes mœurs" (à Asselin, 4 octobre). Or elle ne comporte aucun rôle féminin, ne fait aucune place à l'amour. Ce qui, aux yeux du critique, est contraire aux bonnes mœurs, c'est de "représenter l'assassinat de César" (à d'Olivet, 4 octobre). Grief qui peut être entendu de plusieurs façons. Si le meurtre de César est bien, selon l'exigence classique, perpétré en coulisse, il est contraire aux bienséances de mettre sous les yeux du spectateur (III, 8) le corps ensanglanté de la victime ("Dieux! son sang coule encore"). Mœurs de barbares: il est déplorable que l'on aille chercher des modèles à l'étranger, alors que la tragédie française du XVIIe siècle a marqué l'accomplissement du genre.

Mais on peut aussi penser qu'un autre souci habite Desfontaines. L'exécution de César est celle d'un souverain. Cette tragédie d'un "mauvais citoyen" ne peut-elle pas être considérée comme une apologie du tyrannicide? On retrouverait ici un Desfontaines qui, déjà défenseur de l'Autel, se fait aussi le champion du Trône.

Les critiques particulières formulées par l'abbé n'ont rien d'original. L'une porte sur un anachronisme psychologique: "Brutus a les sentiments d'un quakre plutôt que d'un stoïcien. Voltaire proteste: "Il ne sait pas qu'un quakre est un religieux au milieu du monde qui fait vœu de patience et d'humilité, qui, loin de venger les injures publiques, ne venge jamais les siennes et ne porte pas même d'épée" (A Thiériot, 4 octobre). Même observation, toujours à propos de Brutus: Desfontaines affirme que Brutus était un "particulier"; Voltaire rétorque: "Tout le monde sait assez qu'il était sénateur" (à Berger, 4 octobre).

Une bonne partie des *Observations* porte enfin sur les "pauvretés, les mauvais vers, les phrases inintelligibles, les scènes tronquées et transposées": "On y admire de fort bons vers. Mais qu'il y en a de faibles et de durs! Que d'expressions vicieuses! Que de mauvaises rimes!" (16 septembre).

Le 14 novembre, après que l'abbé Asselin a rapproché les deux adversaires, Voltaire écrit directement à Desfontaines et sa lettre commence par cette formule, qui atteste à quel point, à ses yeux, le public est incapable d'apprécier une œuvre dramatique, le véritable jugement ne pouvant être porté que par un cercle de lecteurs attentifs: "Il importe peu au public que *la Mort de César* soit une bonne ou méchante pièce". Et Voltaire explique à l'abbé ce qu'il attendait de son compte-rendu: qu'il introduise "quelques dissertations instructives sur cette espèce de tragédie qui est si étrangère à notre théâtre", qu'il trouve dans cette adaptation de Shakespeare une occasion d'"examiner le théâtre anglais". Judicieuse leçon de littérature comparée dont Desfontaines est bien incapable de tirer profit, tant il demeure persuadé que le théâtre français n'a rien à apprendre d'un répertoire étranger.

Ainsi cette querelle autour de *la Mort de César* s'élève autour d'une pièce qui n'a été jouée que devant des cercles restreints et on la juge d'après la seule lecture. La critique en est menée au nom des principes traditionnels, ceux que le "Grand Siècle" a érigés en lois: souci de l'équilibre de l'intrigue, des bienséances, de la pureté de l'expression. Au total, en dépit du caractère agressif de ses remarques, Desfontaines apparaît, en matière de critique dramatique, comme un juge totalement conservateur[23].

La manière dont Desfontaines apprécie les comédies de Marivaux n'est pas plus originale. *La Mère Confidente,* par exemple, est mise "au rang des bons ouvrages de cet ingénieux auteur", compliment qui prépare l'énoncé de réserves qui sont celles de tous les contemporains qui n'apprécient pas l'esprit "métaphysique" de ce répertoire: "Tous les personnages de cette pièce, si l'on en excepte Ergaste, ont tous de l'esprit jusqu'au superflu, et se ressentent de la surabondance de l'auteur"[24]. A propos du *Legs,* les critiques procèdent de la même inspiration: on admet que la comédie "regorge d'esprit" – ce qui exprime déjà une restriction dans l'éloge –, qu'elle est agréablement écrite et que le dialogue y est animé; puis les objections s'accumulent, toujours à partir du même préjugé: "subtilité métaphysique", incapacité de Marivaux à mettre en scène "une bête sans lui donner de l'esprit":

> La dixième scène, où ces deux rares personnages (le Marquis et la Comtesse) ont ensemble un entretien tendrement épigrammatique, est en vérité aussi spirituelle que fade et ennuyeuse. Au reste, tout le canevas de la pièce est, pour ainsi dire, tracé sur une belle toile d'araignée. Pourquoi toutes ces feintes, toutes ces minauderies de la Comtesse, si elle aime réellement le Marquis? [25]

La nature même de la comédie de Marivaux, et son charme, échappent à Desfontaines: Voltaire, selon lequel Marivaux "pèse des œufs de mouche avec des balances de toile d'araignée ", aurait pu prendre à son propre compte de tels jugements.

Abstraction faite de réelles qualités de virtuosité polémique, la critique de l'abbé se révèle donc plutôt décevante, parce qu'elle est inspirée par le seul respect des valeurs définies au siècle précédent. Mais c'est très certainement cette banalité même et ce caractère conservateur qui ont le plus fait pour assurer à Desfontaines son audience: il exprime, et avec brio, ce que pensent beaucoup d'esprits, déjà inquiétés par les premières manifestations d'un mouvement qui tend, sinon à renier l'acquis du siècle précédent, du moins à démontrer que l'avenir n'est pas à l'immobilisme et au culte inconditionnel du passé. Cette critique est ainsi toute négative, critique des défauts et des manquements aux règles. Desfontaines s'est défendu assez maladroitement de tout parti-pris de dénigrement: "Les éloges prodigués sont la perte des lettres. Un jeune écrivain loué mal à propos ne se corrige point, et se moque de tous les jugements désavantageux qui pourraient réformer son goût et hâter ses progrès"[26]. Aussi, lorsque cette critique devient laudative, se demande-t-on quelle arrière-pensée inspire Desfontaines.

Ainsi, alors que Voltaire s'attend à ce que son *Alzire* donne à Desfontaines une nouvelle occasion de le décrier ("les Desfontaines en prendront sujet de m'accabler", 22 janvier 1736), la création est l'objet, de la part de l'abbé, d'un article court mais très favorable. Le critique confirme le grand succès de public et s'en félicite pour l'auteur: "J'y prends toute la part possible, comme son admirateur et son ami"[27]. Il est douteux que cet enthousiasme inattendu procède d'une admiration sincère: sur Desfontaines le dépaysement américain doit avoir peu de prise et les griefs accumulés contre la langue et la versification de *la Mort de César* pourraient aussi bien tomber sur celles d'*Alzire*.

L'explication doit être trouvée dans ce qui est, au fond, la préoccupation permanente de Desfontaines: *Alzire* est une tragédie digne de louanges parce qu'elle sert bien la cause de "l'Autel". En effet, à en croire Voltaire, l'œuvre tend à "faire valoir combien le véritable esprit de la Religion l'emporte sur les vertus de la Nature. La religion du chrétien véritable est de regarder tous les hommes comme ses frères, de leur faire du bien et de leur pardonner le mal. Tel Guzman au moment de sa mort, tel Alvarez dans le cours de sa vie"[28].

D'autre part, le 21 février, la tragédie a reçu le meilleur accueil devant la Cour; or l'article de Desfontaines est daté du 25. Enfin, au moment d'*Alzire*, Desfontaines traverse une mauvaise passe: on lui attribue (faussement: elle est en réalité de P.C. Roy) une satire diffamatoire lors de l'élection à l'Académie de J. Séguy[29]. L'éditeur Ribou, l'imprimeur Mesnier sont jetés en prison et, déjà, Voltaire jubile: "Est-il vrai que Desfontaines est puni de ses crimes? On dit qu'on va le condamner aux galères pour avoir tourné l'Académie Française en ridicule" (A Thiériot, 25 janvier). Dans cette situation difficile, Desfontaines ne doit pas tenir à aigrir ses rapports avec Voltaire qui, en cas de condamnation, pourrait lui être, une nouvelle fois, fort utile.

La critique de l'abbé ne se recommande ni par l'impartialité, ni par l'ouverture d'esprit et la modernité. On la devine, au surplus, pleines d'intentions inavouées et inavouables[30]. Elle n'en est pas moins d'une exceptionnelle efficacité, comme en témoignent les fureurs de Voltaire, mais aussi la parution, à Berne, en 1745, d'un périodique, *le Contrôleur du Parnasse,* qui se donne comme unique objet de contrebattre "les faux jugements de M. l'abbé Desfontaines". Fréron, qui a été son collaborateur, n'a jamais nié tout ce qu'il lui doit. L'hommage qu'il lui rend après sa mort, dans une lettre à Lefranc de Pompignan, est sans doute d'un sectateur; elle confirme bien pourtant l'importance du rôle joué par le personnage:

> Notre siècle a autant d'obligation à l'abbé Desfontaines que le siècle dernier en eut à Boileau (...). D'ailleurs l'ami de Racine n'a fait qu'effleurer les auteurs et jeter en passant du ridicule sur leurs misérables productions, au lieu que l'Aristarque de nos jours est entré dans des détails aussi instructifs qu'agréables... L'érudition, le choix, l'abondance, la précision, la délicatesse et l'enjouement, voilà ce qui caractérise cette plume célèbre.

La comparaison avec Boileau est significative: pour Fréron, comme pour tous ceux qu'alarme le progrès de dangereuses nouveautés, il est indispensable que quelqu'un prenne en main avec vigueur l'hygiène ou, si l'on préfère, la police des Lettres et des Idées.

***

Il serait vain d'évoquer toutes les feuilles périodiques, au destin souvent éphémère, qui ont vu le jour pendant la première moitié du siècle. Mention pourtant doit être faite de celle lancée par l'abbé Prévost en juin 1733, *le Pour et le Contre*, devenue très vite, en raison du succès remporté, hebdomadaire[31]. En 1732, Desfontaines a été une première fois privé de son privilège, et Prévost s'avise qu'il y a là une place à prendre[32].

Le journal de Prévost retient surtout l'attention par la place qu'il fait aux réalités de la vie anglaise. Ce n'est que très accidentellement qu'il prend position en matière de théâtre, si du moins l'on met à part les remarques sur Shakespeare ou Dryden[33] où, nuançant les affirmations de Voltaire, il montre que le drame anglais n'est pas aussi "barbare" que la réputation lui en a été faite.

On relèvera néanmoins que, dans l'engouement général pour *Zaïre*, Prévost fait exception. C'est de *Zaïre*, on le sait, que date la conversion de Voltaire (ou sa résignation) à la sensibilité: "Il a donc fallu me plier aux mœurs du temps et commencer tard à parler d'amour". *Zaïre* est donc touchante; elle doit faire couler les douces larmes. De fait, une fois passé le cap des trois premières représentations qui sont difficiles ("les acteurs jouaient mal, le parterre était tumultueux"), elle remporte un succès immense. Succès de public, – ce qui n'empêche pas Voltaire de revenir à la perspective qui lui paraît répondre aux exigences de la critique: l'épreuve de la lecture: "Je vais retravailler la pièce comme si elle était tombée. Je sais que le public, qui est quelquefois indulgent au théâtre par caprice, est sévère à la lecture, par raison" (A Formont, 12 septembre 1732).

Pourtant les malveillants sont peu nombreux: J.B. Rousseau fait insérer dans *le Glaneur* une critique moqueuse, mais il est un adversaire systématique. Les réserves de Prévost[34], qui est loin de compter parmi les détracteurs de Voltaire[35], sont si marquées que celui-ci croit d'abord que le nouveau périodique est de Desfontaines (A Cideville, 1er juillet 1733): "Il dit du mal de Zaïre"[36]. L'article est en effet sans indulgence: les vers manquent d'"âme", la pièce est contrainte, le caractère de l'héroïne "monstrueux". Mais, cette fois encore, l'article intervient trop tard pour nuire au succès[37].

Quand bien même la place qu'elle accorde à l'actualité théâtrale est non négligeable[38], la presse de ces années ne joue finalement qu'un rôle modeste dans l'élaboration des jugements dramatiques. Elle peut accompagner un courant d'opinion, le refléter, non pas le créer. Elle peut attester un succès ou un échec, les expliquer, non les provoquer. Elle peut fournir des arguments aux admirateurs ou aux détracteurs, les confirmer dans leurs opinions; elle ne peut guère susciter à elle seule les polémiques.

***

Quand s'élève une contestation, celle-ci se manifeste bien davantage dans des publications de circonstance, lancées par des inconnus ou des auteurs qui se couvrent de l'anonymat. Par exemple, *Sémiramis* (29 août 1748) n'a pas donné lieu à une "querelle" de grande envergure; la création s'est pourtant déroulée dans une atmosphère houleuse, entretenue par les partisans de Crébillon qui admettent mal la reprise d'un sujet déjà traité par leur idole (1717). Or, à propos de cette seule création, on voit fleurir de multiples dissertations, des épîtres, des parallèles qui, beaucoup plus précisément que les périodiques, soumettent l'œuvre à une véritable étude critique. Citons: Desforges, clerc de procureur, *Lettre critique sur la tragédie de Sémiramis;* J.B. Dupuy-Demportes, *Lettre sur la Sémiramis de M. de Voltaire, Parallèle de la Sémiramis de M. de Voltaire et de celle de M. de Crébillon;* J.L. Favier, publiciste et futur rédacteur *du Journal étranger, Le poète réformé ou apologie pour la Sémiramis de M. de V...;* Mannory, avocat au Parlement, très hostile à Voltaire[39], *Observations sur la Sémiramis de M. de Voltaire;* abbé P..., *Epître à Philon sur la tragédie de Sémiramis;* L. Travenel, compère de Mannory, *Epître chagrine du chevalier Pompon à la Babiole contre le bon goût, ou Apologie de Sémiramis, tragédie de M. de Voltaire.*

C'est à travers ces publications, souvent grossières et animées par le seul parti-pris, que s'expriment les critiques précises: invraisemblance de l'attitude d'Arzace qui garde dix ans, sans être tenté de l'ouvrir, le coffret que son père, en mourant, l'a chargé de remettre au grand-prêtre; absurdité du silence du grand-prêtre qui attend la "dernière extrémité" pour révéler au prince le secret de sa naissance; incroyable imprudence d'une reine qui descend dans un tombeau "sans être accompagnée ou du moins sans avoir pris une lanterne"; incapacité de l'auteur à remplir ses cinq actes autrement que par des discours qui ne sont pas en situation; absence d'intérêt dramatique, puisque "dès la seconde scène, on apporte le dénouement dans une boîte où l'on étale puérilement le sceau, l'épée, le bandeau royal et une lettre cachetée de feu Ninus. Toute la pièce est dans cette boîte-là".

Critiques étroites sans doute, mais qui se réfèrent implicitement au code de *l'Art Poétique.* Elles rendent bien compte de la façon dont se façonnent des jugements qui, de toute évidence, procèdent au moins autant que de réflexions personnelles des propos échangés, à l'issue des représentations, en ces lieux où, davantage que dans les journaux, se manifeste l'opinion: les salons et les cafés.

Ces salons sont plus ouverts que ceux du XVIIe siècle et réalisent ainsi, jusqu'à un certain point, un mélange des classes sociales. Sénac de Meilhan affirme que "le goût du plaisir faisait disparaître habituellement toutes les lignes de séparation". Et Duclos observe: "Les mœurs font à Paris ce que l'esprit de gouvernement fait à Londres, elles confondent et égalisent dans la société les rangs qui sont distingués et subordonnés dans l'Etat".

Duclos remarque encore que, à cette liaison avec les gens de lettres, les gens du monde gagnent de cultiver leur esprit et de former leur goût (*Considération sur les mœurs,* chap. XI). Et dans son discours de réception à l'Académie (1762), l'abbé Voisenon précise que les mondains qui n'ont habituellement "qu'une superficie brillante" apprennent ainsi à "raisonner", en même temps que les gens de lettres sont amenés à rendre agréable une érudition jusque là "dénuée d'agrément". C'est dans ces conversations que s'élaborent les jugements, que se préparent les condamnations ou les enthousiasmes. D'où la nécessité pour l'auteur de se rendre favorables ces salons, de créer à l'avance une atmosphère propice par la multiplication des lectures privées[40]: stratégie préliminaire qui fait que, dans bien des cas, le sort de la pièce nouvelle est réglé avant la représentation.

Voltaire est bien placé pour connaître la puissance de ces salons où se préfabrique l'opinion. Aussi met-il en garde le jeune Lefebvre, son protégé, qui nourrit des ambitions dramatiques: "Il y a dans Paris un grand nombre de petites sociétés où préside toujours quelque femme qui, dans le déclin de sa beauté, fait briller l'aurore de son esprit. Un ou deux hommes de lettres sont les premiers ministres de ce petit royaume. Si vous négligez d'être au rang des courtisans, vous êtes dans celui des ennemis et on vous écrase". C'est chez Mme de Lambert que la Motte fait le procès de la tragédie traditionnelle, de ses monologues, de ses récits apprêtés et condamne l'usage du vers.

Dans ses *Confessions du comte de ...*, Duclos décrit avec vivacité la "petite cour" de Mme de Touins qui, comme les autres salons, fait une part importante à l'art dramatique, se préoccupe de *lancer* de jeunes auteurs, pratique l'éloge ou le blâme en vase clos:

> Je m'aperçus que chaque société et surtout celles de bel esprit *croient composer le public,* et que j'avais pris pour une approbation générale le sentiment de quelques personnes que les airs imposants et la confiance de Mme de Touins avaient prévenues et séduites. Tous ces bureaux d'esprit ne servent qu'à dégoûter le génie, rétrécir l'esprit, encourager les médiocres, donner de l'orgueil aux sots et révolter le public[41].

A ces conversations participent comédiens et comédiennes qu'il est désormais de bon ton d'inviter. On imagine mal Molière et la Grange fréquentant Mme de Rambouillet ou Mme de Sablé. La pratique est désormais courante. Le salon de Mme de Lambert s'ouvre le premier à Adrienne Lecouvreur, et l'actrice peut bientôt écrire: "C'est une mode établie de dîner avec moi parce que quelques duchesses m'ont fait cet honneur". Mme d'Epinay soupe avec Mlle Quinault; Clairon fréquente chez la princesse Galitzine ou le Maréchal de Richelieu.

Cette intervention des comédiens dans les salons n'est pas sans conséquences, car les "histrions" amènent avec eux l'écho des rivalités qui se développent à l'intérieur de la troupe. En 1720–1730 il existe, par exemple, au Français une puissante coterie Quinault dont les membres les plus en vue sont Quinault aîné, Quinault-Dufrêne et sa femme (Mlle Deseine), Marie et Jeanne Quinault, leurs sœurs, Mlle de Balincourt, leur cousine. Or cette tribu a ses intérêts, ses ressentiments, qu'elle entend faire partager aux auteurs et au public. Ainsi elle est violemment hostile à Lecouvreur: Mlle Deseine, le 1er mai 1725, se voit infliger une amende de 100 livres "pour inconvenance envers Mlle Lecouvreur". Le clan partage cette aversion avec la Duclos qui ne cesse de créer des difficultés à celle qui est sa rivale la plus directe. Si, à ces inimitiés qui, comme toujours dans le monde des comédiens, prennent des proportions démesurées, on ajoute que la duchesse de Bouillon passe pour avoir des bontés pour Quinault-Dufrêne, qu'une ardente rivalité amoureuse oppose encore la duchesse à Lecouvreur à propos de Maurice de Saxe, on imagine à quel point l'admission des comédiens dans les salons contribue à compliquer le jeu des influences et à fausser celui de la critique. Quand Grandval débute (1729) dans *Andronic,* si la représentation est troublée par des huées, ce n'est pas parce que la pièce de Campistron déplaît au public, mais parce que la duchesse a envoyé ses gens dans la salle pour faire échec à un comédien qu'elle sait patronné par Lecouvreur.

Cet épanouissement des salons entraîne une autre conséquence importante: les femmes ont désormais voix prépondérante dans l'élaboration des jugements. Sur ce point tous les témoignages concordent: le rôle des femmes (qui s'étend bien au delà de la scène, et particulièrement à l'Académie)[42] est capital dans la salle de spectacle aussi bien que dans les cercles où se fait la réputation d'une œuvre. L'opinion de Rousseau rejoint là, pour une fois, celle de Voltaire. En 1758, la *Lettre à d'Alembert* est véhémente: "Chez nous, la femme la plus estimée est celle qui fait le plus de bruit; qui juge, tranche, assigne aux talents, au mérite, aux vertus, leurs degrés et leurs places (...). *Sur la scène, c'est pis encore.* Au fond, dans le monde elles ne savent rien, quoiqu'elles jugent de tout; mais au théâtre, savantes du savoir des hommes, philosophes, grâce aux auteurs, elles écrasent notre sexe de ses propres talents et les imbéciles spectateurs vont bonnement apprendre des femmes ce qu'ils ont pris soin de leur dicter".

Or ce public féminin est avide d'émotions "sensibles", de tendresse; les larmes versées, non plus les règles d'Aristote, deviennent le critère de prédilection[43]. Les comédiens ne s'y trompent pas, qui exigent que les œuvres répondent à ce besoin. Voltaire en fait l'expérience avec son *Oedipe,* qu'il a conçu sans concession à la galanterie: "Les comédiennes se moquèrent de moi, lorsqu'elles virent qu'il n'y avait point de rôle pour l'amoureuse" (au P. Porée, 7 janvier 1731). Si Voltaire fait jouer *la Mort de César* sur une scène privée, c'est que, il le sait d'expérience, "nos jeunes femmes trouveraient cela horrible" (à d'Olivet, 24 août 1735); "Il n'y a point de femme dans cette pièce (...); en un mot elle n'est point faite pour le public" (à Desfontaines, 7 septembre 1735). L'*Avertissement* de *Zaïre* le précise: si Voltaire renonce à son idéal tragique antérieur, c'est parce que "plusieurs dames avaient reproché à l'auteur qu'il n'y avait pas assez d'amour dans ces tragédies".

En 1740, Voltaire est définitivement convaincu. A Mlle Quinault, il explique pourquoi "la mort du père de Zulime, qui paraît au premier coup d'œil devoir augmenter l'intérêt, est précisément ce qui l'affaiblit": "Cette mort change l'intérêt de la pièce tout d'un coup; le *cœur* était occupé des sentiments qu'inspirait l'amour de Zulime; on est plein de cette idée, et dans l'instant c'est un nouveau nœud qui se présente, c'est la mort d'un père" (3 juillet). Et il tire cette conclusion: "Laissez là toutes les petites critiques qu'on a pu faire; jamais des critiques de détail n'ont fait tomber une pièce, *c'est le cœur seul qui fait le succès ou la chute".*

La douceur des larmes versées, tel est le critère qui s'impose à ceux qui se mêlent de juger le répertoire. Certains, comme Piron, se résignent en maugréant. Il n'en reste pas moins que, si, quasi tyrannique, persiste la référence aux bienséances, à la vraisemblance, au purisme, c'est bien, en dernière analyse, par rapport à ces vertus d'attendrissement qu'est appréciée désormais l'œuvre dramatique.

***

Davantage encore que dans les salons, c'est dans les cafés, le Procope et le Gradot surtout, que s'élabore la critique active et non académique; car aucune préoccupation de conformisme ne vient y entraver la libre expression des opinions.

Le ton n'est pas le même dans les deux établissements. Il est plus mesuré au Gradot qui a été longtemps dominé par la Motte lequel, selon Duclos, "était le point de réunion de l'assemblée, et personne n'y était plus propre que lui, par le ton de politesse qu'il mettait à la discussion". Au Procope, l'atmosphère est plus libre et haute en couleurs. Le café est tout proche du Théâtre Français et dans le comportement de ses habitués on retrouve quelque chose de l'aimable laisser-aller du monde des coulisses. Il est fréquenté par des personnages truculents: l'âpre disputeur Boindin (à qui Voltaire, dans *le Temple du Goût*, fait dire: "Je viens siffler tout ce qu'on applaudit"), l'abbé Terrasson, le cynique Piron (auteur de la scandaleuse *Ode à Priape*) toujours prêt à décocher ses épigrammes, l'érudit Fréret qui a connu la Bastille, et l'inévitable Desfontaines. Et, autour de ceux-là qui se sont fait un nom, des rimeurs plus ou moins faméliques, des auteurs dramatiques tombés, des abbés en mal de carrière, des échotiers à la recherche d'une anecdote, des fiers à bras comme la Morlière.

Au cours des discussions, le ton s'élève vite. Les échanges sont vifs entre Boindin et Duclos, qui passe pour l'un des esprits les plus brillants de Paris ("Mon talent à moi, c'est l'esprit")[44], franc jusqu'à la rudesse, doué, selon un adversaire, d'une voix de gourdin. Il écrit: "Je partageais avec (Boindin) l'attention de l'auditoire, qui m'affectionnait de préférence parce que Boindin avait la contradiction dure, et que je l'avais gaie".

Au Procope, les contestations philosophiques[45] alternent avec les débats sur l'actualité dramatique, où se mêlent les ragots de coulisses et les jugements à l'emporte-pièce. Tout cela dans une atmosphère, sinon de débraillé, du moins d'extrême liberté, qui va bientôt conférer à ces cafés une réputation douteuse.

Si malaisé qu'il soit de la définir, l'influence exercée par les habitués du Procope est considérable. Quiconque entend se faire un nom au théâtre se doit de faire figure en ce haut lieu. L'abbé Linant (1708–1749), poète que Voltaire oriente dans les arcanes de la vie littéraire et encourage à écrire une tragédie[46], va prendre le vent au Procope et s'en trouve tout faraud: "il se croit un personnage parce qu'il va au théâtre et chez Procope" (A Cideville, 27 février 1734).

Tout comme un autre, Voltaire, qui n'est pourtant pas un familier du café, se préoccupe des jugements qui y sont portés. Au lendemain de la création de *Sémiramis*, qui a été passablement houleuse[47], il veut savoir si les avis des "connaisseurs" sont conformes au verdict incertain du public de la première. Il se rend au Procope, incognito: coiffé d'un tricorne et d'une ample perruque, affublé d'une soutane et d'un manteau qu'il a empruntés à l'abbé de Villevieille; et, feignant de lire un journal, il écoute les habitués "raisonner et bavarder sur *Sémiramis*". Quand J.J. Rousseau fait jouer, sans être nommé, son *Narcisse* (18 décembre 1752), il constate avec surprise que le public fait preuve d'"indulgence", alors que lui-même s'ennuie. Il sort avant la fin de la représentation et, tout naturellement, il se dirige vers le Procope. Et c'est devant l'aréopage des habitués qu'il s'avoue auteur de la pièce et se livre à son autocritique[48].

Ainsi s'institue un Parlement dramatique, beaucoup plus vivant que celui de la critique écrite. Parlement dont les arrêtés flottent au gré des préjugés, des inimitiés personnelles, des intrigues de coteries ou d'alcôves. Parlement qui dispose, pour se faire entendre, d'une force de persuasion qui ne tient pas seulement au bien-fondé de ses attendus ou au caractère percutant des "mots" lancés par ses membres: c'est à partir du Procope que s'organisent, comme en exécution des jugements émis, la plupart des cabales[49], autour de ce chevalier de la Morlière (1719–1785), évoqué de façon si vivante dans *le Neveu de Rameau*[50].

Il faut prendre l'exacte mesure du personnage, non pour céder à la tentation du pittoresque anecdotique, mais pour se faire une juste idée de certaines formes prises par l'exercice d'une critique, sans doute dégradée, mais redoutablement efficace. Issu d'une famille honorable, le chevalier est d'abord un mauvais garçon: chassé de la troupe des mousquetaires noirs du roi, jeté sur le pavé de Paris, il s'est engagé dans une carrière d'aventurier des lettres et de la galanterie. Causeur non dépourvu de brio, mais qui devient vite un braillard, il ne parle, selon Collé, "que de coups d'épée", alors qu'il est justiciable lui-même des "coups de bâton". Dans sa *Nouvelle Correspondance,* Briasson écrit:

> Le chevalier de la Morlière n'était ni un homme d'esprit ni un homme sans esprit. Il s'était fait un jargon hardi et singulier, qui avait une sorte d'éclat. Avec une physionomie commune, il avait dans le maintien et dans les manières je ne sais quoi qui ne l'était pas. Ce qui frappait particulièrement dans son air et dans son ton, c'était l'audace.

Il est passionné de théâtre et écrit pour la scène: *le Gouverneur,* puis *la Créole, l'Amant déguisé,* qui échouent. Auteur raté, il s'essaie dans la critique. Suivant l'habitude du temps, il publie des pamphlets, des dissertations: *Observations sur le duc de Foix* (Voltaire), *Réflexions sur Oreste* (Voltaire), *Très humbles remontrances à la cohue au sujet de Denys le Tyran* (Marmontel). Il prend parti dans les querelles qui éclatent entre comédiens. Lorsque Lekain débute au Français (14 septembre 1750), Clairon déchaîne contre son nouveau partenaire une violente campagne dans laquelle elle entraîne la plupart des Sociétaires inquiets de l'admission de ce rival déjà célèbre. Lekain se venge en divulguant à travers Paris des anecdotes scandaleuses sur sa camarade, puis fait appel à la Morlière qui lui prête sa plume pour rédiger à l'adresse de Clairon une lettre d'une rare insolence qui, selon Chevrier (*Almanach des gens d'esprit*) se termine par cette phrase: "Le meilleur moyen de vous venger de moi, c'est de me donner une nuit".

Mais l'action de la Morlière s'exerce surtout par des moyens plus directs. Le chevalier tranche de tout et avec suffisamment d'assurance pour faire illusion: "Il jugeait d'un trait l'ouvrage nouveau, annonçait le succès ou la chute de la pièce de théâtre qu'on préparait; racontant l'anecdote du jour ou de la nuit, en inventant lorsqu'il n'en savait pas ou qu'il en avait besoin pour ses vues (...), un ton moitié homme du monde et moitié homme de lettres[51] donnait un certain poids à ses paroles" (Briasson). Les jugements qu'il porte, généralement contre rétribution (Voltaire lui-même, discrètement, se concilie ce redoutable "critique"), il se charge de les faire partager au public. Dans sa *Correspondance,* le chevalier Métra évoque la méthode: la Morlière tonitrue et se livre à une gesticulation forcenée:

> Il avait dû une espèce de célébrité à la prépondérance que la force de ses poumons et l'énergie de ses mouvements lui ont donnée longtemps dans le parterre.

Il se fait suivre d'une cohorte d'hommes de main, préfiguration de la claque[52], qui ont pour mission de contrôler la salle, d'imposer les sifflets ou les applaudissements. Pour achever de troubler les cartes, une telle pratique provoque une contre-claque. Ainsi, pour *Tancrède,* Clairon, qui sait que la Morlière va se livrer à ses manifestations habituelles, appointe deux gaillards chargés de contrôler le chevalier. Devant cette présence inquiétante, la Morlière renonce à son manège de cris et de sifflets, et affecte des bâillements d'ennui si excessifs qu'il devient bientôt le point de mire de toute la salle.

La Morlière n'est qu'un aventurier, "plus connu par ses escroqueries, son impudence et sa scélératesse que par ses ouvrages"[53], que sa famille finit par faire interner à Saint Lazare. Méprisé d'ailleurs, au point qu'une épigramme du temps demande à Voltaire s'il ne préfère pas être "déchiré par la main de Fréron" plutôt que "prôné par la Morlière". Mais on doit tenir compte du rôle joué par de tels chevaliers d'industrie dans le déroulement de l'actualité dramatique. Cette vie théâtrale, organisée de façon encore très lâche, se trouve soumise aux fluctuations les plus diverses, à l'intervention des éléments les plus étrangers à la seule considération de l'œuvre. S'en tenir aux comptes-rendus du *Mercure* fausse les perspectives: l'opinion des juges mesurés n'a pas le poids immédiat des interventions des habitués du Procope. Ce sont eux qui créent les mouvements d'opinion, décident d'un succès, suscitent les querelles. Ils y parviennent d'autant plus aisément que le public habituel du Français est numériquement faible, donc facile à manipuler. L'*Avertissement* d'*Adelaïde du Guesclin* y insiste:

> Le public, en fait de livres, est composé de quarante ou cinquante personnes, si le livre est sérieux; de quatre ou cinq cents lorsqu'il est plaisant; et d'*environ onze ou douze cents,* s'il s'agit d'une pièce de théâtre. Il y a dans Paris plus de cinq cent mille âmes qui n'entendent jamais parler de tout cela.

Dans la *Lettre à d'Alembert,* Rousseau avance un chiffre analogue: "Dans plus de 600.000 habitants, (Paris) fournit à peine au spectacle mille ou douze cents spectateurs. Les Comédiens Français ont bien de la peine à se soutenir à Paris avec une assemblée de trois cents spectateurs par représentation"[54].

Après la création, paraissent les libelles, les dissertations. Mais ces écrits ne sont pas le fruit de sereines méditations conçues par des juges s'efforçant à l'impartialité. Qu'ils soient de ton satirique ou doctoral, étant l'œuvre des mêmes hommes qui ont animé la représentation, ils ne font que compléter l'action menée dans la salle de spectacle.

***

Il faut enfin faire une place à cette forme particulière que prend la critique lorsqu'elle s'exprime par la parodie.

La parodie a connu au XVIIIe siècle un développement étonnant. Sa vogue correspond évidemment à la propension générale de l'époque à l'ironie, à la démystification, qui caractérise l'esprit nouveau. On apporte d'autant plus de complaisance à voir parodiés un *Andronic* ou une *Zulime* qu'il s'agit d'œuvres qu'on a moins goûtées que subies par une sorte de nécessité mondaine. Le succès du genre est d'autre part étroitement lié à celui des théâtres marginaux: Théâtre Italien ou théâtres de la Foire. Le monopole exercé par le Français, sa prééminence insolemment affichée irritent les troupes rivales. D'autant plus que les Comédiens n'hésitent pas à préserver leur privilège par voie judiciaire, obtenant par exemple l'exorbitante interdiction faite aux forains de recourir à toute forme de dialogue dans leurs spectacles. Pour les Italiens, représenter la parodie d'une pièce créée au Français constitue une revanche par la dérision.

Spectacles qui visent d'abord au divertissement, obtenu souvent par les moyens les plus faciles. Ils sont, la plupart du temps, l'œuvre d'écrivains peu connus. Mais, si l'on fait abstraction de leur caractère grotesque et outrancier, elles reprennent en général, pour les souligner par la caricature, les critiques formulées, sur un ton plus mesuré, contre une œuvre. A ce titre, elles méritent l'attention.

Il n'est pas de pièce qui, ayant rencontré quelque audience, ne soit pas parodiée, depuis l'*Inès de Castro* de la Motte, devenue *Agnès de Castro,* jusqu'aux tragédies de Voltaire. Quand il s'agit d'un auteur aussi éminent que Voltaire, ce n'est pas le premier venu qui prend la plume: après le triomphe de *Zaïre,* Dominique et Romagnesi (comédiens-auteurs du Théâtre Italien) composent *Les Enfants trouvés ou le sultan poli par l'amour.* Mais c'est surtout le non négligeable abbé Nadal, auteur de dissertations sur Racine, sur Crébillon, naguère co-directeur du *Nouveau Mercure,* qui prend en charge la parodie: *Arlequin au Parnasse ou la folie de Melpomène* (2 décembre 1732).

Ces parodies illustrent bien les deux griefs qui furent le plus fréquemment formulés, sous des formes moins folâtres, contre *Zaïre*.La première moque chez le sultan Diaphane (Orosmane) l'excès de galanterie et de magnanimité d'un Oriental: vieil argument qui a déjà servi à dénigrer *Bajazet* et que Lessing va reprendre pour critiquer la tragédie de Voltaire. La seconde rappelle que, dès ses débuts à la scène, Voltaire a été échenillé par les détracteurs qui ont relevé tous ses plagiats et pastiches. En cette occasion, le louable souci de dénoncer la faiblesse de l'invention chez Voltaire entre pour peu dans l'entreprise de Nadal qui règle une querelle personnelle: après la chute de la *Marianne* de Voltaire, chute intervenue dès la première représentation, l'abbé a jugé le moment venu de faire jouer (15 février 1725) une tragédie de son crû sur le même sujet. Malheureusement la pièce de l'abbé a été si mal accueillie que les Comédiens ont préféré revenir à celle de Voltaire. Ce sont là mésaventures qui ne s'oublient pas et qui autorisent l'auteur déçu à se muer en sévère censeur de l'œuvre d'un rival.

Voltaire est très sensible à cette forme de critique. En 1748, quand il apprend que sa *Sémiramis* va être parodiée, et cela non pas aux Italiens, mais à Fontainebleau même, devant le Roi, il crie au scandale, intervient auprès du lieutenant de police, auprès de Mme de Pompadour, de Maurepas. Surtout il se jette aux pieds" de la reine, faisant valoir pour l'occasion (on connaît la piété et la rigueur des mœurs de la Reine) que sa tragédie est "fondée, d'un bout à l'autre, sur la morale la plus pure", qu'il est "domestique du Roi, et par conséquent le vôtre" et que, à ce titre, il ne convient pas qu'il essuie devant les autres officiers du Roi et "devant toute la famille royale un avilissement aussi cruel": il ne faut pas que soit jouée "la satire odieuse qu'on veut faire contre moi". La parodie, en fin de compte, n'est pas représentée. Elle est seulement publiée, œuvre d'un certain Bidault de Montigny, avocat au Parlement. Un inconnu compose à son tour une autre parodie, *Zomaris ou le spectacle manqué,* destinée aux théâtres de la Foire mais qui, elle non plus, n'est finalement pas jouée. Enfin Grandval, médiocre dramaturge qui a tenté de s'illustrer par des œuvres comme *le Pot de chambre cassé, tragédie pour rire ou comédie pour pleurer,* rédige *les Persiflés,* toujours dans l'intention de faire rire aux dépens de la tragédie de Voltaire[55].

Ces trois parodies sont d'une insigne médiocrité et justifient mal l'emportement de Voltaire. Elles sont pourtant construites sur des thèmes qui impliquent des jugements critiques et, en dépit de leur forme provocante, elles reposent sur des observations qui sont parfaitement conformistes. Ce qui est mis en valeur, c'est l'invraisemblance de l'intrigue, les manquements au "bon goût", le ridicule de l'apparition de l'Ombre, l'imbroglio des méprises sur les personnes: pourquoi Arzace, descendant au tombeau du feu roi afin d'y tuer l'amant de sa mère, s'aventure-t-il à l'aveuglette dans l'obscurité, ce qui lui vaut de frapper sa mère en croyant frapper Assur? "Ah! pour ne pas tomber dans une erreur si lourde Tu devais prendre au moins une lanterne sourde!".

Dans ces saillies, il n'y a pas l'ombre d'originalité. Un Boileau en verve aurait pu reprendre à son compte ces arguments fondés sur le souci du bon goût et de la vraisemblance. Comme Desfontaines, les parodistes peuvent au premier abord paraître manier une critique de combat, irrévérencieuse, audacieuse. Mais ce sont les formes utilisées qui font illusion: ces polémistes-là sont, en réalité, pleinement conservateurs. Il n'y a pas lieu de s'en étonner: comme tant de pamphlétaires, ils ne sont écoutés que parce que, sous des formules qui retiennent l'attention en choquant, ils se contentent de suivre le courant général des esprits moyens, lesquels restent encore attachés aux valeurs établies. Et en matière de conceptions dramatiques, avec ses tragédies pourtant manquées, Voltaire est infiniment plus novateur que ceux qui le censurent.

***

Pour ces années 1715–1750, le bilan de la critique dramatique apparaît peu exaltant: le niveau général des jugements portés sur les œuvres théâtrales est faible. Cette critique, qui se laisse prendre au jeu des coteries et des rivalités, et qui semble même ne se manifester que pour se mettre au service de ces intrigues, n'est jamais créatrice ni riche de vues originales. Son représentant le plus marquant et le plus doué, Desfontaines, se révèle un traditionaliste achevé.

Cette médiocrité ne fait que refléter le trouble des esprits et la situation instable de la société. Trouble des esprits qui sont encore prisonniers de formes héritées du "Grand Siècle", d'admirations obligées, de critères dont on ne perçoit pas encore qu'ils sont périmés parce qu'on n'a rien d'autre à leur opposer que la notion, infiniment fluctuante, de "goût" et de "plaisir". C'est seulement lorsque la lutte philosophique sera ouvertement engagée que les positions vont se préciser, s'affirmer et se durcir. Alors il redeviendra aisé d'argumenter, de se prononcer avec fermeté, sinon sans préjugés.

Instabilité d'une société qui est déjà engagée dans une évolution accélérée, mais qui n'a pas encore pris conscience du grand brassage qui est en train de s'opérer. Comme les catégories esthétiques, les clivages sociaux deviennent confus. Le monde des salons, ceux des folliculaires, des gens de plume, des coulisses, naguère juxtaposés, s'interpénètrent peu à peu, et de ce mélange en fusion encore sourde la salle de spectacle est le creuset privilégié. Celui qui prononce des jugements sur l'œuvre dramatique ne sait plus très bien si, en dehors de son intérêt le plus personnel et le plus matériel, il se trouve servir une esthétique, une idéologie politique et morale, une ou plusieurs coteries. En réalité, il est au service de tout cela en même temps, dans la plus grande confusion. C'est, ici encore, le débat autour des "Lumières" qui va permettre de clarifier les positions, quand se dégagent enfin, d'une façon qui devient sensible à tous, les options fondamentales entre lesquelles il va falloir désormais choisir.

Notes

1 Sur la vie dramatique de 1715–1750, cf. H. Lagrave, le *Théâtre et le Public à Paris de 1715 à 1750,* Klincksieck, 1972.

2 Le montant des pensions versées aux écrivains atteint son niveau le plus élevé en 1671: 100.500 livres. En 1688, il tombe à 40.000.

3 A Cideville, 19 août 1731.

4 En 1733, Crébillon est âgé de 59 ans. Sa carrière dramatique est pratiquement achevée.

5 II, p. 331.

6 1717–1792. Une seule de ses pièces connut un certain succès: *la Double Extravagance,* jouée en 1750 au Théâtre Français.

7 Cf. H. Lagrave, op. cit., p. 13–14

8 Son titre exact est: *Mémoires pour servir à l'histoire des sciences et des arts.* Fondé en 1701, il paraît jusqu'en 1763. On l'appelle *le Journal de Trévoux* parce qu'il est imprimé à Trévoux, dans les Dombes. Il n'y avait pas là de maison de Jésuites, mais une imprimerie, qui servit aussi pour le *Dictionnaire* dit *de Trévoux.* Cf. G. Dumas, *le Journal de Trévoux,* 1936.

9 Les ouvrages de théologie et d'histoire y tiennent six fois plus de place que l'ensemble des ouvrages littéraires.

10 L'un des procédés les plus couramment employés par Desfontaines est celui de la louange ironique qui, par son outrance, se détruit elle-même.

11 Cf. T. Morris, *L'abbé Desfontaines et son rôle dans la littérature de son temps,* Genève, Droz, 1961. Les trois journaux successifs de l'abbé ont été réimprimés par Slatkine (Genève, 1767, 7 volumes).

12 La Porte défend Desfontaines: "accusation odieuse". L'abbé Nadal (*Lettre de M. l'abbé XXX à M. le Chevalier de C^XXX^, 1729)* évoque, dans une note (p. 19), la mésaventure: un libraire fait porter à Desfontaines l'épreuve d'une brochure par un jeune Savoyard; l'abbé se jette sur le messager: "L'irruption fut brusque, mais sans succès; le nouveau Giton s'arracha de ses bras et rapporta, au lieu de l'épreuve corrigée, le collet déchiré du bel esprit".

13 Granet (1692–1741) n'était pas prêtre, mais seulement diacre. Il est notamment l'auteur de *Vérités littéraires sur la tragédie d'Hérode et de Marianne de Voltaire* (1725). Certains le confondaient dans le mépris dont était accablé Desfontaines: "Tout homme assez bas pour s'associer avec l'abbé Guyot (Desfontaines) est un homme qui ne mérite aucune confiance. Il faut être un fripon pour vivre avec ceux qui sont reconnus pour tels"; cf. Monod-Cassidy, *Un Voyageur philosophe au XVIIIe siècle: l'abbé J.B. le Blanc,* Cambridge, 1941.

14 Selon Desfontaines, le privilège lui fut accordé "en récompense des services qu'il avait rendus aux lettres et à l'Etat". Vantardise? ou doit-on penser que le gouvernement utilisa l'abbé pour quelque besogne clandestine?

15 Cf. Le Blanc: "Si tous les honnêtes gens témoignaient ouvertement le mépris qu'ils ont pour lui, il n'irait pas partout la tête levée comme il le fait et serait obligé de baisser le ton" (Cf. Monod-Cassidy, p. 340).

16 L'Académie s'était persuadée que Desfontaines la visait par la formule: "une troupe orgueilleuse de gens sans mérites", placée en tête de sa traduction de Virgile.

17 Cf. P. Dupont, *Un Poète philosophe au commencement du XVIIIe siècle: Houdard de la Motte,* Hachette, 1898. On trouvera le texte d'*Inès de Castro* dans le tome I du *Théâtre du XVIIIe siècle,* éd. Pléiade, 1972.

18 Cf. article *Rime* du *Dictionnaire philosophique:* "une petite secte de barbares qui veut qu'on ne fasse désormais des tragédies qu'en prose".

19 *Paradoxes,* IV, p. 40.

20 Desfontaines est l'auteur d'un *Dictionnaire néologique* qui connut un grand retentissement et où il adopte, en matière de pureté de la langue, les positions les plus conservatrices. Cf. Mario Mormile, *Desfontaines et la crise néologique,* Rome, 1967.

21 Cf. A.M. Rousseau, *Voltaire, la Mort de César,* SEDES, 1964.

22 Cf. A. Cideville: "L'éditeur a plus massacré César que Brutus et Cassius n'ont jamais fait" (20 septembre 1735). Cf. A. Formont (22 septembre).

23 Stendhal a relevé ce conservatisme: "Voltaire a été combattu par les Fréron et les Desfontaines comme étant romantique" (*Racine et Shakespeare*).

24 Lettre du 1er juin 1735.

25 Tome VII, p. 164–166.

26 Tome XV, p. 133.

27 *Observations,* tome IV, p. 141; 25 février 1736.

28 Guzman, chrétien, pardonne à son assassin, l'"américain" Zamore. Dans *le Génie du Christianisme,* Chateaubriand prône aussi une tragédie qui exalte une religion qui "combat et subjuge les penchants": "On y plane au milieu de ces régions de la morale chrétienne qui, s'élevant au-dessus de la morale vulgaire, est d'elle-même divine poésie".

29 L'élection de ce protégé de la Maréchale de Villars fit scandale. Le pamphlet prend la forme du discours de réception qu'est censé prononcer Séguy.

30 Selon une hypothèse de Th. Besterman, Voltaire fut très surpris de constater que son cher Thiériot n'apportait pas tout le zèle souhaitable à combattre Desfontaines. Rappelant que "la vie de Thiériot est singulièrement dépourvue d'amour", Besterman se demande si Thiériot ne partageait pas les mœurs spéciales de Desfontaines: "Pouvons-nous découvrir dans tout cela un indice de la nature du pouvoir détenu par Desfontaines sur Thiériot? " (*Correspondance* de Voltaire, II, p. 1130).

31 La publication dura de 1733 à 1740.

32 Quand Prévost fut emprisonné à Londres (décembre 1733), ce fut Desfontaines qui le remplaça jusqu'en mars 1734.

33 Cf. Roddier, *l'abbé Prévost, l'homme et l'œuvre,* p. 156–161; G.R. Havens, *Abbé Prévost and English Literature* (Princeton, 1921).

34 *Pour et Contre,* t. I, p. 32 et sq.

35 Le 24 juillet 1733, Voltaire demande à Tiériot de remercier "l'auteur du *Pour et du Contre* pour les éloges dont il l'a honoré" à propos du *Temple du Goût* (no 5 du périodique, I, p. 97–114).

36 Voltaire faisait "une grande différence entre (Prévost) et Desfontaines. Celui-ci ne sait parler que de livres; ce n'est qu'un auteur, et encore un bien médiocre auteur; et l'autre est un homme" (à Thiériot, 28 décembre 1735).

37 En 1736, Prévost publie deux articles (t. VIII, p. 37 et sq., 97 et sq.) plus élogieux à propos d'*Alzire.*

38 Cf. Lagrave, op. cit., p. 13–14.

39 Auteur d'un recueil, *Voltairiana ou Eloges amphigouriques de F.M. Arouet de Voltaire,* qui rassemble les pamphlets et chansons hostiles à Voltaire. Celui-ci le mettait au même niveau que Desfontaines. Il demanda à l'avocat Moreau d'intervenir auprès du ministre (11 janvier 1747).

40 Cf. Lagrave, op. cit., p. 449 et sq.

41 *Romanciers du XVIIIe siècle,* éd. Pléiade, II, p. 252–253.

42 Mme de Tencin est pour beaucoup dans l'élection de Marivaux; Mme de Lambert, dans celle de Montesquieu; Mme du Deffand dans celle de d'Alembert.

43 Cf. Descotes, *Le Public de théâtre et son histoire,* chap. V–VI.

44 La sœur du comte de Forcalquier-Brancas écrit: "Duclos est un homme impayable; on dit qu'il n'y a rien de nouveau sous le ciel; Duclos fait bien mentir le proverbe, car il est sûr qu'il n'a eu ni n'aura jamais son pareil".

45 En matière religieuse, on développe des thèses avancées. Selon le *Dictionnaire Historique*, pour ne pas donner l'éveil aux mouches de la police, Marmontel et Boindin dissertent de métaphysique en utilisant des figures imagées: l'âme est Margot; la religion Javotte; la liberté Jeanneton; Dieu M. de l'Etre.

46 On ne connaît de lui qu'une *Alzaïde* (1745) et une *Vanda, reine de Pologne* (1747).

47 A l'acte III, l'acteur qui joue l'Ombre de Ninus ne parvient pas à se frayer un passage à travers les rangs des spectateurs qui siègent sur la scène. On crie: "Place à l'Ombre!" et les éclats de rire rendent grotesque une apparition dont Voltaire attendait un impressionnant effet.

48 *Confessions,* livre VIII.

49 Cf. Lagrave, op. cit., p. 465 et sq.

50 "Ce chevalier de la Morlière qui retape son chapeau sur son oreille, qui porte la tête au vent, qui vous regarde le passant par-dessus l'épaule, qui fait battre une longue épée sur sa cuisse, qui a l'insulte toute prête pour celui qui n'en porte point, et qui semble adresser un défi à tout venant, que fait-il? Tout ce qu'il peut pour se persuader qu'il est un homme de cœur, mais il est lâche. Offrez-lui une croquignole sur le bout du nez, et il la recevra en douceur. Voulez-vous lui faire baisser le ton? Elevez-le, montrez-lui votre canne, ou appliquez votre pied entre ses fesses".

51 On appréciera l'opposition entre l'homme du monde et l'homme de lettres.

52 Cf. Lagrave, op. cit., p. 480 et sq.

53 Bachaumont, *Mémoires Secrets* (13 août 1762) La Morlière est l'auteur d'un roman, *Angola, histoire indienne* (1746) qui, dans le style de Crébillon fils, n'est pas sans mérites.

54 Cf. Lagrave, op. cit., p. 171 et sq.

55 Son *Théâtre de campagne, ou les débauches de l'esprit* a été publié en 1755.

CHAPITRE VI

I

Dans l'histoire du siècle, les années 1750 constituent un moment important. Non pas qu'elles soient marquées par des événements spectaculaires ou par de profondes modifications de structures. Ce qui change, c'est le climat général, l'atmosphère du règne. Jusqu'alors la vague de fond qui finira par éclater en 1789 n'a affecté que les profondeurs et ses manifestations sporadiques ont pu ne paraître que péripéties. A partir de 1750, il devient évident que c'est tout le Système sur lequel repose la Société qui est en cause. On ne se contente plus de s'indigner de la rareté du blé ou de la condamnation, jugée inique, d'un accusé: on s'en prend à la politique de circulation des grains, au système judiciaire lui-même. Les mécontentements dépassent l'événement qui les provoque; ils expriment désormais des convictions qui reposent sur un véritable corps de doctrine, élaboré au cours des décades précédentes. Les pamphlets se multiplient; l'esprit public se détériore au point de devenir alarmant. Dès 1751, d'Argenson prophétise: "Tous les ordres sont mécontents. Les matières étant partout combustibles, une émeute peut faire passer à la révolte, et la révolte à une totale révolution". Dès lors, il n'est plus question de rester neutre, indifférent ou sceptique devant une crise désormais patente.

Toute la vie intellectuelle et littéraire en est affectée. Et la critique dramatique ne fait pas exception: elle s'engage de plus en plus sur la voie de la radicalisation et de l'intransigeance doctrinale. Une œuvre est jugée d'abord par rapport à une idéologie qui, peu à peu, envahit tout. Pour apprécier justement l'opinion émise, il faut désormais toujours rechercher l'arrière-pensée qui porte à la louange ou au dénigrement. Les griefs de Fréron à l'encontre d'une tragédie de Voltaire s'inspirent bien des principes de *l'Art Poétique;* en fait ils traduisent une hostilité fondamentale aux idées du poète. Vingt ans plus tôt, *Zaïre* pouvait être appréciée d'après l'intensité du plaisir éprouvé ou par référence au code des règles. Vers 1750, on ne saurait s'en tenir à ces critères pour *le Triumvirat* ou *les Scythes,* pièces de combat: aux yeux du critique ou du spectateur, ces tragédies sont d'abord l'œuvre d'un homme de parti, admiré ou détesté, et c'est à partir de cette prévention fondamentale qu'elles sont examinées.

En face de cette montée des périls, le Pouvoir, qui réunit, en une coalition apparemment formidable, l'autorité politique et l'autorité religieuse, organise la résistance, aussitôt dénoncée comme une insupportable répression. Mais une résistance qui procède par à-coups, la sanction étant souvent suivie, comme sous l'effet de la mauvaise conscience ou du désir de ne pas paraître trop rétrograde, de mesures de conciliation. *L'Encyclopédie* est interdite en 1742; mais on tolère son impression clandestine et c'est chez le directeur de la Librairie lui-même, Malesherbes, que l'on dissimule les feuilles de l'ouvrage condamné, pendant que l'on opère chez les imprimeurs une perquisition évidemment vouée à l'échec. Et, comme toujours, les rigueurs servent la cause de ceux qui peuvent se présenter en victimes de l'arbitraire.

La pénétration de l'esprit nouveau s'opère jusqu'au sein des institutions les plus officielles. L'Académie elle-même, où d'Alembert succède à Duclos, se trouve colonisée: en dix ans (1760–1770), sur 14 Académiciens nouveaux, 9 appartiennent au parti des philosophes. Dans les conversations de salon, on rivalise dans le développement des thèses les plus audacieuses. Un débutant avide de réussir ne saurait échapper à l'attirance d'une *secte* qui fait la preuve de sa vitalité, de son efficacité, et qui se pare du prestige de la nouveauté. Dans *l'Année littéraire,* Fréron en fait l'observation: "Le plus mince écrivain veut passer pour philosophe; c'est la maladie ou, pour mieux dire, la folie du jour".

Avec ce clivage de plus en plus radical, l'écrivain, le critique, l'homme cultivé, bon gré mal gré, doit définir sa position par rapport aux idéologies antagonistes. L'œuvre littéraire devenant militante, la critique qui la juge est inévitablement entraînée sur un terrain qui lui était jusque là étranger[1].

En matière dramatique, les traits sont moins marqués. La scène se transforme elle aussi en tribune, mais les limites sont là plus difficiles à transgresser que pour les autres genres. Un roman, un essai peuvent être interdits; il reste toujours la ressource de les faire imprimer en Hollande ou en Angleterre, puis de les diffuser sous le manteau. Pour une pièce de théâtre, l'autorisation officielle est indispensable à la représentation, sinon elle demeure un texte dépourvu de sa vie naturelle. Constamment bafouée en matière de librairie, la censure joue ici un rôle déterminant; elle contraint les auteurs à en prévenir les rigueurs s'ils veulent être joués: les audaces des tragédies de Voltaire, des membres de la *secte* restent en deçà de celles qui s'étalent dans les textes destinés à la seule lecture. Ces œuvres sont riches en déclamation contre les tyrans et le despotisme; mais on a fait valoir que ces tirades étaient moins subversives qu'on ne le croirait: développements rhétoriques revêtant un caractère d'école, stéréotypé. Mornet écrit: "Il est certain que ni les auteurs ni les spectateurs ne pensaient à mal et ne faisaient aucune application aux affaires du temps. Autant dire qu'on combattait la monarchie et qu'on appelait la révolution dans les innombrables discours où les rhétoriciens des collèges maudissaient les tyrans et louaient la vertu républicaine des Brutus et des Catons"[2].

Affirmation dont on est porté à mettre en doute le bien-fondé, car elle ne tient pas compte de l'état des esprits. En une époque où le climat n'est pas à la discussion des pouvoirs d'un monarque absolu, les envolées contre les tyrans peuvent passer pour des banalités renouvelées de Plutarque. Mais il est impensable que, accueillies par un public qui, nourri des *Lettres Persanes*, de *l'Esprit des Lois,* entend constamment discuter, non pas sans doute la légitimité de la royauté, mais des moyens d'équilibrer sa toute-puissance, il est impensable que ces envolées soient perçues comme de simples lieux communs. Ou du moins si lieux communs il y a bien, ils sont désormais revivifiés par l'ardeur des convictions. Quand, dans *l'Orphelin de la Chine* (1755), s'ouvre un débat sur la thèse du dévouement absolu au roi opposée à celle de l'égalité, le public applaudit avec transport, selon Condorcet, ces vers d'Idamé:

> La nature et l'hymen, voilà les lois premières,
> Les devoirs, les liens des nations entières;
> Ces lois viennent des dieux, le reste est des humains.
> Ne me fais point haïr le sang des souverains.

Ce qui soulève alors les acclamations, c'est la *philosophie* de la réplique, sa résonance vivante que n'aurait pu percevoir un sujet de Louis XIV qui, en effet, n'aurait vu là que déclamation étrangère à ses préoccupations profondes. Dans *Tancrède* (1760) quand Aldamon proclame: "Je ne suis qu'un soldat, un simple citoyen", quand Tancrède réplique: "Je le suis comme vous, les citoyens sont frères", ces réparties sont accueillies par un public qui pressent la prochaine *Déclaration des Droits de l'homme et du citoyen* et qui retrouve là une idée qui lui est devenue peu à peu familière. Le critique appelé à juger ce dialogue ne peut se contenter d'examiner si la facture des vers est conforme aux règles de la prosodie.

Si en matière politique les audaces théâtrales restent relativement modérées, c'est contre les "préjugés" religieux que la scène se fait le plus violemment polémique. Dès 1730, Voltaire a, dans *Oedipe*, lancé la tirade célèbre contre ces prêtres qui "ne sont point ce qu'un vain peuple pense, Notre crédulité fait toute leur science". On peut bien présenter *Mahomet* comme une tragédie favorable au christianisme puisqu'elle dénonce le charlatanisme du fondateur de l'Islam; il reste que Voltaire présente un fondateur de religion qui tire son pouvoir de la superstition et de la crédulité ("Je viens mettre à profit les erreurs de la terre"; "il faut un nouveau dieu pour l'aveugle univers"). Sous les voiles transparents des druides, des hiérophantes d'*Olympie,* des prêtres de Pluton (*Les Guèbres,* non représentée), des grands prêtres crétois (*Les Lois de Minos*)[3], ce ne sont dans les pièces de Voltaire, de Marmontel (*Les Héraclides, la Mort d'Hercule*), de du Rosoi (*Azor ou les Péruviens*) que prêtres hypocrites, dominateurs et férocement intolérants.

A propos d'*Aménophis* (Saurin 1759), Fréron note: "J'oubliais de vous dire qu'il y a dans sa pièce des tirades contre les prêtres; lieu commun toujours applaudi de la multitude insensée"[4]. A propos d'*Argillan ou le Fanatisme des Croisades* (Fontaine, 1769): "M. Fontaine a choisi le temps des Croisades comme le plus fécond en cruautés religieuses, et par conséquent le plus propre à faire ressortir les grandes vérités qu'il s'est proposé d'annoncer"[5].

En matière religieuse, le climat qui se développe dans les milieux cultivés est, comme le fait remarquer Morner[6], moins celui d'une "incrédulité tapageuse" que celui d'une "sorte d'indifférence": on se contente d'un aimable scepticisme. "Croire en Dieu devenait un ridicule dont on avait soin de se garder", écrit Lamothe-Langon. Si vigilante soit-elle, une censure demeure inefficace contre cette manière de consentement latent. Aussi les esprits préoccupés par le danger que représente cet abandon au doute multiplient-ils les cris d'alarme: derrière les attaques qu'ils portent contre Voltaire et les écrivains dramatiques de la même école, ce sont les empoisonneurs de l'esprit public que visent Fréron ou Palissot. Il est très secondaire que ces empoisonneurs soient aussi de grands ou de médiocres auteurs de théâtre.

L'âpreté du tumulte pose à la censure des problèmes nouveaux en matière de presse. Car quelle attitude doit prendre le censeur en face d'un article de Fréron mettant à mal une tragédie de Voltaire ou de Saurin? Le critique fait valoir qu'il use de son droit légitime de juger. Mais la victime dénonce l'intention perfide qui, à travers l'œuvre, s'en prend à la personnalité et aux idées de l'auteur; et il ne tarde pas à demander aux autorités la suppression du périodique.

La direction de la Librairie, sous l'autorité du comte d'Argens, puis à partir de 1750 de Malesherbes, dispose des pleins pouvoirs pour accorder ou révoquer un privilège. Mais ce serait une erreur de croire que les sanctions administratives, surtout avec Malesherbes, tombent exclusivement sur les feuilles qui mettent en cause l'ordre établi, à la défense duquel pourtant est commise cette direction. Malesherbes est sollicité constamment et avec véhémence par Voltaire ou Marmontel en vue de faire taire une bonne fois pour toutes les Frérons ou les Palissots; et souvent à ces plaignants il donne gain de cause, sanctionnant ceux-là mêmes qui pourtant s'appliquent à soutenir le Trône et l'Autel. Bien qu'ils défendent la "saine doctrine" en face des idées dangereuses, Fréron ou Palissot se trouvent, dans l'exercice de la critique, tout aussi gênés que leurs adversaires.

L'autorisation de faire paraître un périodique demeure à tout instant révocable, et pour les motifs les plus variés et les plus arbitraires. Que dans la 19e de ses *Lettres de la Comtesse de* ... (animées par Fréron de 1745 à 1748), le chroniqueur se hasarde à badiner sur la pension octroyée à l'abbé Bernis sur l'intervention de Mme de Pompadour, et, cinq jours après la parution (12 janvier 1746), le lieutenant de police, à l'instigation de la Marquise, fait opérer des perquisitions et arrêter l'auteur de l'article, qui est envoyé à Vincennes. Le chroniqueur qui entend s'exprimer librement est toujours à la merci d'une interdiction, à plus forte raison si, comme Fréron avec son *Année Littéraire,* il n'est protégé par aucun privilège et exerce son activité par simple tolérance du gouvernement (en 1758, Fréron sollicite auprès de Malesherbes l'octroi d'un privilège – en vain).

Les *Lettres sur quelques écrits de ce temps,* second périodique de Fréron, ne paraissent que parce que la police ferme les yeux: l'auteur en doit rester anonyme et l'impression s'opère sur une presse clandestine. Aussi quand, en 1750, Voltaire s'indigne de l'article qui rend compte de l'insuccès de son *Oreste*[7] est-ce vers les pouvoirs publics qu'il se tourne. Et il n'hésite pas à fournir l'adresse du rédacteur anonyme au lieutenant de police, puis à l'académicien Mairan (pour que celui-ci agisse auprès du chancelier d'Aguesseau). Démarche couronnée de succès: les *Lettres* sont interdites. A peine la publication en est-elle reprise qu'elles sont de nouveau supprimées sur intervention de Mme Denis (c'est-à-dire de Voltaire, alors à Berlin) en mai 1752. Et le manège continue: grâce à certaines protections Fréron parvient à reprendre son activité; le répit est de très courte durée. Deux articles (30 octobre, 18 novembre 1752) consacrés à l'ancien ami de Voltaire, Bolingbroke, mort un an plus tôt, provoquent une nouvelle mesure de suspension.

La longue histoire de *l'Année Littéraire,* dont l'influence est considérable, est d'abord celle de ses démêlés avec les pouvoirs publics. En 1754, Fréron se prononce, dans la Querelle des Bouffons, pour la musique française contre une musique importée de l'étranger. Cette prise de position n'implique, en apparence, qu'un jugement esthétique; pourtant aussitôt Grimm, qui vient de lancer contre Rameau son pamphlet *le Petit Prophète de Boemischbroda,* réclame avec éclat que soit prononcée une mesure administrative à l'encontre du journal. La même année, rendant compte des *Heureux Orphelins* (Crébillon fils), Fréron s'en prend à l'épître dédicatoire à la duchesse de Luxembourg; soucieuse de venger son auteur, la duchesse requiert et obtient la suppression. Que ce soit à propos d'un article dans lequel *Le Fils Naturel* est présenté comme une simple traduction de Goldoni, d'un article où est ridiculisée la prétention de Marmontel à rajeunir le *Wenceslas* de Rotrou, le scénario est toujours le même: l'auteur mis en cause exige qu'il soit mis fin aux prétendues calomnies de *l'Année Littéraire.* Et le ton de ces pétitions n'est pas celui de la litote. C'est de très haut que Marmontel fait la leçon à Malesherbes: "J'ai souffert assez longtemps les insultes de Fréron. Ce qui m'afflige sensiblement, c'est de voir que cet ouvrage périodique s'imprime et se publie à l'ombre de votre autorité. Vous voyez combien l'on abuse de la liberté légitime que vous laissez à l'imprimerie et à quel point l'impunité enhardit l'insolence... C'est à vous, Monsieur, que je demande justice"[8]. Malesherbes est à peu près accusé de trahir les devoirs de sa charge.

L'Année Littéraire n'a pas eu le monopole de ces coups bas. Mais cette presse qui défend les valeurs sur lesquelles se fonde le régime en place n'a pas été épargnée par les interdictions ou la censure. Malesherbes y est pour beaucoup. Pris entre son libéralisme naturel et les obligations de ses fonctions, il s'est trouvé dans une position délicate; l'étude de P. Grosclaude[10] démontre qu'il a honnêtement tenté de maintenir un difficile équilibre, mais il est clair, contrairement à ce que l'on imagine, que Fréron doit constamment veiller à ce que ses comptes-rendus critiques ne donnent pas prise aux contre-attaques de ceux qu'il prend à partie.

C'est toujours sur le même thème que se développent les protestations: le chroniqueur est accusé d'outrepasser les limites que fixent les droits de la critique et de s'attaquer aux personnes. Sur ce terrain, Fréron se défend avec vivacité, répétant qu'il ne s'en prend jamais aux individus: a-t-il jamais dit que Grimm est libertin, athée, sans honneur et sans foi? "Les auteurs sont intéressés à étendre le mot de personnalité"[11]. "Vous m'avez permis les critiques littéraires. Y en a-t-il une seule dans cette feuille qui ne le soit pas? (...) J'avais de quoi couvrir M. d'Alembert d'un ridicule complet, je l'ai ménagé, non à cause de lui, que j'estime fort peu, mais à cause de vous, mais à cause de l'Académie qui l'a adopté".

Le rédacteur doit donc pratiquer sa propre autocensure et, à la limite, se taire. Une fois qu'il a été autorisé à reprendre la publication de ses *Lettres*, Fréron s'impose le silence, renonçant pour un temps à exercer son droit de critique: "J'avais dessein de faire des remarques sur la dernière tragédie du fameux M. de Voltaire, intitulée *le Duc de Foix*[12], qui vient d'être imprimée après un médiocre succès. Mais, pour de bonnes raisons, j'ai pris le parti de me borner à une simple analyse"[13].

D'autre part, le rédacteur ne peut conserver la parole que s'il bénéficie de hautes protections. Fréron s'est souvent élevé contre la prolifération de ces coteries et les partis-pris d'admiration inconditionnelle: "Presque tous nos journaux ne sont plus que des répertoires de compliments. Et pourquoi cela? C'est que le plus mince écrivain a l'adresse de s'attacher à quelque seigneurs, à quelques femmes en crédit. Mes amis ne viennent-ils pas me prévenir quelquefois moi-même: – Prenez garde à ce que vous direz de cet ouvrage. L'auteur est protégé par M. le Prince... par M. le Duc... par Mme..."[14]; "Venez à Paris, vous serez témoin de toutes ces misères; vous y verrez les plus chétifs rimailleurs avoir un parti"[15].

Mais le chroniqueur qui n'aurait pas, lui aussi, son "parti" serait bien incapable de survivre. Longtemps les philosophes bénéficient du soutien de Mme de Pompadour. *Le Journal de Trévoux* s'appuie sur la Compagnie de Jésus. Isolés, un Fréron, un Palissot ne feraient pas le poids. Le *parti* de Fréron, il est, à l'origine, celui-là même qui a épaulé Desfontaines et qui est étroitement lié à la cour de Lunéville. Les interventions de Stanislas sont décisives chaque fois que Fréron voit ses feuilles supprimées: Stanislas fait plaider la cause du journaliste par son ministre-résident Hulin, par son maréchal de cour, le comte de Tressan (en 1753, en 1756). Comme pour mieux marquer cette protection, en 1753 Fréron est reçu membre de l'Académie de Nancy. Dans l'entourage de la reine de France aussi bien qu'à Lunéville, on s'alarme des progrès accomplis par la diffusion des idées nouvelles: comme Palissot, Fréron est appuyé par la coterie qui entend faire de Lunéville un bastion antiphilosophique et utiliser sa plume à des fins de contre-propagande.

Pendant quelques années, ces journalistes participent même indirectement à la mise en œuvre de la politique de Choiseul[16] qui arrive aux Affaires en pleine Guerre de Sept ans. Choiseul est animé par un goût extrême de l'éclat. Comme Fouquet, il s'entoure d'une cour brillante dont le rayonnement satisfait autant sa propension au faste, son penchant pour les lettres et les arts que son désir de voir magnifiée sa politique. Les écrivains qui l'entourent et dont il est prêt à faire la fortune ont vocation de propagandistes, voire de pamphlétaires. On ne peut assurer que Fréron fut à ses gages; mais dès 1750 Palissot se trouve dans son sillage: il sert notamment au duc de greffier pour répondre aux grossièretés pseudo-littéraires du roi de Prusse[17]. C'est Choiseul qui permet à Palissot de se libérer d'une dette de 50.000 francs contractée envers les fermiers généraux. Et l'on peut penser que c'est grâce à des ressources de la même origine que Fréron réussit à rembourser au libraire Lambert les 7.000 francs qu'il lui doit (1758). Ce qui, pour l'heure, gêne le ministre, c'est l'admiration que les philosophes portent à Frédéric, en plein conflit avec la Prusse. Il est donc de l'intérêt de Choiseul que soit fustigé par les gens de lettres à sa dévotion le manque de loyalisme patriotique de la *secte.* Ainsi s'amorce la campagne déclenchée contre *les Cacouacs,* à partir du pamphlet Moreau, dénonçant l'entreprise de subversion qui trahit les intérêts de la France et ruine les notions de famille, de patrie, de religion. Et aux côtés de Choiseul s'agite le richissime Bouret[18], dont le mécénat profite aux seuls adversaires des philosophes[19].

A partir de 1750, la critique dramatique est entièrement soumise à ce jeu des influences désormais dominé, non plus par des rivalités mondaines, mais par les partis-pris idéologiques. Ce sont ces partis-pris qui déterminent les jugements portés sur une pièce nouvelle. Il est aisé de le démontrer à partir d'un exemple précis. Depuis 1750 (*Cléopâtre*), Marmontel n'a guère connu au théâtre que des échecs. Aussi songe-t-il, en 1758, à redorer son blason dramatique en reprenant, pour le mettre au goût du jour, le *Wenceslas* de Rotrou. Cette idée saugrenue lui a été suggérée par Mme de Pompadour qui l'a engagé à "purger" cette tragédie des "grossièretés de mœurs et de langage qui la déparaient"[20]. L'initiative choque l'acteur Lekain qui, en 1755, a remporté un vif succès dans le rôle principal de Ladislas et qui, après avoir, au cours des répétitions, récité le rôle retouché pour ne pas s'attirer "les foudres du poète", s'avise, à la représentation, de rétablir le texte original, tout en conservant les répliques de Marmontel pour ne pas "dérouter ses partenaires"[21]. Nul ne s'étant avisé de la supercherie, Marmontel se tait. Mais Fréron ne laisse pas passer cette occasion de s'en prendre à l'une des personnalités les plus en vue de la *secte.* Dans son article du 14 mai, l'entreprise de Marmontel est, au premier regard, appréciée avec sévérité, mais sans que le chroniqueur outrepasse son droit de porter un jugement littéraire: à Fréron les corrections apportées paraissent désastreuses, elles aboutissent à substituer "des défauts d'écolier" à des "beautés de maître": "Presque tous les vers de Rotrou sont de notre siècle et presque tous ceux de M. Marmontel sont du siècle de Rotrou". Mais la suite révèle bientôt une autre préoccupation: "Nous sera-t-il donc permis de dénaturer ainsi des ouvrages respectables par leur antiquité...? Quand le vice de l'expression dans *Wenceslas* serait aussi réel et aussi général que l'a cru M. Marmontel, est-ce une raison pour détruire un des plus beaux monuments de notre ancienne littérature? ". Et les comédiens sont exhortés à "ne pas permettre que des mains modernes flétrissent les lauriers de nos anciens".

Pour Fréron, la refonte de *Wenceslas* n'est pas une simple adaptation dont il dénonce le caractère malencontreux; elle est une nouvelle manifestation de l'effort soutenu par la *secte* pour détruire le patrimoine national, ébranler la tradition dramatique, en même temps que la tradition politique et religieuse. Sur la véritable portée du jugement Marmontel ne se méprend pas: il demande aussitôt à Malesherbes la suppression de *l'Année Littéraire* et l'emprisonnement du rédacteur.

Or cette presse écrite connaît un accroissement qui est à la mesure du développement de l'esprit public: en 1765, un état dressé pour le ministre de la Maison du Roi recense 19 journaux. La diffusion de ces publications est sans doute encore restreinte: en 1763, le *Mercure* ne compte que 1436 abonnés. Mais ces feuilles circulent de main en main bien davantage que de nos jours où l'acquisition d'un journal est à la portée de chacun. Et surtout elles atteignent ces couches de la population qui forment le public habituel des théâtres. L'appétit de lecture est, dans ces milieux, général. En 1758, *le Journal Encyclopédique* relève la nouveauté du phénomène: "Ce n'est plus le temps où les journaux n'étaient faits que pour les savants... Aujourd'hui toute le monde lit, et veut lire de tout". D'autre part, dès 1762, se fonde à Paris le premier "salon de lecture" (à 3 sous par séance) qui permet la consultation sur place et étend ainsi de façon sensible l'audience des périodiques. En 1777, au magasin de Quillau, on peut lire, entre autres, le *Mercure, le Journal des Savants, le Journal Encyclopédique.* En 1784, il existe une douzaine de bibliothèques ouvertes au public.

Le *Mercure* garde sa position prééminente. Ses sympathies vont de façon très nette aux idées nouvelles[22]. L'orientation s'accentue lorsque (avril 1758) Marmontel obtient, grâce à Mme de Pompadour, la direction du journal, assortie d'un brevet de 15.000 francs; dès le 8 mai, Voltaire se félicite de cette nomination: "Ce sera un antidote contre les poisons de Fréron" (à Thiériot)[23].

En matière politique et religieuse, le *Mercure* est tenu à quelque circonspection. Mais par le biais de la critique des œuvres qui relèvent en principe du seul magistère du goût, il est beaucoup plus aisé de servir la cause. L'affaire de *Wenceslas* le prouve: c'est dans le *Mercure* que Marmontel répond aux "injures" et aux "faussetés" de Fréron.

Le *Mercure* accorde une large place à l'actualité dramatique. Mais, rappelant en cela celui de Visé, il fournit davantage des échos que des jugements. L'essentiel de l'article porte sur le résumé de la pièce nouvelle. C'est en quelques lignes que sont évoqués l'accueil et les réactions du public, le jeu des comédiens. Et la plupart du temps en des termes vagues, prudemment élogieux, en particulier lorsqu'il s'agit d'apprécier les acteurs: le chroniqueur ne peut se permettre de mécontenter le tripot dramatique dont on a peine aujourd'hui à imaginer la puissance et qui se trouve lui aussi engagé dans le débat autour des Lumières. Ainsi lorsque la femme de Lekain débute (mars 1757), le rédacteur Boissy se fait complimenteur: "Elle a surtout beaucoup de naturel, une figure agréable, et joint à une diction aisée cette heureuse volubilité qu'on désire dans une soubrette" (avril 1757). Dans la suite, les louanges ne sont pas mesurées: "Mlle Lekain rend avec feu et beaucoup de naturel un rôle de Mme Cataud" (novembre 1762); "Mlle Lekain a joué le rôle de la vieille Cataud avec tant de vérité et d'agrément qu'on n'a pas fait la moindre attention à ce que sa figure (...) avait de discordant par l'âge avec celui de son personnage" (novembre 1763). Or il s'agit d'une comédienne fort médiocre, qui ne se recommande que par la célébrité du nom qu'elle porte. Et Lekain est l'ami de Voltaire.

Les débuts de Lekain (1750) sont évoqués en formules prudentes: "de l'intelligence, une expression très pathétique, un geste fort noble et une grande liberté dans les positions du théâtre"; mais aussi quelques défauts: "il en a de frappants, il en a peut-être qui sont sans remède" (novembre 1750). Il faut comparer ce jugement trop équilibré à celui, acide, que porte sur ces mêmes débuts Collé dans son *Journal*[24] pour mesurer ce qui sépare une opinion indépendante de celle d'un rédacteur qui ménage tout le monde; chacun sait que le débutant est un protégé de Voltaire, qui l'a fait imposer aux Comédiens; que Clairon, alors toute-puissante, mène une cabale sans merci contre son nouveau camarade.

Il est rare que le *Mercure* mette en évidence le mérite réel d'une interprétation. Lekain reprend-il le rôle de Nicomède? on se contente de rapporter qu'il a été "applaudi avec transports dans ce rôle, qui met le sceau à sa réputation" (juillet 1771). A propos de *Sertorius:* "M. Lekain remplit le rôle de Pompée avec une dignité imposante" (mai 1776). A propos d'*Héraclius:* "M. Lekain a mis dans le rôle d'Héraclius cette chaleur et cette âme qu'on lui connaît" (décembre 1761). A propos d'*Adélaïde du Guesclin:* "un art et un pathétique supérieurs encore à ses meilleurs rôles et tout ce qui a constitué depuis longtemps sa réputation" (octobre 1765). L'indigence de ces notations est affligeante, surtout si l'on songe qu'elles se rapportent au plus grand comédien du siècle. Par contre, pour l'anecdote, le chroniqueur se fait attentif et prolixe. En 1768 Lekain reparaît sur la scène après une longue maladie: au lecteur on rapporte alors fidèlement que le public, ravi de retrouver le comédien, lui a fait l'"heureuse application" des vers de son rôle:

> Je ne m'en défends pas: ces transports, ces hommages (...)
> Prêtent un nouveau charme à ma félicité;
> Ces tributs sont bien doux quand ils sont mérités (novembre 1768)

Rien n'est plus décevant que ces chroniques pour quiconque en attend des considérations de fond ou des analyses précises. Le seul but est d'informer, au sens le plus superficiel du terme. Le compte-rendu ne sort de la grisaille que si l'esprit de parti vient à l'animer.

On doit attendre moins encore de publications comme *le Journal des Savants* qui s'adresse à un public d'érudits et rend compte d'abord d'ouvrages scientifiques ou philosophiques. Quant au *Journal de Paris,* lancé en 1777 par O. de Corancez, un ami de Rousseau, et par J. Romilly, il représente sans doute dans l'histoire de la presse une manière de révolution puisqu'il est le premier *quotidien* français (4 pages in 4o); mais la chronique des théâtres est toute occupée par des résumés de pièces, des anecdotes, des échos sur les acteurs débutants, sur les réglements relatifs aux spectacles[25]. La création du *Journal Philosophique* constitue aussi un événement important dans la mesure où le périodique se présente ouvertement comme l'avocat des idées avancées; mais ici encore l'attention prêtée aux spectacles ne s'éveille que si l'œuvre fournit l'occasion de défendre les thèses de la *sec-*

te: c'est à lui que Voltaire confie le texte qu'il a préparé en réponse aux critiques que Fréron a multipliées contre son *Oreste*[26].

Par contre c'est à cette époque que l'on enregistre l'apparition de journaux qui sont, pour la première fois, entièrement consacrés à la vie des spectacles et du théâtre.

L'ambition d'un *Calendrier des Spectacles* est modeste; il ne s'agit que de se faire l'écho de l'actualité la plus immédiate: présenter les œuvres nouvelles, rendre compte des débuts d'acteurs en précisant à quelles conditions financières ils ont été engagés[27]. S'il avait pu remplir son programme, *l'Observateur des Spectacles* de Chevrier[28], publié à la Haye à partir de janvier 1762, devrait être considéré comme le premier des journaux exclusivement dramatiques, puisque *le Prospectus* annonce qu'il sera question de "tous les spectacles d'Europe", que pour toute nouveauté "un correspondant impartial" s'appliquera à informer le "lecteur délicat", sans négliger "les mœurs des comédiens et surtout des actrices". Mais Chevrier meurt six mois après le lancement de son périodique dont la publication n'est soutenue par ses associés (Yvon et Constapel) que jusqu'en août 1763.

Le Journal des Théâtres est d'un autre intérêt, et pas seulement parce que son histoire illustre les difficultés que rencontre alors l'homme de plume qui entend se faire l'écho de la vie dramatique. Il procède de ce *Nouveau Spectateur* qui, créé en 1770 par le Prévost d'Exmes, ne réussit jamais à s'imposer au public[29] tant ses rubriques sont lourdes et languissantes: ainsi ne faut-il pas moins de 34 pages au rédacteur pour relater l'intrigue du *Barbier de Séville*[30]. Lassé, le Prévost vend son privilège à Lefuel de Méricourt, avocat au Parlement, qui s'est entiché de théâtre: à partir du 1er juin 1776, *le Nouveau Spectateur* devient *le Journal des Théâtres.* Or Lefuel entend, dans ses articles, s'exprimer avec une totale liberté: prétention préoccupante pour les Comédiens que leurs intérêts personnels incitent à une agressive vigilance. Dès le numéro 1, Lefuel donne le ton: il consacre une notice à ceux des Comédiens qu'il considère comme étant les véritables soutiens de l'art dramatique; or tous ceux qu'il nomme sont des *doublures.* Il s'en prend aussi à la déclamation de Lekain, idole incontestée. Tant de désinvolture est insupportable et Lefuel doit se justifier contre les protestations des *histrions:*

> Pourquoi les comédiens ont-ils crié si haut? A-t-on attaqué leurs propriétés et, qui plus est, leurs mœurs? Dieu nous en préserve. Mais quand ils jouent mal, quand le public, les auteurs et leurs supérieurs seront mécontents d'eux, on le dira, on l'écrira (nº 3, 1er mai 1756).

La franchise de langage ne paie pas et contre l'imprudent se développe une de ces manœuvres où les Comédiens sont passés maîtres. Ils ont assez d'entregent pour faire désigner, comme censeur pour le périodique, Coqueley de Chaussepierre, qui est le propre avocat-conseil de la Comédie et qui dispose de tous les moyens administratifs et juridiques pour empêcher une parution régulière. Puis, dans un second temps, on fait tout simplement retirer son privilège à Lefuel[31]. Pour plus de sécurité, le privilège est accordé au gendre du célèbre acteur Préville, le Vacher de Charnois (à partir du 1er avril 1777).

Sans doute Charnois, trop lié au monde des comédiens, est-il d'une objectivité discutable. Mais, animé par lui, le *Journal* répond bien à son objet et constitue un riche document sur la vie théâtrale contemporaine[32]. Il joue le même rôle d'information que les autres publications. Mais souvent les articles constituent de véritables chroniques dramatiques. Dans le numéro 6 par exemple (15 juin 1777), on découvre sur le personnage de Nicomède toute une étude qui n'est pas simplement une dissertation littéraire, mais bien une analyse du *rôle*, des différentes manières de le tenir: Nicomède peut-il faire rire le spectateur? comment réussir à exprimer l'ironie du héros sans trahir la nature d'une pièce qui appartient au "genre admiratif"? [33]. Ailleurs le chroniqueur s'applique à observer comment le comédien, reprenant un même rôle (Zamore, de Voltaire) à cinq ans de distance, en renouvelle la compréhension (n° 29, 1er juin 1778); il s'efforce de déterminer quel parti, dans telle scène de *Zaïre* (IV, 5), l'interprète d'Orosmane peut tirer du recours à un jeu mimique accentué (n° 14, 15 octobre 1777).

Les remarques de Fréron, au contraire, n'apportent guère d'informations d'une portée proprement dramatique: il suffit de lire sa chronique consacrée à *Tancrède* et celle rédigée par Charnois (n° 19, 1er janvier 1778), qui s'attache à noter les tons de voix, les gestes, en termes encore maladroits parce que trop généraux, et l'on percevra qu'il y a bien là l'esquisse d'une critique qui se veut théâtrale avant d'être littéraire ou politique. Pourtant l'entreprise de Charnois est, elle aussi, condamnée, et toujours pour la même raison: les jugements sont trop précis pour satisfaire tous les Comédiens. Au bout d'un an, précise Grimod de la Reynière, Charnois abandonne, "dégoûté des humiliations subalternes dont les comédiens l'abreuvaient sans cesse" [34].

Cet éphémère *Journal des Théâtres* constitue une exception et le fait demeure: la critique dramatique, dans les années 1750–1790, est largement dominée par les préoccupations idéologiques.

Les défenseurs des idées nouvelles sont en général sévères à l'égard de cette presse parce qu'elle leur est souvent hostile. En 1762, Chevrier écrit avec humeur: "Nombre de journaux imprimés en Europe? 172. Combien de bons? Celui des *Savants* et 5 autres. Combien de médiocres? Celui de *Trévoux* et 8 autres. Combien de détestables? celui de Fréron et 156 autres, parmi lesquels vous aurez l'attention de comprendre: *le Journal du Commerce, la Feuille Nécessaire, l'Avant-Coureur, le Monde, la Spectatrice,* ouvrages mauvais par excellence" [35].

Dans *le Neveu de Rameau,* Diderot dresse un bilan tout aussi négatif des activités de cette "clique de feuillistes", au sein de laquelle nul n'est autant vilipendé, menacé que Fréron. Ce qui irrite le plus le clan philosophique, c'est que le directeur de *l'Année Littéraire* n'est pas homme à se laisser intimider; que, une fois interdit, il finit toujours par reprendre pied. Toutes les entreprises lancées pour ruiner Fréron en lui suscitant des rivaux échouent. Les journaux conçus dans cette intention périclitent en peu de temps: *l'Observateur Littéraire* de la Porte (1758–1762), *l'Ane Littéraire* de le Brun, puis sa *Renommée Littéraire* (décembre 1762–avril 1763). *Le Journal Etranger* disparaît en 1763. Quant à *la Gazette Littéraire de l'Europe,* dont Voltaire songe, dès le 23 mai 1763, à se servir "pour ruiner l'empire de l'illustre Fréron", elle ne dure que 18 mois, de mars 1764 à septembre 1766.

Il n'est donc pas excessif d'affirmer que, par la permanence de son activité, par la netteté de ses prises de position, par l'audience qu'il s'est acquise, Fréron est à peu près le seul journaliste du temps qui ait, de façon suivie, joué auprès de l'opinion publique, par l'intermédiaire de la presse, un rôle d'informateur et de guide dramatique. Et ce guide n'est pas seulement écouté par les adversaires de la *secte.* Mme du Deffand le lit et l'apprécie, ainsi qu'en témoigne Voltaire: "Je vous aime, malgré votre goût pour les feuilles de Fréron" (6 août 1760).

A cette même époque s'institue un autre mode d'information et de critique, discret, quasi clandestin, qui échappe, lui, aux pressions qui accablent les chroniqueurs: les *Correspondances littéraires,* dérivées des activités de l'abbé de Pure pour les habitués des ruelles; mais cette fois l'entreprise s'étend à l'échelle de l'Europe.

Il semble que la première de ces correspondances soit celle de Thiériot qui, dès 1736, a joué le rôle de correspondant du prince de Prusse (jusqu'en 1748; il est remplacé par Baculard d'Arnaud). La Harpe remplit des fonctions analogues pour le grand-duc Paul de Russie, Suard pour la margrave de Bayreuth, Crébillon fils pour la reine d'Espagne, Favard pour le comte de Durazzo (surtout en ce qui concerne le théâtre). Voltaire lui-même, retiré à Cirey, utilise l'abbé Moussinot ("S'il veut 200 livres par an, à condition d'être mon correspondant littéraire et d'être infiniment discret, volontiers"). La correspondance de Grimm qui, en 1753, succède à l'abbé Raynal, est la plus riche de ces gazettes d'un nouveau genre[36]. Elle s'adresse uniquement à des princes:

> Je me suis fait depuis longtemps une loi de ne donner cette correspondance qu'à des princes, et plusieurs bonnes raisons m'obligent de m'y tenir. On m'a fait quelquefois des offres de 100 pistoles et de 1.200 francs par an, pour l'envoyer à des particuliers très considérables en Angleterre, mais je n'ai pas voulu (A la Landgrave de Hesse, 15 juillet 1766)[37].

La liste de ses correspondants est impressionnante par sa qualité: impératrice de Russie, reine de Suède, roi de Pologne, duchesse de Saxe-Gotha, etc. Grimm touche vraiment les cercles dirigeants de l'Europe.

Ces correspondances, envoyées souvent par courrier diplomatique, sont infiniment plus libres que la presse traditionnelle: elles échappent à la censure et, dans le cas de Grimm, elles restent rigoureusement secrètes. Grimm le précise à Frédéric: "la *liberté* et la sûreté de cette correspondance exigent un secret inviolable, et les amis mêmes de l'auteur ne sauraient être exceptés de cette règle"[38].

Cette *Correspondance,* restée inconnue du public jusqu'à sa publication en 1812, constitue un document intéressant sur l'état du goût dramatique, sur les opinions personnelles du rédacteur; mais les jugements portés n'ont pu exercer aucune influence sur la carrière des pièces qui sont examinées: elle est mensuelle, les comptes-rendus ne paraissent donc qu'avec un retard important sur la création; à quoi s'ajoutent encore les délais exigés par l'acheminement vers des destinations souvent très lointaines.

Grimm est très lié à la *secte.* Pourtant, couvert par le secret, il n'a pas à se préoccuper d'afficher une constante solidarité avec le clan. Il peut ainsi prendre ses distances vis-à-vis du culte rendu à Voltaire: affirmer que Voltaire se trompe en croyant que son *Oreste* est supérieur au modèle grec (juillet 1761); que "les Scythes ne disent pas ce qu'ils doivent dire", ils disent "ce que j'en dois penser. Ils se vantent de leur simplicité, comme si un peuple simple savait qu'il l'est" (janvier 1767); que des dernières tragédies de Voltaire "avec très peu de changements on ferait des drames lyriques" (janvier 1767). A contre-courant de l'opinion reçue, il n'hésite pas à juger que *l'Eloge de Racine* de la Harpe manque "d'idées et de vues". Une telle liberté de jugement, qui n'exclut pas certains partis-pris[39], est possible parce que Grimm est sûr que ses prises de position ne sont pas divulguées sur la place publique parisienne.

Dans les dernières années qui précèdent la Révolution, se manifeste enfin une nouvelle forme d'expression de la critique avec l'institution de ce que, faute de terme plus adéquat, on peut appeler des "cours publics". Comme le rappelle D. Mornet[40], il n'existe pas alors d'enseignement supérieur au sens où on l'entend aujourd'hui puisque, dans les universités, en pleine décadence d'ailleurs, on étudie avant tout le droit, la médecine, la théologie, sans faire de place aux Belles-Lettres. Cette carence est donc compensée par la création de sociétés littéraires: en 1780, la *Société Apollonienne* qui devient, un an plus tard, le *Musée,* puis le *Musée de Paris.* En 1785, ce *Musée* prend sa dénomination définitive, appelée à la célébrité: le *Lycée* où va s'illustrer la Harpe en prononçant des conférences pour un public surtout mondain, réuni dans la fréquentation d'une sorte d'université libre. Dès 1782, Bachaumont note l'importance du phénomène: "il se forme de toutes parts des sociétés, des Musées, en sorte que Paris va bientôt se diviser, comme Londres, en coteries à l'infini".

La Harpe vient du journalisme et de la correspondance littéraire (de 1774 à 1791, il travaille pour le futur Pierre Ier)[41]. Il a tenu une rubrique critique au *Journal de Bruxelles,* mais surtout au *Mercure* où son franc-parler lui a valu des hostilités d'une virulence qui a étonné Grimm: "Il a du talent; on dit généralement qu'il a encore plus de fatuité, et il faut qu'il en soit quelque chose, car il a une foule d'ennemis; et son talent n'est ni assez décidé ni assez éminent pour lui en avoir attiré un si grand nombre" (15 avril 1768). Celui dont, selon Le Brun, "l'impertinent visage appelle le soufflet" est un fidèle de la *secte* ("des sophistes du temps adulateur banal", Gilbert), étroitement lié à Voltaire qu'il appelle "papa".

Il est malaisé d'apprécier ses jugements. D'abord parce que sa vie, comme sa manière de penser, a connu une rupture brutale qui l'a amené à renier les plus bruyantes de ses convictions. Enfant des Lumières, il a d'abord été un ardent partisan de la Révolution. Jusqu'en 1794, ses articles du *Mercure* sont pleins de développements enflammés contre le fanatisme, la superstition, le despotisme. Mais lorsque, en avril 1794, il est à son tour jeté en prison par la Terreur, il rencontre son chemin de Damas: le dénonciateur du parti-prêtre retrouve la Foi, à la lecture des *Psaumes,* de *l'Imitation* et lorsqu'il reprend ses cours, à la fin de 1794, il se fait, avec une ardeur égale, le contempteur d'une idéologie qu'il a passionnément contribué à diffuser, saluant même un des premiers le Chateaubriand du *Génie du Christianisme*[42]. Ses opinions sont ainsi différentes suivant qu'elles sont formulées avant ou après 1794.

D'autre part, du haut de sa chaire, la Harpe joue davantage le rôle de professeur que celui de critique. La littérature contemporaine le retient moins que celle du passé. Il commente, dogmatise, dans une perspective qui est celle de l'enseignement et du modelage des esprits. A ce point de vue, son influence a été considérable, mais non immédiate. Avec tout ce qu'il comporte de systématique, de doctoral, son *Cours* a constitué, pour plusieurs générations, un code de référence. Pendant longtemps l'enseignement "humaniste" et universitaire s'est inspiré de ses leçons, se contentant de les démarquer. A la fin du XIXe siècle encore, Sarcey évoque la place tenue, dans les classes, par les jugements de La Harpe[43]: sa doctrine dramatique a marqué de façon profonde la tradition pédagogique française.

Stendhal a lu son *Cours* avec attention; il a souvent condamné "le correct la Harpe" qui apprend à "rester petit ou le devenir"[44], "critique sans sentiment"[45]; mais l'exaspération même que suscite en lui "ce pédant"[46] manifeste l'influence exercée par La Harpe.

Or le code élaboré par La Harpe est le code voltairien dilué en développements doctoraux. L'admiration vouée à Racine est celle même qui a enflammé Voltaire, et elle est justifiée par les mêmes arguments. La dénonciation de Corneille procède de la même source.

C'est en tout cas l'enseignement de la Harpe qui a le plus largement contribué à maintenir au répertoire pendant un siècle les tragédies de Voltaire (*Oedipe* est encore représenté en 1848; *Zaïre* poursuit au XIXe siècle une carrière honorable). Elles font partie du *corpus* dramatique officiel; les jugements sont dithyrambiques: "Quelle est la plus belle tragédie du théâtre français? Je ne crois pas trop hasarder en assurant que *Zaïre* est la plus touchante de toutes les tragédies qui existent"; "Je regarde *Zaïre* comme un drame égal à ce qu'il y a de plus beau pour la conception et l'ensemble et supérieur à tout dans l'intérêt".

L'influence exercée par le *Cours* publié a été durable, marquant même les auteurs de manuels ou d'histoires de la littérature. Sur le public qui a assisté aux conférences de la Harpe, elle a été certainement plus restreinte: les jugements émis ne faisaient que reprendre des opinions qui étaient courantes à l'époque.

***

L'insertion de plus en plus poussée des comédiens dans la vie mondaine complique tout. En jugeant un acteur ou une actrice, le critique ne risque pas seulement de blesser des susceptibilités professionnelles: il prend parti, là encore, dans les conflits d'idées.

Dans les années 1760 par exemple, on rencontre chez Fréron, outre Palissot et Poinsinet, zélés champions de la cause des traditions, des comédiens comme Préville et Bellecour, influents sociétaires du Français. Par contre, Clairon et Lekain, acteurs en pleine gloire, sont en correspondance permanente avec Voltaire.

A ce point de vue encore est exemplaire la querelle élevée autour de la refonte de *Wenceslas.*

Après avoir attaqué les innovations de Marmontel[47], Fréron ajoute que, selon ses informations, les comédiens ont décidé de ne pas reprendre la pièce, ce qui équivaut à affirmer que son propre jugement défavorable est confirmé par celui des interprètes. Aussitôt Marmontel publie une lettre du comédien Dalainville qui, au nom de la troupe, apporte un démenti aux assertions de Fréron. Le journaliste de *l'Année Littéraire* crie alors à l'imposture: il apporte le témoignage de Lekain, de la Gaussain, de la Dangeville et établit que la lettre de Dalainville a été inspirée par Clairon, amie très personnelle de Marmontel, que cette lettre n'a pas été soumise à l'ensemble de la troupe. Fort de sa démonstration, Fréron passe alors à une "exécution" de Marmontel qui va bien au-delà de la critique du nouveau *Wenceslas:* "Qu'il abandonne la carrière du théâtre dont tant de chutes lourdes auraient dû le dégoûter; qu'il se borne à rhabiller des historiettes, de petits contes, des nouvelles, à batifoler, à papillonner, à frétillonner[48]. Ce ne sont point là des injures, mais des avis que je lui conseille de suivre".[49].

Dans ces conditions, les jugements portés sur les comédiens sont inspirés moins par le souci d'apprécier un talent dramatique que par celui de régler des comptes. Lorsque, en 1765, Fréron publie une épître, rédigée par Dudoyer des Gastels, à la louange d'une débutante, Mlle d'Oligny[50], il l'accompagne de considérations sur les mœurs de certaines actrices qui confondent l'exercice de leur art et celui du "libertinage" et de la "prostitution". "On peut accorder quelque estime au jeu théâtral de la comédienne; mais le sceau du mépris est toujours empreint sur sa personne. C'est en vain qu'après avoir acquis une honteuse célébrité par le vice, on affecte un maintien réservé. Cette honnêteté tardive et fausse ne sert qu'à former un contraste révoltant avec l'histoire connue d'une jeunesse infâme"[51]. Fréron ne nomme personne. Mais sa diatribe est d'une application aisée: il vise Clairon, étant sous-entendu qu'une comédienne aussi étroitement liée à la *secte* ne saurait être qu'une fille perdue de mœurs. Cette fois, l'éclat met le journaliste en dangereuse posture: grâce au duc de Richelieu, Clairon obtient un ordre d'incarcération. Les protestations des amis de Fréron, celle de Bachaumont an nom des droits d'expression de la "littérature impartiale"[52] restent vaines. L'affaire remonte jusqu'à la reine, jusqu'à Choiseul; et c'est seulement, une fois de plus, grâce à Stanislas que l'ordre d'emprisonnement est rapporté.

Quant aux démêlés de Clairon avec Mlle Hus, médiocre actrice, que Diderot a ridiculisée dans *le Neveu de Rameau,* ils doivent être considérés sous le même angle. Rivalités d'actrices autour des premiers rôles tragiques, mais aussi épisode de la guerre engagée autour des "Lumières". Mlle Hus est la maîtresse attitrée du fermier général Bertin, violemment hostile à la *secte*; en 1760, elle s'est entremise, au sein du tripot, pour imposer, malgré l'hostilité de Clairon, la comédie de Palissot, *les Philosophes.* Et Chevrier, l'âpre satirique qui, dans *le Colporteur* ou dans ses *Almanachs,* étale les péripéties de la liaison, ne pardonne pas à Bertin d'avoir financé l'opération par laquelle Palissot, Poinsinet et quelques autres ont réussi à faire échouer une de ses propres pièces.

Ainsi, de quelque côté que l'on se tourne, voit-on au fur et à mesure que s'amplifient les luttes autour des idées nouvelles, la vie dramatique s'enliser dans les querelles d'idéologies ou de factions. Ce ne sont pas des auteurs et des acteurs que l'on juge, mais des alliés que l'on exalte ou des adversaires que l'on dénigre, en fonction de la position qu'ils ont prise dans le grand débat.

***

La ligne de partage est ainsi nettement tracée et les clans paraissent irréconciliables. Et pourtant si abstraction est faite des positions idéologiques, les points de vue, en matière dramatique, sont souvent, d'un bord à l'autre, très voisins. La réalité est celle-ci: si Fréron et Voltaire n'avaient fait que porter des jugements dramatiques, il n'y aurait eu entre eux, en la matière, guère plus que des nuances.

Les insultes qu'échangent les deux camps donnent à penser que les adversaires n'ont pas en commun une seule idée ou un seul principe. Dans *Candide,* Fréron apparaît comme "le gros cochon qui me disait tant de mal de la pièce où j'ai tant pleuré... (qui) hait quiconque réussit, comme les eunuques haïssent les jouissants" (XXII). Dans *le Pauvre Diable,* il est un "lâche Zoïle, autrefois laid giton... De Loyola chassé pour ses fredaines, Vermisseau né du c... de Desfontaines".

Quand Palissot, ayant rallié le camp qu'il a d'abord, aux côtés de Fréron, si violemment combattu, publie son poème satirique de *la Dunciade* (1764), il présente de son ancien allié la même image caricaturale: "maître Aliboron", "Zoïle hebdomadaire", "ivrogne". Le sommet de l'empoignade est atteint en 1760 avec les *Anecdotes sur Fréron,* recueil des calomnies les plus diverses, qui relèvent de la pure et simple diffamation, et que Voltaire ne cesse de désavouer. Le "portrait" de Fréron est à peu près celui-ci: fils de faux monnayeur, escroc au jeu, débiteur indélicat, ivrogne, époux d'une femme légère dont il exploite les charmes; et, bien entendu, critique à gages inspiré par l'appât du gain autant que par la volonté de dénigrement systématique et l'impuissance à créer[53].

Pour la *secte*, il s'agit de ruiner l'audience d'un journaliste trop écouté qui, en matière dramatique en particulier, entend se faire le guide de l'opinion: "Comme la représentation donne (aux) pièces une plus grande vogue, et que par là elles influent davantage sur le goût de la nation, on se fait un devoir d'en remarquer les défauts et d'empêcher que l'on ne confonde le galimatias avec le sublime, le mauvais avec le bon, le médiocre avec l'excellent, le jargon du collège avec le langage de la nature"[54].

Pour Fréron, la critique est donc (comme pour Geoffroy, son continuateur) une arme privilégiée dans sa lutte contre une entreprise de subversion de l'esprit public. Si, par exemple, on prône si fort la nouveauté des drames de Diderot, c'est simplement parce que l'on passe sous silence tant de recherches antérieures: "Les différentes espèces de drames ont été connues avant lui. Tout ceux qui ont écrit sur le théâtre depuis trente ans les ont observées"[55]. Fausses gloires, faux mérites, faux prophètes.

Mais ce que Fréron entend défendre avant tout, c'est le goût – préoccupation qui est celle-même de Voltaire.

Pour lui, la première marque du goût est le respect des maîtres qui ont illustré la scène française. En cela Fréron ne fait que continuer Desfontaines. Dans l'affaire de *Wenceslas,* abstraction faite de son appartenance à la *secte*, ce que Fréron reproche à Marmontel, c'est de jouer les iconoclastes irrespectueux: "Nous sera-t-il donc permis de dénaturer ainsi des ouvrages respectables par leur antiquité, de faire jouer et de faire imprimer pour notre compte des pièces qui ne nous appartiennent pas? "[56]. Il existe des modèles dont il est inconvenant de négliger les leçons: "J'ai peur que nos poètes dramatiques ne s'écartent des anciennes règles: qu'ils ne perdent pas de vue la route noble et simple des Corneilles et des Racines"[57]. La hiérarchie est solidement fixée: "Le grand Racine a voulu peindre les différents caractères de l'amour; et jamais poète ne les peindra mieux que lui. J'aime *Zaïre* autant que la baronne de xxx; mais j'aime mieux *Bérénice.* Sans *Bérénice,* il n'y aurait jamais eu de *Zaïre*". Or ce culte de Racine est pleinement partagé par Voltaire.

A ces admirations, Fréron, comme beaucoup de ses contemporains, joint celle de Crébillon qui a évité certains défauts auxquels Racine même n'a pas échappé; qui, seul, a su réaliser l'accomplissement de la terreur et de la pitié. La vertu dramatique de la terreur, "peu connue du grand Corneille, absolument ignorée de Racine", constitue aux yeux de Fréron la véritable tragédie: "Quel spectateur peut voir jouer *Electre, Atrée, Rhadamiste,* sans éprouver ce sombre, ce ténébreux, cette terreur, ce frémissement, qui font tant de plaisir à l'âme en la troublant, en la déchirant, en l'arrachant, si je puis parler ainsi"[58].

Epousant la querelle de Voltaire, les critiques de l'autre bord supportent mal ce panégyrique. Plus tard, la Harpe dénoncera en Fréron: "celui qui se fit pendant vingt ans le panégyriste de Crébillon"[59] et il réfutera l'assertion selon laquelle Crébillon serait "le créateur d'une partie qui lui appartient en propre, de cette terreur qui constitue la véritable tragédie": *Atrée* n'est pas le modèle de la terreur tragique, "ce modèle existait longtemps auparavant, dans le 5e acte de *Rodogune*". La véritable terreur tragique, la Harpe la trouve, naturellement, dans le 5e acte de *Zaïre* ou le 4e de *Mahomet:* "Si l'on me demande pourquoi, c'est qu'à cette terreur, portée au comble, se joint la plus attendrissante pitié; c'est que le cœur, serré par l'effroi, est soulagé par les larmes; et c'est là, si je ne me trompe, le dernier effort de l'art"[60].

Mais si les divergences d'opinion à propos de Crébillon attestent bien que l'on continue, de part et d'autre, à se prononcer pour ou contre Voltaire, il reste que, sur les principes, les positions sont très proches. Dans le jugement porté par Fréron sur *le Siège de Calais* (de Belloy), on retrouve les deux mots-clés utilisés par la Harpe: "Il n'y a ni *terreur* ni *pitié* dans la pièce, ce n'est donc pas une tragédie. (...) Je ne cesserai de le répéter aux jeunes poètes qui consacrent leurs talents à Melpomène: de la terreur comme Crébillon, de la pitié comme Racine, sans cela point de tragédie".

Fréron, pas plus que la Harpe, ne renie le credo esthétique formulé par Boileau. Et dans son *Parallèle d'Horace, de Boileau et de Pope* (1761), Voltaire lui-même le répète: "sans la terreur et la pitié, point de tragédie".

La vertu d'attendrissement de l'œuvre théâtrale, si chère à Voltaire, semble tout aussi importante à Fréron. A propos d'*Adèle, comtesse de Ponthieu* (la Porte): "J'ai vu des larmes couler à la représentation: preuve non équivoque de l'attendrissement qu'elle inspire"[61]. Tel est, à ses yeux, le véritable mérite de *Mérope:* "Malgré ses défauts, elle est en possession d'arracher des larmes toutes les fois qu'on la donne"[62].

Le traditionalisme viscéral de Fréron ne l'empêche pas d'être plus ouvert que Voltaire à certaines innovations, à la comédie sérieuse en particulier. Voltaire, lui, ne cesse d'exercer son ironie aux dépens de ce "monstre né de l'impuissance des auteurs et de la satiété du public"[63], de ce "tragique bourgeois", de ces "vains efforts d'un auteur amphibie". Fréron prend position: "*Doit-on prescrire à l'art des limites quand la nature n'en a pas?* (...) Le genre larmoyant, puisqu'on l'appelle ainsi, me paraît plus conforme à nos mœurs que la tragédie"[64]. Et Beaumarchais aurait pu prendre à son compte cette remarque: "Les infortunes des rois et des héros auront-elles seules le privilège de nous émouvoir? Lorsque dans le monde on nous fait le récit d'un malheur arrivé à un de nos semblables, nous en sommes quelquefois attendris jusqu'aux larmes. Pourquoi ce malheur ne nous serait-il pas représenté sur la scène? ".

Mais pour Fréron comme pour Voltaire, il est des limites que les novateurs ne doivent pas transgresser: le mélange des genres, proscrit par Boileau, ne peut être pratiqué que selon les exigences du bon goût.

C'est encore au nom de ce bon goût qu'il n'est pas tolérable que Melpomène descende trop bas. A propos du *Pilobouffi* d'Anbrepte, Fréron s'indigne que l'on peigne "les malheurs du valet comme ceux du Maître, la flamme d'un décrotteur comme les feux d'un Monarque"[65]. Jamais l'intérêt qui sera porté aux gens du commun n'égalera celui "que nous prenons aux héros dans les tragédies"; "Il s'agit de la perte de la liberté, d'une couronne, de la vie. Ces malheurs sont d'une autre espèce que ceux du commun des hommes. Des particuliers ne sont point exposés à de pareilles infortunes"[66]. Voltaire ne dit pas autre chose lorsqu'il loue la *Dissertation* dans laquelle Chassiron s'en prend au nouveau genre: "Que serait-ce qu'une intrigue entre des hommes du commun? Ce serait seulement avilir le cothurne; ce serait manquer à la fois l'objet de la tragédie et de la comédie". Voltaire entend que l'auteur prenne pour héros des "hommes élevés au-dessus du commun, non seulement parce que le destin des Etats dépend du sort de ces personnages importants, mais parce que les malheurs des hommes illustres, exposés aux regards des nations, font sur nous une impression plus profonde que les infortunes du vulgaire". Aux termes près, les points de vue de Fréron et de Voltaire sont analogues. L'élaboration d'une esthétique dramatique moderne, la définition de critères nouveaux, ce n'est à aucun de ces deux irréconciliables adversaires qu'il faut les demander; mais à Diderot, à Beaumarchais dans une certaine mesure, à Sébastien Mercier surtout.

Le respect de Fréron pour la tragédie classique ne l'aveugle pas au point de l'amener à croire qu'il faut sans cesse revenir aux sujets proposés par l'antiquité: "Les noms de Troie, d'Hélène, d'Agamemnon, de Thésée, de Laomédon etc. ont été si souvent répétés sur notre théâtre qu'on ne les entend plus sans une certaine satiété"[67]. Telle est aussi la préoccupation de Voltaire lorsque, soucieux d'offrir au spectateur des cadres nouveaux, il va chercher ses sujets aux Amériques, en Chine, ou dans l'histoire de France. Mais ce que Fréron exige, comme Voltaire, c'est que ces Américains, ces Chinois ou ces Français s'expriment en Américains, en Chinois, en Français: "Qu'on nous représente *réellement* les Chinois, non pas comme dans la médiocre tragédie de *l'Orphelin de la Chine*. . ., qu'on nous fasse voir les Japonais. . ., que les usages, les coutumes de chaque nation soient employés avec adresse"[68].

Fréron dénonce en particulier ce qui affadit l'œuvre dramatique par des épisodes de tendresse superflue: il regrette que, dans *Namir* (Thibouville), "l'amour joue un rôle trop langoureux, trop élégiaque"[69]. Et à propos de *Spartacus* (Saurin): "Il ne faut jamais mettre sur le théâtre des héros amoureux, à moins qu'ils ne le soient avec transport, à moins que cet amour n'absorbe ou ne balance toutes les autres passions"[70]. On croirait lire Voltaire dénonçant le caractère artificiel de tant de "chevaliers français" et déplorant la "malheureuse coutume d'accabler nos tragédies d'un épisode inutile de galanterie"[71].

Dans le débat qui s'est instauré autour des unités, Fréron et Voltaire se rejoignent encore. Dans la préface d'*Oedipe*, Voltaire a mis en évidence les dangers d'une extension des unités de temps et de lieu, alors que Diderot s'enflamme ("Ah! si nous avions des théâtres où la décoration changeât toutes les fois que le lieu de la scène doit changer!") et que Marmontel s'emporte contre une "règle gênante qui interdit aux auteurs un grand nombre de beaux sujets, ou les oblige à les mutiler". Pas plus que Voltaire Fréron n'admet ce laxisme: "On ne peut être trop sévère sur l'unité de lieu. Sans cette unité, la conduite d'une pièce est presque toujours embarrassée, louche"[72]. Aussi condamne-t-il sans hésitation *Beverlei* (Saurin) dont l'un des plus graves défauts lui paraît être "le changement continuel du lieu de la scène: "tous ces changements multipliés de décoration blessent l'œil du connaisseur"[73].

Quant à la prétention de substituer la prose au vers, elle est rejetée par Voltaire comme par Fréron: "Depuis quand la poésie fait-elle rien perdre à la vérité pour les mœurs et l'expression? "[74]. Ici encore la volonté novatrice est à chercher du côté de Diderot, de Grimm, de S. Mercier affirmant qu'on "doit entendre sur le théâtre le langage de la nation et non une langue factice".

Il faut donc tirer cette conclusion: si, dans la lutte philosophique, Fréron et Voltaire avaient été du même bord, ils auraient eu en commun les mêmes préjugés, les mêmes aspirations à des nouveautés prudentes. Pourtant, à partir de principes esthétiques analogues à ceux de son adversaire, Fréron porte sur le théâtre de Voltaire des jugements sévères. Il ne dénigre pas systématiquement ces tragédies: il loue franchement *Mérope,* reste modéré sur *l'Orphelin de la Chine* auquel il reproche les inconséquences de Gengis-Khan, le déplacement de l'intérêt qui se porte successivement sur l'Orphelin, puis sur Idamé, puis sur le fils d'Idamé; et encore que l'ordonnance de la pièce soit trop lâche. Mais, dans sa *Correspondance* de 1755, Grimm formule les mêmes réserves: la tragédie "languit", le rôle principal est manqué, il s'établit une fâcheuse disproportion entre l'intérêt qui s'attache aux problèmes sentimentaux d'Idamé et celui que soulève le drame de sa nation.

De même lorsque Fréron dénonce l'abus des coups de théâtre qui transforment la tragédie en prétexte à spectacle extérieur, lorsqu'il critique l'apparition de l'Ombre dans *Sémiramis,* le caractère trop chargé de l'intrigue d'*Olympie* ("Une cérémonie de mariage, une procession, deux reconnaissances, un duel, une bataille, trois suicides, un enterrement, un beau feu"), il ne fait qu'appliquer à ce théâtre le principe émis par Voltaire lui-même dans son *Epître Dédicatoire* de *Tancrède:* "ce n'est pas un grand mérite de parler aux yeux".

Sur ce point, c'est encore ailleurs que chez Voltaire et Fréron qu'il faut chercher une volonté novatrice: du côté de Grimm, par exemple, qui souhaite, lui, la présence de l'échafaud; qui regrette que Voltaire ait évité de présenter son Tancrède recevant les derniers sacrements avec toute leur pompe et leur spectacle[75]; qui déplore que Voltaire ait soustrait aux regards du spectateur la mort de Marianne, "les fureurs et les égarements d'Hérode"[76].

C'est donc bien l'idéologie seule qui sépare Fréron et Voltaire. Et si les jugements portés par *l'Année Littéraire* sont si durs pour Voltaire, c'est qu'ils sont inspirés par un autre souci: celui de défendre une tradition dramatique qui est inséparable de la tradition politique et religieuse. Monarchiste convaincu, très attaché à la gloire de la patrie[77], Fréron ne peut tolérer les prises de position du "détestable citoyen" qui a commis *la Pucelle* ou *le Discours aux Welches* et sape par son action comme par son œuvre les fondements mêmes de l'ordre existant. Quelque grand qu'il soit par son talent, un auteur ne saurait être autorisé à s'en prendre aux vérités sacrées. Fréron accepte que les sujets religieux soient portés à la scène: "Quel inconvénient y aurait-il d'introduire sur notre scène des prêtres, des religieux, des religieuses même, pourvu que ce fût avec le respect que doit inspirer leur état? "[78]. Mais sont intolérables les perpétuelles déclamations contre les prêtres, la religion présentée comme génératrice de sectarisme et de crimes. Sur ce point Fréron va très loin, rejetant la notion même de tolérance: "Vouloir qu'on admette indifféremment toutes sortes de religions dans un Etat, n'est-ce pas travailler à proscrire celle qui s'y trouve établie? ébranler les fondements de la tranquillité publique? ". La tolérance, "cette extravagance prétendue philosophique", n'aboutirait qu'à "naturaliser parmi nous les sectes les plus ridicules et les plus absurdes" ou encore à favoriser le développement de cette religion dite "naturelle", "si incertaine et si ambiguë"[79].

Rien ne manifeste mieux l'équivoque qui s'établit dans la plupart des jugements de Fréron que sa condamnation de l'abus des "sentences" au théâtre. Son argumentation n'est pas dénuée de portée dramatique: "la tragédie peint par des faits, non par des sentences" elle marche en agissant comme dans un champ de bataille, non en philosophant comme au Lycée"[80]. Mais ces sentences sont condamnables non pas tellement parce qu'elles sonnent faux mais parce que, la plupart du temps, elles véhiculent une pensée subversive comme, par exemple, toutes celles qui sont placées dans la bouche de l'héroïne d'*Hypermnestre* (Lemierre) qui se révolte contre la religion de son pays: une "philosophiste"[81]

En cette période pré-révolutionnaire, la critique dramatique, détournée de ce qui constitue en principe son objet, n'est plus qu'une manifestation, entre tant d'autres, du conflit idéologique élevé dans l'esprit public. La campagne menée par Fréron et ses épigones contre les œuvres dramatiques de Voltaire et de ses sectateurs au nom de la défense du "goût" et de la tradition dramatique est en réalité un aspect de la campagne globalement engagée pour la défense des valeurs établies; les prises de position en faveur de pièces animées d'un esprit nouveau ne sont pas seulement inspirées par le sens de la "camaraderie" de clan, elles manifestent la volonté de mettre en cause l'ordre existant.

II

La querelle "dramatique" autour des *Philosophes* (1760) de Palissot permet de voir fonctionner en une même opération ces rouages dont on vient de recenser les multiples mécanismes[82].

Les années 1758–1759 marquent une étape dans la lutte engagée parce que, à cette date, la partie n'est pas encore gagnée par la *secte* et parce que, les forces antagonistes s'équilibrant à peu près, l'avantage peut encore passer d'un camp à l'autre. Une décade plus tard, au contraire, il sera évident que les partisans de la tradition sont débordés de façon à peu près irrémédiable.

En avril 1758, Marmontel a obtenu la direction du *Mercure*, coup heureux pour les tenants des Lumières. Il prend alors cette curieuse initiative de récrire *Wenceslas.* Le 14 mai 1759, Fréron consacre à son entreprise un article sévère qui est à l'origine d'une mêlée où se trouvent engagés les Comédiens, les salons, les cafés, les auteurs, les feuillistes. Or, pour avoir collaboré à une parodie de *Cinna* où est maltraité le duc d'Aumont, Marmontel, par un retour de fortune inattendu, se trouve du jour au lendemain embastillé. C'est encore au début de 1759 que Lamoignon révoque le privilège de *l'Encyclopédie;* et à la fin de cette même année, Fréron étrille *la Femme qui a raison*[83], comédie de Voltaire qui s'est tenu jusqu'alors à l'écart mais qui, devant cette agression, part de nouveau en campagne contre ce "chien" de Fréron qui recommence à mordre. Alors débute, spectaculaire, la grande bataille voulue par les traditionalistes en vue de porter des coups décisifs à des adversaires que l'on croit ébranlés par les mesures enfin dépourvues d'équivoque que prend contre eux le pouvoir.

L'opération s'engage avec solennité, avec le discours de Lefranc de Pompignan pour sa réception à l'Académie (10 mars 1760). Si on le dégage des sarcasmes que lui a prodigués Voltaire, Lefranc apparaît comme un personnage considérable par sa renommée d'éminent magistrat et de grand poète lyrique. Ce n'est donc pas un mince comparse qui prend l'offensive et dénonce avec violence l'action subversive exercée par une "littérature dépravée et une philosophie altière qui sape également le trône et l'autel". La *secte* réplique par une brillante campagne de pamphlets, menée par Voltaire et Morellet, avec les *Quand,* les *Car,* les *Ah!Ah!,* les *Pour,* les *Que,* etc.

C'est dans cette atmosphère tumultueuse, quelques jours avant que Lefranc présente au roi son *Mémoire* de justification (11 mai), que Palissot fait représenter sa comédie des *Philosophes* qui constitue l'un des éléments mis en place pour accabler le clan philosophique, au moment où celui-ci vient de repartir à l'assaut. *Les Philosophes* sont un libelle mis en forme dramatique; et l'œuvre ressortit davantage à la satire qu'au théâtre. C'est pourtant bien en tant que comédie qu'elle va être soumise au magistère de la critique.

Palissot, dont Diderot a, dans *le Neveu de Rameau,* dressé un portrait féroce, est, comme tant d'autres, un des jeunes loups (en 1760, il a 30 ans) qui, par souci de se faire rapidement une place au soleil, sont entrés dans la carrière littéraire en s'appuyant sur l'une des deux coteries antagonistes. Mais, lorrain d'origine, il a opté non pas, comme la plupart des débutants, pour le camp des idées nouvelles mais pour celui qui, autour de Stanislas, se fait champion du traditionalisme. Il défend ainsi les mêmes positions que Fréron; l'un et l'autre sont élus en même temps à l'Académie de Nancy. Bientôt Palissot se place dans le sillage de Choiseul dont la politique est pour l'instant gênée par l'action des philosophes. Aussi Choiseul utilise-t-il, entre bien d'autres, Palissot pour contrebattre dans l'opinion publique la campagne menée par les voltairiens. Palissot, à 25 ans, a déjà fait jouer (à Lunéville bien entendu) sa comédie *Le Cercle ou les Originaux,* première esquisse des *Philosophes,* où il ridiculise les membres du clan voltairien, et aussi J.J. Rousseau. Sa fortune se développe fructueusement. En 1755, il obtient, par Choiseul, la Recette générale des tabacs d'Avignon[84] et c'est encore Choiseul et les la Marck[85] qui le tirent de la mauvaise affaire où il s'est trouvé entraîné par la faillite d'un banquier véreux. Aussi appuie-t-il de ses *Petites Lettres sur les grands philosophes* la campagne des Cacouacs (1757) menée par Moreau; il s'en prend au drame bourgeois de Diderot, qu'il accuse d'athéisme et de complot contre l'ordre établi.

Les Philosophes[86] constituent avant tout une œuvre de guerre mise au service de Choiseul qui, pour un temps, appuie le clan hostile à la *secte.* Tout jugement sur l'œuvre va en être radicalement faussé.

On s'en aperçoit dès le moment où la comédie est soumise aux Comédiens, qui sont les premiers appelés à porter sur elle un jugement. Palissot la leur lit sans cacher de quelle protection elle bénéficie[87]. Aussitôt au sein du tripot éclate le tumulte: Clairon, en particulier, déclame contre "cette infamie"[88]; et ce n'est pas la qualité de la pièce qui inspire à la tragédienne tant d'indignation.

La comédie qui, dans un contexte différent, aurait seulement évoqué *les Femmes savantes* dont elle s'inspire visiblement, se présente sans fard. Les personnages sont des personnages à clés plus ou moins transparentes: Cydalise, Philaminte entichée de la *secte,* est Mme d'Epinay[89]; Dortidius est Diderot ("un sot", "le sucre apprêté de ses propos mielleux", "son ton capable et son air hypocrite", II, 5). En Théophraste, on voit Duclos; en Valère, Helvétius[90]. Quant au valet Crispin, il est Rousseau, avec son habillement extravagant (III, 9), sa misanthropie, mais "au fond plein de droiture et de sincérité" (II, 6). Les références aux œuvres des Philosophes sont directes; *les Considérations sur les Mœurs* (Duclos), *l'Interprétation de la nature* et *le Fils Naturel* (Diderot), *le Petit Prophète* (Grimm), *le Discours sur l'Inégalité* de Rousseau, que l'on voit (III, 9) entrer à quatre pattes (allusion à la formule utilisée par Voltaire dans sa lettre du 30 août 1755) et brouter une laitue.

Si déplaisante qu'elle soit, la satire des personnes serait sans grande portée si elle ne débouchait pas sur la mise en cause de tout un groupe et la dénonciation d'une entreprise de subornation de l'opinion publique. D'Alembert discerne bien l'intention: "Le but de cette pièce est de représenter les philosophes, non comme des gens ridicules, mais comme des gens de sac et de corde, sans principes et sans mœurs".

Le réquisitoire est total. Les Philosophes, sous couleur d'éclairer leurs contemporains, ne se préoccupent que d'assurer leur propre fortune (Valère "épouse 10.000 écus de rente": "l'on songe au plaisir, mais après la fortune", III, 3). Le seul but qu'ils assignent à l'existence est le service de l'intérêt personnel, seule valeur digne d'être proposée à l'homme ("Il n'est qu'un seul ressort, l'intérêt personnel; il s'agit d'être heureux, il n'importe comment", II, 1). Tous les moyens sont bons, mais le plus efficace est de constituer, en vue de piper la multitude des naïfs, une solide association. La *secte* n'est fondée ni sur l'amitié ni sur l'estime mutuelle:

> Il n'est pas question, Messieurs, de s'estimer;
> Nous nous connaissons tous. Mais du moins la prudence
> Veut que de l'amitié nous gardions l'apparence.
> C'est par ces beaux dehors que nous nous imposons;
> Et nous sommes perdus si nous nous divisons. (III, 3)

La règle fondamentale d'action est ainsi définie: "Tout devient donc permis? – Excepté contre nous et contre nos amis". Derrière ce rideau de fumée se développe la diffusion d'une doctrine funeste, essentiellement négative: "Ils ont l'art de détruire, mais ils n'élèvent rien". Ils détruisent les sentiments les plus élémentaires, celui de la famille, l'autorité du père, l'amour maternel ("Vaines chimères, Dignes du gros bon sens qui conduisait nos pères", I, 5). Ils ne reconnaissent pas le primat des lois ("préjugés" dont "nous ne voulons plus", II, 1). La notion de patrie est une billevesée à laquelle doit être substitué le culte de l'humanité et Damis, l'adversaire des philosophes, dénonce l'escroquerie: "Je les soupçonne D'aimer le genre humain, mais pour n'aimer personne" (II, 5). Dortidius-Diderot expose le point de vue de la secte:

> Que me fait le succès d'un siège ou d'un combat?
> Je laisse à nos oisifs ces affaires d'Etat.
> Je m'embarrasse peu du pays que j'habite;
> Le véritable sage est un cosmopolite.

Quand il s'agit de riposter aux adversaires, il suffit de recourir au "ressort usé qui réussit toujours": se défendre avec "ces grands mots imposants d'*erreur,* de *fanatisme,* de *persécution*" (II, 1). Si par hasard le danger se manifeste au théâtre, la manœuvre est aisée à mettre en place: le public "décide en oison" et, pour le tromper,

> Nous ferons un bruit à rendre les gens sourds.
> Nous avons des amis qui, de loges en loges,
> Vont crier au miracle et forcer les éloges...
> Nous avons tant de gens qui pour nous se dévouent,
> Tant de petits auteurs qui par orgueil nous louent...

Et prévoyant l'orage que va susciter sa comédie, Palissot prête à Valère ces propos:

> ... Diffamons et l'auteur et l'ouvrage.
> Armons la main des sots pour nous venger de lui;
> Portons des coups plus sûrs en nous servant d'autrui.
> Ne peut-on pas gagner des acteurs, des actrices?
> Nous aurons un parti jusque dans les coulisses.
> Il faut de la cabale exciter les rumeurs,
> Nous montrer, même en loge, aux yeux des spectateurs.
> Je connais le public, nous n'avons qu'à paraître:
> Il nous craint.

La comédie répond très exactement à l'analyse que, dans sa préface, Palissot donne de la *secte:* "Une secte impérieuse (...) exerçait un despotisme rigoureux sur les scènes, les lettres, les arts et les mœurs. Armée du flambeau de la philosophie, elle avait porté l'incendie dans les esprits, au lieu d'y répandre la lumière; elle attaquait la religion, les lois et la morale; elle prêchait le pyrrhonisme, l'indépendance et, dans le temps qu'elle détruisait toute autorité, elle usurpait une tyrannie universelle. Ce n'était point assez de la liberté de publier ses opinions avec faste; elle déclarait la guerre à tout ce qui ne fléchissait pas le genou devant l'idole".

La pièce est créée le 2 mai 1760 et connaît 14 représentations successives, fort fréquentées. C'est un succès indiscutable, mais succès de scandale et d'actualité. Cette réussite, d'Alembert l'attribue à la cabale: "la pièce n'a été applaudie que par des gens payés, presque tous les billets de parterre ayant été donnés. Le premier jour entre autres, il y en avait 450 de donnés". Que la salle ait été soigneusement "préparée" ne fait aucun doute. Le parti qui soutient la comédie a pris ses précautions: adversaire résolu de l'*Encyclopédie*, le maréchal de Biron a renforcé les sentinelles du parterre qui reçoivent pour consigne, en cas de tumulte, d'intervenir "l'arme haute". Mais la véritable raison du succès n'est pas là: on vient en foule non pas pour assister à une représentation dramatique, mais pour être témoin d'un nouvel épisode, qui cette fois se joue en public, du conflit idéologique, et qui est pimenté d'attaques contre les individus.

Sollicité par d'Alembert de porter un jugement qui vengerait la philosophie, Voltaire, retiré aux Délices (et que Palissot a eu l'habileté de ne pas mettre en cause), ne s'engage pas: la protection de Choiseul incite à la prudence et il se contente de réponses dilatoires. C'est Morellet qui se charge d'exécuter la comédie avec sa *Vision de Charles Palissot*[91]. De jugement proprement dramatique il n'est pas là question; les insultes à Mme de Robeck[92] complètent celles qui tombent sur Palissot: voleur, banqueroutier, prostituant sa femme et transformant sa maison en mauvais lieu[93].

De l'autre côté, on jubile, quoiqu'avec modération. Fréron ne peut cacher sa joie de voir bafoués ses adversaires: la pièce lui a causé "un plaisir infini". Il émet cependant des réserves, percevant que la violence de la satire dessert la juste cause: certains traits sont "trop forts et trop durs"[94]. Dans son article du 16 juin, il est plus net encore (il y a d'autant plus de mérite que le scandale de *l'Ecossaise* vient d'éclater, le couvrant d'infamie); la désignation trop transparente de personnalités vivantes est injustifiable: "nos lois et nos mœurs" ne supportent plus la "licence" que pouvait se permettre Aristophane; Molière lui-même s'est contenté de ridiculiser Ménage et Cotin, non de les rendre odieux: "le plus grand nombre des spectateurs ont été blessés avec raison des personnalités que le poète s'est permises"[95].

Fréron n'oublie pourtant pas complètement que, après tout, c'est des mérites dramatiques de la comédie qu'il conviendrait de débattre. Et, se dégageant de l'optique selon laquelle, depuis le début, l'œuvre a été appréciée, il écrit: "M. Palissot dira peut-être que toutes les comédies se ressemblent; qu'il s'agit presque toujours d'un mariage traversé et conduit à une heureuse fin; soit. Mais, pour en arriver à ce dénouement, il faut un nœud, et même des nœuds, c'est-à-dire de l'intrigue, des ressorts, des incidents, des obstacles, des surprises. Rien de cela dans la pièce des *Philosophes.* Elle est toute en dialogues"[96].

Vaine tentative pour s'engager sur des voies critiques normales. *L'Ecossaise* de Voltaire, jouée le 29 juillet 1760, replace aussitôt la polémique sur son véritable terrain: *l'Ecossaise* peut bien prendre la forme dramatique, elle n'est qu'une réponse aux *Philosophes*[97]. Selon Grimm[98], c'est parce qu'il est "honteux d'avoir permis la pièce des *Philosophes*" que le gouvernement autorise celle de Voltaire, pour "donner une marque d'impartialité".

Dans ce drame à résonances pathétiques, les calamités qui s'abattent sur la malheureuse Lindane ne sont évoquées que pour faire ressortir la noirceur de ce Frélon[99], rédacteur de *l'Ane Littéraire (l'Année Littéraire,* bien entendu), qui est à l'origine de tous les malheurs de la noble jeune fille: séducteur des femmes en la vertu desquelles il ne croit pas (I, 1), vénal ("il n'en coûte qu'une pistole par paragraphe", I, 2), hostile à tout ce qui est beau ("Il fait siffler la pièce qui réussit, et ne peut pas souffrir qu'il se fasse rien de bon", I, 3), espion ("J'ai partout des correspondances"), délateur qui accable sa victime en la dénonçant comme "ennemie de l'Etat" (II, 3). Bref "un esprit de travers et un cœur de boue, dont la langue, la plume et les démarches sont également méchantes; (qui) cherche à s'insinuer partout, pour faire le mal s'il n'y en a point, et pour l'augmenter s'il en trouve" (I, 5).

Tel est le ton de ce drame dont la critique est appelée à rendre compte. Dans un premier temps[100], Grimm, qui juge sur le seul texte (et qui écrit avec la liberté que lui laisse le caractère confidentiel de sa *Correspondance*), demeure très réservé. Ses remarques sont celles d'un vrai critique: le personnage de Frélon, en particulier, lui paraît manqué (un peu comme à la Bruyère Tartuffe avait paru être un Imposteur trop sommaire): "Il fallait lui donner une autre physionomie, en faire un fourbe profond, simulant la franchise et l'honnêteté, s'insinuant adroitement auprès de Lindane (...). Mais M. de Voltaire a voulu calquer son Frélon sur M. Fréron, faiseur de feuilles et diseur d'injures, et cela lui a fait gâter son tableau". Et Grimm se livre à un judicieux exercice. Reprenant un passage où Frélon s'indigne de ne pas avoir sa part de gratifications, il s'applique, "pour faire ressortir toute la fausseté de ce discours", à transformer ce monologue en dialogue entre Frélon et un partenaire, "Fabrice (l'hôtelier), par exemple": "on sentira combien (ces propos) sont déplacés et faux" dans la bouche du protagoniste. Et Grimm tire cette conclusion, qui constitue un jugement purement esthétique: "On voit dans cette comédie et en général dans tous les ouvrages plaisants de M. de Voltaire, qu'il n'a jamais connu la différence du ridicule qu'on se donne à soi-même, et du ridicule qu'on reçoit des autres".

Mais le succès remporté par la représentation surprend Grimm qui, cinq semaines plus tard, sans revenir sur ses premières observations, rectifie: la pièce lui paraît désormais comme étant "d'un nouveau genre plus simple et plus vrai que celui de notre comédie ordinaire". Et de louer le rôle de Freeport qui "a fait grande fortune"[101] : Freeport est un gros négociant londonien, rude mais franc, bourru bienfaisant, philosophique antithèse de Frélon.

Fréron, comme tout le monde, a pris connaissance du texte imprimé; il ne peut donc pas conserver d'illusion sur la manière dont le traite la comédie. Il tient cependant à assister à la création; mais il a déjà composé, lecture faite, son article qui n'occupe pas moins de 44 pages sur les 72 de la livraison[102]. C'est à juste titre que Sainte Beuve considère comme "un des meilleurs articles" de Fréron, "le meilleur peut-être"[103], cette *Relation d'une grande bataille,* qui est présentée comme le fantaisiste récit de la soirée de *l'Ecossaise.* Evocation, digne du *Lutrin,* de ce combat mené à la Comédie Française, sous la conduite du généralissime Dortidius (Diderot), par tous les membres de la secte, désignés sous des pseudonymes transparents[104], lesquels, après la victoire, se rendent en cortège fêter le triomphe par un bal, pendant que s'illuminent les hôtels des Philosophes: jubilation qui est couronnée, le lendemain, par un solennel *Te Voltarium.* La *Relation* est enlevée, plaisante et acérée, mais on ne saurait la considérer comme un article de critique dramatique.

On pourrait penser que, pris à parti par Voltaire d'une façon aussi directe, Fréron ne se serait pas vu contester son droit à la réplique. Or, avant d'être imprimé, l'article de Fréron doit être approuvé par le censeur attaché à *l'Année Littéraire,* ce Coqueley de Chaussepierre auquel va se heurter plus tard Beaumarchais (Coqü-é-ley) et qui collabore au *Journal des Savants.* Or Coqueley, auquel, il est vrai, est soumis un texte beaucoup plus polémique que le texte définitif, refuse le visa. Fréron est donc contraint d'en référer à Malesherbes ("On imprime tous les jours à Paris cent horreurs; je me flatte que vous voudrez bien me permettre un badinage"). Celui-ci consent à reconnaître que "le pauvre Fréron (est) dans une crise" qui exige "quelque indulgence". Mais le censeur tient ferme sur un point: il n'est pas question de laisser passer le trait final: le *Te Voltarium,* inadmissible parodie du *Te Deum.* Et Fréron doit encore plaider auprès du directeur de la Librairie: "Tout mon article n'est fait que pour amener cette chute, et je suis perdu si vous me la retranchez (...). Ce n'est point une supposition en l'air quand j'ai l'honneur de vous dire, Monsieur, que j'ai lu ce *Te Voltarium* à deux évêques (...); ils n'en ont fait que rire".

Il suffit alors que Malesherbes concède à Fréron ce *Te Voltarium* pour que Voltaire, indigné par tant de complaisance, en vienne à écrire: "Le nom de Fréron est sans doute celui du dernier des hommes; mais celui de son protecteur serait à coup sûr l'avant-dernier".

***

Assurément, l'affaire des *Philosophes* et de l'*Ecossaise* constitue un cas extrême, dans lequel l'art dramatique n'est plus qu'un simple prétexte. Mais elle illustre, à l'excès sans doute, vers quels insolites terrains est entraînée la critique pendant cette période 1750–1789. Au jeu traditionnel des rivalités d'auteurs, des coteries de salon, des susceptibilités et des féroces jalousies de comédiens, s'ajoute celui, bien plus fondamental, des grandes manœuvres philosophiques. Louanges ou condamnations correspondent à des jugements de valeur portés, sous le couvert de l'art dramatique, sur des conceptions opposées de l'Homme, de l'organisation de la Société. L'idéologie triomphe partout, sur la scène de théâtre comme dans les chroniques qui sont consacrées à la vie des œuvres dramatiques.

Notes

1 Cf. D. Mornet, *Les Origines intellectuelles de la Révolution française*, A. Colin, réédition 1947).

2 op. cit., p. 121.

3 Dans l'édition, de nombreuses notes "historiques" rendent responsable la religion de la barbarie des anciens cultes.

4 *Année Littéraire*, VII, p. 318.

5 Id., p. 97 et sq. Ce Fontaine, dénonciateur des excès de l'intolérance religieuse, fut pourtant censeur royal.

6 Op. cit., p. 138.

7 La pièce ne connut que 9 représentations. C'est à la création que Voltaire adressa au public la célèbre admonestation: "Courage, Athéniens, c'est du Sophocle!".

8 Cf. Cornou, *Trenté années de lutte contre Voltaire et les Philosophes: Fréron*, 1921, p. 220.

9 En août 1753, par exemple, l'abbé de la Porte voit supprimée sa revue *Observations sur la littérature moderne* pour un article de la Condamine.

10 *Malesherbes, témoin et interprète de son temps*, Fischbacher, 1961.

11 *Lettre à Malesherbes*, citée par Cornou, p. 123.

12 Refonte d'*Adélaïde du Guesclin* sifflée en 1734. Jouée en 1752, elle obtient un succès honorable, surtout grâce à Lekain.

13 *Lettres*, VIII, p. 35.

14 *Année Littéraire*, 1754, III, p. 309.

15 Id., VII, p. 340.

16 Selon Voltaire, Choiseul a été condisciple de Fréron à Louis-le-Grand.

17 Cf. D. Delafarge, *Vie et œuvres de Palissot*, 1912, p. 114–115.

18 Cf. P. Clément et A. Lemoine, *M. de Silhouette. Bouret, le dernier des fermiers généraux*, 1872. En 1763, Bouret fait interdire une comédie "anti-financière", *la Confiance trahie* d'A. Bret.

19 En 1764, Choiseul expulse les Jésuites. Du coup il semble donner un gage éclatant aux philosophes.

20 Marmontel, *Mémoires*, édition Belin, I, p. 190.

21 Lekain, *Mémoires*, p. 31–32. Selon Fleury (*Mémoires*), Lekain déclare: "Marmontel retouchant Rotrou, c'est un eunuque du Parnasse s'efforçant de rajeunir Hercule", I, p. 120.

22 Sur l'évolution du *Mercure,* cf. Mornet, op. cit., p. 161–164.

23 Marmontel dut rapidement quitter le *Mercure* après le scandale causé par une parodie de *Cinna* à laquelle il avait collaboré et qui s'en prenait au duc d'Aumont. Le brevet du journal fut alors donné à la Place.

24 I, p. 232 et sq.

25 Dans sa *Correspondance littéraire* (lettre 61), la Harpe écrit: "Il rend compte de la pluie et du beau temps, des nouveautés du jour, de l'historiette qui a couru la veille, etc. Il est de nature à être assez en vogue; on aime fort à Paris à parcourir tous les matins une nouvelle feuille, et dans les provinces on est bien aise d'être au courant de toutes les nouvelles de Paris".

26 *La Gazette,* devenue en 1762 *Gazette de France,* est un journal officiel qui appartient au ministère des Affaires Etrangères et ne fait plus de place à l'actualité littéraire.

27 Cf. année 1754: essais et admission de Lekain; année 1774: pension de 1.000 livres accordée à Lekain sur la cassette royale.

28 Chevrier (1700–1762) a dû s'exiler en raison de l'outrance de ses pamphlets (cf. Hatin, *Bibliographie de la presse,* p. 72–73).

29 En 1770, trois numéros seulement paraissent. La publication n'est reprise qu'en 1775, pour quatre numéros.

30 Troisième cahier de la seconde série.

31 Obstiné, Lefuel lance alors, de Londres, un *Journal français, italien et anglais, dramatique, lyrique et politique* (1776–1778).

32 Plus tard, de 1786 à 1789, Charnois publie ses *Costumes et Annales des grands théâtres de Paris* (7 vol.); en 1770, *Recherches sur les costumes et sur les théâtres de toutes les nations* (inachevé).

33 Cf. le mémoire que Charnois adressa à Lekain pour discuter son interprétation de Néron (cf. *Recherches sur les costumes...,* II, p. 15 et sq.)

34 *Prospectus* du *Censeur Dramatique* an V (1797).

35 *Almanach des gens d'esprit pour toute la vie, publié en l'année 1762,* p. 287.

36 Cf. K. Georges, *Grimm als Kritiker der Zeitgenössischen Literatur in Correspondance Littéraire,* Bär-Hermann, 1904; A.C. Jones, *Grimm as a critic of eighteenth century French drama,* Bryn Mawr, 1926; E. Schérer,*Grimm: l'homme de lettres, le factotum, le diplomate,* 1887; J.R. Monty, *La Critique Littéraire de Grimm,* Minard, 1961.

37 Le coût de l'abonnement est très élevé. Grimm calcule qu'il est à la tête d'une affaire "de près de 9.000 livres par an" (cité par Schérer, op. cit., p. 242).

38 Cité par Wohlfeil, *Archiv für das Studien der Neueren Sprachen und Literaturen* (CXXVIII, 1912, p. 334).

39 Cf. sur *Tartuffe:* "Il eût fallu faire de Tartuffe un prêtre. C'eût été un spectacle instructif, bon à montrer aux femmes et aux filles" (septembre 1765). Cf. l'éloge dithyrambique du *Fils naturel* (mars 1757).

40 Op. cit., p. 283.

41 Sur la Harpe, cf. les articles de Sainte Beuve (10 et 17 novembre 1851). Dans le chapitre qu'il consacre à la Harpe journaliste, *Histoire de la presse,* (II, p. 439 et sq.), Hatin ne fait que démarquer ces deux *Lundis.* Cf. A. Bonneville, *La Harpe as juge of his contemporaries,* Ohio, 1961.

42 Il compose même une épopée (connue après sa mort), *La religion ou le roi-martyr.*

43 *Temps,* 5 juillet 1886.

44 *Journal,* 1810, éd. Pléiade, p. 875. Stendhal recommande à Pauline la lecture du *Cours:* "Cet ouvrage t'ennuiera peut-être un peu; mais il te *dégrossira*" (Lettre du 9 mars 1800).

45 A. Crozet, 7 juin 1804. Avec le temps, Stendhal devient plus sévère: les "nigauds présents et à venir, (les) la Harpe..." (à Pauline, 20 juin 1804): "sécheresse, manque d'enthousiasme et aussi "tartufferie" (à Pauline, août 1804) puisque La Harpe appartient à la secte du *Génie*.

46 A Pauline, 23 juin 1808.

47 *Année Littéraire,* 1759, III, p. 129 et sq.

48 Pour dénoncer sa scandaleuse vie privée, un pamphlétaire a donné à Clairon ce sobriquet de Frétillon.

49 *Année Littéraire,* 1759, III, p. 320 et sq.

50 Née en 1746, elle créa la Rosine du *Barbier de Séville.*

51 *Année Littéraire,* 1765, I, p. 120.

52 *Mémoires secrets,* II, p. 180.

53 Cf. F. Cornou, *Trente années de lutte contre Voltaire et les philosophes: Fréron,* 1921; R. Naves, *le Goût de Voltaire,* 1938; D. Williams, *Voltaire literary critic,* Genève, 1966.

54 Lettre à la Comtesse de xxx, II, p. 289.

55 *Année Littéraire,* 1761, IV, p. 308. Cf.: "Il est bien singulier qu'on appelle nouveau un genre aussi ancien que l'art même du théâtre; un genre connu par les Grecs et les Romains" (id., 1767, VIII, p. 99).

56 Id., 1759, III, p. 129.

57 *Année Littéraire,* 1759, II, p. 316.

58 Id., 1762, VII, p. 134.

59 *Cours de Littérature ancienne et moderne,* XIII, p. 131.

60 Id., XIII, p. 129–130.

61 *Année Littéraire,* 1757, VIII, p. 356–357. Cf. id., 1764, VIII, p. 256, à propos du *Comte de Comminges:* "Il y a longtemps que je n'ai lu de tragédie qui m'ait fait verser autant de larmes".

62 *Lettres...,* II, p. 64 et sq.

63 *Siècle de Louis XIV,* à propos de Destouches.

64 *Lettres...,* IV, p. 10 et sq.

65 *Année Littéraire,* 1755, III, p. 111.

66 Id., 1760, III, p. 317.

67 *Année Littéraire,* 1764, III, p. 53–69. Fréron s'inquiète pourtant de voir les auteurs exagérer: "Peut-être verrons-nous bientôt des Calmoucks, des Lapons, des Groenlandois, des Hottentots...", 1767, VII, p. 169.

68 Id., 1760, VII, p. 168 et sq.

69 Id., 1759, VII, p. 288.

70 Id., 1760, IV, p. 145 et sq.

71 *Dédicace de Mérope.*

72 *Année Littéraire,* 1761, IV, p. 290.

73 Id., 1778, VII, p. 242. Même remarque à propos de *la Nouvelle Ecole des Femmes* de Moissy, id., 1758, VI, p. 76.

74 Id., 1757, V, p. 55.

75 IV, p. 297.

76 II, p. 397.

77 Dans la Querelle des Bouffons, Fréron prend parti pour la musique française.

78 1764, VIII, p. 217 et sq.

79 1770, VI, p. 19.

80 1775, VIII, p. 148.

81 1759, VII, p. 145 et sq.

82 Cf. D. Delafarge, op. cit.; H.H. Freud, *Palissot et "les Philosophes"*, Genève, 1867.

83 *Année Littéraire*, 1759, VII, p. 3 et sq.

84 Choiseul fait don à Palissot d'une maison de campagne à Argenteuil.

85 Cf. *Le Neveu de Rameau:* "Il y a baiser le cul au simple et baiser le cul au figuré. Demandez au gros Bergier qui baise le cul de Mme de la Marck au simple et au figuré". Bergier est un des rédacteurs du *Journal de Trévoux.*

86 Cf. tome II du *Théâtre du XVIIIe siècle* (éd. Pléiade). Cf. H.H. Freud, *Palissot and "les Philosophes"* in *Diderot Studies*, IX, Genève, 1967; C. Duckworth, *Voltaire's "l'Ecossaise" and Palissot's "les Philosophes"* in *Studies on Voltaire and the XVIIIth Century*, tome LXXXVII, 1972.

87 Cf. Collé, *Journal*, mai 1750.

88 Lettre de d'Alembert à Voltaire, 6 mai 1750.

89 Autre clé suggérée: un "Helvétius en jupon".

90 D'Alembert, Voltaire sont épargnés. Palissot avait envoyé à Voltaire sa comédie. Dans sa lettre-préface, Palissot insiste sur le fait qu'il ne s'en est pris ni à Voltaire, "ce génie rare dont je n'ai parlé qu'avec transport", ni à "l'illustre Montesquieu".

91 Pour répondre à la campagne déclenchée contre lui, Palissot se couvre de l'exemple de Molière. Le texte de Morellet est une réplique à cette préface.

92 Malesherbes à Sartine (29 mai): "C'est une satire sanglante non seulement contre Palissot, mais contre des personnes très respectables qui, par leur état, doivent être à l'abri de pareilles insultes".

93 Cf. *Quelques traits de l'auteur de la comédie des Philosophes:* "Palissot a fait banqueroute, a été chassé de son emploi pour malversations, a fait enfermer sa femme à partir du jour où elle a cessé d'être lucrative; c'est un escroc, et de plus un sacrilège". La polémique se poursuit: Palissot réplique par un *Conseil des Lanternes.* Morellet est embastillé le 11 juin.

94 *Année Littéraire*, 1760, III, p. 115.

95 Id., 1760, IV, p. 221.

96 Id., 1760, IV, p. 228.

97 *L'Ecossaise* a été composée avant la représentation des *Philosophes.* Ce qui explique que la cible choisie soit non pas Palissot, mais Fréron.

98 *Correspondance Littéraire*, 1er octobre 1760.

99 La police, en autorisant la pièce, demande seulement que soit changé ce nom de Frélon, Voltaire le remplace par celui de Wasp (guêpe).

100 *Correspondance Littéraire*, 1er juillet 1760.

101 Id., 5 août.

102 *Année Littéraire*, 1760, V, p. 209 et sq.

103 *Lundis*, article consacré à Malesherbes, II, p. 523 (23 septembre 1859).

104 Le "savetier Blaise" qui fait "le diable à quatre" est Sedaine (auteur de l'opéra-comique *le Diable à Quatre*, 1757). "Mercure" est Marmontel, qui a détenu le privilège du *Mercure.* "Tacite" est d'Alembert, traducteur de l'historien latin. Le "petit prophète" est Grimm, auteur du *Petit Prophète de Boemischbroda* (1753), etc.

Deuxième Partie

DE 1789 À NOS JOURS

CHAPITRE I

I

A partir de 1789, en quelques mois, la vie des théâtres, dans ce qu'elle a de plus matériel, est bouleversée de fond en comble[1].

A la veille de la Révolution, la pratique de l'art dramatique est en fait le privilège du seul Théâtre Français. La concurrence des Italiens, celle toute récente du Théâtre de Monsieur (ouvert le 26 janvier 1789) ne compte pas: ces deux théâtres obtiennent de beaux succès, mais auprès des gens de goût leur prestige est modeste. Quant aux "petits spectacles" (Variétés Amusantes, Ambigu, Délassements comiques) qui, eux aussi, attirent la foule, ils sont considérés comme relevant de la foire, du cirque, voire du mauvais lieu, non du culte des Muses. En 1784, S. Mercier, qui ne saurait passer pour un esprit rétrograde, juge avec la dernière sévérité "ces lieux de prostitution précoce", dont un "honnête homme", dans sa *Lettre à un père de famille sur les petits spectacles de Paris* dénonce la pernicieuse influence et la nullité en termes pathétiques: "lieux infâmes" où l'on présente "des ouvrages auxquels il est impossible de donner un nom: imaginez-vous de prétendues comédies sans suite, sans intérêt, pour tout sel des pantomimes monstrueuses, mélanges de bouffonnerie et d'héroïque". En de telles antres de divertissement canaille, un critique ne songe pas à s'aventurer.

Or, la Bastille à peine tombée, par la mise en cause du privilège accordé au Français, s'engage une campagne en faveur du droit pour chacun d'ouvrir un théâtre. Le principe est fermement posé par Millin de Grandmaison, au nom de la *Déclaration des droits de l'Homme*: "Tous les hommes sont égaux en droit (...). Si un seul homme peut élever un théâtre, tous les autres hommes ont le même droit". Ce sont là des accents qui, en 1790, trouvent toujours un vaste écho[2]. Lancé par la Harpe, soutenu par les esprits "libres" (Sedaine, M.J. Chénier, Palissot qui a bien oublié qu'il a écrit *les Philosophes,* Fabre d'Eglantine etc.), le mouvement balaie la résistance opposée par les Comédiens et les auteurs qui les soutiennent: le décret des 13–19 janvier 1791 met à un état de fait qui existe depuis un siècle en supprimant le privilège.

L'adoption du décret provoque un raz de marée: en novembre, la municipalité de Paris est déjà saisie de 78 soumissions; en février 1792, 35 salles de spectacles sont ouvertes, qui peuvent se contenter de monter des attractions de baladins, mais qui sont aussi autorisées à présenter de véritables pièces de théâtre [3].

En un an, le chroniqueur qui naguère rendait compte des spectacles à l'intention de l'habitué du Théâtre Français, du "connaisseur", se trouve noyé dans un flot de créations ou de reprises: selon *la Revue des Théâtres,* 375 pièces sont représentées en 1799. Un peu plus tard, Geoffroy pourra écrire, très pertinemment: "On ne va point aux pièces du boulevard parce que j'en parle, mais j'en parle parce qu'on y va" (*Débats,* 14 juin 1807).

L'abolition de la censure complète la proclamation de la liberté des théâtres. Elle est réclamée par les mêmes champions, M.J. Chénier en particulier, qui, dès 1789, a lancé sa *Dénonciation des Inquisiteurs de la pensée* contre les censeurs, "eunuques qui n'avaient plus qu'un seul plaisir: celui de faire d'autres eunuques". On s'appuie sur l'article 11 de la *Déclaration* qui proclame le droit pour tout homme d'exprimer sa pensée. Le décret des 13–19 janvier 1791, article 6, stipule que les officiers municipaux "ne pourront arrêter ni défendre la représentation d'une pièce".

Le gouvernement renonçant à sa prérogative de surveillance, l'écrivain peut s'abandonner à toutes les audaces, politiques, morales ou littéraires. Au cours du débat (séance du 13 janvier), l'abbé Maury a vainement insisté sur les dangers d'un régime de liberté totale et plaidé en faveur de l'établissement d'une "loi de police pour empêcher d'outrager les mœurs, la religion, le gouvernement (...), prévenir les écarts de l'imagination"[4]. Les propos de Maury ont été considérés comme "liberticides". Toute barrière est donc abolie du côté des pouvoirs publics. Du même coup la fonction de critique dramatique prend une nouvelle dimension: c'est à lui qu'il va désormais revenir, au gré de ses tendances personnelles, de jouer le rôle de dénonciateur du répertoire s'il le juge pernicieux. Si, en dehors de toute considération esthétique, le chroniqueur estime que *le Souper des Nonnes* ou *les Fourberies monacales* ou *la Journée du Vatican* (le Pape célébrant les charmes de l'ivresse et dansant un fandango avec la Polignac) sont indignes de la scène, il lui incombe de pallier la carence des autorités en portant sa propre condamnation. De l'autre bord, la mission que se donne *le Journal de la Montagne* est d'exiger que ne soit plus représentée "aucune pièce qui rappelât l'ancien régime si ce n'est pour le faire détester" (n° 97); *le Journal des Spectacles* milite pour faire "ensevelir dans les bibliothèques les pièces monarchiques" (n° 291), *le Journal des Hommes libres* condamne les spectacles où sont blessées "les oreilles républicaines par les noms fastueux des rois". Dans l'un et l'autre cas il s'agit de faire œuvre de salut public.

L'abolition de la censure ne dure que le temps d'un beau rêve. Et ceux mêmes qui, négligeant les avis de Maury, se sont faits les champions de la liberté totale ne tardent pas à en réclamer, sous une forme détournée, le rétablissement, au profit exclusif de leur cause cette fois.

Dès le début de 1793, de vifs incidents s'élèvent autour de *l'Ami des Lois* (de Laya) (1) qui se présente comme une apologie de la tolérance et où l'on découvre Robespierre en Nomophage et Marat en Duricrâne. Ceux qui réprouvent la politique "dure" du gouvernement font un triomphe aux tirades qui dénoncent les excès d'un régime trop radical. Le processus se déroule alors, exemplaire et banal. Huit jours après la création (2 janvier), diverses sections déposent auprès de la Commune des motions qui dénoncent "le danger de tolérer tout ce qui est propre à maintenir la division entre les citoyens". La suspension de la pièce ayant été obtenue, la mesure suscite une telle émotion que l'on est, en une journée, en pleine émeute; des milliers de personnes qui réclament la représentation envahissent le théâtre, malgré la menace des canons qui ont été amenés en hâte; le redoutable Santerre est hué. Informée du danger, la Convention, à l'appel de Kersaint qui fait valoir que l'Assemblée "ne connaît pas de lois qui permettent aux municipalités d'exercer la censure sur les pièces de théâtre", donne l'autorisation de jouer. Et c'est dans cette atmosphère de tension extrême que se lève le rideau. Ephémère victoire du principe de liberté: avec le procès de Louis XVI, la tension ne cesse de monter et, pour en finir, le 14, la Commune ordonne la fermeture de toutes les salles de spectacle.

A la même époque, un scénario analogue se déroule autour d'une mince comédie de Barré, Radet et Desfontaines, *la Chaste Suzanne* (3 janvier, Vaudeville) qui apparaît aussitôt insupportable aux champions de la rigueur républicaine: "pièce aristocratique", pleine d'"allusions criminelles". Un des personnages en effet, s'adressant aux vieillards qui accusent Suzanne, leur jette la phrase même adressée par de Sèze aux Conventionnels siégeant pour juger le Roi: "Vous êtes ses accusateurs, vous ne pouvez être ses juges".

La démonstration étant faite que l'absence d'une ferme législation ouvre la porte à tous les abus, on rétablit progressivement les dispositions répressives: le décret des 2–3 août prévoit qu'il sera mis fin à l'activité de tout théâtre qui fera représenter "des pièces tendant à dépraver l'esprit public et à réveiller la honteuse superstition de la royauté" (article 2). Aussi, le 26 août, le Comité de Salut Public ordonne-t-il l'interdiction de la *Paméla* de F. de Neufchâteau, qui a commis l'imprudence de faire de son héroïne une jeune fille noble[5].

Le 14 novembre, la situation se clarifie de façon définitive: sur proposition de Chaumette, il est décrété que désormais "les acteurs, les actrices et directeurs de tous les théâtres passeraient à la censure du Conseil"; et le 21 avril 1794, le Comité d'Instruction Publique reçoit pour mission de contrôler toutes les œuvres du répertoire. A la tête de cette Commission, un ami personnel de Robespierre, Payan-Dumoulin, est chargé de mener l'épuration de toutes les œuvres anciennes et modernes et il s'acquitte de sa tâche avec une exceptionnelle vigueur.

Au lendemain de Thermidor, la liberté d'expression est un moment rétablie: le décret du 1er mai 1795 invite avec modération le Comité d'Instruction Publique à "diriger les écoles, les théâtres et généralement les arts et les sciences vers le but unique (...) d'affermir la République" (article 7). Mais six mois plus tard, avec le retour en force des Jacobins, et devant le déferlement des pièces hostiles à la Révolution, les mesures d'interdiction administrative se multiplient. L'arrêté du 14 février 1796 met clairement les choses au point: les spectacles devant concourir "à l'épuration des mœurs et à la propagation des principes républicains, ces institutions doivent être l'objet d'une sollicitude spéciale de la part du pouvoir". A l'euphémisme près ("sollicitude"), la consigne est catégorique. En fait, c'est la législation de la Terreur qui se perpétue. *Zaïre* (!) est interdite "à cause des sentiments et des principes religieux que cette pièce renferme"; on n'admet pas qu'un personnage souhaite à un autre "bonne année": "usage aboli par le calendrier républicain"; on ne tolère pas une pièce qui plaide en faveur de la pitié pour les grands coupables: on pourrait croire que l'indulgence est ainsi recommandée "à l'égard des émigrés".

Pendant les courtes périodes où elle est vraiment protégée par des textes officiels (janvier 1791 – janvier 1793; mai 1795 – février 1796), la liberté des théâtres est, dans les faits, formelle. Car alors intervient une autre forme de censure, qui ne dit pas son nom celle-là, qui est incontrôlable, multiforme, et d'une efficacité redoutable, celle qu'exercent les spectateurs eux-mêmes.

Dès 1790, les théâtres sont placés sous le contrôle officieux mais effectif d'"activistes" des factions opposées, qui guettent les répliques pour acclamer ou pour huer, – et il ne s'agit plus de manifester en fonction des qualités dramatiques d'une œuvre. Avec la radicalisation des positions politiques, qui se précipite après la fuite à Varennes, cette surveillance devient plus oppressive que la censure même.

Aussitôt qu'une œuvre est soupçonnée de "respirer l'incivisme", des groupes organisés[6] perturbent la représentation, entonnent le "*Ça ira*", jusqu'au moment où l'on obtient que, de guerre lasse, l'auteur ou le directeur retirent la pièce. Avec la Terreur, la républicanisation du répertoire et du public atteint d'étonnantes proportions: elle impose la révision vétilleuse des textes classiques, la proscription des comédiens suspects de tiédeur et la dénonciation permanente de toute forme d'esprit contre-révolutionnaire.

L'abolition de la censure aurait dû être bénéfique au libre examen des œuvres, puisqu'elle tendait à assurer le droit de libre expression. Mais s'il est vrai que la mesure a modifié les conditions de l'exercice de la critique, ce n'est pas dans le sens espéré. Ainsi, en novembre 1791, le Vacher de Charnois qui a dû, treize ans plus tôt, abandonner son *Journal des Théâtres* sous la pression des comédiens, ressuscite sa publication: il espère que les libertés nouvelles lui permettront d'exprimer ses opinions sans obstacle. L'expérience dure sept mois (35 numéros), pendant lesquels le chroniqueur porte des jugements motivés sur une vie dramatique aux péripéties tumultueuses, mais dans des conditions inimaginables pour un observateur qui a connu d'autres temps. La conclusion est désabusée: "Autrefois nous étions des fous aimables, à présent nous sommes des fous furieux" (numéro 21). Elle précède de peu l'emprisonnement de Charnois et son exécution sommaire lors des massacres de septembre[7].

Car, dans une telle atmosphère, les rédacteurs sont tenus à une sévère auto-censure. En 1793, paraît un *Journal des Spectacles* qui rend compte des réactions du public, des initiatives prises par les patriotes en vue d'empêcher toute allusion au régime exécré et d'extirper toute trace de superstition religieuse. Et pourtant ce *Journal* devient suspect: il continue à utiliser des mots prohibés, comme ce titre de "monsieur" qui aurait dû céder la place à celui de "citoyen". Le *Journal* promet de se corriger, se contentant de plaider en faveur du terme "mademoiselle", qui n'a pas d'équivalent dans le nouveau vocabulaire (13 septembre). On voit quelle latitude est laissée au chroniqueur pour exprimer une opinion personnelle.

Au surplus, en ces temps agités, l'activité dramatique ne peut être qu'un appendice de l'actualité politique. *L'Année Littéraire,* qu'avait si longtemps animée Fréron pour la défense de la bonne cause, le constate dès sa première *Lettre* de 1790: "Des idées fortes et républicaines ont succédé au goût des plaisirs, des arts frivoles et de la littérature. Ce changement exigeait que *l'Année Littéraire* donnât une place considérable à l'objet qui est devenu d'un intérêt général pour toutes les classes de lecteurs". Les chroniques dramatiques disparaissent bientôt au profit de celles qui rendent compte de la situation générale du pays.

Aussi ceux des collaborateurs qui ne se satisfont pas de cette évolution préfèrent-ils quitter *l'Année Littéraire.* Geoffroy fonde *l'Ami du Roi* qui continue à militer en faveur de l'ordre ancien. Au moment de Varennes, les presses de *l'Ami du Roi* sont détruites par l'émeute; en mai 1792, ces journalistes "continuateurs de Fréron" sont décrétés d'arrestation.

C'est seulement après Thermidor qu'une certaine liberté d'expression redevient possible et qu'une presse nouvelle apparaît, qui se fait l'écho des idées réactionnaires: *le Journal des Débats, le Républicain Français, la Correspondance Politique, la Quotidienne, l'Ami du Citoyen,* etc. Autant de feuilles qui osent désormais opposer leurs points de vue à ceux des feuilles révolutionnaires dont les rédacteurs s'étonnent de ne plus avoir le monopole de l'information et du commentaire: "Entendez les plaintes des patriotes opprimés par l'aristocratie", gémit Ch. Duval dans *le Journal des Hommes libres.* Sous la réaction thermidorienne, sous le Directoire et le Consulat, et même, sous une forme détournée, sous l'Empire, la politisation de la presse va rester la règle, suivant les deux grandes lignes qui ont été déterminées par l'événement: il n'est pas de journal qui, par un biais ou par un autre, ne se définisse pas d'après la position qu'il prend vis-à-vis de la Révolution.

A ce bouleversement vient s'ajouter celui du répertoire dramatique. Jusque là, les œuvres à propos desquelles on polémiquait demeuraient dans l'ensemble fidèles au moule traditionnel: même pimentées d'acide philosophique, même échappant au cadre gréco-romain, les tragédies demeuraient des tragédies, auxquelles pouvait être appliqué le code élaboré au siècle précédent. Le drame constituait un genre nouveau, mais sa nouveauté ne correspondait qu'à des variations de ton et d'inspiration: "genre bâtard" (Voltaire) qui procédait d'une contamination de genres déjà existants . Quant à la comédie, elle s'était faite davantage satirique, davantage observatrice des mœurs et relâchée par rapport aux "bienséances"; elle n'avait pas subi de transformation fondamentale.

En quelques mois, la situation change de façon radicale et l'observateur est appelé à juger des œuvres qui n'ont plus aucun point commun avec celles qu'il est accoutumé d'apprécier[8]. Dès 1789, l'actualité la plus immédiate devient matière à mise en scène dramatique. On évoque *la Prise de la Bastille* naturellement, mais encore *le Chêne Patriotique* (du comédien Monvel), *le Triomphe du Tiers-Etat, les Bavardages politiques de la rue Saint Denis:* pour apprécier de telles productions, sur quelles habitudes de jugement s'appuyer? à quels critères se référer?

Au fur et à mesure que s'accusent les antagonismes, le répertoire devient plus étrange encore. L'impopularité grandissante de la Reine inspire des dizaines d'œuvres dont les titres précisent l'inspiration sans précédent: *l'Autrichienne en goguette ou l'orgie royale, la Descente de la du Barry aux Enfers et sa réception à la cour de Pluton par la femme Capet devenue la favorite de Proserpine, le Branle des Capucins ou le mille et unième tour de Marie-Antoinette,* etc.[9].

L'anticléricalisme du théâtre philosophique, qui avait suffi à provoquer indignation et scandale, apparaît comme timide quand on assiste aux *Fourberies Monacales,* au *Souper des Nonnes,* aux *Victimes cloîtrées.* Même si ses convictions religieuses sont tièdes, un chroniqueur ne peut, devant de tels spectacles, conserver son sang-froid. Et le même problème se pose lorsque, pendant la Terreur, on atteint les sommets de la créativité révolutionnaire avec *la Mort de l'infortuné Marat, l'Arrivée de Marat aux Champs-Elysées, Buzot, roi du Calvados, le Départ des Patriotes, la Journée du 10 août,* etc.

Enfin, pour achever de bouleverser la vie dramatique, les pouvoirs publics mettent en place une législation qui tend à promouvoir un répertoire qui n'a plus rien de commun avec celui qui s'est épanoui sous le régime déchu. Selon les dispositions prises par la Commune (16 septembre 1793), il ne s'agit pas seulement de purger la scène de "tous les ouvrages qui blesseraient les principes de liberté et d'égalité", mais bien encore de leur "substituer des ouvrages patriotiques". Le 2 août, sur proposition de Couthon, la Convention donne le ton: le répertoire devant être conçu "de par et pour le peuple", les théâtres sont tenus de présenter, outre les tragédies qui exaltent l'esprit révolutionnaire (*Brutus, Guillaume Tell, Caïus Gracchus*) des pièces "qui retracent les glorieux événements de la Révolution et les vertus des défenseurs de la Liberté". Quel *Art Poétique* a jamais assigné une telle fonction à la création dramatique?

Par leur destination même, ces spectacles doivent être essentiellement visuels: les vieux récits que les traditionnels confidents débitent en alexandrins solennels n'ont plus place quand il s'agit de frapper les yeux par l'image directe de Marat ensanglanté ou de la reine en goguette. Il s'agit de faire voir, et avec les plus vives couleurs. Il faudra se souvenir de cette débauche d'œuvres sans ambitions esthétiques, mais extraordinairement visuelles pour apprécier la portée de l'effort tenté, une fois passée la tourmente, par ceux qui se donnent pour mission de ramener les spectateurs aux saines doctrines: les unités, les bienséances, – de vieilles, très vieilles lunes.

Sans doute, après le 9 Thermidor, s'empresse-t-on de représenter les ouvrages que le régime jacobin a interdits; sans doute encore les pièces de circonstance se multiplient-elles, vouées celles-là à l'exécration des maîtres de la veille, Le *Pausanias* de Trouvé ne doit pas son succès aux références à l'Antiquité; l'auteur le précise: "Pausanias est Robespierre, à cette différence près que ce dernier fut un lâche et vil scélérat, tandis que Pausanias avait l'énergie du crime et mêlait de l'éclat à ses vices". Quant à Tissot, il trouve, pour son œuvre nouvelle, un titre qui rend exactement compte du sentiment auquel, avec tant de contemporains, il s'abandonne après la chute du Tyran: *On respire.* Avec le 9 Thermidor, l'inspiration du répertoire change; mais sa nature reste identique; elle est politique, polémique, Jamais les plus ardents des Encyclopédistes n'avaient rêvé de l'éclosion d'une telle littérature dramatique.

Une autre question se pose: si le critique a pour but d'éclairer les esprits, à quel public peut-il s'adresser en ces années 1790–1799?

Dans ce domaine encore, les changements sont d'une ampleur jusque là inconnue. La multiplication des salles, la diversification du répertoire ont pour premier effet d'ouvrir les théâtres à une masse beaucoup plus large de spectateurs. De plus, bien vite, disparaît une partie importante du public traditionnel: l'exil, les emprisonnements, la nécessité de se cacher, ou plus simplement le peu de cœur que l'on a à rechercher le divertissement, creusent de vastes vides qui sont comblés par un afflux de spectateurs d'un type tout nouveau. Et à ceux-là il serait tout à fait vain de proposer des références aux "règles" ou à la vraisemblance.

Dès 1791, les théâtres ont été impérativement invités à donner des représentations gratuites. A partir de 1793, c'est une politique de renouvellement systématique du public qui est imposée: il s'agit, par la pratique élargie de la gratuité, de pourvoir à "l'amusement des sans-culottes" (arrêté du 19 juin); et, le 2 août, la Convention prescrit que, pendant un mois, certains théâtres donneront chaque semaine une représentation aux frais de la République: il en coûtera 168.000 francs à l'Etat.

Ce nouveau public est bien évoqué par le chroniqueur du *Journal des Spectacles* (n° 134), à propos d'une représentation donnée au Théâtre de la République en novembre 1793: 4.000 "citoyens", parmi lesquels 5 à 600 "dont la tête est couverte avec un bonnet rouge"; chants et danses patriotiques dans la salle; cris de "Vive la République", refrain de la Carmagnole. "Ce sont des moments d'enthousiasme civique dont on voudrait en vain essayer de rendre compte". Pour ceux qui gardent la nostalgie des spectacles de naguère, l'"enthousiasme civique" conduit à de déplorables excès. Aussi longtemps que la parole ne lui est pas retirée, Charnois se répand en protestations: lors d'une représentation du *Bourgeois Gentilhomme,* la conduite du parterre a été "une chose honteuse:" on a réclamé le "*Ça ira*" ("*Ça ira!* à propos du *Bourgeois Gentilhomme!*"); on a cherché "des torts et des ridicules aux particuliers qui sont dans les loges"; "c'est un bruit horrible, un tumulte infernal" (24 février 1792). Au Théâtre Italien, à l'occasion du *Suborneur,* les acteurs ont été contraints de se retirer devant le vacarme; la représentation du *Déserteur* s'est achevée dans le même brouhaha: "On s'est colleté, battu, bousculé au parterre, on a injurié les loges; un gros et grand homme vêtu de gris, qui était sur le premier rang de l'amphithéâtre, a jeté un bâton noueux et court dans une loge d'où l'on avait crié: Vive le Roi! Enfin les séditieux l'ont emporté; les femmes ont fui, les honnêtes gens ont gardé le silence. La pièce a fini tristement, et le parterre a redemandé le *Ça ira*" (10 mars 1792).

Le 10 mars 1794, le Comité de Salut Public parachève l'opération de sélection du public: au Théâtre Français "nul ne pourra entrer, s'il n'a une marque particulière, qui ne sera donnée qu'aux patriotes et dont la municipalité règlera le mode de distribution". Parallèlement est menée une politique de bas prix en vue de faciliter l'accès de la salle de spectacle aux couches déshéritées de la population: en 1791, le parterre du Français est à 20 sols, celui des Délassements Comiques à 6 sols.

En 1778, S. Mercier avait déploré que "l'art dramatique semble fait en France pour amuser l'ennui d'un petit nombre de spectateurs, pour complaire à la partie de la nation la plus opulente et la plus dédaigneuse". Les événements ont renversé la situation au-delà de ses souhaits les plus chimériques. Même après l'amenuisement du public à bonnet phrygien, les salles demeurent peuplées de spectateurs auxquels ont donné accès les considérables transferts de fortunes engendrés par la Révolution. Ce public, les rescapés de l'Ancien Régime, quand ils reparaissent, le considèrent avec un effroi indicible, mais compréhensible. Grimod de la Reynière qui fonde son *Censeur Dramatique* en 1797 n'en croit pas ses yeux et il se demande quel langage doit tenir le chroniqueur à "ce monde de parvenus, à ces laquais enrichis des dépouilles de leurs maîtres, à ces fournisseurs engraissés par la spéculation".

A partir de 1795, sous le Directoire, toute la différence avec le public des années 1792–1794 est en ceci que désormais ces rescapés de l'Ancien Régime se hasardent de nouveau dans les théâtres; que le public des grandes années révolutionnaires, public un moment homogène dans son unanimité civique, redevient un public disparate. Cette situation ambiguë explique l'attitude de Geoffroy ou de ses adversaires et l'esprit général des critiques qui vont être formulées.

Les comédiens qui sont également justiciables du magistère de la critique voient, eux aussi, bouleversées les conditions de l'exercice de leur art.

L'Ancien Régime est riche en intrigues d'acteurs, en cabales de toutes sortes. Quand un jugement sévère est porté sur Lekain, on ne sait trop si celui qui l'émet donne son sentiment personnel ou s'il soutient la campagne menée par Clairon contre son camarade. Mais, si âpres que soient les partis-pris du *tripot,* il n'y va encore là que de vanités à satisfaire, de premiers rôles à obtenir, de rivaux à évincer, de riches protecteurs à conquérir. Avec les Nouveaux Temps, l'enjeu est tout autre car c'est bientôt la survie même des personnes qui est en question, et cela en un moment où l'exécution du verdict suit de très près la mise en accusation.

Dès les premiers troubles, le monde des théâtres apparaît comme un cadre privilégié pour les affrontements. A ces comédiens, dont le théâtre est la raison d'être, les événements de 1789 apparaissent d'abord comme un étonnant spectacle: beaucoup s'enrôlent dans les milices, avides, eux qui sur la scène “ressuscitent les Cicérons et les Brutus”[10], de jouer au vrai des rôles qui leur sont si familiers sur les planches. Au surplus, comment ne seraient-ils pas favorables à un mouvement qui, dès décembre 1789 (décret du 24), prononce la réhabilitation de la profession et leur accorde la plénitude des droits civiques? [11].

Euphorie qui, pour beaucoup, n'est que passagère. Elle se heurte bientôt à la réalité des exigences révolutionnaires, et l'on découvre que les discours enflammés qui sont prononcés dans les Assemblées ou dans les Clubs ont une autre portée que les tirades de Brutus et de Cicéron dans la fiction dramatique. Naguère, une fois le rideau tombé, le visage du monde n'était pas changé pour autant par l'emportement de Brutus; mais quand Danton, Marat, Robespierre ont achevé leurs péroraisons, qui bien souvent s'inspirent des accents mêmes de Brutus, il y va des fortunes et de la vie. De plus, des problèmes pratiques aigus se posent. La plupart des grands comédiens sont liés à la classe dirigeante, aristocrates, famille royale même. Dazincourt a fait répéter à la Reine de petits rôles; Contat a été la maîtresse de Maupeou, du comte d'Artois, de Louis de Narbonne. Le dilemme se pose en des termes d'une redoutable précision: Comédiens de la Nation ou Comédiens du Roi? Les protestations verbales de civisme ne coûtent guère: mots et gestes symboliques. Mais elles deviennent vite suspectes aux yeux des intransigeants qui ne croient pas à la sincérité de conversions aussi rapides: “Ces histrions ont oublié le respect qu'ils doivent au peuple qui les nourrit jusqu'à oser dire qu'ils “reporteront les clefs de son spectacle au roi”. Au roi! Et c'est à de pareilles gens qu'on accorde l'existence civique!”[12].

Habitués à frayer en une compagnie plus relevée, qui les choyait, certains de ces *histrions* ne se résignent pas à recevoir des instructions formulées sur le ton de l'injonction par les nouvelles autorités populaires. Au bras de Pasquier, Contat a assisté avec curiosité à la chute de la Bastille; l'événement l'a amusée. Mais, dès 1790, elle découvre ce que préparaient ces mouvements de foule si pittoresques; et, en plein Comité, elle s'écrie: “Jamais je ne recevrai d'ordre d'un municipal qui est mon chancelier ou mon marchand d'étoffes!”.

A l'opposé, Talma, sociétaire de très fraîche date (1er avril 1789; il a alors 26 ans), qui a toute sa carrière à faire, qui a été lourdement moqué par ses camarades lorsqu'il a joué en habit romain le minuscule rôle du tribun Proculus (*Brutus*), qui a récemment remporté son premier grand succès dans le rôle du roi abhorré Charles IX, Talma est naturellement enclin à défendre la cause populaire. Tout l'y pousse: sa jeunesse, l'ardeur de son tempérament, le désir de s'opposer à la tradition des grands anciens et des chefs d'emploi, et l'humiliation subie, en 1790, lorsque le curé de Saint Sulpice refuse de publier les bans de son mariage avec Julie Carreau: profession “infamante”, – alors même que le décret réhabilitant les comédiens vient d'être publié. Que faire, sinon adresser le texte d'une pathétique pétition à l'Assemblée, seule capable de faire entendre raison aux forces d'obscurantisme?

Et Dugazon, ce bouffon dont le génie repose sur la pitrerie, et avec lequel pour cette raison on ne se commet guère dans les cercles de bon ton, comment ne serait-il pas à la longue exaspéré de se voir constamment préférer son camarade Dazincourt, aux belles relations et à la distinction si vantée?

L'affaire du *Charles IX* de M.J. Chénier fait, en quelques semaines, éclater la belle harmonie civique qui avait fait l'unanimité des comédiens aux premières heures de la Révolution. Créée le 4 novembre 1789, dans un enthousiasme provoqué moins par la valeur de la pièce que par les tirades antimonarchiques et anticléricales, et aussi par la composition faite par Talma d'un roi veule, indécis, hypocrite et cruel, la pièce est brusquement retirée de l'affiche après 33 représentations. Cabale de sociétaires jaloux du succès remporté par Talma? démarches du district des Carmes, d'une délégation d'évêques effrayés par ce spectacle qui, chaque soir, présente un assassinat collectif commis à l'instigation d'un roi et du clergé? Ces explications sont complémentaires. Mais, l'interdiction étant prononcée, la troupe doit prendre position sans ambiguïté. Le dilemme ne peut plus être esquivé par des protestations de civisme; il se pose en des termes d'une simplicité redoutable: jouer (et se conduire ainsi en véritables comédiens de la Nation)? ou ne pas jouer (et manifester, en se soumettant aux injonctions du pouvoir, que l'on demeure bien comédiens du roi)?

La troupe suspend les représentations. Aussitôt l'on entend, aiguillonnés par l'auteur, Mirabeau, Danton tonner contre l'esprit réactionnaire des comédiens. Le 21 juillet 1791, la foule, enrichie des groupes de provinciaux exaltés qui sont venus pour la fête de la Fédération, envahit la salle, exige la reprise. Ceux des sociétaires qui, tout comédiens de la Nation qu'ils se proclament officiellement, se considèrent toujours comme les comédiens du roi, Naudet (qui a giflé Talma en pleine scène), Saint Prix, Mme Vestris, biaisent, invoquent la maladie du titulaire du rôle, promettent pour plus tard. Vaines échappatoires. Paraissant brusquement sur la scène, Talma (que l'arrêt des représentations a privé de son premier grand rôle) démontre à la foule surexcitée qu'on est en train de la leurrer, que la représentation est possible, fût-ce en recourant à des doublures. Et la représentation a lieu.

De ce jour, la rupture est consommée. Outrée, Contat donne sa démission (qu'elle reprend après le départ de Talma): elle ne saurait "jamais consentir à le (Talma) regarder comme (son) associé et (son) camarade". Son comportement ayant été jugé avec sévérité par la majorité des Comédiens. Talma est exclu de la troupe; et lors de la représentation du 17 septembre, devant un public houleux, Fleury annonce la sanction, faisant valoir que Talma a trahi les "intérêts" de la société et "compromis la tranquillité publique". Alors Dugazon bondit hors de la coulisse et, au milieu du tumulte, "dénonce toute la Comédie; il est faux que Talma ait trahi la société; tout son crime est d'avoir dit qu'on pouvait jouer *Charles IX*". La troupe est engagée sur une voie qui ne peut plus que conduire à la scission.

Ainsi, chaque jour, sous une forme ou sous une autre, et pas seulement au Français, se pose le même problème, qu'il n'est plus possible d'éluder car les réalités de la représentation sont impérieuses et cruellement pratiques. Que sur la scène lyrique, dans *Iphigénie en Aulide,* le chœur entonne le couplet: "Chantons! célébrons notre reine!" et que certains spectateurs protestent contre cet hommage indirect rendu à la souveraine, que faire? Une première fois, avec courage ou par conscience professionnelle, on reprend le passage; mais à la représentation suivante, les commandos de service viennent en force, et il faut bien céder cette fois aux manifestations de l'orthodoxie civique.

Avec l'avènement de la Terreur, la situation devient irréparable. Dugazon, Talma, Grandmesnil, Monvel fondent leur propre théâtre, rue de Richelieu. Monvel se signale par son ardeur révolutionnaire en composant des pièces de combat (*les Victimes cloîtrées*), en participant activement au culte de la déesse Raison (le 30 novembre 1793, à Saint Roch, il monte en chaire pour prononcer l'homélie de la nouvelle religion). Dugazon exerce les fonctions d'aide de camp du redoutable Santerre; il assiste à l'exécution du Roi, de la Reine. Talma est intimement lié aux Girondins, ce qui finira d'ailleurs par le compromettre aux yeux des Jacobins.

De l'autre bord, c'est la tragédie, la vraie, celle qui ne se déroule pas sur les planches, mais dans les prisons. En 1793, les Comédiens "noirs", ceux qui ont évincé Talma, montent la *Paméla* de F. de Neufchâteau. Deux vers du 4e acte déchaînent l'orage:

> Ah! les persécuteurs sont les seuls condamnables,
> Et les plus tolérants sont les plus raisonnables.

Pour les champions de la pureté intransigeante, cet appel à la tolérance constitue une provocation, immédiatement dénoncée auprès du Comité de Salut Public qui, le soir même (2 septembre), après que Robespierre a dénoncé les théâtres comme des "rendez-vous de conspirateurs", décrète d'arrestation les Comédiens, coupables d'avoir "donné des preuves soutenues d'un incivisme caractérisé et représenté des pièces antipatriotiques". 29 de ces comédiens sont emprisonnés. Sans doute la détention n'est-elle pas trop sévère; et dès le début de 1794 interviennent certaines libérations; au 9 Thermidor, 15 membres de la troupe seulement sont encore sous les verrous. Mais pour ceux-ci, parmi lesquels Raucourt, les Contat, Fleury, Thénard, Larive, jusqu'à la chute de Robespierre l'angoisse a été permanente et nul ne saurait dire si, les événements politiques ayant évolué dans un autre sens, le dénouement de la tragédie n'aurait pas été vraiment, cette fois, un dénouement de sang.

Ces tumultes, ces conflits, l'enjeu qu'ils représentent, expliquent dans quelle atmosphère va s'effectuer la reprise d'une vie dramatique un peu moins perturbée. Sans doute est-ce à tort que Talma a été accusé d'avoir dénoncé ses anciens camarades[13]. Mais comment ceux-ci ne l'en soupçonneraient-ils pas? comment ne lui attribueraient-ils pas les dangers qu'ils ont courus et qui n'étaient plus seulement ceux d'une cabale? comment Contat envisagerait-elle de gaieté de cœur de donner la réplique à Dugazon? [14] comment les spectateurs du Directoire, dont certains ont tremblé très fort avec la mise en application de la loi des suspects, ne verraient ils en Dugazon que Scapin et Mascarille, et non l'agitateur qui, tout récemment encore, était le second de Santerre? A l'inverse, comment ceux qui, une fois dissipé le beau rêve révolutionnaire, gardent la nostalgie du Grand Comité, des spectacles "de par et pour le peuple" ne réserveraient-ils pas un accueil chaleureux à Talma, à Dugazon, qui ont partagé leurs opinions, défendu la même cause? Quand, dans les années 1800, un chroniqueur reproche à Dugazon son jeu trop vulgaire, outrancier, s'en prend-il seulement au style du comédien? ne songe-t-il pas aussi à rappeler à l'*histrion* que le temps des saturnales populaires est révolu? On a souvent tenté d'expliquer la hargne avec laquelle un critique comme Geoffroy s'est acharné à dénoncer en Talma un faux grand tragédien. On a pesé les reproches qu'il lui adresse en matière d'interprétation, lui opposant sans cesse le noble exemple de son prédécesseur Lekain. Répulsion sans doute pour un style de jeu trop moderne. Mais qui pourra garantir que les jugements du critique ne sont pas aussi, à son insu même, les jugements d'un ancien rédacteur de *l'Ami du Roi* qui a dû plonger en hâte dans la clandestinité pendant les années sanglantes?

De tels souvenirs ne sont pas près de s'effacer. *Trente ans après* la tourmente, on n'a pas oublié le passé de Talma. Lorsque, en 1826, celui-ci tombe malade, Thiers cherche à mettre en évidence les raisons qui, abstraction faite du talent dramatique, expliquent la place que l'acteur tient dans la vie nationale. Il écrit:"Talma est resté attaché à la Révolution avec une fidélité fort rare (...). Tandis que de vieux guerriers, des membres de toutes nos assemblées se prosternent lâchement, un simple acteur professait publiquement ses anciennes opinions et conservait un attachement public pour la Révolution qui l'avait fait connaître" (au baron Cotta, 15 octobre 1826).

Par un autre biais, la situation des comédiens, après l'effervescence révolutionnaire, se trouve profondément transformée. Et cette modification joue un rôle capital dans la manière dont leurs interprétations vont être jugées.

C'est que, avec le changement de public, un nouveau style d'interprétation s'est établi. On ne joue pas *les Victimes cloîtrées* comme on joue *les Fausses Confidences,* ni *le Jugement du Dernier des Rois* comme *Phèdre.* Aux spectateurs il faut maintenant s'imposer non par une déclamation savante et nuancée, non par l'expression intériorisée des sentiments, mais par un jeu direct, qui fait une large place à la pantomime, aux effets extérieurs. Fleury, fin comédien qui a débuté en 1774 (c'est à dire il y a une éternité), connaît en cette période un vrai calvaire. Dans ses *Mémoires,* il se souvient: "C'était être mis au chevalet tous les soirs, humilié sous les sarcasmes et les calembours des *beaux,* torturé des vociférations des *tapedur.* Quelle situation que celle d'un artiste, qui se sent de l'âme, d'avoir à subir les caprices de tels spectateurs! La main me tremblait quand je mettais mon rouge; tout à l'heure, me disais-je, ces voix rudes, ces voix criardes vont nous apostropher sur tous les tons et au grand scandale de notre langue, avec ce vocabulaire brutal, dégradé, qui épouvante les oreilles les moins chastes...".

Dugazon, au contraire, est à l'aise dans cette atmosphère où il peut donner libre cours à sa fantaisie épicée. Ainsi se prennent, sous l'empire de la nécessité et pour beaucoup contre leur gré, des habitudes naguère inconcevables: on ornemente le texte de répliques improvisées, de calembours faciles; on entre en scène par la fenêtre, par la cheminée. Il s'agit, chaque soir, de passer le cap de la représentation en donnant, à n'importe quel prix, satisfaction au public.

On comprend pourquoi Grimod de la Reynière, fondant en 1797 son *Censeur dramatique,* définit ainsi le but qu'il assigne à sa publication: "rappeler la saine proportion du public au goût du bon, au discernement du beau" (I, 9). Point de vue d'attardé, de réactionnaire borné? On en peut juger ainsi aujourd'hui. Mais, au lendemain de cette vaste "révolution culturelle" avortée, pour ceux qui ont vécu l'événement dans sa réalité quotidienne, il n'est pas de plus urgente besogne que celle qui tend à rétablir le sens de la mesure, à revenir aux errements anciens. Plus que jamais le critique se veut éducateur, et ce n'est pas seulement l'avenir du théâtre qui est en jeu. Si le critique est de ceux qui restent fidèles à l'idéologie révolutionnaire, son objectif n'est pas différent: il va défendre, contre la réaction montante, ce répertoire, cet esprit, ce style d'interprétation qui ont failli triompher au cours des représentations "de par et pour le peuple".

Ainsi rien n'a été épargné: ni le statut des théâtres, ni le répertoire, ni la composition du public, ni les traditions des comédiens. La critique ne peut pas ne pas subir, elle aussi, le contre-coup de la tornade. La lente remise en ordre du monde des théâtres ne sera achevée que sous l'Empire. Et encore, même alors, les choses ne seront jamais plus ce qu'elles ont été. On rétablira le culte de Corneille et Racine; mais trop de spectateurs se souviendront d'avoir assisté à des pièces autrement colorées. Les traditions d'interprétation seront restaurées; mais trop de spectateurs garderont la mémoire des impressions suscitées par un jeu moins équilibré, plus expressif. Le public populaire est renvoyé aux spectacles du cirque et du mélodrame; le rite des loges reparaît; mais les "connaisseurs" sont en voie d'extinction et, au sein du nouveau public, d'anciens adeptes des spectacles "de par et pour le peuple", assagis sans doute parce que bien établis, sont là, nombreux, que la tirade ennuie et qui trouvent bien ternes les nuances d'âme d'Araminte ou de Phèdre.

***

Dans le domaine de la presse spécialisée dans l'observation de la vie théâtrale, les initiatives et les créations sont nombreuses. En 1796, est lancé un *Courrier des Spectacles* qui fera carrière jusqu'en 1807, avant d'être réuni au *Courrier de l'Europe,* lui-même absorbé en 1811 par *le Journal de Paris.* Il est animé par Lefranc puis, à partir de 1807, par Salgues, puis Dussaulchoy. Ce Courrier a le mérite de faire la plus large part à l'actualité dramatique, reléguant dans son *Supplément* les affaires publiques. La chronique anecdotique y est prépondérante; les comptes-rendus sont secs, réduits souvent à de simples analyses. Mais, dans les querelles, *le Courrier* parle haut, et surtout vert.

L'année suivante, Grimod[15], l'ancien collaborateur de Charnois, crée son *Censeur Dramatique* qui n'ira pas au-delà du numéro 31, mais qui offre un bon exemple d'une critique de style, sinon d'inspiration, nouveau. Grimod n'a que 40 ans; il n'a pas directement souffert de la Terreur, et pourtant il semble appartenir à une autre époque. Il est un "connaisseur", familier du répertoire, encore ébloui par le souvenir des fastes du Français d'antan. Sa critique est sous-tendue par une préoccupation constante: "raisonner avec les comédiens instruits, honnêtes et laborieux (...); inspirer aux jeunes spectateurs le respect pour les grands maîtres"[16].

Immense besogne, compte tenu de la situation. Grimod n'a pas d'expression assez méprisante pour évoquer le nouveau public, "assemblage hétérogène et fétide": "la sublimité de Corneille les étourdit; ils bâillent aux vers de Racine; Molière n'est pour eux qu'un froid écrivain"[17]. Mais besogne qui relève avant tout de l'hygiène des mœurs: les jugements que porte Grimod, les remontrances dont il excède les Talma, les Dugazon, procèdent fondamentalement d'une volonté de régénérescence de la société.

En 1798, Ducray-Duminil fonde son *Journal des Théâtres* qui, sur deux ans de parution, fait sortir 171 numéros. Il est l'auteur, à prodigieux succès, de romans populaires et de mélodrames; et pourtant, lui aussi, quoique de façon moins marquée que Grimod, reste attaché aux spectacles de l'Ancien Régime, au répertoire traditionnel, à la troupe royale, désormais dispersée et avilie.

En ces années 1797–1799, Grimod et Ducray-Duminil représentent, dans leur domaine, ce courant de l'opinion publique qui finit par inquiéter si fort le gouvernement en butte à des Conseils législatifs à majorité réactionnaire que celui-ci s'en remet, le 18 Fructidor, au sabre d'Augereau. Lequel débarque à Paris en déclarant simplement: "Je suis venu pour tuer les royalistes". Grimod et Ducray-Duminil jugent des choses du théâtre en hommes qui pressentent, avec toute une partie de la France, et qui le souhaitent ardemment, que le vent tourne. La lassitude est si profonde, la déception engendrée par les excès révolutionnaires prend de telles proportions que l'on peut désormais impunément se référer, pour le glorifier, à ce qui faisait naguère le lustre et l'agrément du régime déchu[18].

Parce qu'elles correspondent à la période la plus tumultueuse de notre histoire, ces dix années marquent la période la plus curieuse de la critique dramatique en France. Non pas tellement parce que la liberté d'expression cesse bientôt d'exister; mais parce que le public ne ressent plus le besoin d'un intermédiaire qui joue le rôle de guide. Le spectateur s'est donné (ou s'est vu imposer par les événements) un système de valeurs extrêmement simple, que chacun peut utiliser: la référence aux valeurs révolutionnaires, par les uns fanatiquement exaltées, par les autres ardemment rejetées. Des mérites d'une pièce, on décide, individuellement ou collectivement, sans avoir à se reporter à un code, à établir des comparaisons avec les modèles antérieurs, à évoquer la tradition et les leçons des traités de dramaturgie. L'érudition classique, le sens du "goût" ne sont plus de mise; chacun s'en remet à soi-même et aux réactions de la fibre politique. Ce sont les clubs, les assemblées de la Municipalité, les Comités du nouveau pouvoir qui donnent le ton. Le citoyen Payan, à la Commission de l'Instruction publique, Collot d'Herbois, Robespierre à l'occasion, sont alors les vrais maîtres de la critique dramatique.

II

Pour illustrer cette étrange période par un exemple précis, on ne saurait se reporter à une œuvre créée au plus fort du tumulte, à un moment où la critique, au sens habituel du mot, ne peut plus exercer son office. Mieux vaut opérer la synthèse à partir d'une pièce représentée à une époque intermédiaire, avant que le mouvement ait atteint son point extrême de développement, mais alors que déjà entrent en jeu les éléments nouveaux de la situation: ce *Charles IX* de M.J. Chénier dont la création a jeté un tel trouble au sein de la troupe des Comédiens[19]. La tragédie, achevée en 1788, a été reçue le 2 septembre, à l'unanimité. Elle n'est pourtant représentée que 14 mois plus tard, le 4 novembre 1789. Et ce délai bouleverse tout. Non seulement parce que, depuis l'ouverture des Etats-Généraux, les événements se sont précipités, mais aussi parce que la censure a interdit la pièce: incident banal en soi, mais qui, dans le climat du moment, prend des proportions considérables. L'heure n'est plus où l'on supporte les manifestations de l'autoritarisme du pouvoir. Chénier, suivant la technique habituelle, multiplie les lectures publiques de son œuvre[20], mais surtout il prend l'offensive, en juin 1789, avec sa brochure *De la Liberté du théâtre en France,* dans laquelle il défend avec vigueur son *Charles IX*, puis, au lendemain de la prise de la Bastille, avec sa *Dénonciation des Inquisiteurs de la pensée* où il s'en prend avec violence au censeur Suard: "Ceux qui fréquentent le théâtre n'ignorent point quel est le zèle de M. Suard contre les pièces qui pourraient faire penser. La Nation marche à grands pas vers la liberté; M. Suard semble marcher aussi vite en sens contraire".

Une vive polémique s'établit alors, qui naturellement assure une large publicité à la tragédie interdite, avec ceux qui croient que l'œuvre est dangereuse, et notamment avec le *Journal de Paris*[21] qui présente des arguments non négligeables: "On lit ordinairement un livre, seul et à froid. Les représentations théâtrales, au contraire, parlent aux sens et à l'imagination; elles peuvent mettre en mouvement toutes les passions, et les impressions qui en résultent acquièrent une énergie extraordinaire par la réaction simultanée de toutes celles qu'éprouve une multitude d'hommes rassemblés". A quoi Chénier répond que la liberté est "vraiment un fruit d'une digestion pénible et qui ne saurait convenir aux estomacs débiles".

Dans ces conditions, la pièce va être jugée en tant que symbole, surtout à partir du moment où, après la première série de représentations, elle est retirée de l'affiche.

Contrairement à ce que l'on a craint, la première évite les incidents graves. Pourtant, d'après Chénier du moins (*Notes à l'Epître aux mânes de Voltaire*), des menaces sérieuses ont été formulées contre l'auteur: "il serait sifflé, hué, et qui pis est, égorgé (...); beaucoup de gens au parterre avaient des pistolets dans leurs poches". Dans *le Journal de Paris* (16 novembre 1789), Palissot, protecteur attitré de Chénier, se gausse de ces alarmes: la tragédie "n'a pas donné lieu au moindre abus". Mais c'est Meister, continuateur de Grimm, qui donne la véritable explication de ce calme relatif: la salle a été fort proprement mise en condition. Avant la toile levée, on assiste au spectacle suivant: "Un orateur du parterre, doué de l'organe le plus sonore, a demandé la parole pour proposer que le premier qui tenterait de troubler le spectacle fût livré à la justice du peuple. M. Palissot n'a pas manqué d'appuyer la motion, et le mot terrible "A la lanterne!" a retenti dans quelques coins de la salle".

L'opposition ayant été ainsi rappelée à la plus élémentaire prudence, "les transports du peuple français"[22] peuvent se donner libre cours. Les assimilations à l'actualité sont faciles, même si elles n'ont pas été voulues par Chénier[23]: l'infâme Médicis, néfaste étrangère, évoque Marie-Antoinette, déjà impopulaire; le noble et tolérant l'Hospital est Necker; le faible et veule Charles IX, incapable de choisir entre les conseillers perfides et les apôtres de l'apaisement religieux, n'est peut-être pas Louis XVI, mais il est le Tyran; quant à l'odieux cardinal de Lorraine, il incarne l'Eglise rétrograde, fanatique, ce Haut-Clergé qui conduit les rois aux crimes contre les peuples. Grâce à la structure très simplifiée de la pièce qui répartit les personnages en deux groupes opposés sans nuances (la Vertu civique, la Perfidie machiavélique), le spectateur ne saurait hésiter entre l'Hospital et Catherine. Et ce n'est pas sur des qualités tragiques que l'on est appelé à se prononcer devant des envolées qui proclament que "les attentats des rois ne sont pas impunis", qu'un roi doit être l'homme de son peuple, que les courtisans perdent les monarchies, que l'Eglise a accumulé les biens, vendu les dignités et "d'un pied dédaigneux" foulé "vingt diadèmes": "les crimes du Saint Siège ont produit l'hérésie" (III, 2).

Selon Arnault[24], après la représentation, Danton aurait déclaré: "Si Figaro a tué la noblesse, *Charles IX* tuera la royauté". Le marquis de Ferrières assure que le peuple sortait du théâtre "ivre de vengeance et tourmenté d'une soif de sang". Certains prêtres refusent l'absolution à ceux qui ont assisté à la représentation.

Le succès, en tout cas, est indiscutable: "On le croit même au-dessus de celui qu'attira *le Mariage de Figaro;* c'est tout dire"[25]. Mais ce succès repose tout entier sur la portée idéologique de la tragédie.

Avant même la création, le problème fondamental a été posé. Le 20 août, la pièce étant encore interdite, les Comédiens exposent à Bailly, maire de Paris, le dilemme dans lequel les enferment les exigences d'une partie du public qui réclame avec véhémence que la pièce soit montée en dépit de l'interdiction. Bailly pose la véritable question: "Dans le moment où le peuple s'était soulevé tout entier, non pas contre le roi, mais contre l'autorité arbitraire, il n'était pas prudent d'exposer sur la scène un des plus effroyables abus de cette autorité. Je pensais encore que, près de prononcer sur le sort du clergé, il fallait le faire tranquillement et avec équité, et ne pas exposer sur la scène un cardinal bénissant des poignards et encourageant des assassins".

Après la création, le débat reprend en termes identiques, mais assortis de quelques considérations esthétiques qui, en réalité, ne pèsent pas lourd. Le rédacteur des *Révolutions de Paris* exprime des réserves sur les éloges que "l'homme de lettres" peut décerner à Chénier, qui ne semble mériter que de "faibles applaudissements". Le mérite de *Charles IX* est ailleurs que dans sa valeur dramatique: "l'homme de lettres" compte peu désormais en face du "patriote", et le patriote "ne doit point mettre de bornes à sa reconnaissance": "Des applications fréquentes et faciles, toutes les grandes maximes dont notre esprit se trouve nourri depuis six mois mises en beaux vers, voilà le vrai secret du succès de cette pièce. Elle fait exécrer le despotisme ministériel, les intrigues féminines des cours; elle prouve la nécessité de mettre un frein aux volontés d'un roi parce qu'il peut être faible, ou cruel; elle apprend que le clergé et l'église ne sont pas la même chose. Elle est utile, très utile dans ce moment" (21–28 novembre 1789). Page de "critique" exemplaire pour l'époque. Dans ce passage, l'unique référence à un critère esthétique tient en quatre mots: "mises en beaux vers". *Le Journal de Paris* (16 novembre) abonde dans le même sens: cette pièce "renferme à la fois les plus importantes leçons et le plus grand exemple qui ait jamais été présenté non seulement à la nation, mais à tous les souverains".

Cette presse ne fait que confirmer le jugement du public favorable aux bouleversements en cours. Charnois, critique d'un autre temps et qui persiste à recourir aux vieux critères, peut bien s'acharner à démontrer que tel *Mucius Scaevola* (théâtre Molière) n'est qu'un "mélodrame, genre facile, qui ne demande ni intrigue, ni marche combinée, ni expérience de la scène", son argumentation tombe à côté de la vraie question puisque, dans cette pièce, "le régicide est présenté sous les couleurs les plus favorables", puisque "ce gâchis, soi-disant dramatique, est rempli des maximes que les républicains, de nos Jacobinières, vomissent journellement contre les rois et la royauté" (*Journal des Théâtres,* 27 avril 1792).

En face de *Charles IX,* la position de Geoffroy, disciple et continuateur de Fréron, et qui, après Thermidor, se fera l'apôtre militant de la "réaction" dramatique, est d'autant plus intéressante que, en 1786, le critique a accueilli avec faveur le premier essai théâtral de Chénier. *Azémire* a été, en fait, un échec que la *Correspondance* de Grimm a souligné sans ménagements[26]. Geoffroy, au contraire, a encouragé le débutant (il a alors 22 ans). Dans un premier feuilleton de *l'Année Littéraire* (14 novembre 1786), il relève bien quelques "défauts", mais il accorde à l'ouvrage une "couleur vraiment tragique", reconnaît que l'acte III "étincelle de beautés tragiques". Dans un second article (10 juillet 1787), il précise les raisons de son approbation, qui sont bien celles d'un sectateur de Fréron, hostile à toute inspiration voltairienne en matière tragique: l'œuvre lui paraît "composée d'après d'excellents principes et dans le goût antique". Et surtout: "Point de sentences obscures et ampoulées, de tirades parasites, de galimatias philosophique..., aucun abus du spectacle et de la pantomime... point de romanesque, de coups de théâtre forcés"[27]. C'est sur un tout autre ton que Geoffroy apprécie *Charles IX*. En une phrase: les causes du succès, "très étrangères au mérite de (l)'ouvrage", sont de nature "à rendre (l'auteur) très modeste" (*Année Littéraire,* avril 1790). En réalité, "*Charles IX* (est) au-dessous d'*Azémire"* (mars 1790). Geoffroy concède que certains passages sont bien venus: il loue la "belle tirade" qui constitue une "prophétie de 1789", – compte tenu du climat de l'époque, c'est le moins qu'il puissse admettre. Mais l'esprit qui anime *Charles IX* est détestable. En apparence, Geoffroy se réfère au vieux critère de la vérité historique lorsque, comme le chroniqueur des *Révolutions de Paris* (novembre 1789), il relève: que le duc de Guise était absent du Conseil qui décida le massacre; que l'Hospital n'était plus alors chancelier depuis quatre ans; que le cardinal de Lorraine se trouvait à Rome au moment de la tuerie: *Charles IX* calomnie le Cardinal. La grande scène de la bénédiction des poignards a sans doute "quelque chose de théâtral et de tragique", mais elle est "actrice"[28]. Et Geoffroy livre en un long développement sa véritable préoccupation:

> Nous avons une haine aveugle contre le clergé; les ministres des cultes sont insultés publiquement, livrés aux huées de la populace[29]; et c'est dans ce moment-là précisément qu'on joue une pièce bien faite pour inspirer l'indignation la plus violente contre les prêtres. Si la tranquillité publique n'en a pas souffert, si on a même vu des ecclésiastiques y assister impunément, rendons grâce à la froideur de la pièce. Si elle eût été écrite par un auteur de plus de feu et d'imagination, il pouvait arriver que les spectateurs se jetassent, au sortir du théâtre, sur tous les prêtres qu'ils rencontreraient.

On a relevé les fugitives allusions à la "froideur" de la tragédie, au manque de "feu" et d'"imagination" de l'auteur; mais le contexte dans lequel s'inscrivent ces jugements change tout: ce n'est pas de qualités ou de défauts dramatiques qu'il s'agit[30]. On croirait lire le texte de Bailly ou la lettre que, le 9 novembre 1789, Beaumarchais adresse aux Comédiens[31]:

> La pièce de *Charles IX* a certainement du mérite; elle est, dans quelques scènes, d'un effet terrible et déchirant, quoiqu'elle languisse dans d'autres et n'ait que peu d'action. Mais, en me recherchant sur sa moralité, je l'ai trouvée plus que douteuse. En ce moment de licence effrénée où le peuple a beaucoup moins besoin d'être excité que contenu, ces barbares excès, à quelque parti qu'on les prête, me semblent dangereux à présenter au peuple (...). Et puis quel instant, mes amis, que celui où le roi et sa famille viennent résider à Paris, pour faire allusion aux complots qui peuvent les y avoir conduits! Quel instant, pour prêter au clergé, dans la personne d'un Cardinal, un crime qu'il n'a pas commis!

Reprenant un procédé usé, Palissot, qui soutient Chénier, écrit, inspirée de *la Critique de l'Ecole des Femmes*, une *Critique de Charles IX* (un acte en prose), dans laquelle il entreprend de justifier l'œuvre des reproches qui lui ont été adressés, mais surtout de ridiculiser les adversaires de la tragédie: aristocrates qui n'ont pas supporté la grande scène du 4e acte, qui se sont indignés de découvrir dans la salle des "visages que l'on n'avait vus nulle part", qui accusent de trahison la Marquise, "femme sensée" parce qu'elle a "déserté le parti de la Cour pour celui de la Commune", qui ont jugé "criminel au théâtre" ce qui a tant intéressé dans *la Henriade.* D'un côté comme de l'autre, la seule référence pratiquée est ainsi celle qui prend en considération la leçon politique de l'œuvre. L'évocation, toujours fugitive, de ses mérites intrinsèques ne joue qu'un rôle d'appoint.

Dans *l'Epître Dédicatoire à la Nation française,* qu'il donne à l'édition de son *Charles IX,* Chénier annonce son intention de persévérer dans la voie qu'il se flatte d'avoir ouverte: "D'autres grands sujets s'offrent en foule à ma plume; et, malgré ma jeunesse, le temps pourra me manquer, mais jamais la volonté, jamais le courage". Il ne va pas tarder à mesurer quelle résonance ont prise ses appels à être jugé par ceux-là seuls qui sont "les véritables Français" parce qu'ils "chérissent la Patrie". Au début de 1793, il fait représenter son *Fénelon* où l'évocation d'un prélat "philosophe", vertueux et tolérant[32], peut être considérée comme l'image retournée du sinistre cardinal de Lorraine. Evocation qui, deux ou trois ans plus tôt, aurait suscité les applaudissements de la "Nation spirituelle, industrieuse et magnanime"; mais qui, avec la radicalisation du régime, paraît capable d'empoisonner l'esprit public. Et c'est *le Journal de la Montagne*[33] lui-même qui tranche en matière d'orthodoxie dramatique: "On y voit un riche prélat, ayant une cour dans son antichambre et des gardes à sa porte, et se laissant *monseigneuriser;* et l'auteur s'efforce de représenter ce prélat comme un modèle de toutes les vertus qui honorent l'humanité (...). Fénelon pouvait avoir des vertus, et en avait sans doute; mais Fénelon était un courtisan, Fénelon était un prélat romain et, quand on représente sur la scène une classe d'hommes bien caractérisée, il faut lui conserver son caractère (...). Un seigneur bienfaisant est aussi *révoltant* sur notre théâtre qu'un archevêque vertueux". Un "drame astucieux", bien fait pour "retarder la destruction du fanatisme religieux".

Parce que ce théâtre a été volontairement conçu comme le théâtre de la "liberté nouvelle", il ne cessera jamais plus d'être apprécié suivant l'orientation des convictions de ceux qui le jugent: en l'an VII, ce même *Charles IX,* qui a suscité tant d'enthousiasme, est considéré par le Directoire comme suspect de sympathies pour les Tyrans: ne présente-t-il pas, avec Henri de Navarre, un "despote" humain, ami du peuple? Et quand, avec le Consulat, se développera la grande réaction, il sera facile à Geoffroy de rappeler que l'apologiste de *Fénelon* est l'homme qui réclamait "des autels pour Marat", qui a "déclamé contre les crimes religieux au moment où l'on détruisait le religion"[34].

***

On est tenté de conclure que, pendant l'époque révolutionnaire, la critique, telle qu'elle est habituellement pratiquée, n'existe plus. Dans ses *Mémoires*[35], le comédien Fleury résume en une phrase la transformation: désormais, ce sont les "tape-dur" qui se sont arrogé "la tâche des critiques dramatiques". Mais il n'y a là, en réalité, qu'une variation de degré et non pas une différence de nature. Cette critique s'exaspère jusqu'à l'ostracisme catégorique, jusqu'aux proscriptions prononcées au nom d'une idéologie qui ne s'embarrasse plus désormais de justifications d'ordre esthétique. Mais, telle qu'elle était pratiquée par Fréron ou ses adversaires, la critique, plus discrète et plus développée, s'inspirait en fait des mêmes a priori. Comme le font observer *les Révolutions de Paris* (25 février 1792), jadis la Cour ne laissait passer aucun ouvrage dramatique qui renfermât la critique du gouvernement; la Nation serait-elle assez lâche pour permettre qu'on insultât journellement, sur les tréteaux de la foire ou ailleurs, la Constitution et ceux qui en sont les partisans éclairés et les défenseurs courageux? Quand *le Journal de la Montagne* dénonce la nocivité du *Fénelon* de Chénier, ou de toute autre œuvre "liberticide", "modérantiste", "feuillante", il se prononce suivant une perspective qui n'est pas différente, quoiqu'inversée, de celle adoptée naguère par ceux qui reprochaient au répertoire des Lumières de saper, en même temps que celles du Goût, les bases de la Société.

Notes

1 Cf. J. Hérissay, *Le Monde des théâtres pendant la Révolution,* Perrin, 1922

2 *La liberté du théâtre,* 1792.

3 Cf. Brazier, *Chronique des petits théâtres de Paris,* rééd. 1883.

4 Cf. tome II du *Théâtre du XVIIIe siècle,* édition Pléiade.

5 L'auteur fait de son personnage une roturière. Complaisance suspecte.*La Feuille du Salut Public* exige que le Théâtre de la Nation, "sérail impur", soit fermé et qu'on y "substitue un club de sans-culottes des faubourgs". Robespierre proclame que "les théâtres sont des points de rendez-vous pour les conspirateurs".

6 Cf. *Journal des Théâtres,* 1792, n° 21. Les "patriotes" sont coiffés du bonnet phrygien: "ce bonnet rouge sera désormais, dans les endroits public, le signal auquel ils se rallieront".

7 *Prospectus* du *Censeur Dramatique,* p. 3.

8 Cf. F. Jauffret, *le Théâtre Révolutionnaire* (1869); H. Welschinger, *le Théâtre de la Révolution* (1880); E. Lunel, *le Théâtre et la Révolution* (1910); M. Carlson, *le Théâtre de la Révolution Française* (1970); D. Hamiche, *le Théâtre et la Révolution* (1973).

9 Cf. Dans *le Théâtre du XVIIIe siècle,* II, éd. Pléiade, *le Jugement dernier des Rois* de S. Maréchal avec la sarabande à laquelle sont mêlés les souverains d'Europe et le Pape, réunis sur une île où les ont conduits les sans-culottes et qui finissent par s'empoigner comme des chiffonniers ("l'Impératrice et le Pape se battent, l'une avec son sceptre et l'autre avec sa croix; un coup de sceptre casse la croix; le pape jette sa tiare à la tête de Catherine et lui renverse sa couronne..."). J. Truchet observe que l'auteur se préoccupe pourtant de conserver aux sans-culottes un langage châtié.

10 Laya, *la Régénération des Comédiens en France,* 1789.

11 Le cas des comédiens est assimilé à celui des Juifs. Maury a beau proclamer que cette profession est "vicieuse", la majorité des orateurs plaide pour la réhabilitation.

12 *Révolutions de Paris,* n° 63.

13 L'accusation a été formulée de façon précise. Le 21 mars 1795, jouant dans *Epicharis,* Talma doit faire face à une partie du public déchaînée contre lui, s'interrompre, se justifier.

14 Dugazon ne réussit jamais à faire oublier son passé d'extrémiste. Quand, après avoir été interdit de théâtre, il put jouer de nouveau, du public s'élevèrent des menaces et le tumulte dégénéra en bagarre. Même plus tard, on acclamait, dans *les Fausses Confidences,* (où il jouait Dubois), la réplique de Dorante à son valet: "Nous n'avons pas besoin de toi ni de ta race de canailles!".

15 Cf. G. Desnoiresterres, *Grimod de la Reynière et son groupe,* Didier, 1877; C. Monselet, *Les Originaux du siècle dernier,* Lévy, 1864.

16 *Censeur,* I, p. 9.

17 Id., I, p. 6.

18 On voit proliférer les brochures consacrées à la vie dramatique (*le Fouet, la Lorgnette du Spectacle, la Revue des Acteurs,* etc.). Mais elles se contentent de fournir des informations pittoresques et précieuses pour l'historien du théâtre, elles ne se préoccupent pas de faire acte de critique.

19 Texte publié dans *Théâtre du XVIIIe siècle,* tome II, édition Pléiade. Cf. A. Lieby, *Etude sur le théâtre de M.J. Chénier,* 1901; H.C. Ault, "*Charles IX ou l'Ecole des rois*" *tragédie nationale,* in *Modern Languages Review,* octobre 1953; J. Gaulmier, *De la Saint Barthélémy au Chant du Départ,* in *Revue d'Histoire Littéraire de la France,* septembre-octobre 1973.

20 Chez le duc d'Orléans, le vicomte de Ségur. Le marquis de Luchet écrit: "Personne n'a été ému, beaucoup ont bâillé, et tous se sont écrié que c'était admirable" (cf. Goncourt, *Histoire de la société française pendant la Révolution*).

21 Cf. n° 239, 253, 291, 299.

22 Chénier, *Chronique de Paris,* 29 novembre 1789.

23 Chénier a pourtant ajouté à son texte primitif, antérieur à 1789, des répliques ou tirades qui évoquent la chute future de la Bastille; cf. III, 1.

24 *Souvenirs d'un sexagénaire,* I, p. 188 et sq.

25 Grimm, *Correspondance,* novembre 1789.

26 Décembre 1786: "Des ris immodérés, et ce qui est bien plus indécent encore, des coups de sifflet ont été les signes non équivoques de l'ennui que cette tragédie faisait éprouver".

27 Chénier se justifia en affirmant que ces entorses à l'histoire rendaient sa tragédie "plus philosophique et plus instructive que l'histoire même".

28 Dans *le Moniteur,* Guingené reconnaît que cette scène a paru "trop forte à quelques spectateurs sensibles".

29 Le second article de Geoffroy est de mars 1790, d'une époque donc où la vague d'anticléricalisme a pris une ampleur qu'elle n'avait pas encore atteinte lors de la création.

30 Plus tard (en IX) Geoffroy utilisera un autre argument: "la Saint Barthélemy était le crime de de la politique, et non de la religion".

31 A cette date, Beaumarchais a bien des raisons de s'inquiéter. Le district de Saint Roch l'a accusé d'avoir "enlevé de la Bastille grand nombre de papiers qu'il est important de ne pas laisser perdre". Elu à la Commune, il voit son adversaire Kornmann susciter contre lui de vives accusations.

32 Ce Fénelon est de haute fantaisie. Après la Révolution, on s'indigna de cette annexion du prélat par la *secte*: "Fénelon, que les philosophes ont voulu déshonorer, on ne sait pourquoi..." (Petito, notice sur la Harpe, in *Répertoire du Théâtre Français,* 1803).

33 Article du 4 septembre, reproduit par *le Journal des Spectacles* du 11.

34 *Journal des Débats,* 24 et 30 Frimaire 1802.

35 Tome II, p. 286.

CHAPITRE II

I

Bonaparte effectue son coup d'Etat le 9 novembre 1799[1]. Dès le début de 1800, il se préoccupe de réglementer la presse. Car, à peine formé le gouvernement, il se heurte à la conjugaison des oppositions: brumairiens déçus (Sieyès) de voir le Premier Consul tirer seul les bénéfices de l'opération, républicains qui dénoncent les prodromes du césarisme (B. Constant, Mme de Staël), jacobins qui redoutent le retour à l'ordre ancien. La séance du Tribunat au cours de laquelle (13 Nivôse) Duveyrier fait allusion à "l'idole de quinze jours", l'intervention de B. Constant hostile au rétablissement d'un régime "de servitude et de silence", ont persuadé Bonaparte qu'il est urgent de prendre la situation en main. Aussi dès le 27 Nivôse adopte-t-il les premières mesures en vue de contrôler les journaux. Ils sont alors au nombre, à peine croyable, de 173, si nombreux qu'il est malaisé de les surveiller efficacement. Opposant à la coalition qui lui est hostile le souci de la sécurité nationale, le Consul réduit à 13 les journaux autorisés à paraître à Paris.

La décision met fin à l'éparpillement de la critique; le nombre des feuillistes qui rendent compte désormais de la vie théâtrale se réduit à quelques-uns dont l'audience devient, du même coup, beaucoup plus vaste. En même temps, les quelques journaux qui subsistent sont amenés à fixer plus nettement leur ligne générale: chacun devient ainsi beaucoup plus représentatif d'une tendance de l'opinion qui n'a plus les moyens de s'exprimer d'une façon nuancée à l'infini.

L'orientation du *Journal des Hommes libres* demeure franchement jacobine (mais il est dans la main de Fouché qui, au gouvernement, couvre le Consul sur sa gauche et même son extrême-gauche). *Le Citoyen Français, l'Ami des Lois, le Journal de Paris* font campagne pour la sauvegarde des idées et des conquêtes de la Révolution. *Le Mercure,* contrôlé par Fontanes, *le Surveillant* défendent la politique gouvernementale. *La Gazette de France* se situe nettement à droite. Quant au *Journal des Débats* (Geoffroy en est le très influent critique dramatique), il est ouvertement réactionnaire; il est d'autre part le plus lu de tous: 8.150 abonnés pour les quelque 18.700 que compte l'ensemble de la presse qui demeure autorisée.

Au fur et à mesure que le régime devient plus autoritaire, la concentration de la presse s'accentue, comme la surveillance dont elle est l'objet. Le nombre des journaux est bientôt ramené à 7, puis en 1811 à 4: les *Débats* que ses tendances royalistes rendent suspect, est enlevé aux frères Bertin; le *Moniteur* représente la voix même du gouvernement; la *Gazette de France* se fait l'interprète du courant traditionaliste; seul le *Journal de Paris* se rattache, avec la prudence indispensable, au groupe des "Idéologues".

D'autre part, dès 1806, dans une note à son ministre de l'Intérieur, l'Empereur a clairement posé le principe: "Une chose imprimée, par cela même qu'elle est un appel à l'opinion, n'en est plus un à l'autorité". Aussi "l'autorité" doit-elle faire preuve de la plus attentive vigilance. En 1809, Réal, l'un des porte-parole du Maître, reconnaît devant le Conseil d'Etat que "la presse est dans l'esclavage le plus absolu". Quand Savary remplace Fouché, qui savait ménager certaines formes, le contrôle se fait absolu. Napoléon l'a prescrit à son nouveau ministre (31 octobre

1810): "une mesure générale" doit être prise pour donner "à l'administration politique du journal une influence qui le garantisse". Savary est homme à appliquer strictement de telles consignes: il réunit les censeurs et précise sans ménagements qu'à "la première faute qui se glisserait dans un journal, le censeur serait emprisonné pour six semaines".

Strictement réglementée en matière d'informations et de commentaires politiques, la presse ne peut donc plus refléter les mouvements d'opinion sur les sujets qui touchent à la marche de l'Etat. Aussi le débat d'idées, inévitable dans un pays qui reste profondément divisé, va se reporter en des domaines neutres, voire frivoles: et l'actualité théâtrale est de ceux-là. Cette actualité va donc être commentée d'abord (même s'il n'y paraît pas à un lecteur moderne) en fonction des options de pensée du rédacteur, de la tendance que représente le journal.

La polémique engagée, dans les années 1800, autour du théâtre de Voltaire n'est pas seulement une discussion élevée autour des mérites comparés de ces tragédies et de celles de Racine; elle est la poursuite de la controverse autour de la nocivité de l'idéologie des Lumières, controverse qui, compte tenu de la rigueur de la censure, ne peut plus être soutenue à visage découvert. De même les appréciations portées sur Talma concernent bien un style de jeu, un mode de déclamation mais, par delà, elles impliquent une certaine conception de l'Ordre et du Mouvement: en substituant aux anciennes leçons dramatiques ses initiatives, Talma ne contribue-t-il pas, dans son domaine, à miner les préceptes de la tradition au profit d'une Nouveauté inquiétante et génératrice d'anarchie? Si la rivalité entre les deux tragédiennes du temps, Mlle Georges et Mlle Duchesnois, occupent l'attention de la presse pendant trois ans, c'est sans doute que le public se passionne futilement pour les épisodes de cette querelle de coulisses. Mais chacun sait que Duchesnois est l'élève de Raucourt, l'une des dernières tragédiennes de l'ancienne troupe; Duchesnois devient ainsi l'idole des vieux habitués, des "connaisseurs" pour lesquels le culte de l'art dramatique est inséparable du culte des grands Anciens. Georges, au contraire, talent moins traditionnel, plaît aux esprits épris de changement, à "tous les élèves de l'Ecole Polytechnique".

Privée de tribune politique, l'opinion se rabat sur des discussions qui sont en apparence de mince portée. Mais ce n'est pas légèreté d'esprit: sur ce terrain autorisé, on en revient à la confrontation des idées. Qu'un personnage d'Eglise soit mis à la scène, et c'est, dans les applaudissements ou les huées, le vieux débat, désormais jugé inopportun, qui rebondit autour du rôle des prêtres dans l'Etat, même si l'auteur n'a pas songé à relancer la polémique. Et, sur une telle pièce, les chroniqueurs du *Journal de Paris* ou de *la Décade Philosophique,* fidèles à l'esprit des Lumières, et ceux des *Débats,* conservateurs, ne peuvent pas porter le même jugement.

D'autre part, sous le Directoire, on se posait déjà la question de la prolifération des salles de spectacle. En 1806, Paris compte 33 scènes, certaines n'ayant à vrai dire que de lointains rapports avec l'art dramatique. Quand elles sont prises, les mesures sont catégoriques: le 8 juin 1806, un décret stipule qu'aucun théâtre ne pourra être créé à Paris sans l'autorisation de l'Empereur, que les répertoires de la Comédie Française, de l'Opéra et de l'Opéra-Comique seront arrêtés par décision ministérielle, avec défense à tout autre théâtre de jouer des œuvres comprises dans ce répertoire. L'arrêté du 25 avril 1807 parachève ces dispositions: 8 théâtres seulement sont autorisés "en notre bonne ville de Paris", avec un répertoire strictement délimité. Deux subsistent pour le "grand" répertoire: le Français et l'Odéon (Théâtre de l'Impératrice); les quatre théâtres "secondaires" sont la Gaieté, l'Ambigu Comique, les Variétés, le Vaudeville. On autorise ensuite la réouverture de la Porte Saint Martin. L'attention de la critique ne peut donc plus se disperser; elle est désormais orientée exclusivement en direction de ces quelques théâtres, et cela explique aussi pourquoi les comptes-rendus deviennent plus détaillés.

Après le tourbillon révolutionnaire qui a provoqué un gigantesque brassage de public, le fleuve reprend peu à peu sa pente naturelle.

Avec les mesures prises en faveur des émigrés, on assiste en quelques années au retour massif de ceux qui n'ont "rien oublié et rien appris", et pas seulement dans le domaine politique, de ceux qui, même "ralliés", entretiennent la nostalgie d'un passé qu'ils enjolivent. Reparaissent aussi les suspects de la veille (tel Geoffroy) qui se cachaient en province ou qui, comme Sieyès, se sont contentés de "vivre", en se faisant oublier. Ceux-là vont peser lourd dans la salle de théâtre: ils sont ceux qui peuvent porter témoignage sur l'éclat du répertoire et le style d'interprétation d'antan. A ceux-là, il va falloir des porte-parole, pour traduire leurs goûts, pour soutenir leur action, pour les rassurer sur le bien-fondé de leurs préférences.

Les transformations ne se limitent pas à cette "restauration" du public. Les spectateurs populaires sont peu à peu refoulés: le prix des places, à lui seul, suffirait à les écarter, en même temps que le rétablissement du répertoire traditionnel, à leurs yeux froid, verbeux, trop riche d'allusions savantes.

Mais un nouveau public s'est constitué, avec tous ceux pour qui la vie dramatique n'était, dix ans plus tôt, qu'un lointain épiphénomène de la vie sociale et qui, par le jeu des fortunes hâtivement faites, des promotions politiques, administratives ou militaires, ont accédé au premier rang de la Nouvelle Société. Or ceux-là se laissent séduire par le souci de la respectabilité et la présence au spectacle redevient une forme essentielle du code mondain: il s'agit, par la possession d'une loge, de faire figure. Mais ils ont tout à apprendre, ou presque, d'un répertoire qu'ils doivent découvrir. Les histoires anecdotiques du théâtre rapportent les innombrables bévues de ces spectateurs qui se perdent parmi tous ces Brutus renversant la royauté, assassinant César (et le moyen de savoir qu'il ne s'agit pas du même personnage?); qui entendent "le Vizir a tout craint" comme si l'auteur avait écrit "à tous crins"; qui admirent l'ardeur révolutionnaire de Molière dans les propos qu'il prête à Philinte, alors qu'il s'agit du personnage de Fabre d'Eglantine. Mme Sans-Gêne fréquente aussi la salle de spectacle. Il faut demander à autrui des raisons d'apprécier un répertoire dont le mérite ne s'impose par aucune sensation immédiate de plaisir: se soumettre à une véritable éducation dramatique. Jamais peut-être, depuis le XVIIe siècle, le critique n'a été aussi indispensable.

Il y a enfin tous ces spectateurs qui, bourgeois de la veille, jouent désormais les premiers rôles. Ceux-là ont reçu une solide culture classique; mais ils ont sincèrement adhéré aux doctrines révolutionnaires (même s'ils en ont désapprouvé les conséquences extrêmes); et, tout en se satisfaisant de l'état de choses actuel, qui assure la stabilité des positions et des fortunes, ils n'entendent pas renier leur passé, au moment surtout où ils assistent aux progrès d'une réaction qui les inquiète pour leurs situations personnelles et qui les choque dans leurs convictions intimes, émoussées mais vivantes encore. A ceux-là il faut aussi des porte-parole pour exprimer leurs réactions en face de l'œuvre théâtrale.

La critique sous le Consulat et l'Empire est fonction de cette hétérogénéité du public, de l'évolution suivie par le régime, des conditions matérielles de la vie des théâtres, peu nombreux, étroitement contrôlés, mais qui constituent un des rares lieux où il est encore possible d'engager, sous une forme détournée, les débats officiellement proscrits.

***

Cette période de l'histoire de la critique dramatique est dominée par la personnalité de ce Geoffroy que l'on a rencontré dans le sillage de Fréron, collaborant ensuite à l'*Ami du Roi* violemment hostile à la Révolution.

Sur le magistère qu'a exercé Geoffroy pendant près de quinze ans (sa première chronique aux *Débats* date du 19 février 1800; il disparaît le 27 février 1814) à travers un "feuilleton" qui paraît à peu près tous les deux jours, les témoignages sont innombrables. Dans sa correspondance, Napoléon lui-même prête attention à l'influence qu'il exerce. La violence des attaques qu'il suscite prouve le poids de ses jugements et de son autorité. Et il écrit dans le journal qui est de loin le plus lu de tous ceux qui paraissent alors. C'est lui, le "Père Feuilleton", qui a jeté les bases de la chronique dramatique telle qu'elle a été pratiquée jusqu'à une époque récente, c'est à dire aussi longtemps que les journalistes spécialisés, avant d'en être réduits à 30 ou 40 lignes, ont disposé, dans la publication qui les accueillait, de nombreuses et longues colonnes.

Cette influence de Geoffroy s'est étendue très au-delà de son époque. Ses opinions critiques, réunies, en partie seulement, en 1818 dans le *Cours de Littérature dramatique,* sont de celles qui n'ont jamais cessé d'être reprises, pour ne pas dire pillées, la plupart du temps de façon tacite[2]. Elles ont constitué pour de nombreuses générations une sorte de Somme dogmatique en matière de théâtre. Si les tragédies de Voltaire ont, depuis un siècle environ, cessé d'être considérées comme des chefs d'œuvre, c'est à Geoffroy et à sa campagne obstinée qu'il faut en grande partie attribuer cette révision de la hiérarchie des valeurs.

Des Granges a bien mis en évidence[3] par quels moyens Geoffroy s'est créé cette place exceptionnelle et exceptionnellement durable: vaste érudition classique, habileté de l'exposé, juste perception des réalités propres à l'art dramatique, attention portée au jeu des comédiens et aux réactions du public, sans négliger l'indispensable piment de la passion polémique. La variété, l'actualité, la solidité de ces chroniques sont indiscutables.

Pourtant la raison essentielle du succès n'est pas là. Ou plutôt toutes ces qualités n'auraient pas suffi si Geoffroy ne les avait pas mises au service d'une idéologie qui va bien au-delà du Credo littéraire, et qui est en parfait accord avec les tendances profondes de ses lecteurs.

Il ne suffit pas de rappeler que Geoffroy, né en 1743, est un homme du passé; il faut surtout relever que la Révolution le saisit alors qu'il est un homme mûr, qui a définitivement constitué le corps de ses idées, et pas seulement de ses idées dramatiques. Elève des Jésuites, puis se retrouvant dans le sillage de Fréron, avec l'acharnement des croyants qui sentent leur foi menacée il reste fidèle à ses convictions. Il est dominé par la certitude que l'esprit philosophique tend à la subversion de l'ordre établi, au rejet de toutes les valeurs traditionnelles: le Trône, la Religion, la Famille, le Culte des Anciens. A ce tourbillon dévastateur, l'inspiration dramatique ne saurait échapper. Dès 1776, dans l'*Année Littéraire*[4] il écrit: "Ne vous semble-t-il pas que l'esprit philosophique ait absolument rétréci la verve de tous nos auteurs, appauvri et desséché leur imagination? ".

En 1778, Geoffroy condamne le genre à la mode, le drame. Mais non pour son ambiguïté esthétique ou parce que la peinture des "situations" s'accommode mal des nécessités d'un genre qui ne vit que d'"action". Le drame, précise-t-il, "s'accorde merveilleusement avec le ton et la morgue philosophiques. On peut y remplir des scènes vides de l'étalage d'une philosophie pédantesque. A la place du personnage, on ne voit plus qu'un grave philosophe qui endoctrine pesamment l'assistance"[5].

C'est donc avant 1789 que Geoffroy a défini sa conception de la critique, qui est celle de Desfontaines, de Fréron: la défense du goût, de la tradition est conçue non pas comme trouvant sa fin en soi, mais comme une forme de la défense de la Société et de l'Etat: "C'est dans ces moments de crise et de révolution qu'un bon critique devient un homme important et vraiment essentiel dans la république des Lettres"[6]. Il s'agit d'enrayer ces ravages effrayants que "le mauvais goût et l'esprit philosophique font chaque jour peser sur la société"[7]. "Le mauvais goût suppose toujours la dégradation des esprits et la perte de ce bon sens national si nécessaire pour *le maintien de l'ordre*".

C'est sur ce chroniqueur aux convictions assurées que s'abat la Révolution qui consacre l'échec de l'entreprise soutenue pendant plus de vingt ans pour la prévenir. Quand il refait surface, c'est *l'Année Littéraire* qu'il reconstitue, marquant par ce seul titre la continuité de ses convictions: "J'ai vu tout changer autour de moi, excepté mon cœur et mes sentiments"[8].

Quelle que soit la pièce qu'il juge, Geoffroy reste un critique de combat que la Révolution a traumatisé au point que son jugement ne peut plus jamais être impartial. Les débordements de la Terreur l'ont ancré dans sa foi, par la démonstration de la justesse de ses mises en garde. Les esprits forts, fascinés par les grands mots de Liberté et de Progrès, pouvaient bien, avant la tourmente, rire des sombres prophéties: l'événement a démontré, et à quel prix!, que Cassandre avait raison. L'œuvre littéraire n'est jamais inoffensive. Il s'agit désormais d'ouvrir les yeux sur les réalités et de dresser le bilan: "le temps des sophismes et des déclamations est passé; nous sommes blasés sur les paradoxes et le charlatanisme"[9].

Juger une œuvre dramatique est une affaire d'Etat: "La critique qui met un frein à l'audace et à l'inquiétude des esprits, non seulement rend un grand service au théâtre, elle en rend encore un essentiel *au gouvernement*"[10]. "Un écrivain courageux, attaché aux vrais principes, est toujours, aux yeux des brouillons, un homme de parti. Comme si l'on pouvait appeler un parti le bon goût, la saine morale, et *les bases éternelles de l'ordre social*"[11]. "Quand la *gendarmerie* fait bien son devoir, les voleurs crient que la terreur est sur les grands chemins; quand la critique sévit contre l'insolente médiocrité, les barbouilleurs de papier crient que la terreur est dans la littérature"[12]. Tout est là. Et tout s'explique par cette pétition de principe.

Les jugements de Geoffroy ne sont pas tous aussi catégoriquement marqués; sa partialité s'explique aussi par des sympathies ou des antipathies, par des mouvements d'humeur. Mais la raison essentielle de son influence est bien déterminée: ses chroniques traduisent en termes d'esthétique dramatique des prises de position sur des problèmes qui sont beaucoup plus profonds. Et si son influence est si large, c'est que Geoffroy répond aux préoccupations essentielles de la partie du public qui attend que soit mis un terme, une fois pour toutes, au développement révolutionnaire: celle qui lit *le Journal des Débats*[13].

Bertin l'aîné a 34 ans lorsqu'il rachète le privilège d'une modeste feuille qui porte ce titre et qui, grâce à son habileté et à celle de son frère, va devenir l'un des plus puissants journaux du XIXe siècle. Le numéro 1 sort en mars 1800, au lendemain de Brumaire, et dès la parution se manifeste la tendance de cette publication, une tendance qui oriente toute la critique de Geoffroy.

La situation est alors particulièrement mouvante. Nous avons pris l'habitude de considérer que l'avènement de Bonaparte a permis, en quelques semaines, une totale remise en ordre. En réalité, pendant plusieurs mois, jusqu'à Marengo (14 juin 1800) qui donne au régime une assise plus solide, tout est fluctuations et ambiguïtés. Les oppositions restent vives, encouragées par l'incertitude qui pèse sur la politique que va suivre le gouvernement. Sur le pouvoir s'accentuent les pressions en vue de l'amener à s'engager soit dans le sens d'une poursuite de l'action révolutionnaire, soit dans le sens d'une "réaction" qui serait le prélude d'une restauration. *Le Journal des Hommes libres, l'Ami des Lois* militent pour le maintien au gouvernement des véritables républicains. *La Gazette de France* adopte une position diamétralement opposée, poussant à l'éviction des jacobins et à l'adoption de mesures qui prépareraient le retour de Louis XVIII. Le journal de Bertin se rattache à cette seconde tendance. On retrouve, au sein de la rédaction, l'abbé de Féletz qui a été arrêté sous la Révolution, déporté et qui est resté onze mois sur un ponton.

Après Marengo, Bonaparte peut enfin prendre des dispositions que les incertitudes de la veille rendaient impossibles. Il constate que, en son absence, misant sur une défaite ou sur sa mort, les "factions" n'ont cessé d'intriguer et se sont surtout préoccupées de prévoir un gouvernement de rechange. Soutenus par la célèbre "Agence anglaise" d'Hyde de Neuville, les royalistes ont été les plus actifs et Fouché met sous les yeux du Consul les preuves du complot dans lequel se trouvent compromis un familier de Joséphine même, et Bertin: le 11 juillet, Bertin est exilé à l'île d'Elbe, d'où il ne revient qu'en 1804.

C'est donc d'un journal ouvertement "réactionnaire" que Geoffroy est le collaborateur. Sans doute, le régime étant affermi, *les Débats* reconnaissent-ils le fait accompli et leur position s'assouplit. Mais il s'agit moins d'appuyer le gouvernement que de l'entraîner à la rupture avec le jacobinisme. Le journal est ainsi le premier à revenir au calendrier traditionnel, avant même que l'abandon du calendrier républicain soit autorisé, ce qui lui vaut un rappel du ministre de la Police. De toute son audience, il pousse au Concordat, engageant une campagne qui oppose les bienfaits de la religion aux désastres engendrés par le credo philosophique, ce credo que continuent à défendre avec fanatisme le *Citoyen français* ("les Jésuites et leurs suppôts, la Saint Barthélemy"), et plus modérément le *Journal de Paris.*

Bonaparte s'exaspère des excès du *Citoyen français:* "Voilà huit jours de suite qu'il ne nous entretient que de la Saint Barthélemy. Quel est donc le rédacteur de ce journal? Avec quelle jouissance ce misérable savoure les crimes et les malheurs de nos pères! Mon intention est qu'on y mette un terme"[14]. Mais Bonaparte ne se satisfait pas davantage de la pression exercée en sens inverse par les *Débats:* "Quant au *Journal des Débats,* il est certain qu'il pousse l'esprit de parti jusqu'à la persécution. Un temps viendra où je prendrai des mesures pour confier ce journal, *qui est le seul qu'on lit en France,* entre des mains plus raisonnables et plus froides"[15]. "J'avais défendu aux journaux de parler des prêtres, des sermons, et de la religion. Le *Journal des Débats* ne donne-t-il pas des extraits de sermons, homélies, et autres choses de cette espèce? La police voudra-t-elle exécuter mes volontés? "[16].

La mise au pas s'opère progressivement. En 1805, le journal doit changer son titre, considéré par Napoléon (ironie pour une feuille aussi hostile au jacobinisme) comme rappelant trop "le souvenir de la Révolution"[17]: il devient le *Journal de l'Empire.* L'administration du journal est remaniée: le pouvoir y impose Fiévée, un homme de confiance, comme rédacteur avec deux douzièmes des bénéfices (deux autres douzièmes vont à l'Empereur, trois à la police). Fiévée étant bientôt jugé trop mou, c'est en juillet 1807 un fonctionnaire de la police, Etienne, qui prend en mains le contrôle de la rédaction[18]. Finalement Bertin est purement et simplement dépossédé de son journal: il s'est malencontreusement compromis dans l'affaire de la publication de *De l'Allemagne.* Le journal compte alors, chiffre considérable, 23.000 abonnés.

Tel est le journal auquel a été attaché Geoffroy pendant 14 ans: étroitement lié à l'opposition de droite, puis rallié au régime, mais afin de mieux peser sur lui; journal gouvernemental enfin, mais cela à une époque où le pouvoir adopte cette politique de réaction qui n'a cessé de constituer son orientation générale.

Geoffroy n'est pas un critique "engagé". Mais il est inspiré, très profondément, par une idéologie qui se confond avec son *moi,* qui est celle des émigrés de la veille, des nouveaux nantis qui, jacobins de naguère, n'aspirent plus qu'à une stabilisation définitive de l'ordre politique et social. C'est à ces lecteurs là, qui constituent l'opinion publique prépondérante, que s'adresse Geoffroy.

On comprend mieux ainsi la violence des attaques dont, comme Fréron, il a été l'objet. Sur ce point, l'étude de Desgranges fournit une documentation très satisfaisante[19]. Tout critique dont les jugements sont catégoriques se heurte à la jalousie des chers confrères moins écoutés. L'âpreté pourtant atteint, à l'encontre de Geoffroy, à un degré qui manifeste que, cette fois, il ne s'agit plus seulement de susceptibilités d'acteurs, d'auteurs ou de journalistes.

A l'égard d'un critique le grief de malveillance systématique est tout à fait banal. Mais les traits qui sont développés sur le ton de la polémique la plus ardente sont ceux qui dénoncent la vénalité et l'ivrognerie de Geoffroy. Il importe assez peu de savoir dans quelle mesure ces attaques sont justifiées. Mais ces attaques, on doit les comprendre de la façon suivante: ce Geoffroy qui fait carrière dans la défense des bonnes mœurs, des valeurs traditionnelles et chrétiennes, qui fustige avec acharnement les pervertisseurs de l'esprit public, ce Geoffroy est un Tartuffe dont la conduite est un démenti permanent aux beaux principes dont il se fait le champion. Derrière les sarcasmes qui tombent sur un critique qui pratique l'axiome "In vino veritas"[20], qui "pour un melon vend une comédie"[21], qui perçoit "30.000 francs de contributions forcées, levées sur les auteurs dramatiques, les compositeurs, les acteurs et les actrices"[22], qui est "dépourvu de toutes les qualités qui rendent un homme recommandable", qui "a essayé de se créer un rang dans l'abjection"[23], derrière ce déchaînement se révèle moins la volonté de contester le bien-fondé des jugements de "Folliculus" que celle de mettre en évidence l'indignité de celui qui les porte.

Cette campagne de dénigrement, par sa violence comme par les arguments développés, rappelle celle dont fut l'objet Fréron. En fait, elle est la même. Il suffit d'observer à quelle tendance se rattachent ceux qui contestent à Geoffroy le droit de guider l'opinion. La campagne est menée par Lepan, par Salgues, par *le Courrier des Spectacles* et *le Journal de Paris* (en particulier par Roederer) dont l'orientation est à l'opposé de celle du journal de Bertin. Quand ces fidèles des Lumières dénoncent les attaques dont le théâtre de Voltaire est l'objet de la part de Geoffroy, il est évident que c'est très accessoirement qu'il est question de dramaturgie. Et l'on ne s'étonne pas de constater que, dans le pamphlet lancé par Chénier contre les *Nouveaux Saints* qui se créent un nom en se faisant (sectaires ou renégats qu'attire "la bonne soupe") les apôtres de la religion et des valeurs anciennes, Geoffroy se trouve cité en bonne place, aux côtés de la Harpe, Chateaubriand, Mme de Genlis.

> Oui, par Martin Fréron, le triomphe est certain,
> Dit Geoffroy; venez tous, héritiers de Martin.
> Soyons gais, buvons frais; honneur à tout chrétiens!
> Dieu prend soin de sa vigne, et les *Débats* vont bien (...);
> Vive les orémus, et la messe après boire!
> Pour la philosophie oh! c'est le temps passé; (...)
> Nous avons longuement disserté sur Alzire,
> Sur Tancrède et Gengis, sur Mérope et Zaïre;
> On est désabusé de ces méchants écrits.

Tout est dit en ces vers que l'on peut compléter, entre bien d'autres témoignages, par des notations de Stendhal, comme celle-ci: "Le Tartuffe de Molière existe encore sous les traits de Geoffroy, de Fiévée, de de Wailly, de Chateaubriand peut-être" (à Pauline, août 1804).

Il n'existe pratiquement pas de feuilleton, quel qu'en soit le sujet, dans lequel Geoffroy ne s'en prenne à Voltaire: ses pièces sont de fausses tragédies qui pèchent par l'absence de plan, par l'invraisemblance d'un romanesque omniprésent, par l'indigence psychologique de personnages qui ne parlent que le langage de l'auteur. On a déploré que la critique de Geoffroy, par ailleurs si solide, soit ainsi déparée par la faiblesse avec laquelle le chroniqueur cède à cette sorte d'idée fixe. C'est ne pas voir qu'on est là au cœur même du débat; que cette perpétuelle dénonciation des insuffisances de la tragédie voltairienne constitue la vraie raison d'être de toute la critique de Geoffroy. Il l'a lui-même précisé: "La question n'a jamais été de savoir si Voltaire a fait de beaux vers et de belle prose, mais s'il n'a pas trop souvent abusé de ses vers et de sa prose *pour corrompre les lecteurs*" (21 octobre 1809).

Pour les adversaires de Geoffroy, l'apologie des tragédies de Voltaire, le souci de les égaler à celles de Corneille et Racine procèdent d'une intention qui est de même nature.

Le Journal de Paris peut bien s'acharner à démontrer que *La Mort de César* n'est pas, comme le dit Geoffroy, une "déclamation de collège" et *Zaïre* un "roman"[24], la question n'est pas là; et c'est Roederer qui pose le problème de fond, Roederer, ancien membre du club des Jacobins, dont le rôle qu'il a joué auprès de Louis XVI au cours de la fatale journée du 10 août n'est pas trop net: "Il est impossible de répandre chaque matin dans l'esprit de 100 000 lecteurs la haine de la Révolution et de ses principes sans faire refluer cette haine sur les hommes qui, depuis douze années, ont le plus honorablement servi la patrie[25]". C'est de la Révolution qu'il s'agit, sous le prétexte théâtral, de ses principes, de ses conséquences. Ce que dénonce Geoffroy à propos de Voltaire, c'est la persistance de la *secte:* "On ne donne point aujourd'hui de tragédie de Voltaire sans que la représentation n'en soit appuyée d'un détachement de voltairiens, qui s'y rendent pour soutenir l'honneur du corps" (13 novembre 1803).

Dans ce persistant culte du théâtre de Voltaire, Geoffroy perçoit la perspective d'une renaissance de ces temps où l'admiration du vieillard de Ferney était un article de foi, quand "le fanatisme d'un troupeau d'énergumènes (avait) asservi l'opinion et ravi à la république des lettres toute espèce de liberté" (6 juin 1801). La tragédie est en déclin, constate Geoffroy avec beaucoup d'autres: parce que "le bon sens et l'art" y ont été sacrifiés aux vaines déclamations, au charlatanisme de la scène, à un pathétique faux et outré" (23 mai 1806). Mais l'explication est un peu courte et elle doit être complétée par cette profession de foi qui est capitale: "Dans ce moment, le retour aux idées justes et saines, fruit de la sagesse du premier magistrat de la République, provoque un mouvement d'opposition de la part de certains esprits qui n'ont étudié la morale et la politique que dans les pamphlets de Voltaire (...). Depuis qu'il est bien prouvé que la licence conduit à l'esclavage et à la mort, il n'y a plus le mot pour rire dans toutes ces farces de quelques insensés: ces prétendus esprits forts ne sont plus que des fous dangereux, et de mauvais politiques (...). Les philosophes ont voulu, préparé, attisé le mouvement révolutionnaire; quels ont été les fruits de leur zèle? L'anarchie, les massacres, la terreur. Nous sortons à peine de cette épouvantable crise, et quelques-uns de ces philosophes voudraient renouveler l'expérience. Ce sont des ennemis publics" (23 juin 1802).

Pour Geoffroy, le problème se situe donc bien au-delà des méfaits du romanesque au théâtre. Du côté des chroniqueurs de l'autre bord, de ceux qui écrivent dans ce que Geoffroy appelle les "cloaques" des "énergumènes" (27 février 1804), la véhémence n'est pas moins grande et l'alibi dramatique tout aussi dépassé. Roederer, au *Journal de Paris,* prend avec détermination la défense de Voltaire. Mais le conflit est d'une telle nature qu'il exige d'autres armes que celles de la polémique et, en même temps, par un rapport secret, il dénonce auprès du Consul les conséquences néfastes de la campagne menée par Geoffroy: "L'esprit du journal est de faire une guerre ouverte à la Révolution, aux sciences mathématiques et physiques qui ont corrompu la morale, desséché les âmes et conduit à l'athéisme, à la littérature du XVIIIe siècle parce qu'elle est associée à la philosophie (...). On y lit quelquefois l'éloge du Premier Consul, mais toujours sur ce que le Premier Consul fait pour le clergé, sur les intentions qu'on lui suppose pour le rétablissement des anciennes institutions et la ruine complète des nouvelles".

1802, c'est le moment où Bonaparte cherche à tenir la balance égale entre les deux tendances antagonistes dont il souhaiterait voir s'opérer la fusion. Afin de contrebalancer la dénonciation de Roederer, Fiévée intervient pour prendre la défense de Geoffroy, mettant en évidence l'absurdité des démarches de ceux qui "ont poussé le délire jusqu'à vouloir placer Geoffroy dans la conspiration de Georges (Cadoudal)"[26].

Quand, dans l'actualité dramatique, Geoffroy rencontre un de ceux qui ont trempé dans le délire révolutionnaire, l'adversaire est de ceux qu'il aborde avec allégresse. En 1802 par exemple, il rend compte des débuts au Français de Mlles Gros, Bourgoin et Volnais; il se montre particulièrement sévère pour Volnais qui, pourtant, est bientôt promue au sociétariat. Le commentaire du critique se fait venimeux: "Entre les trois débutantes, le jugement de Pâris a décidé; c'est à la beauté qu'on a donné la palme" (7 janvier). Pour les amateurs de l'époque, l'allusion est transparente: de notoriété publique, Volnais est la maîtresse du ministre Chaptal. Au chroniqueur cette protection paraît plus que suspecte: Geoffroy n'oublie pas que, en 1793 (en pleine Terreur), Chaptal a été placé à la tête des ateliers de Grenelle pour la fabrication des poudres, qu'il est un des membres les plus éminents de cet Institut qui constitue un repaire d'Idéologues. On comprend pourquoi, en riposte, *le Journal de Paris,* l'un des organes de ces Idéologues, publie un long texte où Geoffroy est pris à parti pour sa partialité à l'encontre de la jeune artiste, article (18 janvier 1802) qui commence ainsi: "Je croyais que les journalistes avaient une conscience...", avant d'incriminer l'impudeur, la vénalité, la bassesse de Geoffroy qui vient de couvrir d'"injures" la comédienne.

Or l'article du *Journal* est de Palissot. Palissot! davantage qu'un membre de la *secte*: un renégat qui a naguère défendu, aux côtés de Fréron, la bonne cause, avant de la déserter pour s'en aller hurler avec les loups. L'occasion est trop belle de régler son compte à ce revenant qui joue les apologistes des Lumières. Le feuilleton est féroce (23 janvier 1802): il dénonce les palinodies de Palissot, ses trahisons idéologiques, ses bassesses vis-à-vis de Voltaire (qui fut "dégoûté de vos flagorneries"), ses agenouillements devant Chaumette de sinistre et terroriste mémoire. Et, reprenant l'accusation de vénalité dont il a été l'objet, Geoffroy conclut: "Je ne vous demanderai point, citoyen Palissot, combien vous avez reçu d'argent pour ces flatteries patriotiques; mais je vous dirai qu'il n'y a point assez d'assignats pour payer cet excès d'opprobre dont vous avez flétri vos cheveux blancs". La discussion des mérites comparés de Mlles Gros, Volnais, Bourgoin est vite devenue prétexte à la reprise des règlements de comptes.

Quand l'Empire évolue dans le sens de la réaction, l'esprit polémique s'apaise, d'autant plus que le droit à la libre expression s'amenuise. Geoffroy n'est pas du tout un inconditionnel du régime[27]; son adhésion connaît une limite précise: celle qui est fixée par les exigences du maintien de l'ordre social et moral. C'est ce qu'il faut lire à travers tel feuilleton consacré à *la Mort de César* (Voltaire, toujours), où est fustigé le comportement du meurtrier Brutus, sans que soit prise en considération la plus ou moins grande cohésion du personnage: "Dans l'affreux chaos d'un Etat où l'on ne connaissait plus que la loi du plus fort, le chef qui rétablit l'ordre sous un titre légitime déféré par le peuple n'est point l'usurpateur de la puissance souveraine, mais le bienfaiteur de la Patrie et le restaurateur de l'ordre" (7 Messidor an IX).

La ligne suivie par le journal finit par exaspérer assez l'Empereur pour que celui-ci lui impose un censeur. Et Etienne, qui est appelé à exercer cette surveillance plus fermement que Fiévée, précise dans une note à Bertin qu'il convient de rappeler Geoffroy au strict respect des consignes gouvernementales. Si Geoffroy a été payé, ce n'est pas par les pouvoirs publics. Sa critique dramatique, comme celle, d'inspiration opposée, du *Journal de Paris,* est soutenue par des convictions, peut-être contestables, mais à coup sûr profondes. Des deux côtés, elle est l'expression des principes inconciliables qui alimentent la controverse instaurée depuis plus d'un demi-siècle.

***

Il reste à préciser de quelle façon la critique de ces années 1800–1815 formule ses jugements, en fonction de ces principes fondamentaux qui conditionnent tout.

Et d'abord vis-à-vis du répertoire traditionnel. Le débat engagé autour des mérites respectifs de Racine et de Shakespeare ne date pas de la Restauration: la brochure de Stendhal, la préface de *Cromwell* ne constituent que l'aboutissement d'une longue évolution[28]. Sous l'Empire, cette évolution ne se manifeste encore que de façon discrète. On en relève les prémices dans la tragédie de *Wallstein* (1807) que B. Constant tire du drame de Schiller (mais qui n'est pas représentée), dans les essais dramatiques de N. Lemercier (*Pinto,* 1801; *Christophe Colomb*, 1809), dans les *Satires contre Boileau et Racine* de S. Mercier (1808), dans *De l'Allemagne.* Mais, avant 1815, le conflit ne touche que des cercles restreints et la tendance générale reste à la défense du théâtre classique, au nom des vertus nationales.

Pour une fois, *le Journal de Paris* rejoint *le Journal de l'Empire* (ex-*Journal des Débats*) dans l'appréciation défavorable portée sur la tentative de Constant: le drame et la tragédie sont deux genres inconciliables. D'ailleurs, en exposant ses intentions, Constant se garde de jouer les iconoclastes même s'il affirme que le respect des unités de temps et de lieu est "particulièrement absurde": "*Andromaque* est l'une des pièces les plus parfaites qui existent chez aucun peuple". Quand il compose son *Christophe Colomb,* qui ne respecte pas ces règles, Lemercier, comme pour s'excuser de son audace, proclame la primauté de ces prescriptions que, seule, la nature de son sujet l'a amené à transgresser.

Mme de Staël même demeure très modérée[29]. Elle regrette le ton uniformément noble qui, dans la tragédie, prive le spectateur de bien des émotions; elle déplore qu'un "goût trop pur et d'un sentiment trop délicat" écarte de la scène française les grands effets de pathétique, ou que les unités rendent moins "vive" l'illusion dramatique. Mais elle ne songe pas à nier la supériorité du théâtre français; tout au plus pense-t-elle que l'on puisse préférer un autre système: "La conception des pièces étrangères est quelquefois plus frappante et plus hardie, et souvent elle renferme je ne sais quelle puissance qui parle plus intimement à notre cœur".

Quant au *Cours de Littérature Dramatique* de Schlegel, il est riche de leçons qui seront bientôt largement mises à profit; mais, pour le moment, l'écho en est faible. Aux *Débats,* ce germanisme de Schlegel est considéré comme un "vrai manifeste contre la littérature française" (29 septembre 1813); "les Schlegel, les Kotzebuhe et autres brouillons *qui tiennent école de guerre civile* et qui poussent la rage contre la France jusqu'à dénigrer les chefs d'œuvre de sa littérature pour insulter des hommes dont la sagesse contraste d'une manière si frappante avec leurs fureurs" (17 décembre 1813).

Le Mercure de France, le Mercure étranger (fondé en 1813) ne tombent pas dans ce nationalisme littéraire, qu'explique en grande partie la situation internationale. Ils ne vont pourtant pas au-delà d'une position moyenne, se félicitant de ce que les Français n'aient plus "la sottise de croire qu'au-delà du Rhin, des Alpes et des Pyrénées, il n'y a qu'ennui, médiocrité, mauvais goût".

En fait, la prééminence des classiques n'est encore contestée par personne. Cette préférence s'explique facilement. Pour les "connaisseurs", le culte des chefs d'œuvre répond au désir viscéral de voir restaurés les dogmes dramatiques d'antan. Le public de la haute et moyenne bourgeoisie, dont "les événements" ont assuré la rapide promotion sociale, est tout pétri d'Humanités classiques, adonné à l'exaltation de ces Romains auxquels les tribuns révolutionnaires n'ont cessé de se référer dans leurs discours: ceux-là considèrent la tragédie comme une institution nationale. Et pourvu que Voltaire soit admis dans ce Panthéon, ils ne songent pas à mettre en cause la supériorité des Grands Maîtres. Quant au public des Nouveaux Messieurs, dont la culture est sommaire ou inexistante, il doit bien affecter de partager les goûts de ceux au niveau desquels il s'est haussé[30]. Les *Débats* font figure de forteresse du traditionalisme, dans le domaine du théâtre comme dans les autres. Mais au *Journal de Paris,* au *Mercure,* à *la Décade*[31], à condition que l'on n'utilise pas Racine pour écraser Voltaire, on adopte un point de vue analogue.

Tout tourné vers le passé qu'il soit, Geoffroy ne tombe pas dans l'admiration systématique des Classiques. Nombreuses sont les réserves qu'il formule à l'égard de Corneille (dont il explique les faiblesses par les mœurs du temps) ou même de Racine (ses personnages ne sont pas réellement "antiques") et de Molière (sa "philosophie" paraît dangereusement novatrice). Mais ce qui mérite l'attention, ce sont les attendus de ces jugements et les arrière-pensées qu'ils révèlent.

L'apologie de Corneille constitue une réparation du réquisitoire de Voltaire: "Corneille, très dédaigné sous le règne des philosophes, est aujourd'hui le plus fêté" (19 décembre 1805). "Il faut une âme au-dessus de la sphère commune pour sentir l'espèce d'héroïsme de Corneille; et Voltaire, avec tout son esprit, n'avait pas cette âme-là"[32].

Racine est le poète suprême dans la mesure où il incarne la perfection du "goût", – l'éloge manque d'originalité. Mais aussi parce que, face aux déviations voltairiennes, il représente la vraie Tragédie. Et Geoffroy, dans un de ses plus curieux développements, démontre que Racine, non Voltaire, est le véritable "philosophe": au lieu d'étaler sa philosophie "comme une marchandise", Racine connaît l'art de l'incorporer à sa pièce. La morale de Voltaire est un verbiage sans fin ni justification; celle de Racine se dégage du comportement même de ses personnages: "Si Voltaire eût traité le sujet d'*Iphigénie,* la moitié de la pièce serait en déclamations contre le fanatisme, en invectives contre les prêtres (...). La douce et modeste Iphigénie, fidèle à la nature, fait son devoir et subit son sort; c'est ce que pourrait faire de mieux Socrate lui-même; elle agit *en philosophe* et parle comme une fille de quinze ou seize ans; la sensibilité est la philosophie de son âge" (18 juillet 1802). Le tout est de s'entendre sur le mot *philosophie*[33].

Molière est apprécié dans la même perspective. Sa primauté universelle est un article du dogme: il est "le premier comique de tous les siècles et de tous les pays" (5 décembre 1801) parce qu'il représente le "bon sens" dressé contre les esprits faux, les escrocs de la pensée et des lettres, parce qu'il dénonce les Imposteurs éternels, ceux-la mêmes contre lesquels Geoffroy mène le bon combat. Et surtout: "dans ses comédies (...), il y a plus de philosophie que dans tous les ouvrages du XVIIIe siècle" (2 juin 1810). Mais une philosophie qui est inquiétante: Molière "n'a fait aux mœurs aucun bien réel, il en a même favorisé le relâchement" (9 janvier 1809); "quand Molière a secondé, par ses plaisanteries, le progrès nécessaire des mauvaises mœurs, il a toujours réussi; tous ses traits contre l'autorité des pères et des maris ont porté coup; mais toutes les fois qu'il a essayé de lutter contre le torrent de la corruption, il a échoué" (3 juin 1803).

Pour le répertoire contemporain, les réflexes jouent de la même façon.

Geoffroy est systématiquement hostile à toute nouvelle tragédie. Alors qu'on attendrait qu'il souhaitât voir les contemporains se mettre à l'école des Maîtres, à chaque fois qu'il se trouve placé en face d'une œuvre qui se réfère à l'archétype, il renâcle. Ces pièces sont d'une insigne médiocrité et Geoffroy n'est pas sans mérite de les avoir sévèrement critiquées. Mais, logiquement, il ne peut pas ne pas être hostile à ce répertoire-là. Il est persuadé que l'œuvre dramatique est fonction de l'état des mœurs et de la société. Pour que, donc, la tragédie puisse revivre, il faudrait que soient reconstituées ces mœurs et cette société qui ont permis son épanouissement, utopie pure après le déchaînement philosophique, puis révolutionnaire. C'est avec une sombre satisfaction que Geoffroy porte son diagnostic: en matière dramatique, les Nouveaux Temps sont condamnés au drame, voire au mélodrame dont il prophétise: "C'est un bâtard de Melpomène qui pourra bien quelque jour étouffer l'enfant légitime et succéder à tous ses droits" (30 août 1806).

L'abus de la philosophie et du pathétique, la recherche constante des "effets" ont perverti les auteurs, le public, et ce ne sont plus que des parodies de tragédies qui sont présentées. Quant aux comédies nouvelles, comment répondraient-elles à leur véritable objet, qui est la critique des mœurs? : "le public aime le romanesque[34] parce que, devenu généralement vicieux et ridicule, il ne peut plus supporter au théâtre sa propre critique; au temps où les mœurs étaient simples et honnêtes, on supportait, soit comme divertissement, soit comme une utile leçon préventive, la peinture des vices et des ridicules" (26 juin 1807).

Les jugements de Geoffroy sur Picard, par exemple, varient selon la valeur de la pièce, mais au moins autant en fonction du degré d'alacrité que l'auteur apporte à fustiger les mœurs et les ridicules d'une Nouvelle Société considérée comme haïssable: "Un poète comique doit démêler dans les ridicules et les vices généraux ceux qui caractérisent son siècle. La Révolution a prodigieusement exalté la cupidité. Le règne de l'agiotage a détruit la bonne foi (...),il semble que notre système actuel se réduise à imprimer à l'argent un mouvement précipité qui est au commerce ce que la fièvre est à la circulation du sang. Picard a mis le doigt sur notre plaie" (12 août 1803).

Il y a de l'atrabilaire chez Geoffroy: son époque le révulse, il est convaincu que l'esprit philosophique l'a définitivement infectée. Tous ses jugements trouvent là leur véritable fondement.

Cette même échelle de valeurs, il l'applique lorsqu'il apprécie les comédiens auxquels il s'intéresse davantage encore que Grimod. Décadence ici encore, et qu'il est impossible d'enrayer. Tout se tient; le public a été perverti et il pervertit à son tour les acteurs. Que peut-on attendre d'un Dugazon pour lequel les vrais spectateurs sont ceux des Saturnales de naguère? Des grimaces, des contorsions, de la charge: "Il ne manque à Dugazon que de se guérir de la manie de faire rire les servantes qui viennent à la Comédie le dimanche" (27 juillet 1802).

Dans la tragédie, c'est pire: il ne s'agit plus que de produire des "effets". Talma, si vanté, n'est la plupart du temps qu'un histrion grimacier. A propos des fureurs d'Oreste: "Il est possible qu'Oreste furieux ait fait de pareilles grimaces. Mais l'humanité ainsi dégradée est un spectacle odieux. Ce n'est point un malheureux qui tombe du haut mal que nous voulons voir sur la scène: c'est le désespoir et la fureur du fils d'Agamemnon" (5 novembre 1801). *Effet* facile que cette "manie de traîner" dans la diction: "Il y a une secte des traîneurs qui prétend nous émouvoir en nous ennuyant" (16 décembre 1806); *effet* encore que ces pleurs versés par les actrices: "Nous n'avons que trop de pleureuses" (19 mai 1809).

Talma, que Geoffroy loue dans certains rôles de fureur, de folie, a compromis des dons indiscutables en se faisant le séide de la *secte:* "Talma a fait *comme Voltaire;* il a voulu avoir un genre. Il eût acquis peu de célébrité en marchant sur les pas de Lekain: il a pris un genre de tragique qui est à lui" (3 février 1807). "Lekain avait perfectionné l'école française en ajoutant à la noblesse, à la décence qui lui est essentielle, plus d'énergie et de pathétique; l'autre a essayé d'accommoder à notre scène les principes d'une école étrangère fondée sur une nature *vulgaire*" (1er octobre 1812).

Le comédien est jugé par référence aux souvenirs détestables qu'il évoque et aux valeurs qu'il illustre: démesure, vulgarité, appel aux instincts. Et c'est pour les mêmes raisons qu'il est exalté par ceux qui, tournés vers l'avenir, saluent en lui l'acteur moderne. Mme de Staël lui consacre un éloge dithyrambique dans *De l'Allemagne:* Talma supérieur à Lekain dans l'apostrophe d'Oreste à Hermione, Talma faisant de ses héros des personnages "aussi simples dans la tragédie que dans l'histoire", Talma s'essayant à "rendre quelque chose de vulgaire et de bizarre" dans le récit de la scène des sorcières (*Macbeth*), Talma produisant des effets "dont aucune tradition antérieure ne peut donner l'idée". Tout ce qui constitue pour Mme de Staël des sujets d'émerveillement est précisément ce que Geoffroy dénonce comme des signes de décadence.

II

S'il est une œuvre qui, pendant cette ingrate période, a donné l'illusion qu'on assistait enfin à l'éclosion d'un chef d'œuvre, ce sont bien *les Templiers* de Raynouard (14 mai 1805). L'unanimité se fait pour proclamer que Raynouard vient là de ressusciter Corneille, l'unanimité moins une voix, celle de Geoffroy. Or cette seule note discordante suffit à provoquer une "querelle".

La pièce est un de ces essais ambigus et maladroits tentés, avant le drame romantique, pour conférer au vieux cadre tragique une facture nouvelle, dans la ligne de de Belloy (*Le Siège de Calais*)ou Lemercier: sujet emprunté à l'histoire nationale, souci de produire des effets pathétiques et discrètement spectaculaires, mais fidélité aux règles traditionnelles. *Les Templiers* ne valent ni plus ni moins que *Pinto* (1800) ou *Isule et Orovèse* (1803).

En 1805, Raynouard a 44 ans. Cet avocat s'est laissé naturellement séduire par le mouvement philosophique; en 1794, il a partagé le grand rêve de liberté et d'égalité; il a été député suppléant à la Législative et s'est rallié à la faction girondine. La Terreur a mis ses convictions à rude épreuve: il a été emprisonné à l'Abbaye. Il est ainsi très représentatif de ces esprits qui, réformistes au départ, ont ensuite, faisant l'expérience de l'apprenti sorcier, dû revenir de leurs illusions, tout en en gardant la nostalgie. La remise en ordre de l'Etat par le Consulat va dans le sens de ces préoccupations; mais, avec bien d'autres, il entend que le nouveau régime sauvegarde les principes essentiels de la Révolution. En 1803, il obtient le prix de poésie de l'Institut sur le thème "la Vertu est la base des Républiques", avec un poème *Socrate dans le Temple d'Agaure* qui est tout inspiré d'un moralisme politique à la Rousseau. Il n'est pas un opposant; il est de ceux qui se demandent comment la restauration de l'ordre peut éviter de dégénérer en restriction des libertés. C'est beaucoup plus tard, lorsqu'il sera évident que le régime entre en agonie, qu'il en viendra aux manifestations directes: en décembre 1813, membre de la Commission du Corps Législatif, il fait partie de la délégation qui, en pleine crise internationale, présente à l'Empereur de sévères remontrances sur l'état du pays et l'étouffement des libertés.

Le succès des *Templiers* est attesté par 35 représentations consécutives, alors que les créations ne survivent guère alors à l'épreuve de 4 ou 5 séances. La correspondance d'Adèle de Rémusat donne le ton de l'enthousiasme: l'épistolière s'exalte devant "tant de grandes beautés, de grands et nobles caractères, un beau style bien soutenu, un dialogue serré, des personnages bien tracés", mérites qui ont été reconnus par "des applaudissements unanimes et continuels"[35]. A la 6e représentation, on se bat encore à l'entrée de la salle. Une tournée est bientôt prévue pour présenter le chef d'œuvre à la province. Les *Débats* eux-mêmes reconnaissent le succès financier (27 juillet 1805). Geoffroy en convient: "Il y avait un sort jeté depuis cinq ans sur les tragédies et les poètes tragiques: M. Raynouard vient d'en détruire le maléfice".

La critique loue la noblesse de l'inspiration, un souffle et une facture tragiques qui rappellent les meilleurs moments de Corneille. Geoffroy est vraiment le seul à résister à l'emportement général, à crier au faux chef d'œuvre en une série d'articles qui provoquent l'indignation des confrères. *Le Journal de Paris* (26 juin 1805) est outré: "cette pièce, qui a été critiquée avec tant de scandale par un seul journaliste!". Dans *le Courrier des Spectacles,* Lepan est plus violent encore: la lecture des articles de Geoffroy lui inspire cette sortie: "Condamné par la nature à une triste et incurable médiocrité, dépourvu de toutes les qualités qui rendent un homme recommandable, il a cherché des moyens de célébrité dans d'autres sources; il a étudié la nature dégradée, et calculé ce que la honte, le mépris pouvaient lui apporter de bénéfice. Il a essayé de se créer un rang dans l'abjection, et une sorte de grandeur dans la bassesse, semblable à ces pauvres couverts de plaies, qui s'exposent sur les routes, et qui établissent leurs profits sur le dégoût même qu'ils inspirent" (24 mai 1805). Le ton est bien véhément pour un débat dramatique, et l'on s'étonne d'un tel emportement à propos du bel art de conduire une intrigue.

C'est bien à la manière de mener l'action que s'en prend d'abord Geoffroy. Raynouard s'est trouvé confronté à l'insoluble problème posé aux dramaturges de la génération par les unités. Ce procès des Templiers qui dura, dans la réalité, sept ans, Raynouard, moins audacieux que Lemercier dans son *Christophe Colomb,* se résigne à le concentrer en 24 heures. Après avoir postulé qu'un "procès criminel est un fort mauvais sujet de tragédie", Geoffroy argumente: "Il faut au moins ouvrir la scène au moment où le procès va être jugé, et inventer alors des motifs de crainte et d'espérance qui soutiennent l'intérêt jusqu'au bout. Mais M. Raynouard a rempli ses premiers actes de lieux communs et de détails historiques: il ne fait arrêter ses Templiers qu'au 3e acte et les expédie au 5e avec une célérité incroyable. Ce grand procès est pour lui l'affaire de quelques heures".

Le titre de la pièce devrait être *le Procès impromptu* (22 mai 1805). L'ironie est un peu lourde, comme c'est souvent le cas chez Geoffroy, mais le reproche est justifié. Un tel grief (qui s'appliquerait aussi bien au *Cid*), Geoffroy l'a formulé à l'encontre d'autres pièces: *Zelmire* (de Belloy), *Coriolan* (la Harpe), *Briséis* (Poinsinet) qui a "étranglé l'*Iliade* en resserrant dans l'espace de 24 heures l'action d'une année" (7 septembre 1800). Le débat engagé semble honnêtement circonscrit à l'application des vieux principes de *l'Art Poétique.*

Les critiques qui portent sur certains héros sont elles aussi de celles qui ont été souvent formulées. Geoffroy s'en prend au jeune Marigny qui fournit pourtant un bel effet de scène lorsque, après avoir reçu mission d'arrêter les Templiers, il se solidarise avec eux; à la reine Jeanne dont l'ultime intervention en faveur des accusés fait heureusement rebondir l'action. Marigny est jugé fâcheusement amoureux, et de façon peu convaincante: suivant la regrettable tradition des rôles de "chevaliers français", il est toujours prêt, de la façon la plus conventionnelle, à faire le sacrifice de sa vie. Quant à la reine Jeanne, elle est la plus banale des reines de tragédie. Toutes critiques qui, justifiées aux yeux du lecteur moderne, ont pu sembler trop sévères aux contemporains, mais qui n'expliquent pas l'emportement du *Journal de Paris* ou du *Courrier des Spectacles.*

Prenant le contre-pied de l'opinion générale, Geoffroy s'acharne contre un vers où public et chroniqueurs ont cru retrouver le mâle accent du "Qu'il mourût". Au cours de son plaidoyer en faveur des accusés, Marigny évoque le courage et la foi dont a fait preuve, en Terre Sainte, une troupe de Templiers qui, assiégés, ont dû se rendre aux Musulmans; sommés d'abjurer, ils ont préféré la mort:

> Intrépides encore dans ce nouveau danger,
> Tous marchent à la mort d'un pas ferme et tranquille;
> On les égorgea tous; Sire, ils étaient trois mille.

Ce "Sire, ils étaient trois mille" est considéré comme un hémistiche de bronze. Sarcastique, Geoffroy s'interroge: ces trois mille martyrs de la foi constituaient tout de même pour le combat une force considérable; or ces trois mille se sont bel et bien rendus. Dans ces conditions, de quelle vaillance illusoire ne leurre-t-on pas le public? Geoffroy, bien entendu, est accusé de vétillisme, d'insensibilité à la grandeur d'âme.

Mais c'est là que précisément commence à se révéler l'intention de Geoffroy: ce qu'il n'admet pas, c'est sans doute la surcharge d'une intrigue mal menée; c'est surtout que, en un tour de passe-passe, Raynouard se soit livré à une escroquerie sur laquelle une partie des spectateurs n'est que trop portée à fermer les yeux.

Si l'on veut apprécier avec justesse la pensée de Geoffroy, il faut préciser dans quelle atmosphère *les Templiers* ont été reçus par les contemporains, et pour quelles raisons la presse des Idéologues a crié au chef d'œuvre.

La pièce est créée en mai 1805. Depuis l'institution du Consulat à vie (1802), le régime entre dans la voie d'une Restauration qui l'écarte de plus en plus de ses origines révolutionnaires. A cette date, la bataille engagée autour du Concordat est dépassée dans les faits. Cette bataille a été âpre et a laissé des traces profondes. Rassemblée autour des Idéologues de l'Institut (dont Raynouard est le lauréat), l'opposition républicaine, libérale, athée a dénoncé avec violence le retour à la "superstition": c'est alors que Chénier a lancé son pamphlet contre les *Nouveaux*

Saints (dont fait partie Geoffroy). Les directeurs de théâtres en ont profité pour reprendre de vieux succès anti-religieux, comme cette *Mélanie*, ardente dénonciation des abus commis dans les couvents, et qui est de la plume d'un des Nouveaux Saints, la Harpe, du temps où il n'avait pas encore été touché par la Grâce. La fête de la restauration du culte a achevé d'exaspérer et, au soir de la cérémonie à Notre-Dame, le général Delmas s'est écrié devant le Consul: "Belle capucinade! Il n'y manquait que les cent mille hommes qui se sont fait tuer pour supprimer tout cela".

Il y a eu ensuite la conspiration de Cadoudal, l'exécution du duc d'Enghien; il y a eu la marche vers l'Empire, que le haut-clergé a hautement soutenue; il y a eu le couronnement par le Pape lui-même. Les manifestations d'hostilité à cette évolution sont restées individuelles: Volney donne sa démission du Sénat; Lemercier renvoie sa Légion d'Honneur; à l'Institut (toujours lui), la Revellière-Lépeaux, Anquetil refusent de prêter serment; et P.L. Courier: "Etre Bonaparte et se faire roi!". Mais à beaucoup la pente paraît inquiétante. Au cours du procès de Moreau, presque tous les salons sont favorables à ce général qui affirme, devant ses juges, qu'il n'a jamais cru que la liberté soit "un crime chez un peuple qui (a) tant de fois décrété celle de la pensée, celle de la parole". Dans les théâtres, le pouvoir fait représenter des pièces (*Pierre le Grand*, de Carrion-Nisas; *Cyrus*, de M.J. Chénier[36]) dont il espère qu'elles le serviront; elles tombent à plat. On applaudit ces vers d'*Oedipe*

Quels sont mes ennemis?
Parle, quel étranger sur mon trône est admis?

Nous sommes en juillet-octobre 1804, à quelques mois des *Templiers*. Il a fallu rétablir un ministère de la Police Générale et y rappeler Fouché (juillet 1804).

Bref, *les Templiers* sont créés en un moment où l'opinion publique, inquiétée au surplus par la perspective de la nouvelle guerre à soutenir contre la coalition étrangère, est peu sûre, s'interroge sur l'aventure dans laquelle elle est engagée. Aventure d'abord accueillie favorablement, mais qui se révèle à l'usage grosse de bien des risques. Aussi toutes les inquiétudes, toutes les rancœurs que l'on est contraint de renfermer en soi-même trouvent-elles dans l'anonymat de la salle de spectacle, l'occasion de s'exprimer. Manifestations inoffensives, mais qui traduisent en état d'esprit fort incertain. Or, dans cette entreprise de salubrité publique que constitue pour lui la critique, Geoffroy est très attentif aux variations de l'opinion. Et finalement, le jugement qu'il émet sur *les Templiers* ne prend sa valeur réelle que si on le rapproche de celui que porte Napoléon.

Napoléon est absent de Paris: il est allé se faire couronner à Milan roi d'Italie. Il rentre à Paris le 11 juillet. Mais avant son départ, Fontanes lui a lu la pièce de Raynouard et, de Milan où il se trouve encore, Napoléon fait part à Fouché des préoccupations que lui cause le succès remporté par l'auteur; les *Mémoires* de Beausset se font l'écho des observations présentées par Napoléon.

En apparence le jugement de Napoléon est d'ordre esthétique: à l'impérial critique, *les Templiers* paraissent "une pièce froide, parce que rien ne vient du cœur et n'y va", alors que "le véritable objet de la tragédie (est) d'émouvoir et de toucher"; le "caractère de Philippe le Bel" n'est pas "théâtral"; Jacques de Molay ne saurait "intéresser", parce que l'auteur a "oublié une maxime classique, établie sur une véritable connaissance du cœur humain; c'est que le héros d'une tragédie pour intéresser ne doit être ni tout à fait coupable ni tout à fait innocent".

Mais il convient de prêter attention aux attendus qui motivent ce jugement. Froideur de la pièce? "(L'auteur) s'est trop préoccupé d'avoir une opinion sur un fait qui sera toujours enveloppé de ténèbres (...). Comment serait-il possible, à 500 ans de distance, de prononcer que les Templiers étaient innocents ou coupables, lorsque les auteurs contemporains (...) sont en contradiction formelle les uns avec les autres? ". Froideur du caractère du roi? Philippe le Bel "fut un prince violent, impétueux, emporté dans toutes ses passions, absolu dans toutes ses volontés (...) et jaloux jusqu'à l'excès de son autorité (...). Au lieu de cela, M. Raynouard, auteur d'ailleurs fort estimable, et d'un grand talent, nous le représente comme un homme froid, impassible ami de la justice, qui n'a aucune raison d'aimer ou de haïr les Templiers, *qui tremble devant un Inquisiteur...*". Faiblesse du personnage du Grand Maître? "Il a voulu le représenter comme un modèle de perfection idéale (...). Il n'avait, au lieu de cela, qu'à dire, ce qui est très vrai, que le Grand Maître avait eu la faiblesse de faire des aveux, soit par crainte, soit par l'espoir de sauver son Ordre".

Le jugement de Napoléon porte bien sur la valeur de la tragédie. Mais ce qu'il sous-entend, c'est que l'œuvre donne une piètre idée de l'autorité d'un souverain qui se laisse gouverner par les prêtres; qu'elle est d'un auteur qui, par système, se prononce en faveur d'une des parties en cause pour mieux mettre en valeur les monstruosités judiciaires auxquelles conduit l'absolutisme. L'essentiel est là: *les Templiers* sont dans la droite ligne de *Charles IX* de jacobine et détestable mémoire.

La sévérité de Napoléon prend son plein sens lorsqu'on l'éclaire par d'autres remarques formulées à la même époque: lorsque, par exemple, l'Empereur s'indigne auprès de Fouché (31 août 1804) de voir *le Citoyen Français* revenir sur la Saint Barthélemy (toujours *Charles IX*, de M.J. Chénier); ou lorsque (2 octobre 1807), il s'adresse à Crétet: "Demandez au préfet de Tours ce que c'est que ce monument qu'on veut élever à Agnès Sorel. Cela me paraît inconvenant. Si j'ai bonne mémoire, Agnès Sorel était la maîtresse d'un roi". Ces remarques procèdent de la même vigilance sur tout ce qui peut jeter le discrédit sur l'autorité, la renommée d'un souverain.

D'après d'Audibert[37], Napoléon se serait prononcé plus catégoriquement encore à l'égard des *Templiers:* "Cette pièce est faite dans un mauvais esprit: c'est un succès d'opposition. On place la royauté sous un jour défavorable en présentant les Templiers comme des victimes innocentes". Et Napoléon, ayant convoqué Raynouard, aurait tenté de l'"avoir sous (son) influence": "Je lui ai fait pressentir un bel avenir. Il a tout refusé. Il se borne à vouloir conserver, dit-il, son indépendance de poète; oui, l'indépendance nécessaire pour faire de l'opposition. Eh bien, qu'il la garde, mais c'est un homme à surveiller".

De Milan, dans une lettre à Fouché (1er juin 1805), Napoléon précise sa pensée, mentionnant même Geoffroy:

> Il faudrait que l'esprit (des) journaux fût dirigé dans ce sens, d'attaquer l'Angleterre dans ses modes, ses usages, sa littérature, sa constitution. *Geoffroy n'est recommandable que sous ce point de vue et c'est le grand mal que nous a fait Voltaire de tant nous prêcher l'anglomanie* (...). Il me paraît que le succès de la tragédie des *Templiers* dirige les esprits sur ce point de l'histoire française. Cela est bien, mais je ne crois pas qu'il faille laisser jouer des pièces dont les sujets seraient pris dans des temps trop près de nous (...). La scène a besoin d'un peu d'antiquité (...). Vous pourriez en

> parler à M. Raynouard, qui paraît avoir du talent. Pourquoi n'engageriez-vous pas M. Raynouard à faire une tragédie du passage de la première à la seconde race? Au lieu d'être un tyran, celui qui lui succèderait serait le sauveur de la nation".

Les considérations esthétiques de Napoléon ne font que recouvrir le souci de "l'esprit public". Comme chez Geoffroy, la confusion des préoccupations est permanente.

Le succès des *Templiers* n'est pas dû au seul fait que certains spectateurs ne sont pas fâchés de voir dénoncés sur la scène les méfaits de l'absolutisme et du sectarisme religieux. Mais il est clair que Geoffroy a interprété dans ce sens le succès de Raynouard.

L'une des répliques les plus acclamées est celle qui est placée dans la bouche de la reine Jeanne, attachée à démontrer que les aveux des accusés n'ont aucune valeur: "– La torture interroge et la douleur répond". Vers digne de Corneille, peut-être. Mais vers qui résonne des échos de la longue campagne menée naguère par la *secte* contre l'usage de la torture. Une torture dont on n'oublie pas qu'elle a été imposée par les gens d'Eglise qui ont réduit à leur merci le pouvoir royal: les Templiers, la Saint Barthélemy, l'affaire Calas, et tant d'épisodes sanglants, dont l'évocation a alimenté la propagande des adversaires de "l'Infâme". Sur ce point, Geoffroy est d'une méfiance extrême; il ne cesse de veiller à ce que soient écartées de la scène les vieilles calomnies anticléricales. A propos d'*Isule et Orovèse,* où l'on voit la jeune Isule en butte aux assiduités du druide Orovèse: "Quel homme, avec la moindre connaissance de l'art, a jamais pu s'imaginer qu'une dévote, séduite par un prêtre, fût un bon sujet de tragédie! Qu'y a-t-il de plus froid que cette bigote Isule qui brûle pour un cafard cruel et féroce?"[38].

En 1801, Geoffroy s'indigne au spectacle des *Visitandines* (Picard), où les religieuses sont calomniées dans leurs mœurs: "Dans le moment où le Premier Consul (...) rappelle ces vertueuses filles auprès des pauvres et des malheureux (...), n'est-il pas douloureux d'entendre le théâtre retentir de sarcasmes et de calomnies contre des institutions qu'on peut *rendre si utiles à la société?* "[39].

Et en 1802, après la reprise de *Paméla* (Neufchâteau): "Quoi! lorsque le Premier Consul (...) s'empresse de renouer nos anciennes relations avec le Saint-Siège, vous criez en plein théâtre qu'on n'a pas besoin de religion! (...) Vous renversez *le fondement le plus solide de la société.* En vérité, citoyen François de Neufchâteau, est-ce là ce que vous appelez avoir de la morale? " (22 janvier 1802).

C'est la même hydre que voir resurgir Geoffroy avec ces Templiers, présentés comme de sublimes victimes – des victimes qui, à trois mille, ont mis bas les armes. Et les chers confrères s'y laissent prendre. Dans *l'Opinion du Parterre,* Valleran loue ce Grand Maître, sa "noblesse", sa "résignation", qui représentent si bien "l'idée que l'on peut se former d'un vrai héros chrétien, qui n'ambitionne que la gloire du martyre". Valleran ne perçoit-il pas que, contre toute vérité historique, Jacques de Molay n'est fait "vrai héros chrétien" que pour mieux couvrir d'opprobre le Roi et ses conseillers ecclésiastiques?

Ainsi s'explique que, "seul journaliste", Geoffroy refuse de partager l'enthousiasme général. Fausse pièce historique, où l'histoire est délibérément bafouée pour ranimer la passion anticléricale et la haine du pouvoir fort. Contre l'imposture,

Geoffroy se dresse: "Les Templiers, aux yeux de la philosophie, sont des victimes éclatantes du despotisme royal et sacerdotal; (...). Tous les *penseurs*[40] doivent savoir gré à M. Raynouard d'avoir essayé de réhabiliter la mémoire d'un ordre ou plutôt d'une secte de frères et amis, que les honnêtes gens étaient accoutumés depuis plus de cinq cents ans à mépriser comme des misérables et de vils scélérats très justement punis par les lois" (18 mai 1805).

Geoffroy n'est pas un stipendié de Napoléon. Le journal dans lequel il écrit exaspère souvent le Pouvoir par l'excès de son dévouement à l'Ancien Régime. Et le Maître réduit à peu de chose (le combat contre l'anglomanie) l'estime qu'il porte au critique. Mais ils ont en commun une préoccupation majeure, l'assainissement de "l'esprit public".

***

Tous ceux qui (auteurs, critiques, comédiens, spectateurs) animent la vie dramatique sous l'Empire ont été témoins ou acteurs de la Révolution. La tourmente a été si violente qu'elle n'a pas seulement bouleversé les situations acquises et les intérêts; elle a marqué de façon indélébile les esprits et les cœurs. Rompant des lances avec Roederer, Guiguenné, Salgues ou Lepan, Geoffroy certes est un "connaisseur", qui juge des œuvres dramatiques suivant une esthétique passéiste. Mais il est surtout, parmi tant d'autres dont il est l'interprète, un des survivants échappés au cataclysme et dont l'obsession véritable n'est pas la fidélité à la vraisemblance ou le respect des règles, mais bien: "plus jamais cela!".

Notes

1 Cf. C.M. des Granges, *Geoffroy et la vie dramatique sous le Consulat et l'Empire,* 1897 (Hachette); Sainte Beuve, *M. de Feletz et la critique littéraire sous l'Empire* (*Lundis,* tome I); Boissonnade, *Critique littéraire sous le Premier Empire,* 1863 (Colincamp).

2 Un seul exemple: depuis que Nisard a paru inventer la formule, on a souvent débattu de la "vertueuse coquetterie" d'Andromaque. Or Nisard n'a fait que reprendre, sans citer sa source, une expression de Geoffroy: "elle a, si l'on peut parler ainsi, la coquetterie de la vertu". (*Débats,* 27 août 1803).

3 Op. cit., p. 128 et sq., p. 182 et sq.

4 Tome V, lettre 7. A propos du *Coriolan* de Gudin.

5 Tome II, lettre 12.

6 *Année Littéraire,* I, lettre 1.

7 Id., I, lettre 1.

8 Id., I, lettre 1.

9 *Débats,* 28 février 1802.

10 Id., 24 janvier 1804.

11 Id., 16 février 1805.

12 Id., 25 février 1804.

13 Cf. J. Lemaître, *le Livre du Centenaire du Journal des Débats,* 1887.

14 A. Fouché, 31 août 1804.

15 Id., 4 avril 1807.

16 Id., 25 avril 1808.

17 A Fiévée, mai 1805.

18 Etienne est auteur dramatique; Geoffroy va donc juger ses œuvres.

19 Livre II, *la Polémique dans le feuilleton,* p. 200 et sq.

20 *Journal de Paris,* 10 août 1803.

21 *Courrier des Spectacles,* 31 juillet 1806.

22 F. Edmond, *Les Etrennes ou entretiens des morts sur les nouveautés littéraires,* 1813.

23 *Courrier des Spectacles,* 24 mai 1805.

24 Articles du 1er et du 17 Messidor an IV.

25 *Journal de Paris,* janvier 1804.

26 Cf. *Correspondance* de Fiévée, 1837, t. II, p. 102, n° 33.

27 Geoffroy n'hésite pas à s'en prendre à certains auteurs que l'Empereur protège: Luce de Lancival, Etienne.

28 Cf. Bray, *Chronologie du Romantisme,* 1932.

29 *De l'Allemagne*, 2e partie, chap. IV. Cf. R. de Luppé, *Les Idées littéraires de Mme de Staël et l'héritage des Lumières,* 1969.

30 La position de Napoléon est nette. Dans une conversation avec Roederer (6 mars 1809), à propos de *Wallstein:* "Ces gens-là veulent écrire et n'ont pas fait les premières études de littérature. Qu'ils lisent les Poétiques, celle d'Aristote. Ce n'est pas arbitrairement que la tragédie borne l'action à 24 heures: c'est qu'elle prend les passions à leur maximum".

31 *La Décade* (1794–1807) est un organe de l'Idéologie modérée. La Chabeaussière y tient la critique dramatique. En 1807, elle est absorbée par *le Mercure.* Cf. J. Kitchin, *Un Journal philosophique: la Décade,* 1965.

32 *Cours,* I, p. 78.

33 Jugeant *Andromaque* dans *le Génie,* Chateaubriand (un des *Nouveaux Saints*) l'apprécie suivant un critère analogue à celui de Geoffroy: parce qu'elle est chrétienne, l'héroïne de Racine "est plus sensible, plus intéressante que l'Andromaque antique".

34 Le romanesque constitue, pour Geoffroy, l'un des vices essentiels du théâtre de Voltaire.

35 *Lettres* de Mme de Rémusat, 7 mai 1805, p. 126.

36 Ce *Cyrus* constitue un bon exemple de palinodie (ou d'"évolution") des ex-révolutionnaires: appelé à exalter, par antiquité interposée, l'institution de l'Empire, il est de la plume de l'auteur de *Charles IX.*

37 *Indiscrétions et Confidences,* p. 61.

38 *Débats,* 13 février 1803. On retrouve encore ici le reproche de "froideur"; on décèle aisément ce qu'il recouvre.

39 *Débats,* 12 novembre 1801.

40 Traduire: les Idéologues.

CHAPITRE III

I

Le terme de Restauration donne facilement à penser qu'il correspond à une période d'apaisement, de reconstruction, de stabilité; période qui semble, selon une formule de Giraudoux, ouvrir au pays, avec la monarchie, "le bonheur bourgeois".

Or aucune image n'est plus aberrante, si on ne la corrige pas en rappelant que jamais, peut-être, dans l'histoire de France, le tumulte idéologique et politique, naguère muselé par la ferme poigne impériale, n'a été aussi bouillonnant et permanent. Avec Louis XVIII, le nouveau régime, bon gré mal gré, se place sous le signe de la nécessaire absorption par la Monarchie de l'héritage révolutionnaire que lui a légué l'Empire: il s'expose donc à être le témoin (avant d'en devenir la victime) de l'affrontement de convictions et d'intérêts qui demeurent fondamentalement contradictoires et dont il réussit de moins en moins à se constituer l'arbitre. Rien n'est plus utile que la lecture des journaux du temps: ils attestent que les contemporains ont vécu ces quinze années dans une atmosphère constante de tension. Pour les uns, l'Apocalypse redoutée prend la forme d'un retour toujours possible aux excès du jacobinisme et du terrorisme, la guillotine se profilant en fond de décor. Pour les autres, l'Apocalypse entraînerait la remise en cause des positions et des biens acquis, le rétablissement des lettres de cachet, l'omnipotence de l'Eglise.

La confrontation ne prend pas seulement, de temps à autre, la forme d'attentats ou d'émeutes avortées. On la retrouve dans la vie quotidienne, dans les correspondances, dans les journaux intimes. Ce qui est en jeu, un très fragile équilibre étant acquis, ce n'est pas telle ou telle majorité parlementaire, c'est toute une conception de la Société, des relations entre groupes et individus, de la manière de vivre. Et ce conflit porte autant sur les modalités de l'application de la Charte que sur les modes de pensée, sur les comportements, sur les manières de s'habiller, de se divertir, de juger une œuvre d'art,un roman ou une pièce de théâtre. Tout événement devient prétexte à renouveau des anxiétés, à réaction de défense, à dénonciation d'un péril: aucun incident, si menu soit-il, ne garde sa dimension objective aux yeux d'une opinion publique qui, depuis 25 ans, a été bouleversée par le flot des événements, des retournements de situation, et qui a chèrement appris que les conflits d'idées débouchent un jour ou l'autre sur les affrontements violents, sur les ruines et sur la mort.

Que le curé de Saint Roch refuse la sépulture chrétienne à la comédienne Raucourt, il n'y aurait là, en d'autres temps, qu'un banal fait divers. La décision du curé provoque pourtant une véritable émeute. C'est que beaucoup sont obsédés par la perspective d'un retour en force du parti-prêtre et que l'on redoute la remise en cause des acquis révolutionnaires, à commencer par la vente des biens du clergé.

Que Bavoux, professeur de droit, critique dans ses cours les principes du Code Pénal, ce n'est plus là exposer seulement un point de vue d'expert en matière juridique: c'est appeler à la révision des principes de l'ordre social. Le cours est suspendu, l'"ardente jeunesse" des Ecoles manifeste, les collèges de province se solidarisent dans le tumulte.

Que, lors d'une réception donnée en 1827 par le nouvel ambassadeur d'Autriche, Soult, Oudinot soient annoncés sans que mention soit faite des titres que leur a conférés l'Empereur (duc de Dalmatie, duc de Reggio), il n'y a là qu'une question protocolaire que devraient régler les chancelleries intéressées. Pourtant, aussitôt, l'affaire prend les proportions d'un scandale: il ne s'agit plus de reconnaître des titres qui sont, en fait, théoriques, mais de savoir si les Puissances vont afficher à la face du monde leur volonté de tenir pour non-avenu le passé glorieux de l'Empire. Hugo compose l'*Ode à la Colonne;* la Chambre intervient, et c'est une nouvelle occasion de vilipender le gouvernement Villèle.

De même l'anglomanie est éminemment suspecte à cette partie de l'opinion publique qui, hostile au nouveau régime, n'admet pas que Merle, directeur de la Porte Saint Martin, présente à des Français le divertissement préféré des Anglais: combats de coqs, de boxe. Et ce n'est pas en vantant la générosité de l'Angleterre qui a offert asile aux princes exilés, bien au contraire, que l'on dédouanera les coqs, les boxeurs, ou Shakespeare. On clame que ces spectacles sont introduits en France pour mieux attacher le pays à ses chaînes qu'a contribué à forger l'Angleterre, précisément.

Entre 1815 et 1830, tout incident, toute manifestation prend une coloration politique. L'œuvre littéraire ou dramatique n'échappe pas à la règle.

Le terme de Restauration est ambigu d'une autre façon encore. On imagine volontiers que la chute de l'Empire donne lieu, de fond en comble, à un renouvellement du personnel en place, qu'il s'agisse du personnel politique, administratif, des cadres de l'activité économique ou de l'activité littéraire et artistique. Or rien n'est plus faux.

En ses débuts, la Restauration a donné, en fait de retournements, de reniements, le spectacle le plus étonnant qu'ait jamais présenté une Histoire pourtant riche en palinodies. Jamais le jeu des girouettes opportunistes n'a été plus général et plus éhonté.

Dès 1814, les Maréchaux les plus inféodés au régime abattu et ses bénéficiaires les plus grassement repus ont donné le ton. A son retour, Louis XVIII a été salué, très bas, par l'ex-jacobin terroriste Augereau, sabreur de Fructidor, par Jourdan, Macdonald, Ney, Moncey, Lefebvre, Oudinot, Kellermann. Devenu ministre, Soult constitue une promotion de généraux entièrement composée d'ex-émigrés ou d'anciens chefs de la Chouannerie, en même temps qu'il fait poursuivre en justice ceux de ses camarades qui demeurent suspects de sympathie pour "Buonaparte". Les nouvelles Chambres sont peuplées de parlementaires impériaux, d'anciens ministres, de représentants de l'ex-Corps Législatif. Pour tous les nantis, il s'agit d'abord de se perpétuer et, en matière de rétablissements, les tours de force exécutés par Talleyrand, par Constant, par Fouché, ex-régicide, ex-fusilleur, constituent les exemples les plus spectaculaires proposés à la foule de ceux qui entendent d'abord sauver leurs avantages et leurs places, et qui y parviennent.

Les grandes dynasties bourgeoises, dont la fortune est issue des bouleversements de la Révolution, se sont avec succès accrochées au nouveau pouvoir qui, d'ailleurs, sans leur soutien, n'aurait pu se maintenir. Les leviers de commande demeurent entre les mains des Périer, fils d'un ancien brumairien qui, au bon moment, a racheté la mine d'Anzin, des Delessert, des Perrégault, des Laffitte dont l'élévation ne doit rien à la Restauration des Bourbons.

"Restauration"? du roi sans doute; et aussi de l'antique cérémonial, d'une étiquette anachronique. Mais ces restaurations ne font que voiler cette réalité: dans l'ensemble, les hommes demeurent. Ils sont assagis par l'âge, par la lassitude, et définitivement convaincus que les déclamations rhétoriques peuvent conduire aux catastrophes si, par malheur, des naïfs ou des esprits trop frais les prennent à la lettre.

Il n'en va pas autrement dans le domaine des arts et des lettres, et plus précisément du théâtre. Les Lemercier, les Jouy, Jay, Andrieux – pour les auteurs –, les Talma, Lafon, Duchesnois – pour les comédiens, sont toujours en première place sous les feux de la rampe. Il en va de même pour la critique. Si la mort ne l'avait pas saisi en 1814, Geoffroy aurait assurément continué à rédiger sa chronique.

***

C'est ailleurs qu'il faut chercher les transformations qui, entre 1815 et 1830, affectent l'exercice de la critique dramatique.

Et d'abord dans les modifications qui touchent le régime des journaux[1]. Dès 1814, la Charte concède la liberté de la presse. Principe qui est aisé à énoncer, mais les modalités d'application vont donner lieu à des contestations infinies: au gré des événements, des tendances des différents gouvernements, cette liberté est plus ou moins resserrée par le jeu de l'autorisation préalable, du cautionnement, par les variations d'une juridiction tantôt libérale, tantôt franchement répressive. La censure notamment[2] reparaît de temps à autre, après l'assassinat du duc de Berry notamment (13 février 1820). Pourtant, comme l'a écrit Hatin[3], la Restauration correspond à l'époque des plus beaux jours de la presse, définitivement consacrée comme le plus puissant moyen d'action sur l'opinion publique. Il n'est pas de carrière politique, pas de réputation mondaine, littéraire ou dramatique qui puisse désormais s'établir sans être soutenue, amplifiée par l'écho sonore des journaux.

L'appétit de lecture est attesté par l'accroissement des tirages, et cela malgré le coût élevé des abonnements. Le *Constitutionnel* compte plus de 20.000 abonnés, les *Débats* près de 15.000, la *Quotidienne* presque 6.000. Et les feuilles passent de main en main, sont consultées dans les salles de lecture. Quant à la "petite presse", aux organes tantôt éphémères, tantôt solides, elle prolifère dans d'étonnantes proportions. On voit surgir le *Nain Jaune*, la *Lorgnette*, la *Pandore*, le *Corsaire*, le *Diable boiteux*, le *Figaro*, le *Voleur*, la *Silhouette*, le *Courrier des Théâtres*, d'autres encore: curieuses publications qui, pour échapper au cautionnement et au droit de timbre, se présentent comme journaux "des spectacles, des arts et des lettres", et qui sont bien souvent des journaux politiques, parfois des journaux à scandale, de forme plus libre, plus enjouée, plus percutante que les grands quotidiens.

Cette presse est étroitement liée aux grands intérêts économiques et bancaires. Les *Débats* restent solidement entre les mains du clan Bertin, auréolé de la résistance larvée qu'il a opposée à l'Empire. En 1826, Thiers analyse ainsi la situation des *Débats:* il

> n'appartient qu'à trois propriétaires, dont deux sont les messieurs Bertin. L'un des deux (Bertin l'aîné) est le chef du journal, l'autre (Bertin de Vaux) est écrivain distingué, député et conseiller d'Etat. Celui qui dirige le journal n'écrit pas, mais fait écrire et approuve ou rejette souverainement ce qui lui est présenté (...). (Il) est estimé sous le rapport du talent; il est beaucoup lu, il a beaucoup d'autorité, surtout en littérature[4].

Le *Journal du Commerce* "appartient à presque tous les commerçants de la capitale": il soutient, en matière de finances, "les mêmes opinions" que Laffitte, un de ses actionnaires; on retrouve ce même Laffitte, avec Casimir Périer, dans les coulisses du *Courrier Français.* Or ce qui, avant tout, préoccupe les milieux détenteurs du pouvoir économique, c'est la conquête du pouvoir politique dont ils sont écartés par trop de Richelieu, de Villèle. Aussi, bien qu'elle se prétende l'organe "des intérêts et des besoins" ou celui des "spectacles", la presse est-elle fondamentalement une presse de partis.

Selon l'analyse de Thiers, trois journaux sont franchement libéraux: le *Constitutionnel,* le *Courrier français* "plus hardi et plus vif que tout autre", et le *Journal du Commerce.* Le *Journal des Débats* est celui "des royalistes, mais ennemis des prêtres et de la noblesse"; il représente "l'esprit de la vieille bourgeoisie de Paris". La *Quotidienne* est "le journal véritablement dévôt et féodal, organe officieux des Chevaliers de la Foi", "dépôt du jésuitisme"[5]. L'*Etoile,* journal du soir, appartient "à M. de Peyronnet et à la Congrégation": elle est "dévote et jésuitique, et presque de la contre-opposition". Le *Drapeau blanc* permet à Lamennais et Martainville d'"exhaler leurs fureurs". La *Gazette de France* est "aussi violente" que le *Drapeau Blanc.*

Mais les choses ne sont pas aussi simples et il faut tenir compte des efforts soutenus par le gouvernement pour "amortir" les journaux, c'est à dire pour les acheter. C'est Sosthène de la Rochefoucauld qui, sous Villèle en particulier, est chargé de ce type d'opérations. Ainsi pour le *Drapeau Blanc* et pour la *Gazette:* "M. Sosthène a mis les deux journaux à la disposition du Ministère et, comme chaque ministre a son journal, M. de Damas, ministre des Affaires Etrangères, a pris le *Drapeau Blanc* et M. de Corbière la *Gazette*". "L'*Etoile* reçoit 20.000 francs de la Trésorerie, pour insérer les articles que M. de Villèle envoie presque tous les soirs". "Le *Journal de Paris* autrefois fut libéral. Depuis, il a appartenu à tous les ministères".

Les *Débats* trempent aussi dans ces combinaisons douteuses. Il est financièrement soutenu par le gouvernement[6] jusqu'en juin 1824, date à laquelle Villèle supprime la subvention. Mais, en 1828, le journal cède de nouveau à la tentation: il "est gagné et tout à fait ramené au rôle d'apologiste du gouvernement"[7]. Les Bertin obtiennent en effet que soit rétablie l'ancienne subvention mensuelle (12.000 francs) et encore que soit versé l'arriéré depuis juin 1824, soit 500.000 francs (or).

Que ce soit par le jeu de la pression des actionnaires ou par celui des manipulations gouvernementales, dans tous les domaines, la grande presse est ainsi constamment orientée. Et c'est cette orientation qui inspire les positions prises ou les jugements portés, y compris en matière dramatique. Si, dans son ensemble, la presse libérale défend la vieille tragédie contre l'envahissement des "barbares", c'est sans doute parce que les chroniqueurs conservent le culte de Racine; c'est surtout parce que la défense de Racine implique celle de Voltaire, considéré comme son continuateur, et que, à travers Voltaire homme de théâtre, c'est tout l'esprit du XVIIIe siècle, fait de tolérance et de foi en le progrès, qui est en cause.

Les journaux périodiques sont pareillement engagés et les titres ne doivent pas faire illusion. Le *Miroir des Spectacles, des Lettres, des Mœurs et des Arts* (1821–1823) qui se perpétue en la *Pandore,* et où écrivent Jouy, Arnault, Dupaty (des orfèvres en matière dramatique, puisqu'ils sont auteurs eux-mêmes) ne cesse de harceler le gouvernement. La *Minerve française,* qui succède au *Mercure* supprimé, et qui disparaît après l'assassinat du duc de Berry, pratique constamment le camouflage politique. Ses grands rédacteurs ont tous participé aux conflits idéologiques: on retrouve là encore Jouy, bourgeois voltairien (qui n'a pas dédaigné d'être censeur sous l'Empire): Jouy qui, lors de la création de *Germanicus* (Arnault, 1817), fait le coup de poing pour défendre la pièce soutenue par la coterie "libérale"; qui, chez Talma, déclame "contre une pièce de Kotzebue, s'égaie sur les dramaturges allemands, se plaint de l'injure qu'on fait à Racine et à Molière en livrant leur théâtre à des ouvrages informes comme ceux de ce misérable Kotzebue"[8].
A la *Minerve* milite encore Jay, qu'anime une véritable frénésie antiromantique; et Etienne aussi, autre libéral notoire (mais ex-censeur impérial), auteur de la comédie *Brueys et Palaprat* qui a eu son heure de gloire. A la *Revue encyclopédique* (1819–1829), on trouve regroupés d'autres partisans de l'Empire, convertis au libéralisme: des auteurs dramatiques comme Andrieux, A. Duval, N. Lemercier, Lanjuinais, Lacépède, Chasles. Le *Conservateur littéraire,* qui voit les débuts des frères Hugo, est d'abord un périodique d'extrême-droite, fondé pour perpétuer, après son sabordage, le *Conservateur* de Chateaubriand. Quant au fameux *Globe,* il est, à partir de 1824, l'organe de la jeunesse néo-libérale.

Pas plus qu'aux titres il ne faut se laisser prendre aux déclarations de principe par lesquelles est proclamée une volonté d'indépendance vis à vis de l'engagement politique.

> *Prospectus* du *Lycée français* (1820): Voyez comme, de tous côtés, la littérature et les arts spéculent sur la vogue des partis, comme le caractère de l'homme de lettres se dénature et perd de sa dignité propre par je ne sais quel faux air du caractère politique.
>
> *Prospectus* des *Lettres champenoises* (1817): Nous voulons la (la littérature) défendre contre les envahissements journaliers de l'aride politique.

Et, dans son premier numéro (15 septembre 1824), le *Globe* même s'en prend à ces journaux qui, si "quelquefois ils s'occupent de littérature, c'est encore pour eux un intérêt de parti"; "le temps est venu pour une réforme qui doit tout à la fois retirer la critique du commerce et des passions politiques". On sait ce qu'il en fut pour le *Globe.*

Plus nette, mais exceptionnelle, se révèle cette déclaration du *Conservateur littéraire* qui, en sa préface au tome II, reconnaît que son objectif est tout à la fois de "propager le royalisme et (de) convertir aux saines doctrines de généreux caractères".

En somme, sous la Restauration, qu'il s'agisse des grands quotidiens ou des périodiques, pas plus qu'un article consacré à l'actualité parlementaire, économique, financière, un compte-rendu dramatique n'est exempt de préoccupations de parti.

***

Du fait de ce considérable développement de la presse, le journalisme devient une activité sinon noble, du moins parfaitement avouable. La Restauration consacre la promotion sociale de ceux qui alimentent de leurs plumes les colonnes des journaux. Désormais, ce sont les plus grands noms de la politique, de la vie intellectuelle et artistique qui se font les correspondants de la presse. De même que, pour s'imposer dans les affaires de l'Etat, il faut que les discours prononcés à la tribune des Chambres soient amplifiés par la voix de cette presse, de même ne suffit-il plus, pour jouer un rôle dans la vie dramatique, de publier des brochures ou de polémiquer à l'aide de préfaces; il faut prendre position dans les journaux sur les œuvres dont on parle, sur les nouvelles théories dramatiques. Ceux qui rendent compte des spectacles portent des noms fort connus. Les adversaires de Geoffroy, les Dupan, Salgues et, après tout, Geoffroy lui même, n'étaient que de modestes artisans de la plume. Désormais ce sont des membre de l'Académie (Aignan, Jouy, Lacretelle aîné) qui écrivent dans la *Minerve française;* et Viennet, poète-député, bientôt pair de France, dans la *Minerve littéraire* ou les *Lettres normandes;* Rémusat dans le *Lycée français* ou la *Revue française.*

Au cours de ces quinze années, un autre phénomène se dessine encore: la prise en main de la critique dramatique par des professeurs ou d'anciens professeurs, début d'une évolution qui va, 50 ans plus tard, aboutir à un quasi-monopole. Le cas s'est déjà présenté avec Geoffroy, mais il s'agissait encore là d'une exception.

Dès le Consulat, Bonaparte a perçu la nécessité d'attacher au corps enseignant de la nouvelle société une dignité véritable, garante d'autorité: "les membres les plus distingués" de ce corps devraient "s'élever plus haut dans l'opinion que ne l'étaient les prêtres"[9]. La création de l'Université impériale débouchait, pour la première fois de notre histoire, sur la formation de ce *corps* d'enseignants qui, peu à peu, va devenir un des grands corps de l'Etat, lentement alimenté par l'Ecole Normale. Nanti de l'agrégation, protégé par les garanties octroyées à l'agent du service public, le professeur cesse d'être le pauvre hère qui, pour un salaire de misère, dispense aux élèves les rudiments du français et du latin: l'enseignant ne va plus tarder à devenir un Notable.

Le phénomène est sensible dès la Restauration. Le *Globe* est fondé par P.J. Dubois, ex-professeur de rhétorique au collège Charlemagne. Tissot, collaborateur de la *Minerve française,* est titulaire de la chaire de poésie latine au Collège de France. Duviquet, successeur de Geoffroy à la chronique dramatique des *Débats,* est professeur au lycée Napoléon. Quand il entre au *Mercure du XIXe siècle*, Saint Marc Girardin qui, plus tard (de 1843 à 1863) professera en Sorbonne un *Cours de littérature dramatique* qui fera longtemps autorité, est un jeune agrégé qui enseigne à Louis le Grand; c'est en 1836 que ce professeur succède, au feuilleton théâtral du *Mercure,* à Etienne, auteur dramatique qui a joué un rôle actif dans la vie des partis. Avec Saint Marc Girardin, qui reste un enseignant, s'instaure une forme de critique appliquée à "traiter le sujet", didactique, volontiers dogmatique. Ainsi se prépare l'épanouissement d'une génération de journalistes qui, formée aux solides leçons de l'Université, va, en gros à partir du Second Empire, légiférer en matière de théâtre.

***

En même temps le monde du journalisme attire, par le biais de la "petite presse", des cohortes sans cesse accrues de jeunes arrivistes pour lesquels la collaboration au *Figaro,* à la *Silhouette,* au *Courrier des Théâtres* est un moyen privilégié de faire fortune.

Cette "petite presse", Balzac la dépeint avec férocité dans *Illusions perdues*[10], avec son absence totale de convictions, sa vénalité, son immoralité foncière. Il importe assez peu que, ayant placé les aventures de Lucien en 1821–1822, le romancier ait en réalité davantage en vue le milieu des journalistes de la Monarchie de Juillet que celui des journalistes de la Restauration: car celui-là procède de celui-ci et les hommes qui l'animent sont bien souvent les mêmes, ayant franchi sans encombres l'obstacle du changement de régime.

Si, dans les grands quotidiens et les périodiques, les jugements sont la plupart du temps portés en fonction d'arrière-pensées de parti, les préjugés de la petite presse sont de nature moins élevée et l'on se retrouve là bien souvent dans le sordide. Pour toute œuvre dramatique, pour tout comédien, et surtout pour toute comédienne, le succès dépend de l'état de ses rapports avec les petits journaux[11]. Dans la lutte qui l'oppose à Florine, Coralie part battue d'avance: elle ne peut compter que sur les feuilles favorables à Lucien ou contrôlées par lui, alors que Florine dispose de l'appui de la grande presse libérale et de celle qui est soumise à Nathan: "Quand on saura que Matifat et Camusot sont propriétaires d'une revue, il y aura dans tous les journaux des articles bienveillants pour Florine et Coralie". Et Lousteau fait la leçon à Lucien:

> Je rends compte aujourd'hui des théâtres du boulevard, presque gratis, dans le journal qui appartient à Finot (...). Je vis en vendant les billets que me donnent les directeurs de ces théâtres pour solder ma sous-bienveillance au journal. L'Ambigu nous prend 20 abonnements, dont 9 seulement servis au Directeur, au chef d'orchestre, à leurs maîtresses et à trois co-propriétaires du théâtre. Chacun des théâtres du Boulevard paie ainsi 800 francs au journal. Il y a pour autant d'argent en loges données à Finot, sans compter les abonnements des acteurs et des auteurs. Le drôle se fait donc 8.000 francs aux boulevards. Par les petits théâtres, juge des grands... Comprends-tu? Nous sommes tenus à beaucoup d'indulgence[12].

Lousteau tire un autre profit de l'appui qu'il donne à Florine: la comédienne une fois lancée, il extorquera 30.000 francs au droguiste qui la protège; il deviendra rédacteur en chef, abandonnera la chronique des théâtres de vaudeville pour celle des grands théâtres. A son successeur, l'application des mêmes procédés vaudra le même résultat.

"Beaucoup d'indulgence", recommande Lousteau. Mais aussi une sévérité systématique à l'égard des auteurs et acteurs qui négligent de "se recommander". Et là on va pouvoir faire coïncider tout à fait la fiction balzacienne et la réalité.

La "petite presse" ne se préoccupe guère de porter des jugements motivés. Elle porte aux nues une œuvre, ou l'éreinte, sans se soucier de prendre des positions doctrinales. Elle procède par traits plus ou moins légers, par l'ironie ou l'allusion scandaleuse. Et une place particulière doit être faite ici à ce *Courrier des Théâtres* qui tient, dans la vie des spectacles, une place considérable et qui est dirigé par Charles Maurice.

De son vrai nom Maurice Descombes (né en 1782), C. Maurice a été employé de ministère. Auteur dramatique à ses heures (*le Parleur Eternel,* 1805; *les Fausses*

Apparences, 1816, etc.), il a fondé, en 1818, le *Camp volant,* devenu dans la suite le *Journal des Théâtres,* puis le *Courrier des Spectacles* et le *Courrier des Théâtres* (1823)[13], et c'est par là qu'il va se faire, dans le monde dramatique, une situation sans doute subalterne, mais exceptionnelle.

La manière dont il conduit son activité de chroniqueur prouve que Balzac n'exagère rien. Le comédien Samson, dans ses *Mémoires,* évoque avec précision les déboires qu'il rencontre à partir du moment où il refuse de payer tribut au journaliste, en dépit de l'exemple que lui donnent ses plus illustres camarades, Mlle Mars, Talma[14]. Il n'est plus dès lors de représentation où il paraisse qui ne soit prétexte pour le *Courrier* à sarcasmes sur la froideur de son jeu, la faiblesse de ses dons comiques, son "organe nasillard". Peu d'acteurs ont assez de constance pour résister à des campagnes aussi systématiques. En fait, C. Maurice finit par mettre tous les comédiens en coupe réglée, et c'est avec une satisfaction dénuée de vergogne que, dans son *Histoire anecdotique du théâtre,* il fait état des multiples et louangeuses lettres qui lui ont été envoyées par les acteurs et actrices désireux de s'attirer sa bienveillance.

Les auteurs, et même ceux qui occupent de hautes positions dans la société, sont astreints à ces servitudes. Le *Journal* de Viennet fournit sur ce point d'édifiantes précisions. En 1825, Viennet n'est pas un mince personnage. Il est député de Béziers; il fréquente les salons. En 1820, il a fait jouer au Français un *Clovis* qui a réussi; à l'Académie Royale de Musique un petit opéra *Aspasie et Périclès.* En 1823, il a fait recevoir à l'Odéon un *Achille.* En novembre 1830, il sera élu à l'Académie. En septembre 1825, les Comédiens montent son *Sigismond de Bourgogne* et c'est à cette occasion que Viennet entre par hasard en contact avec C. Maurice, chez Mlle Bourgoin qui tient un rôle dans la nouvelle tragédie. Le récit de l'entrevue mérite d'être largement rapporté. Viennet fait observer que son article sur ce *Sigismond* est absurde:

> – Je n'ai pas vu votre pièce, m'a-t-il répondu avec une impudence qui m'a étourdi; mais vous ne venez jamais me voir, et j'aime qu'on me montre de la considération. Pourquoi ne feriez-vous pas ce que font les Lemercier, les Raynouard et tous les auteurs?

Un peu plus tard, Viennet rend visite au journaliste: "un cabinet sale et enfermé lui sert de laboratoire". Mais quand on passe dans le salon, tout change:

> Les murs étaient couverts de tableaux de prix: – Ce Claude Lorrain, m'a-t-il dit, m'a été donné par un tragique de l'Académie, ce Rembrandt par un autre membre de l'Institut. Il a ouvert ensuite une armoire où se trouvait pour 60.000 francs d'argenterie, en soupières, flambeaux, coupes, urnes et autres objets. C'était une véritable boutique d'orfévrerie. – On les fait faire pour moi (...). Un tiroir renfermait des bijoux de toute espèce. Dans un autre, était une boîte d'or remplie de napoléons, qu'il venait de recevoir d'une actrice; dans un coin était 10 billets de banque de 1.000 francs, étiquetés de différents mois au millésime de l'année (...). Mlle Bourgoin m'a positivement assuré que la moitié de ses appointements allait aux journalistes, que Lafon, Mars, Duchesnois et Talma lui même faisaient des pensions à Martainville[15] du *Drapeau Blanc,* à Duviquet du *Journal des Débats,* et à dix autres.

La conclusion est celle-là même que Balzac tire dans son roman: "Des Martainville, des Mély-Janin, des C. Maurice: le rebut de la littérature, des gens qui n'ont ni mœurs, ni sentiment d'honneur, ni conscience, qui n'ont jamais jugé que par esprit de parti ou par intérêt"[16].

Fréron, Geoffroy avaient été l'objet de pareilles accusations. Mais leurs articles avaient au moins le mérite du sérieux. Ceux de C. Maurice sont d'un autre ton. A la fin de la Restauration, le journaliste mène campagne contre Mlle Georges qui n'est plus la grande tragédienne de l'Empire, mais qui reste encore une grande actrice. L'analyse de son style dramatique est plus que sommaire: son art de déclamatrice, ce n'est rien d'autre que "Rrrrrrr... ta-tatata... Rrrrrrr" (5 avril 1831); "Un débit haché, saccadé, une prononciation négligée et mal articulée, de ridicules tentatives, de bizarres éclats de voix, des poses révoltantes" (27 décembre 1830); "Une actrice totalement dépourvue d'âme et de véritable chaleur" (30 octobre 1830).

Tous les traits sont bons, pourvu qu'ils soient piquants. Ainsi ceux qui portent sur les formes trop généreuses de l'actrice: "On vient de faire une V.O.L.U.M.N.I.E pour Mlle Georges. Ce rôle est ce que l'on appelle un habit à la taille" (25 novembre 1829). "M. Harel dit que tout l'Odéon est dans Mlle Georges. C'est donc pour cela qu'elle est si grosse" (17 janvier 1830). "Le cheval anglais qui a dernièrement parcouru le Champ de Mars en quatre minutes n'en a mis que cinq hier à faire le tour de Mlle Georges" (16 mars 1830). Balzac pèche par modération.

Quelques années plus tard, Viennet qui, en 1825, s'indigne si fort des procédés utilisés par le *Courrier des Théâtres*, est assez devenu le familier du journaliste pour assister à *Angelo, tyran de Padoue* (1835) dans la loge personnelle de C. Maurice qui lui a "offert gracieusement une place"[17]. Le coquin est devenu un homme tout à fait fréquentable.

***

En même temps que se poursuit l'épanouissement de cette presse, la Restauration voit renaître l'activité de cercles mondains reconstitués dont l'influence redevient sérieuse dans les débats dramatiques.

Sans doute existait-il, sous l'Empire, une "Société". Mais la disparition de l'Ancien Régime avait mis fin aux rites de ces bureaux d'esprit qui, de Mme de Rambouillet à Mme Necker, avaient contribué à décider de la réussite ou de l'échec de tant d'ouvrages. Une vie mondaine ne s'improvise pas et, Napoléon régnant, c'était moins une Société qu'une foule hétéroclite qui se pressait dans les salons, chez Mme Récamier ou chez Thérèse Cabarrus, ex-Notre Dame de Thermidor, qui, au terme d'une réception, faisait cette réflexion symptomatique: "On était bien nombreux, n'est-ce-pas? ". Les rescapés du Faubourg St Germain, ceux qui n'avaient pas émigré ou ne s'étaient pas ralliés, s'étaient cloîtrés chez eux, vivant entre intimes, petites sociétés fermées dont l'audience était faible. A quelques exceptions près, celle de Talleyrand par exemple, les réceptions organisées par les ministres ou par les grands chefs militaires, étaient caractérisées par l'ostentation du faste et des titres fraîchement acquis, non par la qualité des propos. Les réceptions des Tuileries, de style tout militaire, ne se recommandaient ni par l'aisance des manières ni par l'élégance des conversations. Les préoccupations intellectuelles ne se manifestaient qu'en de rares cercles, chez Sophie Gay, Mme de Genlis, Mme de Rémusat, la comtesse Merlin, chez certaines actrices comme Duchesnois. Il n'y avait rien eu là de comparable à l'efflorescence qu'avaient connue les dernières années de l'Ancien Régime.

La Restauration, au contraire, rend à la vie mondaine une partie de son lustre et de son efficacité. Ces salons n'ont pas grand chose de commun avec les antiques ruelles. Les regroupements s'y opèrent autant suivant la hiérarchie sociale que suivant les tendances politiques. Ce sont les affaires publiques, les initiatives des ministres, les travaux parlementaires, les fluctuations de l'opinion, qui forment la trame des conversations: les thèmes littéraires, dramatiques, esthétiques ne constituent la plupart du temps que des variantes à partir de ces préoccupations-là. R. Baschet, qui a étudié de près le salon de Delécluze, précise[18]: "On trouve là rassemblés des représentants de la société parisienne, de la bourgeoisie libérale et du groupe des doctrinaires, des journalistes, des professeurs en fonction ou destitués, des historiens, des naturalistes, des voyageurs, des érudits, mais point de poètes. Tout ce monde discute ferme (...). Le rationalisme domine; et la prose est maîtresse. La révolution politique sera sans cesse évoquée pour aider à l'émancipation des lettres et affirmée aussi la nécessité de mener de front les deux révolutions".

Les controverses autour des représentations anglaises à Paris sont ainsi autant des débats esthétiques que des confrontations autour des traités de 1815. La veine philhellénique, qui touche une grande partie du monde littéraire, dérive, non pas tellement de l'attrait de l'exotisme ni même d'une question d'actualité, mais bien du problème de fond qui retient tous les esprits: soutenir la cause des Grecs révoltés, ne serait-ce que par la plume, c'est prendre position en faveur de ce droit des peuples à l'indépendance, si ouvertement bafoué par la Ste Alliance, en faveur du droit à l'insurrection qui est un droit révolutionnaire. Les débats autour du romantisme médiéval ne sont pas non plus des débats d'écoles. Le retour au Moyen-Age, la réhabilitation de la cathédrale gothique et des vieux genres lyriques impliquent un jugement de valeur sur cette époque lointaine: nuit d'obscurantisme, comme le pensent, suivant la tradition voltairienne, les Idéologues? ou au contraire source trop longtemps négligée des vérités fondamentales, à commencer par les vérités chrétiennes?

Les salons offrent à l'auteur dramatique et à ses futurs juges un terrain privilégié. Aussi voit-on renaître l'habitude de procéder à des lectures préliminaires d'œuvres dont la création est proche. L'intention est toujours la même: par une approbation préalablement obtenue auprès de ceux qui font l'opinion, créer dans la salle de spectacle, dans les rédactions, le préjugé favorable qui orientera les réactions du public, lors de l'épreuve toujours incertaine des représentations. Quand, en 1818, le jeune Lamartine a achevé son *Saül*, "tragédie lyrique", il n'omet pas de charger Virieu d'en opérer des lectures choisies dans les salons légitimistes que fréquente son ami, en vue de préparer la réception au Français. En janvier 1824, Viennet note avec satisfaction que, chez le comte Daru, il a pu lire son *Achille*, déjà reçu à l'Odéon, "en présence d'une vingtaine d'académiciens et autres célébrités littéraires ou politiques". Parmi ces auditeurs, il cite Etienne, dont l'influence est grande et qui, d'ores et déjà, formule le principal grief qui, après la création, sera repris par les chroniqueurs: "Quel dommage que vous n'ayez pas employé cet immense talent à traiter un sujet moderne" (12 janvier 1824).

Dans leur immense majorité, ces salons sont, en matière dramatique, très peu favorables à un bouleversement radical. S'ils sont de tendance libérale, ils manifestent, au début du moins, un souci marqué de conservatisme et de régularité; s'ils sont de tendance légitimiste, ils sont à la rigueur acquis à un renouveau en matière de poésie lyrique, mais demeurent réservés quand il s'agit de réformes du théâtre.

C'est cette hostilité quasi générale qui explique pourquoi les rares cercles qui expriment un désir de renouvellement donnent d'abord aux contemporains l'impression de constituer des sectes qui compensent la maigreur de leurs effectifs en faisant beaucoup de bruit et au sein desquelles se pratique la complaisance mutuelle dans l'éloge dithyrambique: la "camaraderie". Vers 1820, le salon Deschamps, où l'on voit se réunir Soumet[19], espoir vite déçu des jeunes romantiques, Latouche, Guiraud, Vigny, Rességuier, Hugo, n'est encore qu'une ébauche de Cénacle; les soirées de Nodier à l'Arsenal, à partir de 1824, marquent un regroupement plus précis. Mais c'est en 1827 que se forme, autour de Hugo, un groupe qui représente vraiment le centre d'activités de la nouvelle école. 1827, moment où la querelle romantique est polarisée presque uniquement sur le problème de la réforme dramatique. C'est là qu'ont lieu les premières lectures de *Cromwell,* de *Roméo* (Deschamps), *Marion de Lorme, Hernani,* dans une atmosphère de ferveur juvénile et intolérante qui abolit tout esprit critique. Non sans ironie pour ses enthousiasmes de jeunesse, Turquety a évoqué une des lectures de *Marion* dans ce salon "du messie romantique": "Hugo lisait lui-même et lisait bien. La pièce était intéressante et il y avait où admirer; mais dans ce temps-là, la simple admiration était trop peu de chose. Il fallait s'exalter, bondir, frémir; il fallait s'écrier avec Philaminte: "On n'en peut plus, on pâme, on se meurt de plaisir". Ce n'étaient qu'interjections faiblement exprimées, extases plus ou moins sonores".

Le salon devient une institution de combat: c'est de là que partent les mots d'ordre; c'est là que s'organise la préparation des "soirées", avec distribution de billets gratuits à ceux qui militent pour la bonne cause. Bien des fois, les adversaires du drame ont crié au sectarisme, à la conjuration, dénoncé les procédés insolites d'une "minorité agissante" qui, de fait, entend bien réduire au silence l'opposition, c'est à dire paralyser l'exercice régulier de la critique.

Il est vrai que la "secte" est en droit d'invoquer la légitime défense contre le parti-pris des adversaires, leur omniprésence dans la presse, l'influence qu'ils exercent au sein du Comité de lecture du Français, leurs appels aux pouvoirs publics pour imposer silence aux novateurs.

On assiste en même temps à un très net élargissement de la vie dramatique. La Restauration abroge les dispositions impériales qui avaient ramené au minimum le nombre des salles de spectacle. Désormais, l'amateur est sollicité de toutes parts et le Français cesse d'être le pôle quasi unique. C'est à l'Odéon que sont créées les grandes nouveautés: *le Paria* (Delavigne, 1821), *les Macchabées* (Guiraud, 1822), *Jeanne d'Arc* (Soumet, 1825), *Intrigue et Amour* (adaptation de de Wailly, 1826), *Amy Robsart* (1828). La Porte St Martin qui avait dû, en 1810, se transformer en théâtre des Jeux gymniques, devient, à travers un mélodrame qui tend à se dégager de ses origines populaires, une scène à vocation littéraire: Delavigne y fait jouer son *Marino Faliero* (1829). Ouvert en 1820, le théâtre du Gymnase s'approprie lentement le monopole du répertoire de Scribe qui est en passe de devenir, avec Delavigne, le grand auteur à succès de l'époque. A partir de 1825, Pixérécourt, empereur du mélodrame, est en possession du privilège de la Gaîté. En 1823, c'est à l'Ambigu Comique qu'est présentée cette fameuse *Auberge des Adrets* que, contre la volonté des auteurs, Frédérick Lemaitre transforme en farce cynique et goguenarde et qui fait courir tout Paris. Les Variétés s'imposent dans la comédie légère et sentimentale. Il n'est pas jusqu'au théâtre des Funambules, ancien théâtre des Chiens Savants, qui ne se voie l'objet d'une promotion inconcevable quelques années plus tôt: là sont jouées ces pantomimes qui font salle comble, où triomphe Debureau et auxquelles vient la consécration artistique.

D'autre part, en face des Comédiens français qui passent pour être seuls à détenir les secrets de la juste interprétation, se distinguent peu à peu des acteurs d'un style totalement nouveau qui suscitent un ardent engouement: Marie Dorval, Bocage, Lemaitre (les futurs créateurs du drame), et dans la comédie Léontine Faÿ, Déjazet, Perlet, Potier déplacent l'axe de l'attention du public, le persuadent que le vrai théâtre se développe sur ces scènes des boulevards.

La critique peut ainsi s'enrichir du jeu des comparaisons, naguère impraticable, entre des répertoires et des styles d'interprétation différents.

II

Si l'on réduit les contestations que soulève la critique des œuvres nouvelles à des débats autour des unités, des bienséances, de l'alexandrin, on s'expose à ne voir là qu'empoignades criardes entre cuistres attardés et Jeunes Turcs agités, ce qui équivaut à les rendre ridicules et à leur enlever toute portée. On peut certes postuler que ces critiques de la Restauration étaient de petites intelligences, empêtrées dans leurs discussions byzantines; on peut au contraire penser que, si ces disputes ont pris une telle âpreté, c'est qu'elles ne mettaient pas seulement en cause des rites ou des dogmes aristotéliciens.

C'est en matière de théâtre que la critique a opposé la résistance la plus acharnée et surtout la plus durable aux nouveautés romantiques. Les œuvres lyriques, les romans de la "secte" ont soulevé sarcasmes et ricanements; mais assez vite ils ont fini par être au moins tolérés: fantaisies passagères de cerveaux embrumés ou dévoyés. Mais, quand il s'est agi de se prononcer sur la réforme du répertoire, l'intolérance a été, de part et d'autre, la règle générale. Les Romantiques eux-mêmes ont présenté la scène de théâtre, et en particulier celle du Français, comme l'ultime refuge du conservatisme, celui qu'il fallait emporter pour que la victoire soit complète.

C'est que le spectacle est doté d'une puissance de choc qui n'a rien de comparable à celle du texte nu: le portrait d'un roi faible, marionnette entre les mains d'un ministre tyrannique, le Louis XIII de *Cinq Mars*, peut indigner un lecteur légitimiste; mais ce portrait est infiniment moins choquant, parce que livré à la seule imagination, que celui du Louis XIII de *Marion de Lorme,* placé directement, en chair et en os, sous les yeux du spectateur, animé de gestes et de tons de voix. Un enjambement illicite n'est, pour le lecteur, qu'une faute contre la prosodie, génératrice d'agacement ou d'un sourire de pitié; jeté, comme dans *Hernani,* dès le lever du rideau, il devient aussi attentatoire que le geste impie commis dans l'église en présence d'une foule de témoins. Au théâtre, toute inconvenance est aussitôt ressentie comme une agression contre la collectivité[20]. Or le nouveau répertoire a été considéré par une bonne partie du public et de la critique, précisément, comme une provocation sacrilège.

En un paradoxe qui n'est qu'apparent, les premières audaces romantiques ont été dénoncées d'abord par les esprits qui auraient dû, semble-t-il, être le mieux prêts à les accueillir favorablement: les libéraux. En 1823, Ch. Nodier manifeste sa surprise: "Je m'étonne que des libéraux de beaucoup d'esprit croient être conséquents en restant attachés à des théories classiques"[21].

Mais l'inconséquence n'est qu'apparente. A l'origine, ceux qui, dans le sillage de Chateaubriand, lancent la mode du Moyen-Age ne songent pas tellement à prôner le pittoresque ou la beauté d'une époque injustement dénigrée; ils songent à orienter les esprits vers un retour aux sources mêmes de la tradition monarchique. Ce romantisme-là est d'abord légitimiste, contre-révolutionnaire. Telle est l'idéologie du *Conservateur Littéraire.* Or elle ne saurait être admise par ces libéraux dont l'esprit ultra, si clérical, est la bête noire, par les rédacteurs du *Constitutionnel,* de *la Minerve,* de *la Pandore,* du *Courrier Français:* par opposition à ces innovations suspectes, ceux-là se déclarent "classiques", mais à la manière de Voltaire, de Condorcet, de d'Alembert. A travers les chefs d'œuvre de Racine, ce qu'ils entendent préserver, c'est l'héritage philosophique, la notion de Goût, et *Zaïre* autant qu'*Andromaque,* dans la mesure où, à leurs yeux, *Zaïre* procède d'*Andromaque.* Le souci principal est d'éviter que les conquêtes des Lumières ne soient abolies par la réaction, mais aussi qu'elles ne soient compromises par des innovations inconsidérées qui aboutiraient à une renaissance de l'anarchie. "En littérature comme en politique, les révolutions sont presque toujours accompagnées d'erreurs"[22]. L'erreur politique a été le jacobinisme; l'erreur littéraire serait le renoncement à toute règle. On souhaite un répertoire renouvelé, qui ira chercher ses sujets dans l'histoire nationale mais non une révolution qui s'engagerait dans la voie du bouleversement total: "Nos poètes nationaux sont les patriotes de la littérature; les auteurs de mélodrames en sont les *jacobins".* "Appliquez, à des sujets tirés de l'histoire moderne, les règles constantes du goût et l'imitation des compositions antiques (...). Mais n'oubliez jamais les préceptes du Maître suprême, Aristote".

Dans *la Minerve,* Aignan définit les limites tolérables: "Les dramatistes nouveaux doivent continuer à marcher dans les voies littéraires de leurs devanciers, tant que leurs compatriotes continuent à marcher dans les voies morales de leurs aïeux. Et si quelque chose pouvait manifester que la Révolution, en améliorant les mœurs des Français, ne les a point changés, c'est que leur culte pour Molière, Corneille, Racine et *Voltaire* est toujours le même, ou pour mieux dire qu'il a en quelque sorte redoublé"[23]. Rendant compte des *Vêpres Siciliennes,* Tissot loue le drame de C. Delavigne, mais il invite l'auteur à "méditer Corneille, *Voltaire,* et surtout Racine"[24].

Viennet est bien loin d'être un légitimiste, encore moins un réactionnaire: il est un orléaniste en puissance. Mais l'évolution du répertoire fait surgir devant lui les images effrayantes d'une anarchie renaissante. Dans le texte qui suit, ce qui est important est moins la déclaration de foi conservatrice que la justification qu'il en donne:

> Je suis tellement attaché à nos vieilles admirations, je suis si fort encroûté d'aristotélisme... tranchons le mot: je suis un ultra si déterminé en littérature que la moindre innovation dans les lois du Pinde me semble le présage d'une épouvantable anarchie"[25].

Le théâtre doit demeurer soumis à certaines règles, faute de quoi, à plus ou moins brève échéance, la subversion sera totale. Tel est le sens de la contestation, en apparence si scolaire, élevée autour des unités. Ainsi en juge Thiessé, dénonçant les audaces de la nouvelle école: "Son origine *révolutionnaire* se fait assez remarquer dans sa révolte contre l'expérience, dans sa haine de *toute espèce* de sujétion, dans son mépris pour les anciennes traditions"[26]. Au lendemain de la création de *Jane Shore* (Lemercier), c'est le ton même de l'indignation devant le sacrilège qui est adopté: "J'ai vu, de mes propres yeux vu, *la profanation* la plus complète de notre scène française, de cette scène créée, agrandie par Corneille, embellie, perfectionnée par Racine, soutenue par *Voltaire et Crébillon"*[27].

Il est ainsi logique qu'il soit fait appel à la vigilance des pouvoirs publics pour sauvegarder, non pas tellement le bon goût, mais l'ordre social lui-même: "Espérons que les Chambres s'occuperont de soustraire le théâtre à un régime qui en écarte les œuvres estimables pour le livrer à des productions ridicules ou monstrueuses, honte de notre littérature"[28].

Au lendemain de l'assassinat du duc de Berry, on se persuade que le dévergondage intellectuel, la contestation de toute règle établie conduisent à voir le pied des complaisants leur "glisser dans le sang". Et là, le point de vue des légitimistes, des ultras rejoint celui des bourgeois libéraux: défendre l'Ordre classique est un devoir national.

Fondée en 1821, la Société des Bonnes Lettres constitue un groupe d'un royalisme ouvertement ultra, peut-être inspiré par la Congrégation. Le *Prospectus* de janvier est net: "S'il est vrai que la littérature soit l'expression de la Société, on peut se faire une idée de ce qu'a pu être la littérature française pendant trente années de révolution"[29]. Cette littérature n'est que "l'expression de la révolte, de l'indiscipline et de l'impiété". En mai 1822, le discours de Roger, vice-président de la Société, est un discours violent en faveur des Bonnes Lettres, des "saines doctrines littéraires et politiques, *car elles sont inséparables"*.

Au sein de cette Société siègent, à côté de l'élite de l'aristocratie ultra, des personnalités moins marquées: Saint Marc Girardin, Nodier, Soulié, Soumet. Par souci sans doute de se ménager un appui dans l'organisation d'une carrière (c'est devant les membres de la Société que Guiraud lit son *Pélage* en 1824, Soumet sa *Jeanne d'Arc* en 1825). Mais surtout parce que, sur ce point au moins, les préoccupations se rejoignent. Au "Racine et Voltaire" des libéraux, correspond, du côté royaliste, la formule utilisée par Lacretelle jeune, en 1823, pour exhorter les écrivains du parti à combattre "les doctrines impies, les fureurs révolutionnaires": "Tout *blasphème* contre Racine *ou Fénelon*[30] vous irrite sans doute autant qu'une diatribe contre Henri IV ou Louis XIV"[31]. Et le cours d'histoire dramatique professé par Duviquet, successeur de Geoffroy aux *Débats,* devant les membres de la Société, est un cours beaucoup plus polémique que didactique, tout orienté vers la défense de la bonne littérature théâtrale.

A cela s'ajoute que la bourgeoisie libérale est profondément nationaliste. Arrivés à l'âge mûr, ses représentants ont beaucoup perdu de leur enthousiasme révolutionnaire ou réformiste d'antan, de leur ferveur napoléonienne d'un temps. Mais il demeure en eux, très vive, la fierté d'appartenir à la Grande Nation, porteuse de ces idées nouvelles qui ont ébranlé les vieilles monarchies: des monarchies qui ont imposé le diktat des traités de 1815. Or, face à "Racine et Voltaire", les mêmes voudraient encore imposer leur dramaturgie de barbares (préjugé voltairien encore). Thiessé l'affirme: "l'école romantique est sur son sol naturel en Allemagne"[32]. Et *le Constitutionnel:* "en littérature, comme en politique, nous serons toujours français"[33]. Et *le Globe* lui-même, à ses débuts: "Deux mots suffisent: liberté et respect du goût national. Ni nous n'applaudirons à ces écoles de germanisme et d'anglicisme qui menacent jusqu'à la langue *de Racine et de Voltaire*".

La formule utilisée par *le Globe* est à retenir: respect du goût national, mais aussi *liberté;* et ce second souci devient bientôt le souci primordial. C'est peu à peu, sous la pression de libéraux plus jeunes, que s'opère l'assimilation de la notion de romantisme à celle de liberté, avant d'aboutir à la définition donnée de la *Préface de Crommwell:* "la liberté dans l'art".

A partir du moment où le libéralisme se définit comme le défenseur de la cause du progrès, et cela dans tous les domaines, la référence aux "illustres modèles", donc la défense de "Racine et Voltaire", devient insoutenable. La transformation va s'opérer par une sorte d'appel au peuple, en l'occurrence le public, qu'on lance à l'assaut des privilèges et des bastilles dramatiques.

Dès son second article du *Globe* (16 décembre 1824), Duvergier de Hauranne prend à parti Duviquet. Dans les *Débats* du 12 novembre, celui-ci a précisé ce qu'il considère comme le bon public: un public qui "juge quelquefois, il est vrai, d'après ses sensations, mais plus souvent d'après les principes conservateurs d'un art qu'il se croit appelé à protéger". Duvergier de Hauranne réplique en évoquant le moment, proche selon lui, où les jeunes gens "seront convaincus qu'ils vont au théâtre pour s'amuser, et non pour défendre un principe". Revenant à l'assaut, le 10 juin 1826, il proclame que "le règne du *privilège* touche à sa fin". Et au moment où les comédiens anglais tentent une seconde expérience parisienne, *la Pandore* (19 septembre 1827) tire les conséquences logiques de ces prémices:"Cette épreuve doit être faite en présence du public, et sur le public même; il faut consulter son goût pour savoir ce qui est permis sur notre scène".

La remarque va tellement de soi qu'on a peine à comprendre aujourd'hui l'ampleur de l'émoi provoqué par de telles déclarations. Mais il faut en peser la portée aux yeux des contemporains. Le 1er septembre 1822, dans une lettre à Stritch, Stendhal évoque les cours de Victor Cousin[34], ce "jeune professeur qui, (...) ne songeant nullement à se ménager une place à l'Académie Française, disait à ses quinze cents auditeurs: "Quant au théâtre, ô mes élèves! livrez-vous bonnement et simplement *aux impressions de votre cœur;* osez être vous-mêmes, *ne songez pas aux règles.* Elles ne sont pas faites pour votre âge heureux. Placez-vous hardiment sous les portiques des théâtres; vous en savez plus que tous les rhéteurs; méprisez les la Harpe et leurs successeurs, ils n'ont écrit que pour faire des livres. Vous, livrez-vous à vos impressions".

Pour un esprit soucieux de stabilité, en arriver à ce point de démagogie, de flagornerie de la jeunesse, en appeler ainsi à la satisfaction du "plaisir dramatique" au détriment de la défense de principes absolus, s'en référer au jugement de la foule sans tenir compte des critères imposés par la Tradition, c'est opérer dans le domaine de l'œuvre théâtrale une révolution démocratique, renverser les autorités établies et ouvrir la porte aux excès qu'engendre l'anarchie du goût des individus. C'est une barrière encore, après tant d'autres, qui est en train de céder.

***

La salle de théâtre, à partir de 1815, ne cesse de constituer un champ clos.

A la limite extrême, mais non pas rare, c'est la personnalité de l'auteur qui est en cause plus que la pièce qu'il propose au public. En mars 1817, le Français annonce la création du *Germanicus* d'Arnault. Or Arnault est une des victimes les plus notoires de l'épuration de 1815; il a été exclu de l'Académie, exilé par ordonnance royale. Il est un symbole pour tous ceux, impérialistes, libéraux, qui n'admettent pas le régime[35]. La création de sa tragédie devient une manifestation organisée avec soin par les partis antagonistes, avec le concours d'officiers en demi-solde (gilet blanc et cravate noire), tous munis de bâtons plombés. Etienne et Jouy, libéraux notoires, chroniqueurs écoutés, contrôlent dans la salle les dispositions prises par leurs troupes. Les ultras ont répandu, les jours précédents, la rumeur qu'Arnault a voté la mort de Louis XVI, pure calomnie puisqu'Arnault n'a pas appartenu à la Convention, mais qui porte sur la partie légitimiste du public.

Auprès du tumulte qui s'engage à la fin de la représentation de ce pâle *Germanicus,* la "bataille" d'*Hernani,* qui semble avoir été si ardente, n'est qu'une modeste escarmouche.

Plutôt que de disperser leurs manifestations d'hostilité sur les cinq actes, les adversaires d'Arnault ont convenu de concentrer tous leurs efforts sur le moment où, l'œuvre achevée, Talma doit annoncer le nom de l'auteur: "Nous ne souffrirons pas qu'on nomme un régicide". Viennet raconte:

> A peine le parterre se fût-il levé pour demander le nom de l'auteur, qu'un *non* formidable partit des quatre coins de l'horizon, et qu'un terrible coup de sifflet lancé des loges du cintre donna le signal de la bataille. Les bâtons se lèvent, on frappe des deux côtés avec rage. Deux gendarmes atteints par mégarde tirent leurs sabres (...). Mes trois voisins de la Garde ont déjà franchi la barrière qui les séparait du parterre. Le colonel Moncey, fils du Maréchal et ami d'Arnault, s'élance du haut de la première galerie en criant:"Mort à ces gredins-là, que ce soit leur dernière heure!".

Les spectateurs "neutres et résignés" se réfugient sur la scène. La troupe fait son entrée dans la salle, "par ordre du maréchal Victor, qui commande d'une loge d'avant-scène". "Les colonels Moncey, Bricqueville et Jacqueminot commandent les bonapartistes; le vicomte de Pons, le comte de Bonneval, le frère du duc de Fitz-James sont à la tête de leurs adversaires".

L'affaire a des suites: *le Mercure de France,* organe des bonapartistes, est supprimé, *le Journal Général* suspendu, *la Gazette de France,* "qui avait rendu compte de la bataille autrement que ne le voulait la censure", arrêtée par la poste. Le roi, saisi par Decazes, donne ses instructions: "dans les circonstances présentes, il ne faut pas jouer *la Mort de César* (Voltaire). Cette pièce est bien autre chose que *Germanicus* et l'auteur, tout mort qu'il est, n'est pas plus recommandable que M. Arnault"[36]. "Ce n'est plus une question littéraire", conclut ingénuement Viennet.

Il s'agit là d'un cas exceptionnel. Mais, de façon moins spectaculaire et plus insidieuse, la tendance demeure permanente.

En 1819, deux pièces suscitent l'attention de la critique, l'une et l'autre tirées de l'histoire nationale, le *Louis IX* d'Ancelot et *les Vêpres Siciliennes* de C. Delavigne. Respectant le moule classique, elles sont modérément novatrices et paraissent aujourd'hui fort ternes. L'accueil réservé ne se définit pas par la comparaison des mérites des deux œuvres, mais uniquement par l'utilisation qu'en peuvent faire les partis antagonistes. Pour un défenseur des "saines doctrines", la tragédie d'Ancelot présente l'immense avantage de prendre pour héros celui des rois de France qui est, avec Henri IV, le seul qui soit parfaitement recommandable, juste, père de son peuple, saint par surcroît: un roi à opposer, enfin, à tous les tyrans que, depuis Voltaire, la dramaturgie se plaît à exhiber sur les planches. A cette pièce qui exalte les vertus de la royauté, les libéraux et leur presse opposent celle de C. Delavigne, leur auteur de prédilection, qui les a fait vibrer au rythme de ses *Messéniennes* où sont fustigés Albion et les Alliés, célébrés les héros tombés à Waterloo. *Les Vêpres* reprennent tous les thèmes chers aux libéraux, à la "généreuse jeunesse" des Ecoles: hommages aux mérites du soldat français ("ils étaient généreux, humains, vraiment français"), dénonciation des exactions commises par les envahisseurs, exaltation du sentiment patriotique, appels enflammés à la liberté, proclamation des droits du citoyen en face de l'arbitraire du Bon Plaisir – tout y est. Aussi, quand Tissot, dans *la Minerve Française,* rend compte de l'œuvre avec enthousiasme, ce n'est pas tant parce que la tragédie prend son sujet dans l'histoire nationale ou parce qu'elle est douée d'une vertu dramatique particulière; c'est parce qu'elle lance tous les appels chers à l'opposition. Dans ses *Mémoires,* Dumas reconnaît que l'engouement pour l'œuvre de Delavigne est incompréhensible si l'on se place "en dehors des passions". "Il fallait entendre le concert d'admiration entonné par toutes les feuilles libérales, en l'honneur du jeune poète national. Le parti tout entier le caressait, l'adulait, l'exaltait"[37].

En 1820, Viennet fait jouer un *Clovis* d'une historicité douteuse, mais où il a ménagé (acte IV) une scène à effet dont il attend beaucoup et où l'on voit Clovis annoncer "les destinées de la France". Viennet est un esprit "juste milieu". D'où, dans la bouche de Syagrius, cette tirade qui se recommande par son inspiration, et non par ses vertus théâtrales:

> Sort affreux des Etats en proie aux factions!
> Chacune a ses projets et ses ambitions;
> Et soit que le destin les élève ou les brise,
> De l'intérêt public chacune s'autorise,
> Egorge au nom du peuple un parti détrôné,
> Ou poursuit dans sa gloire un parti couronné;
> Et de tous ces débats dont le peuple est victime,
> L'étranger seul profite et nous en fait un crime.

C'est le jeune Hugo (il a 18 ans) qui rédige pour *le Conservateur Littéraire* (18 novembre) la chronique consacrée à ce *Clovis.* Le jugement est sévère: Viennet est hostile à l'absolutisme. Une seule réplique trouve grâce à ses yeux: celle de Clovis à Clodéric qui veut faire exécuter Syagrius: " – Vos soldats irrités demandent son trépas. – Clovis ne reçoit point la loi de ses soldats". Belle leçon, aux yeux d'un traditionaliste, donnée à ceux qui soutiennent que le Pouvoir doit céder à toutes les pressions.

En 1822, le jeune Arnault présente un *Régulus,* dont la principale originalité est de ne s'étendre que sur 3 actes. Digne fils de son père, il a littéralement truffé sa tragédie d'allusions à la situation politique. Bien que la censure ait procédé à de larges coupures, celles qui subsistent sont "saisies avec transport par un public qui était venu pour cela".

> J'ai cru que la salle allait crouler quand le tribun Licinius s'est écrié: "Le peuple est maître à Rome et veut être obéi" (...). Le parterre s'est tourné

> en masse vers la loge où le jeune homme était avec son père. Le vieil Arnault a présenté son fils au public, et le jeune auteur s'est incliné, ayant le bras gauche de son père autour de lui et tenant de l'autre côté la main de sa tante, veuve Regnauld de Saint Angély[38]. C'était un tableau de bonapartiste bien caractérisé. Les royalistes étaient furieux du succès de la pièce et du triomphe d'une famille de proscrits. Mély-Janin, Duviquet et Martainville, rédacteurs de *la Quotidienne,* du *Journal des Débats* et du *Drapeau Blanc,* montraient sur leurs figures les sentiments qui éclateront demain dans leurs articles[39].

On voit la véritable portée des griefs que formulent Duviquet, Mély-Janin ou Martainville: scènes de délibération mal filées, style prosaïque et diffus.

En 1825, Viennet donne *Sigismond de Bourgogne.* Tout classique qu'il soit, il est mal vu des légitimistes qui ne lui pardonnent pas ses "épigrammes libérales". A l'ouverture du théâtre, un baron de la Mothe-Langon va de groupe en groupe pour prévenir les spectateurs contre la pièce. La manœuvre s'exerce aussi en direction des journaux et, au lendemain de la création, la lecture de la presse décourage un auteur qui croyait que son souci de respecter scrupuleusement l'histoire nationale lui vaudrait un autre accueil: "Les quatre feuilletons royalistes m'ont traité comme un libéral et m'ont critiqué avec une acrimonie ridicule. Ces petits saints m'ont reproché d'avoir peint Clotilde d'après Grégoire de Tours, au lieu de suivre la légende. Et mon irrévérence a été châtiée. Plaisante canaille pour venger la religion! Des Martainville, des Mély-Janin, des Charles Maurice!"[40].

Si les partis-pris n'avaient pas joué, ce *Sigismond* aurait certainement été trouvé tout aussi plat et ennuyeux; mais l'important est d'observer qu'une partie de la presse ne peut pas faire taire ses préventions à l'encontre d'un dramaturge dont les idées sont suspectes.

L'analyse du triomphe qui est fait, en 1826, au *Léonidas* de Pichat achèvera d'éclairer le tableau. Un triomphe aussi bruyant que celui des *Vêpres Siciliennes.* L'œuvre, retenue par la censure, est attendue depuis plusieurs années. Pour obtenir l'autorisation, il a fallu l'intervention de Taylor, le nouveau Commissaire royal auprès du Théâtre Français. A la création, une véritable fièvre saisit les spectateurs; sous les acclamations, Pichat embrasse Talma et Taylor au milieu du foyer; des femmes se sont évanouies dans la salle[41]; "on se serrait la main, on s'embrassait dans les couloirs"[42]. A la 5e représentation, la recette dépasse 5.000 francs; le manuscrit est vendu 13.000 francs. Pour une fois, dans la presse, l'accueil est à peu près unanimement favorable.

Tant de chaleur ne s'explique pas par le fait que l'action de ce *Léonidas* viole, avec décence, l'unité de lieu (elle se transporte du camp de Xerxès aux Thermopyles); ni par l'effort de mise en scène: feux brillant dans la nuit sur le mont Oeta, autel au milieu de la scène, spectacle de blessés et de morts. On ne tombe pas dans les bras les uns des autres pour autant. S'il s'exerçait de façon objective, le sens critique décèlerait dans l'œuvre de Pichat bien des faiblesses et des banalités prosaïques. Mais la pièce a été longtemps retenue par la censure: sa représentation constitue à elle seule une victoire de l'opposition libérale: "Comment espérer que, sous les Bourbons, ces rois de la Sainte Alliance qui, pour rentrer en France, avaient passé à la suite du Xerxès du Nord, par les Thermopyles de Waterloo, comment espérer qu'un pareil ouvrage serait jamais joué?"[43].

La passion philhellénique (qui n'est pas seulement un engouement littéraire) achève d'aveugler. C'était "comme si l'on venait d'apprendre la nouvelle d'un autre Marathon ou d'une nouvelle Salamine". Le philhellénisme constitue en effet l'un des rares thèmes qui fasse vibrer les cœurs à l'unisson. Pour les libéraux, la lutte des Grecs est celle d'un peuple épris d'indépendance, riche de fierté patriotique, contre la tyrannie d'étrangers qui ont voulu anéantir l'âme d'une nation[44]. Pour les légitimistes, le combat des Hellènes est celui de Croyants qui perpétuent l'esprit des Croisades.

Dumas donne la clé du succès: "On confondait les noms de Léonidas et de Botzaris, de Tyrtée et de Byron (...). La France se déclarait ouvertement pour la Grèce". A quoi bon, dès lors, relever les maladresses d'expression, les platitudes et les chevilles? Le chroniqueur du *Globe* explique bien pourquoi il décerne tant de louanges à *Léonidas:* "La Grèce reçoit enfin l'hommage de nos larmes et de nos applaudissements; nous avons pu, dans les tableaux d'une gloire antique, reconnaître les vertus modernes; cette tente de Xerxès a représenté pour nous la tente des pachas (...). Le triomphe de Pichat est donc un peu celui de nos sentiments". Nul n'en tirera la conclusion que *Léonidas* consacre le triomphe d'un art dramatique nouveau.

Ainsi, pendant toute cette période, les œuvres de "Racine et Shakespeare" sont beaucoup moins en cause que les principes qu'ils représentent: tradition, garante de stabilité, ou mouvement, lourd de toutes les aventures possibles. Le combat mené contre les unités n'est qu'un aspect du vaste effort entrepris pour jeter à bas une organisation qui paraît rétrograde et répressive; militer en leur faveur, c'est au contraire veiller à ce que ne déferle pas une nouvelle vague de bouleversements, à ce que ne soient pas renvoyées au magasin des accessoires inutiles les notions de décence, de mesure, d'autorité.

III

Ce fil directeur permet d'interpréter correctement les jugements qui accueillent les premiers drames romantiques. On se contentera ici de prendre l'exemple d'*Hernani,* mais avec le souci d'aller au-delà du pittoresque des récits de Hugo, Dumas, Gautier, qui ont pour inconvénient de mettre en valeur l'anecdote au détriment du sens réel de la "bataille".

Hernani n'aurait pas donné lieu à tant de tumulte si sa représentation n'avait pas été précédée par toute une série de "soirées" orageuses. *Hernani* marque le point extrême d'une exaspération qui croît depuis des mois. *Amy Robsart* à l'Odéon (13 février 1828) a provoqué des remous qui ont dégénéré en agitation dans le Quartier Latin et le gouvernement a fini par interdire la pièce. Si *Henri III et sa Cour* (10 février 1829) passe d'abord sans opposition, c'est que Dumas est encore un inconnu, qu'il n'est pas lié avec le Cénacle, et surtout que personne ne croit à la possibilité d'un succès[45] : la réussite est le fait de la surprise. Il faut que les adversaires aient le temps de mesurer l'ampleur de cet événement inattendu pour que, décelant enfin le danger, ils organisent la contre-attaque: c'est à partir de la 6e représentation seulement (21 février) que, comme l'atteste le *Journal* de Joanny, éclate une bruyante opposition qui dure jusqu'à la fin d'avril[46]. Le 13 octobre 1828, à l'Odéon, la *Christine* de Soulié est si efficacement prise à parti qu'aucune scène ne peut être entendue en totalité[47]. *Le More de Venise* (24 octobre 1829) provoque de vigoureuses empoignades que Joanny résume ainsi: "Grand tapage, bruit, confusion, rires, quolibets, sifflets, applaudissements, désapprobation et enthousiasme". Au cours des représentations suivantes, la malveillance "acharnée" se concentre sur le 5e acte. Le 7 janvier 1830, un *Clovis* de Lemercier donne lieu au déploiement d'une "cabale bien organisée" (Joanny) et fort bruyante. La soirée du 25 février 1830 n'est donc pas exceptionnelle par les manifestations qu'elle provoque, mais par la résonance qu'elle prend.

En 1829, la situation de V. Hugo est très différente de celle de Dumas, obscur gratte-papier dans les bureaux du duc d'Orléans et qui ne s'est signalé par aucun engagement dans les luttes littéraires et politiques. *Le Témoin* dit vrai: Dumas est "presque inconnu" et n'a pas encore de passé capable de susciter "les haines"[48]. Au contraire, ceux qui s'en vont assister à *Hernani* s'apprêtent à juger, autant que son œuvre, un homme qui a déjà beaucoup fait parler de lui.

Or cet homme est considéré par tout ce qui est traditionaliste, non seulement comme un adversaire, mais, ce qui est pis, comme un renégat qui, après avoir mis son talent au service des saines doctrines, donne désormais, par souci de faire carrière, dans les idées avancées. Depuis *l'Ode à la Colonne* (9 février 1827), l'évolution politique du poète s'est accélérée. Rémusat le rappelle dans *le Globe* après *Cromwell,* le temps n'est pas loin où il écrivait que "l'histoire des hommes ne présente de poésie que jugée du haut des idées monarchiques et des croyances religieuses". Hier encore sectateur de Chateaubriand, il déclare maintenant "insuffisant et passionné" le profil que Bossuet a tracé de Cromwell, "de sa chaire d'évêque appuyée au trône de Louis XIV". Le 23 mai 1829, Vigny note, dans son *Journal:* "Il était un peu fanatique de dévotion et de royalisme (...). A présent, il aime les propos grivois et il se fait libéral; cela ne lui va pas". A ce désenchantement d'un ami, on peut mesurer la hargne de ceux qui estiment avoir été bernés. Trop frais, le libéralisme de Hugo constitue un handicap sérieux. Ses admirateurs de la veille n'oublient pas que le jeune espoir, chantre de *Louis XVII* et des *Vierges de Verdun,* a été invité au sacre de Charles X, qu'il a reçu du roi une pension de 2.000 francs.

Or les œuvres récentes de Hugo ont tout pour inquiéter. Le style de *Cromwell,* qui a naturellement provoqué l'enthousiasme du *Globe*, trahit, pour *les Débats,* une volonté de subversion littéraire qui n'est qu'un aspect du dévergondage de la pensée de l'auteur: "rejeter les lois générales du goût et des convenances... descendre aux locutions les plus vulgaires et les plus triviales..., tel est à peu près tout le secret de ce langage récent". Encanaillement d'un poète qui, hier, se vouait à des maîtres autrement sûrs.

En janvier 1829, *les Orientales.* Les principes énoncés dans la préface sont infiniment plus alarmants que les rythmes bizarres, les métaphores osées qui illustrent les poèmes. On lit: "le poète n'a pas de compte à rendre"; "l'art n'a que faire des lisières, des menottes, des bâillons; il vous dit: va! et vous lâche dans ce grand jardin de poésie, *où il n'y a pas de fruit défendu".* Engagé sur cette pente, le jeune apostat va jusqu'au bout de sa provocation; il accepte par avance, et le cœur fort léger, les reproches de "*désordre,* profusion, bizarrerie, mauvais goût".

En février 1829, *le Dernier Jour d'un Condamné.* Il ne s'agit plus cette fois de fantaisies de rimeur: pour déterminer la portée de cet étrange ouvrage, il n'est pas besoin d'attendre la préface de 1832, dans laquelle Hugo affirmera que, après la religion et la monarchie absolue, la peine capitale aussi doit disparaître. L'équivoque n'est plus possible: Hugo monte à l'assaut des bases mêmes de l'ordre social.

En juillet 1829, *Marion de Lorme.* La pièce a été arrêtée par la censure, mais l'affaire a provoqué du bruit, ne serait-ce qu'en raison de la fierté ostentatoire avec laquelle le poète a refusé la compensation (une nouvelle pension de 4.000 francs) que lui proposait le ministère. On sait que le drame n'est pas riche seulement d'alexandrins disloqués ou d'enjambements provocants: un acte tout entier, le quatrième, doit offrir le spectacle d'un Louis XIII (un Bourbon, non un Valois, comme le Henri III de Dumas) incapable de régner ("Moi, le premier de France, en être le dernier!"), passionné de chasse et totalement gouverné par un sanguinaire Cardinal, – le "parti-prêtre". C'est là l'esprit même de *Charles IX,* des *Templiers.* En recevant ce nouveau libéral, le ministre de l'Intérieur, Martignac[49], le met en garde: "Nous sommes dans un moment sérieux. Le trône est attaqué de tous côtés (...). Ce n'est pas l'heure d'exposer aux rires et aux insultes du public la personne royale. On sait trop, depuis *le Mariage de Figaro,* ce que peut faire une pièce de théâtre"[50]. Au surplus, l'héroïne proposée à l'attendrissement des foules est une courtisane à laquelle l'amour fait "une virginité"!

De *Cromwell* à *Marion,* Hugo a donc donné des inquiétudes de plus en plus précises à tous ceux qui croyaient que l'on tenait là une recrue d'avenir. L'accueil réservé à *Hernani* va permettre de régler les comptes avec ce jeune démagogue.

Régler les comptes aussi avec un groupe dont les procédés sont devenus insupportables à ceux qui entendent que le monde des Lettres et des Arts ne soit pas soumis à la loi de la jungle. Car c'est pour la défense des droits de la critique que l'on s'en va cabaler à *Hernani,* afin de mettre un terme aux pratiques scandaleuses de groupuscules qui s'appliquent, contre la volonté du plus grand nombre, à imposer leur volonté. On pourrait se croire revenu aux temps où Fréron dénonçait la néfaste influence de la *secte,* acharnée elle aussi à réduire au silence tous les adversaires. Mais l'analogie serait superficielle: l'entreprise des Encyclopédistes apparaissait comme tentaculaire, étendue à toutes les couches de l'opinion publique, à tous les rouages de l'Etat. Alors que ce qui caractérise les activités des romantiques, c'est la mesquinerie de leurs opérations, l'exiguïté de leur audience: une "minorité agissante", qui n'est qu'une association marginale d'admiration mutuelle, qui fait beaucoup de bruit pour donner l'illusion d'un mouvement de masse: quelques écrivains, quelques journalistes, que viennent renforcer, pour prolonger l'écho, des escouades de rapins, d'étudiants, de petits jeunes gens en bonne voie de dévoiement. C'est ce "Cénacle" qui prétend régenter le théâtre, imposer ses préjugés, dominer par la Terreur l'immense majorité d'un public qui, majorité silencieuse, reste sain et auquel on refuse la liberté de s'exprimer.

Telle est la conviction de ceux qui n'appartiennent pas à la secte. Aux yeux de Viennet, *le More* de Vigny n'a dû son succès, très partiel, qu'à l'exaltation "ridicule" de "certains journaux de la coterie": "quand la vogue en sera passée, il ne restera de ce Vigny qu'un sot et qu'un fat dont la postérité se moquera" (18 novembre 1829).

Les adversaires obstinés ne sont pas seuls à dénoncer cette opération de subornation de l'opinion publique. Certains membres de la secte eux-mêmes, les yeux tard dessillés, arrivent aux mêmes conclusions. Dès juin 1824, Edouard d'Aiglemont, reniant ce qu'il adorait hier, se livre, dans la préface de ses *Légendes Françaises,* à une violente sortie contre l'intolérance du groupe: "Décidément, il n'est plus permis de publier des odes, d'arriver à l'improviste et *sans coterie* au milieu du grand règne lyrique de la France. Du domaine poétique, ils ont tout pris". Quatre mois plus tard, Latouche, qui a fait partie de l'équipe du *Mercure,* reprend le réquisitoire dans *la Revue de Paris,* avec un article sur la "Camaraderie littéraire". Et il ne dit pas autre chose que Viennet: "Il se sera rencontré une petite société d'apôtres qui, se disant persécutés dans les principes d'un nouveau culte, s'est enfermée en elle-même pour s'encourager; une congrégation de rumeurs bizarres est devenue un complot pour s'aduler (...). Là donc, on s'est fait de la louange une servitude, un vasselage de tous les instants, c'est dans la petite église ultra-romantique la prière du matin et du soir". Mieux encore, Nodier, le Nodier du Cénacle, en vient à conclure, dans *la Quotidienne* (1er novembre), que le groupe a été trop loin, que l'esprit de coterie doit connaître des limites. Comme il est dit dans *Britannicus:* "Ah! ne voulez-vous pas les forcer à se taire? ".

Ces défections autorisent tous les espoirs: la secte se lézarde de l'intérieur même. L'heure est donc venue de mettre fin, de façon éclatante, à ces prétentions et à des menées qui sont proprement "terroristes".

Pour comprendre ce qui se passe à *Hernani,* il faut avoir à l'esprit non seulement que chacun se rend au spectacle avec des idées bien arrêtées, mais encore que la création du drame ne peut offrir aucun effet de surprise, comme cela a été le cas pour *Henri III.* Car la pièce est déjà *connue,* dans ses grandes lignes et dans certains de ses détails, sans doute déformés. Hugo s'en est suffisamment plaint. Selon *le Témoin,* les adversaires "écoutaient aux portes, provoquaient des indiscrétions, ramassaient çà et là quelques vers qu'ils défiguraient (...). Un auteur du Théâtre Français fut surpris blotti dans l'ombre pendant une répétition. Un auteur tragique, académicien et censeur[51], qui avait lu la pièce comme censeur, était un des colporteurs les plus actifs (...). Un théâtre alla jusqu'à parodier une pièce qui n'était pas représentée. Dans une revue des pièces de l'année, le Vaudeville livra aux éclats de rire la scène des tableaux. Don Ruy Gomez était un montreur d'ours"[52].

Or ce que l'on a appris sur *Hernani* est propre à confirmer les promesses de *Cromwell,* du *Dernier Jour* ou de *Marion.* Le rapport des censeurs a de quoi faire frissonner: "Cette pièce abonde en inconvenances de toute nature. Le roi s'exprime souvent comme un bandit, le bandit traite le roi comme un brigand. La fille d'un grand d'Espagne n'est qu'une dévergondée, sans dignité, sans pudeur". Après la déclamation contre la monarchie, l'exaltation du rebelle; après le roi veule et soumis aux prêtres, le roi qui court l'aventure et le jupon (en attendant celui qui s'enivre dans le bouge de Saltabadil); après la fille publique, l'Espagnole sans mœurs. La continuité ne se dément pas.

Hugo peut bien faire valoir que le comportement de son roi est conforme au témoignage de la chronique d'Ayala, il reste que, une fois de plus, on expose aux yeux du public les débordements d'un prince indigne.

Au vu du rapport des censeurs, le baron Trouvé, chef du bureau des Théâtres, juge opportun de faire la part du feu. Adoptant la politique du pire, il reprend la suggestion des rapporteurs qui estiment qu'"il est bon que le public voie jusqu'à quel point d'égarement peut aller l'esprit humain affranchi de toute règle": il concède que subsistent les "expressions suivantes adressées à don Carlos: *lâche, insensé, mauvais roi*". Pourtant certaines limites ne sauraient être dépassées: "Crois-tu donc que les rois à moi me sont sacrés? " n'est pas tolérable. Un vers très significatif de l'état d'esprit actuel du rimeur de *l'Ode du Sacre*. A la veille de la première, *la Quotidienne* tente de se rassurer, sur un ton qui en dit long sur l'ampleur de ses préoccupations: "De quelque importance que soit la représentation d'*Hernani* pour la république des lettres, la monarchie ne peut avoir à s'en inquiéter".

A l'approche de la création, il devient patent que les craintes ressenties ne sont pas de vaines appréhensions conçues par des esprits anxieux: la "préparation" de la soirée prouve que l'on va reprendre, mais sur une échelle encore jamais utilisée, les méthodes chères à la secte. Depuis que *Cromwell* a démontré dans les faits que les théories nouvelles, si bruyamment claironnées, débouchent sur une œuvre injouable et attestent l'impuissance créatrice des romantiques, on ne cesse, dans le camp de la Tradition, d'en appeler au verdict du public: que l'on présente enfin, non pas des préfaces, mais sur une scène, en face de vrais spectateurs, un de ces chefs d'œuvre depuis si lontemps promis et si vainement. Or, l'heure venue, il se découvre que tout va être mis en œuvre pour empêcher le public d'exercer son droit de critique.

La pratique des billets donnés prend des proportions scandaleuses. Le refus opposé par Hugo à l'utilisation de la claque ne doit pas faire illusion: ce n'est pas par souci de renoncer à des applaudissements soudoyés et de sauvegarder la spontanéité du public qu'on licencie les "battoirs". Le sublime dialogue entre le poète et le commissaire royal: "– Comment! il n'y aura pas de claque! – Il n'y aura pas de claque" a une portée précise, que *le Témoin* avoue ingénuement: "Le claqueur du théâtre avait trop longtemps applaudi M. Casimir Delavigne pour ne pas l'admirer et serait un mauvais combattant de *l'insurrection* contre le répertoire qui l'avait enrichi"[53]. Au surplus, Hugo n'ignore pas qu'une des manœuvres élémentaires pour faire tomber un ouvrage consiste à "surpayer" la claque pour l'amener à saboter la représentation qu'elle a pour tâche de soutenir. En fait, en renonçant à la claque, Hugo joue gagnant sur tous les tableaux: il adopte l'attitude flatteuse de l'auteur qui rejette la pratique de la mise en condition de la salle; et en même temps il constitue une *claque* dont il sera sûr: il recrute ses propres hommes de main, qui vont occuper massivement l'orchestre des musiciens, la quasi totalité du parterre, toutes les secondes galeries.

C'est bien là l'apothéose de cette "camaraderie" qui s'étale avec un complet cynisme. Les adversaires, qui ont été empêchés d'assister à la représentation, ont la partie belle pour proclamer que toutes les règles du jeu ont été truquées: "Les bureaux n'ont pas été ouverts. A quoi bon? Il n'y avait pas de billets à prendre; ils étaient donnés d'avance". Ces mœurs sont des mœurs de faussaire. Et le paradoxe le plus éhonté est en ceci que le faussaire qui met un bâillon sur les lèvres des spectateurs n'a à la bouche et sous la plume que le mot de "liberté". Ce qui est en question, au soir du 25 février, ce n'est donc pas le droit à procéder à des enjambements prohibés, à multiplier les changements de décor; c'est le fonctionnement même de l'institution théâtrale qui est une institution sociale parmi d'autres.

Les incidents de la soirée et de celles qui suivent sont connus. Encore faut-il les replacer dans la juste perspective. Quand un des "conjurés" crie "à la guillotine, les genoux!", il s'agit là une interpellation indécente; mais comment celui auquel elle est adressée ne verrait-il pas ainsi confirmée sa conviction que l'on est entré dans une nouvelle période de terrorisme intellectuel? Quand Lasailly acclame le "vieil as de pique", comment M. Parseval de Grandmaison, outré par cette atteinte à l'imprescriptible dignité des cheveux blancs, ne répondrait-il pas qu'"il est trop fort d'appeler un vieillard respectable vieil as de pique"? Quand Ernest de Saxe-Cobourg lance à une dame qui rit: "Vous avez tort de rire, vous montrez vos dents!", comment ne pas s'indigner de ce manquement au plus élémentaire respect dû à la Femme? Dumas le dit fort bien: "On attaquait sans avoir entendu, on défendait sans avoir compris"[54].

Le Témoin a accrédité l'idée que les feuilletons du lundi qui rendent compte de la première sont "tous hostiles", à l'exception de celui des *Débats* (des liens personnels étroits unissent Hugo à la famille Bertin). Affirmation souvent reprise[55], et qui est fausse. Les premières chroniques apparaissent, compte tenu des circonstances particulières de la création, équilibrées et modérées. Comme on s'y attend, *le Constitutionnel* fait de sérieuses réserves, mais reconnaît que "beaucoup de détails pris séparément sont d'un naturel et d'une beauté que seule la mauvaise foi pourrait contester". C'est le point de vue de Viennet qui, très hostile pourtant, ne nie pas qu'il découvre dans *Hernani* "de grandes pensées", du "sublime", mais toujours déformés par "la trivialité de l'expression", le parti-pris de ne rien dire "comme un autre". Dans le camp opposé, au *Globe,* Magnin se déclare "ébloui de tant de beautés, enivré d'une poésie si vive et si nouvelle", mais avec une hésitation: "nous ne hasarderons pas ce soir un jugement". De fait, l'article du 28 apporte quelques correctifs: très favorable ("il faut reconnaître la supériorité, l'originalité et la puissance, vertu de génie si rare..."), le chroniqueur admet la légitimité de la controverse ("excès de force et de grandeur... du coloris quelquefois le plus riche et le plus harmonieux, et quelquefois mêlé et heurté..."). Sainte Beuve a raconté dans quelles conditions Magnin a rédigé le premier article et ce récit établit que, si l'adhésion est immédiate, on n'ose pas malgré tout s'engager à fond:

> On discutait, on admirait, on faisait des réserves; il y avait, dans la joie même du triomphe, bien du mélange et quelque étonnement. Jusqu'à quel point *le Globe* s'engagerait-il? Prendrait-il fait et cause pour le succès d'une œuvre dans laquelle il ne reconnaissait, après tout, qu'une moitié de ses théories? On hésitait (...) quand, d'un bout à l'autre de la salle, un des spirituels rédacteurs (qui a été depuis ministre des Finances et qui n'était autre que M. Duchâtel) cria: "Allons! Magnin! Lâchez l'admirable!"[56].

La Revue de Paris est franchement hostile, mais non de façon systématique: si elle refuse de considérer qu'*Hernani* est l'œuvre "d'un génie marchant dans sa force, dans sa liberté, se développant sans peine", elle concède qu'il y a là "l'œuvre d'une volonté puissante, qui s'astreint à une création laborieuse". *La Revue Française,* qui reproche au drame d'être une "tragédie d'imagination" ("cela équivaut à une tragédie de mensonge"), reconnaît que Hugo est un "de ces génies aventureux" qui, "*dans les temps de révolution*", déchaînés au milieu de l'arène politique, "y hasardent sans aucune crainte jusqu'à leur renommée". *Le Correspondant* estime que "l'ensemble est entaché du vice d'une fausse profondeur", mais aussi que l'invocation du tombeau de Charlemagne est noble et belle: l'image des deux souverainetés est riche de couleur et n'est pas "en dehors du génie du temps".

En fait, les journaux qui se montrent catégoriquement défavorables sont rares. *Le Courrier des Théâtres* (mais on a vu quel genre de critique pratique Ch. Maurice): "*un horrible choix des mœurs,* le dénigrement des caractères les plus *inviolables* et un intolérable système du style destructif de toute poésie". *La Gazette de France* [57]: "une fable grossière, digne des siècles les plus barbares; un tissu de crimes froidement déroulés, sans combinaisons, sans art, *sans moralité*". *Le Drapeau Blanc:* "chef d'œuvre de l'absurde, rêve d'un cerveau délirant".

Ce qui ressort de l'examen comparé des chroniques, c'est que le débat a beaucoup moins porté sur les qualités dramatiques d'*Hernani* que sur sa valeur morale et sur la régularité des mœurs théâtrales. On vient de le voir: dans l'intrigue, ce qui choque, ce sont ces "crimes froidement déroulés... sans moralité"; "un horrible choix des mœurs". C'est le point qui heurte le plus, dans *le National* récemment fondé, Armand Carrel, farouche républicain auquel on ne saurait reprocher d'être un conservateur: "Voilà l'honneur castillan! Nous ne pouvons pas nier que dans une autre planète que la nôtre, dans Saturne ou dans Jupiter, l'honneur ne fasse faire de telles choses; mais sur notre globe, il nous semble que rien de semblable ne peut se voir. Tout au plus l'admettrions-nous des plus insensés de Bedlam et de Charenton"[58]. C'est bien le vrai et le vraisemblable qui sont là en cause, mais le critère est appliqué à la notion d'"honneur", c'est-à-dire à une certaine conception de la vie et du comportement. A Hugo il est moins reproché l'irrégularité de sa prosodie, la violation des unités que l'image qu'il donne de ses personnages: des fous, des criminels sans justification, présentés de façon aberrante comme des héros.

Mais le point à propos duquel l'hostilité se manifeste de la façon la plus générale et la plus ardente n'a rien à voir avec le contenu du drame. Ce qui provoque la levée de boucliers, scandalise les indécis, porte l'indignation des "classiques" au plus haut degré de l'imprécation, ce sont les conditions, voulues par l'auteur, de la représentation. Ce que l'on ne pardonne pas à Hugo, c'est d'avoir réjeté les conventions admises en matière de réciprocité des échanges. Le procès intenté au poète porte avant tout sur des procédés jugés inadmissibles dans ses rapports avec le public. *Le Témoin* en convient: on s'en est pris "au drame *et à son public*". "L'auteur avait amené des spectateurs dignes de sa pièce, des espèces de bandits, des individus incultes et déguenillés, ramassés dans on ne sait quels bouges, qui avaient fait d'une salle respectée une caverne nauséabonde; ils s'y étaient livrés à une orgie qui avait eu des conséquences immondes"[59].

Le thème fondamental des reproches adressés à Hugo est là: Hugo a faussé les conditions normales de la représentation, il a fait appel à un type de spectateurs dont le comportement est odieux et "liberticide".

Au lendemain de la création, les journaux classiques refusent de considérer que les ovations ont un sens. La salle a été faite d'avance: Viennet s'en tient à cette constatation qui, à ses yeux, enlève toute signification à ce que la "secte" présente comme une victoire. Quand, après la troisième représentation, le nombre des billets donnés se trouve réduit à une centaine, alors commence à cesser l'escroquerie et *la Gazette* peut écrire: "Le vrai public est enfin entré". C'est à ce moment seulement qu'éclate le véritable tumulte. Joanny précise: "Mercredi 3 mars 1830. Les dames de haut parage s'en mêlent, la mode est pour elles de pousser de grands éclats dans les moments les plus intéressants et particulièrement dans la deuxième scène du cinquième acte; ce sont des éclats de rire".

Ces éclats de voix et de rire constituent la revanche des premières représentations au cours desquelles la présence d'un public de séides a faussé la règle du jeu. Le 5 mars, naïf, Joanny s'étonne: "La salle est remplie et les sifflets redoublent d'acharnement. Il y a dans ceci quelque chose qui implique contradiction. Si la pièce est mauvaise, pourquoi vient-on? Si on vient avec tant d'empressement, pourquoi siffle-t-on? ".

En se demandant si la pièce est bonne ou mauvaise, Joanny ne voit pas qu'il pose mal la question. Car, depuis la création, le vrai problème se situe ailleurs. On siffle *Hernani;* mais ces sifflets expriment la volonté de récuser un verdict obtenu en dehors de la légalité, sous la pression de la rue en quelque sorte.

Le comportement de ce public inattendu a justifié les pires craintes. Ici encore il faut se dégager de l'image colorée que laissent les récits fameux de la bataille. Le gilet écarlate arboré par Gautier, les apostrophes véhémentes prêtent aujourd'hui à sourire. Mais telle n'est pas l'impression que reçoivent les spectateurs d'alors, auxquels fait défaut le recul du temps. A ces spectateurs, la salle du Français ne paraît pas être devenue le cadre inhabituel d'un vaste chahut d'étudiants, digne d'une indulgence condescendante: c'est à leurs yeux, d'une véritable invasion qu'il s'agit, invasion de trublions, de malappris, de perturbateurs patentés, de spécialistes de l'agitation. Armand Carrel lui-même, dans *le National,* relève que les jeunes gens recrutés par l'auteur n'ont pas été capables de "garder ni mesure ni décence". Le critique du *Drapeau Blanc* parle de "fous échappés de leurs loges", et l'expression n'a pas valeur métaphorique. La protestation de Mlle Mars (dona Sol), *avant même le lever de rideau,* est significative: " – J'ai joué devant bien des publics, mais je vous devrai d'avoir joué devant celui-là".

Avec ce "public", tout est, non pas insolite, mais inquiétant: une "bande d'êtres farouches et bizarres, barbus, chevelus, habillés de toutes les façons"; qui commence, dans la rue, par bloquer la circulation; qui, dans la salle, entame ses cervelas, ses saucissons à l'ail; qui, comme le dit *le Témoin* en une périphrase toute classique, n'hésite pas à "expulser le superflu de la boisson" dans les coins ("On juge du scandale que dut faire cette humidité où passaient les robes de soie et les souliers de satin"); qui conspue les spectateurs dont l'allure extérieure est celle d'"honnêtes gens"; qui, dans l'invective, ne connaît plus "ni âge ni sexe" et en appelle à la guillotine. Ce sont là attitudes qui ne laissent aucun doute sur l'origine du nouveau public: "ramassis de truands sordides", gibier de barricades et d'émeutes de rues.

Dès avant la représentation, Sainte Beuve s'est indigné (pour des raisons très personnelles) en constatant de quelle façon est préparée la soirée: "les vieilles et nobles amitiés qui s'en vont, les sots et les *fous* qui les remplacent", "la cohue": les voyous, la *pègre* que l'on s'attend constamment à voir déferler des faubourgs, en ces temps troublés.

Car, même si le rapprochement paraît porter sur des émotions d'intensité très différente, il ne faut pas séparer l'inquiétude suscitée par l'"invasion" du Français de l'anxiété que provoque la situation générale du pays en ce début de 1830. L'une et l'autre procèdent de la hantise de la subversion de l'ordre. Depuis que Charles X a fait appel à Polignac (9 août 1829), le trouble est universel. Le pessimisme du duc de Broglie ("Je m'attends aux pires aventures") rejoint celui de M. de Salvandy ("Nous dansons sur un volcan"). La multiplication des incendies en Normandie (fin février 1830, au moment même d'*Hernani*) manifeste que les craintes ne sont pas vaines, et Lamennais met en cause une organisation terroriste. Comment ne pas avoir en mémoire la manifestation du 20 novembre 1827, au lendemain d'élections qui ont assuré une solide majorité à l'opposition? la "cohue" rassemblée rue Saint Denis, le tumulte provoqué par les braillards et les jeunes agités, les carreaux brisés, en attendant la fusillade sanglante? L'effroi qui se manifeste devant l'"invasion" du Français n'est pas de même ampleur que celui qui éclatera en juillet 1830, mais il est bien de même nature[60].

***

Il faut conclure que, à sa création, *Hernani* n'a pas été "jugé". Les contemporains, spectateurs ou chroniqueurs, ont réagi en fonction de préoccupations qui leur enlevaient toute sérénité, et où le rôle de l'enjambement tenait peu de place. On a acclamé ou conspué moins l'œuvre elle-même qu'un symbole.

Le tumulte suscité n'en donne pas moins une juste idée de la façon dont, entre 1815 et 1830, sont accueillies les nouveautés dramatiques. Si l'œuvre n'est pas totalement insignifiante, elle est jugée selon des options qui ne sont pas seulement des préventions littéraires. Quand elle n'est pas le simple écho des menus incidents de coulisses, ou purement et simplement vénale, la critique de la Restauration détermine ses jugements selon la ligne de partage qui oppose les esprits au sein du trouble général.

Il n'y a pas lieu de s'en étonner. Il serait facile de démontrer que, malgré le recul du temps, les appréciations ultérieurement portées sur le drame romantique sont inspirées par les mêmes partis-pris. Et l'expression "partis-pris" n'est pas ici péjorative: elle ne doit pas évoquer l'idée d'une hostilité sottement systématique, inspirée par la malveillance ou la hargne. *Hernani*, le drame en général, ont bientôt perdu de leur valeur subversive, tant il est vrai que rien n'est plus éphémère que le caractère agressif d'une œuvre dramatique, trop lié aux craintes d'un moment. Mais quand, en 1887, Paul Stapfer déplore que, dans le drame de Hugo, "la richesse du spectacle cache aux yeux la pauvreté d'action intérieure et *morale*"[61] ; quand Pierre Lasserre, dans son étude sur *le Romantisme Français* (1907), part en croisade contre la nocivité de ce répertoire; quand Dubech, en 1927, proclame que, dans l'"histoire extravagante" d'*Hernani*, personne "n'accomplit une action ayant le sens commun"[62], ils établissent, les uns et les autres, que ces œuvres sont condamnées moins pour leurs défauts dramatiques que pour leur anti-conformisme intellectuel et moral.

Notes

1 Cf. C.M. Granges, *la Presse littéraire sous la Restauration,* Mercure de France, 1907. Mais cette très utile étude ne prend en considération que la presse périodique.

2 Cf. Gevel et Rabot, *la Censure dramatique sous la Restauration, Revue de Paris,* 15 novembre 1913.

3 *Manuel théorique et pratique de la liberté de la presse,* 1868, I, p. 119.

4 Lettre à Cotta, 27 janvier 1826.

5 Propriété de Michaud, l'historien des Croisades, de Berryer fils, de Vitrolles.

6 Cf. Stendhal, *Courrier anglais,* III, p. 139–140.

7 Lettre de Thiers à Cotta, 2 juin 1828.

8 Viennet, *Journal,* 20 septembre 1820.

9 Pelet, *Opinions de Napoléon au Conseil d'Etat,* p. 270.

10 Cf. J. Merlant, *Balzac en guerre contre les journalistes,* in *Revue de Paris,* août 1914. Cf. édition d'*Illusions perdues.* A. Adam (Garnier, 1961).

11 Cf. Descotes, *les Comédiens dans "la Comédie Humaine",* in *Revue d'Histoire du Théâtre,* 1956, p. 287–298.

12 Cf. *Monographie de la presse parisienne dans la grande ville* (1843): les journalistes pratiquent sur une vaste échelle le trafic des billets qui leur sont remis gratuitement et qu'ils revendent.

13 Ainsi se trouve levée l'incertitude dont fait état A. Adam (op. cit., p. 263 n.): "D'après Hatin, le *Courrier des Théâtres* ne commença que le 12 avril 1823. Mais en 1821, il y avait eu un *Courrier des Spectacles,* et Balzac peut les avoir mal distingués". En réalité les deux titres correspondent au même journal. Il y a ainsi bien des raisons de penser que le principal modèle auquel songe Balzac n'est pas Janin (qui n'est encore qu'un débutant inconnu lorsqu'il écrit au *Courrier des Théâtres*) mais bien C. Maurice.

14 *Mémoires,* p. 245.

15 Martainville est un royaliste convaincu. En 1818 il a fondé le *Drapeau Blanc,* "amorti" en 1823 par S. de la Rochefoucauld.

16 Viennet, *Journal,* 15 et 20 septembre 1825.

17 Id., 29 avril 1835.

18 *Etienne Delécluze,* 1942.

19 Soumet a d'abord proclamé son enthousiasme pour les théories de Mme de Staël; il ne lui reproche que d'avoir été trop modérée. Soucieux d'entrer à l'Académie, il s'assagit très vite; élu en 1824, il multiplie, dans son discours de réception, les critiques contre le répertoire étranger: la France est bien seule à conserver "les antiques traditions de la véritable tragédie".

20 En 1830, on joue à Bruxelles l'opéra d'Auber, *la Muette de Portici,* dont le sujet est la révolution de Naples en 1647. L'œuvre obtient un triomphe. L'enthousiasme est porté à son comble avec le duo "Amour sacré de la patrie". A la fin de la représentation, les spectateurs, enflammés par la fièvre patriotique, se rendent au journal *le National,* puis au Palais de Justice, et la révolution éclate. Rien n'illustre mieux la valeur d'incitation collective d'un spectacle, à laquelle la lecture est incapable d'atteindre.

21 *Annales de la Littérature et des Arts,* X, 1823, p. 321.

22 *Lettres Normandes,* X, 1820, p. 106.

23 *Minerve,* II, 1819, p. 65.

24 Id., VIII, 1819, p. 125.

25 *Minerve Littéraire,* I, 1820, p. 293.

26 *Annales de la Littérature et des Arts,* XX, p. 501.

27 Id., XV, p. 73.

28 *Lettres Normandes,* IV, 1818, p. 219.

29 "*Trente* années de révolution": le régime impérial a bien été celui du Robespierre à cheval.

30 Allusion au *Fénelon* de Chénier, "philosophe" avant la lettre.

31 *Annales de la Littérature et des Arts,* XIII, p. 415.

32 *Mercure du XIXe siècle,* 1823, p. 171.

33 24 janvier 1826.

34 Le cours de Cousin en Sorbonne est suspendu en 1821. Cousin est très lié avec Manuel, l'un des chefs de l'opposition libérale, suspect de carbonarisme. Arrêté en Allemagne, il reste six mois en prison.

35 La fidélité impérialiste d'Arnault n'a pas été de bronze. En 1814, il abandonne le régime déchu et, en dépit de son passé de poète officiel à la Cour de Napoléon, il tente, lui aussi, l'opération de ralliement. Il s'offre à Louis XVIII. Le roi l'accueille avec bonne grâce, mais réduit bientôt de moitié ses appointements. C'est alors qu'Arnault passe à l'opposition systématique.

36 Viennet, *Journal,* 23 et 25 mars 1817.

37 Ed. Josserand, I, p. 447–449.

38 Regnault apparaît comme une des plus émouvantes victimes des ultras. Exilé, il est mort le jour même où il était autorisé à rentrer à Paris (1819).

39 Viennet, *Journal,* 6 juin 1822.

40 Viennet, *Journal,* 11 et 15 septembre 1825.

41 Ces évanouissements font partie des attributions des "dames-claques"; placées dans certaines loges, ces collaboratrices du chef de claque ont pour mission de feindre, aux beaux endroits, de perdre connaissance. Cf. M. Descotes, *le Drame romantique et ses grands créateurs,* p. 12–14.

42 Dumas, *Souvenirs dramatiques,* I, p. 158.

43 Id., I, p. 162.

44 Des demi-soldes bonapartistes sont au service des insurgents.

45 Dumas a pris ses précautions; pour contrebalancer l'influence des grands journaux, dont l'hostilité au drame est connue (*Constitutionnel, Courrier Français, Journal de Paris,* en particulier), Dumas convie à une lecture préliminaire les rédacteurs de journaux récents et "lancés dans des idées nouvelles", *le Figaro, le Sylphe:* "Ils étaient rédigés par Nestor Roqueplan, Alphonse Royer, Louis Desnoyers, Alphonse Karr, Vaillant, Dovalle, et une douzaine de hardis champions du romantisme".

46 Duviquet (*Débats* du 2 mars) préfère minimiser l'importance d'*Henri III:* "le romantisme n'est pour rien dans l'ouvrage de M. Dumas"; et il fait valoir que les unités sont respectées, que le mélange des genres est acceptable en prose.

47 Soulié, dans la préface de l'édition, écrit: "Des mots de la halle, partis des loges, des apostrophes tutoyées adressées aux acteurs, des sifflets continus et des clameurs perpétuelles, voilà ce que l'on a appelé un jugement!".

48 *Victor Hugo raconté...,* II, p. 253.

49 Martignac passe pour tolérant: il a, malgré la censure, laissé jouer le *Marino Faliero* de Delavigne.

50 *Victor Hugo raconté...,* II, p. 246.

51 Les censeurs sont Chéron, Laya, Brifaut, Sauvé. C'est sans doute Brifaut qui est ici mis en cause: auteur d'une *Jeanne Cirey* (1807), d'un *Charles de Navarre* (1820).

52 II, p. 259–260.

53 Viennet, *Journal,* 26 février 1830.

54 *Mémoires,* I, p. 192.

55 Cf. Lyonnet, *les Premières de Victor Hugo,* p. 29; *Théâtre* de Hugo, éd. Pléiade, I, p. 1767.

56 *Nouveaux Lundis,* V, p. 456.

57 *Le Drapeau Blanc* et *la Gazette* sont des journaux qui ont été "amortis" par S. de la Rochefoucauld.

58 Hugo fut si sensible à la critique de Carrel qu'il lui envoya une lettre où l'auteur d'*Hernani* déplace le problème: il "entrouve la porte de sa vie intérieure", se présente comme "obligé de vivre et de faire vivre les miens avec ma plume; je l'ai maintenue pure de toute spéculation, libre de tout contrat mercantile. J'ai fait bien ou mal de la littérature, jamais de la librairie". Hugo, lui aussi, pose la question en termes de moralité.

59 II, p. 277.

60 Cf. dans le *Journal* de Viennet (31 juillet 1830) la description de la "cohue" que constitue la "populace" et qui envahit les rues.

61 *Racine et Victor Hugo,* p. 138.

62 *Candide,* 18 août 1827.

CHAPITRE IV

I

L'expression "Monarchie de Juillet" suscite des images trop simplistes pour l'évocation d'un roi bourgeois à la tête en forme de poire aux vertus platement familiales, des niaiseries de Dupuis et Cotonet, de l'exaltation, trop saugrenue pour être inquiétante, de quelques agités qui prétendent boire dans des crânes de morts et promettent la lanterne aux possédants. Immortalisées – et immobilisées – par le célèbre tableau de Delacroix, les Trois Glorieuses font illusion: elles donnent à croire que, en ces journées, la France connaît une secousse violente, mais que l'événement se concentre sur 72 heures de combats de rues.

En réalité, cette révolution s'étale, de façon discontinue, sur des mois et des mois, par la résurgence constante de troubles, d'émeutes, de barricades. L'ordre dans la rue n'est rétabli de façon visible, encore que trompeuse, qu'au bout de plusieurs années, en gros vers 1835. Mais les esprits restent marqués de façon indélébile, pour les uns par la crainte de l'anarchie un moment triomphante, pour les autres par la nostalgie de ces heures fulgurantes où, le fusil au poing, tout paraissait possible, y compris de "changer la vie" en changeant la société.

Quelques rappels, à titre de points de repère, sont indispensables.

Grâce à un tour de passe-passe constitutionnel, Louis-Philippe devient Roi des Français le 9 août. Mais cette consécration n'entraîne pas du jour au lendemain l'harmonieux fonctionnement des institutions. Longtemps Louis-Philippe est en fait prisonnier de ces hommes en blouse qui se prétendent ses gardes du corps, de ces délégations qui sans cesse se succèdent. Dès octobre, le procès des ministres de Charles X pose le problème (qui n'est pas de droit théorique) d'une justice populaire et politique: "Mort aux ministres ou la tête de Louis-Philippe!" vient-on crier jusqu'au bas de l'escalier du Palais. Pendant le procès, la Garde Nationale, dont on n'est même pas sûr, fait face, tant bien que mal, à la pression de la rue qui bloque le Luxembourg. A l'annonce du verdict, qui écarte la peine de mort, l'émeute est à deux doigts d'éclater. Observateur absolument partial, donc précieux quand il s'agit de relever le jeu des préjugés et des aveuglements, Viennet considère le spectacle de la rue, le 20 octobre:

> Les hommes en blouse, les chiffonniers, tous les comparses de la révolution sortent de leurs mansardes et de leurs échoppes pour semer la peur et le désordre dans toutes les rues. Des placards incendiaires sont apposés sur tous les murs. Des hommes mieux vêtus parcourent la ville et les faubourgs pour recruter des émeutiers, pour grossir les attroupements. Le Palais-Royal est assiégé par eux.

En février, c'est la mise à sac de St Germain l'Auxerrois, de l'Archevêché, de la maison de campagne du prélat. Les gens d'âge affirment n'avoir jamais assisté à pareil débordement de violence depuis les derniers jours du Directoire. Huit mois après les Trois Glorieuses, on en est là: on n'est "ni dans l'état social, ni dans l'état barbare", mais dans "l'anarchie et le chaos". La formule est de Saint-Marc Girardin[1], qui, aux *Débats*, commente l'actualité politique, mais qui est aussi un critique dramatique éminent. Quand celui-là juge une pièce de théâtre, est-il concevable que ce souci ne laisse aucune trace sur son humeur et l'opinion qu'il énonce?

En mars, les manifestations insurrectionnelles reprennent, pour réclamer du pain, pour protester contre la politique russe en Pologne: drapeaux noirs, "clameurs féroces" poussées à l'apparition des voitures bourgeoises. Emeute le 9 mai, républicaine cette fois, et si vive qu'on doit faire donner la troupe. Emeute le 14 juillet encore. Le 16 septembre, à l'annonce de la prise de Varsovie, on descend dans la rue ("Vive la Pologne! Mort aux ministres!"); le 18 l'alerte est générale et il faut que l'armée balaie la place Louis XV. Le 21 novembre, à Lyon, révolte des canuts qui, en 48 heures, s'emparent de la seconde ville du royaume. En janvier 1832, en plein procès, Blanqui décline son état de "prolétaire" et annonce "la guerre entre les riches et les pauvres". Le Chancelier Pasquier constate: "Je n'ai jamais dans ma vie, au travers des révolutions, rien vu de semblable"[2].

Il est superflu de continuer à effeuiller le calendrier. Semaine après semaine, la vie quotidienne se déroule sous le signe de l'émeute, dans une atmosphère perpétuelle d'insécurité pour les uns, d'exaltation pour les autres.

Vers 1834–1835, ces formes extrêmes du trouble s'apaisent. Mais c'est pour céder la place à une autre forme d'activisme: cette campagne systématique d'irrespect, menée jusqu'en 1848 contre le seul rempart que cette Société peut encore opposer au déferlement: le Roi. Campagne à laquelle participent, pêle-mêle, républicains, carlistes, bonapartistes, "anarchistes", et qui prend des proportions incroyables: Louis-Philippe traître au mandat que lui a confié le peuple; complice de l'assassinat de la Pologne; étranglant la liberté de la presse; le gras, l'épicier, le ladre, maquignonnant le mariage de ses fils. Et Mme Adélaïde (sœur du roi) trop portée sur la bouteille; et le duc d'Orléans, dit Grand Poulot, fils du roi des épiciers, aux yeux duquel – c'est là vérité bien établie – "citoyen" et "cochon" sont termes synonymes. Ce déferlement de sarcasmes et de calomnies déclenche très vite les appels ouverts au régicide: le poignard que brandit Evariste Galois au cours d'un dîner contre le roi cesse d'être un simple symbole et l'incitation au meurtre débouche sur ces attentats successifs (une bonne dizaine) dont celui de Fieschi n'est que le plus sanglant. L'élimination physique du souverain est le thème fondamental des réunions des sociétés secrètes dont les membres fanatisés ne s'interrogent plus que sur le quand et le comment de l'exécution. Après son attentat manqué, le 16 octobre 1840, Darmès répond à l'interrogatoire: "J'ai voulu délivrer la France du plus grand tyran qu'il y ait jamais eu". Le *Charivari,* badin, trouve naturel de rédiger cette notule: "Hier, le roi-citoyen est venu à Paris avec sa superbe famille sans être aucunement assassiné". S'il doit rendre compte du *Roi s'amuse,* ce critique du *Charivari* ne saurait éprouver l'indignation qui conduit Viennet à condamner tout ouvrage étalant la perversité des souverains.

La conclusion à tirer est claire: de 1830 à 1848, quelle que soit la forme qu'ait prise l'agitation, l'inquiétude a été, en profondeur, permanente. Molé: "L'anarchie nous débordera au-dedans"; Périer (à un interlocuteur qui s'émerveille d'avoir vu le peuple "sortir de chez lui"): "Il sera beaucoup plus beau de l'y faire rentrer"; Guizot: "M. Périer a arrêté le désordre matériel. Mais le désordre politique, le désordre intellectuel, ceux-là restent".

Pour mettre en évidence l'anxiété latente de ceux qui voient la Société courir à l'abîme, un dernier trait: lorsque, en 1832, le choléra déferle sur Paris, c'est encore le régime qui est mis en cause. *La Tribune* dénonce le complot ourdi par le gouvernement pour "décimer" le peuple: "Sous prétexte d'un fléau *prétendu,* on empoisonne le peuple dans les hôpitaux, on l'assassine dans les prisons. On a vu des agents de la police secrète jeter des matières infectes dans les brocs des marchands de vin". Philarète Chasles, collaborateur de *la Revue des Deux Mondes,* ne le cache pas: "Qui a vu ces bacchanales de sang et de mort ne les oubliera jamais. Qui a vu l'émeute et le choléra s'embrasser comme frère et sœur et courir la ville échevelés, ne les oubliera jamais".

Dans son *Journal* (2 avril 1832), Viennet relate: il vient de voir assommer "un agent de police accusé d'empoisonner les fontaines": "les fauteurs de la révolution exploitent jusqu'à cet horrible fléau (...). Ce n'est pas le choléra, c'est le gouvernement qui fait mourir tant de malheureux (...). Et dans le XIXe siècle, on trouve des foules assez stupides pour croire à cette invention des anarchistes (...). Je me suis sauvé bien vite, de peur que mon habit un peu propre ne me fît prendre pour un empoisonneur de fontaines". Comment imaginer que, après avoir éprouvé de telles craintes, Viennet puisse rendre compte de sang-froid d'un drame qui prétend montrer qu'"on voit remuer dans l'ombre quelque chose de grand, de sombre et d'inconnu. C'est le peuple" (préface de *Ruy Blas*)?

A elle seule, la consultation du calendrier prouve que l'événement dramatique ne saurait être séparé de l'événement politique. C'est l'émeute qui met fin, en novembre 1831, à la série des représentations de *Marion de Lorme.* Le *Napoléon Bonaparte* de Dumas est joué le 10 janvier 1831, en pleine période de troubles; *Antony* le 3 mai et les semaines suivantes, "au milieu des émeutes": "tous les soirs, un rassemblement se formait sur le boulevard. D'abord composé de cinq ou six personnes, il s'augmentait progressivement; les sergents de ville alors apparaissaient; les gamins leur jetaient des trognons de choux ou des tronçons de carottes, et cela suffisait pour constituer, au bout d'une demi-heure ou d'une heure, une bonne petite émeute qui commençait à cinq heures du soir et finissait à minuit"[3].

Le 16 mai 1831, Thiers fait rapport au baron Cotta: "Voici ce que j'ai vu. Quelques jeunes gens à tête perdue, croyant que par des raisons nouvelles, connues d'eux seuls, la République est devenue possible, d'impossible qu'elle était, quelques bonapartistes sans enthousiasme, quelques carlistes payés peut-être, se rendent partout où il y a un peu de bruit pour voir si d'une émeute on ne pourrait pas faire une révolution. Ils ne sont pas trois ou quatre cents; on envoie des troupes et, les curieux accourant, il semble qu'il y a un peuple immense. L'émeute dure trois jours, parce qu'il faut trois jours pour épuiser cette sorte de curiosité rapide"[4].

Le rideau s'ouvre sur *le Roi s'amuse* alors même que le public apprend qu'un coup de pistolet vient d'être tiré sur Louis-Philippe. La longue série de représentations de *la Tour de Nesle* (à partir du 29 mai 1832) se déroule exactement pendant l'équipée vendéenne de la duchesse de Berry. Marie-Caroline a débarqué la veille même de la création; elle est arrêtée le 7 novembre et c'est dans la prison de Blaye que se dénoue l'aventure par la piteuse découverte de la prochaine maternité de cette veuve en qui les légitimistes voyaient une nouvelle Jeanne d'Arc. Comment croire que, à la Porte Saint-Martin, la fameuse tirade qui dénonce l'immoralité des "grandes dames" s'enfermant dans la Tour de Nesle pour s'abandonner aux pires orgies ne doit son succès qu'à ses vertus dramatiques? Un républicain convaincu n'applaudira-t-il pas de bien meilleur cœur cette sortie contre la perversité des femmes de haut parage?

Or il se trouve que le nouveau répertoire est en général le plus propre à ramener le spectateur ou le critique à ses inquiétudes et à ses partis-pris.

Les événements de juillet ont pour conséquence immédiate de provoquer un débordement de pièces anti-cléricales et anti-religieuses. Les théâtres reprennent les vieux succès révolutionnaires, comme ces *Victimes Cloîtrées* (Monvel) qui datent de 1791. Dans tous les théâtres le chroniqueur voit apparaître un nouveau personnage, omniprésent et toujours également odieux: le Jésuite, qui symbolise la funeste domination de l'Eglise et de la Congrégation: *la Contrelettre ou le Jésuite* (Nouveautés), *le Jésuite* (Gaîté), *le Congréganiste* (Vaudeville), *le Jésuite retourné* (Variétés). L'Ambigu monte une *Papesse Jeanne,* l'Odéon *le Procès d'Urbain Grandier,* la Porte Saint Martin *le Moine.* Pour comprendre les réactions que de telles œuvres peuvent susciter chez le critique, il n'est pas inutile de rappeler le sujet d'un drame qui obtient un succès délirant: *l'Incendiaire ou la Cure et l'Archevêché* (Antier et Decomberousse).

L'infâme Archevêque est un fanatique, dévoré par sa passion antilibérale. Il entend empêcher l'élection du brave fermier Dumont qui lutte contre le pouvoir du Trône et de l'Autel, et évincer le bon curé Mauclerc, trop proche du peuple, au profit d'un prêtre ambitieux soutenu par la noblesse. Pour y parvenir, le prélat use de la maléfique influence qu'il exerce sur la jeune Louise qu'égarent ses scrupules religieux et son exaltation mystique, – amoureuse d'un Adolphe qui est, bien entendu, un ouvrier sincère et honnête. Ensorcelée, Louise met le feu à la ferme de Dumont; l'incendie fait des victimes; et la malheureuse, éperdue, désabusée, se jette à l'eau. Le bon curé se retourne vers l'Archevêque: " – Elle s'est punie, mais vous, Monseigneur? ". Tous les poncifs du moment sont là réunis, ces poncifs qui exaspèrent ou qui enflamment: l'idéalisation de l'ouvrier, l'anathème contre le haut clergé, l'attendrissement devant le bon curé populiste, la dénonciation de l'emprise cléricale sur les femmes. Et ce drame est présenté quelques mois après le sac de l'Archevêché.

Au surplus, quels sont les acteurs qui interprètent cette œuvre abominable? Bocage (le curé), ce Bocage qui a participé personnellement aux émeutes et qui ne pardonnera jamais au régime d'avoir escamoté la république. Et cette Marie Dorval (Louise) au talent poissard et frénétique. Quand C. Maurice s'en prend à l'interprétation que Bocage donne du curé: "ce pauvre Bocage n'a plus de moyens; il crie pour y remédier, se juche sur la pointe de ses grands pieds, montre les griffes au public" (3 mars 1831), il dénonce bien un certain style de jeu; il s'indigne surtout de cette interprétation d'un émeutier d'hier, et sans doute de demain, calculée pour exciter les pires instincts. Quand Viennet reproche à Dorval d'être "toujours commune, triviale, mal fagotée, le dos voûté, le sein plat, la voix rauque et traînante"[5], s'agit-il de juger là une manière de tenir un rôle?

Marion de Lorme est créée peu après (11 août), à la Porte Saint Martin encore, qui devient le cadre de prédilection de ce répertoire considéré par certains comme populacier, complaisant à tous les excès: le drame. Dans cette perspective, comment va être reçu le drame de Hugo, avec son roi fantoche, son Cardinal "homme rouge qui passe", voué à l'exécration publique par la prostituée au grand cœur? Quand un chroniqueur reproche à Gobert d'avoir mal tenu le rôle de Louis XIII[6] et qu'un autre déplore que Dorval manque de noblesse dans les manières[7], il est prudent de se demander à quel bord ils appartiennent.

Si, entre 1830 et 1848, une large partie de la critique porte des jugements qu'inspire directement le préjugé politique, c'est que le répertoire qui lui est soumis est, plus ou moins ouvertement, d'inspiration politique.

On comprend ainsi ce que les contemporains, plongés dans l'événement et orientés par lui, ont vu d'abord dans le drame romantique: des œuvres d'art sans doute, mais aussi des manifestes de partisans qui appellent des prises de position sur le terrain choisi par les auteurs et qui n'est plus celui de la dramaturgie. Il suffit de rappeler sous quel jour Hugo lui-même présente ses pièces.

Le public d'aujourd'hui a grand'peine à prendre au sérieux *le Roi s'amuse, Lucrèce Borgia, Angelo.* Les préfaces de ces drames apparaissent comme des hors-d'œuvre, appelés à préciser un message politique et social que le spectateur du XXe siècle est bien en peine de déceler dans ces aventures rocambolesques d'hosties empoisonnées, de portes secrètes et de croix de ma mère. Mais c'est là une perspective que l'on doit écarter si l'on veut mesurer la portée des louanges ou des blâmes décernés par la critique du temps, qui s'est prononcée, elle, d'après ses préoccupations du moment.

Le Roi s'amuse est assurément un bien mauvais mélodrame. Mais l'opinion de l'époque y a vu une agression caractérisée, scandaleuse ou bienvenue suivant le parti-pris de chacun, contre la dignité royale et l'aristocratie. Relatée par *le Témoin,* l'entrevue entre le poète et d'Argoult, qui assume la responsabilité de l'administration des théâtres, le prouve bien. Au ministre, le drame paraît plein d'allusions au roi (on est en octobre 1832, les funérailles du général Lamarque, le massacre de Saint Merry datent de quelques semaines): "Le Ministre dit que François Ie passait pour être fort mal traité dans la pièce; le principe monarchique souffrirait de cette atteinte à un des rois les plus populaires de France"[8]. Hugo proteste: il a peint François Ie et François Ie seul (dans sa préface, cette exclamation, qui est d'un bon apôtre: "Je vous demande un peu, moi, une allusion!"). Mais le spectateur, le critique qui restent fidèles au principe monarchique n'entendent pas de tels distinguos. Le 9 août 1830, au lendemain des journées révolutionnaires, Viennet a noté: "Nous voilà lancés dans l'inconnu (. . .). Si le duc d'Orléans eût été à Randan, nous étions perdus. Notre devoir est de le soutenir, car *après lui il n'y a plus rien".*

En février 1832, Viennet s'est trouvé mal à l'aise devant le *Louis XI* de C. Delavigne, un auteur rassurant pourtant, aussi modéré en matière dramatique que peu soucieux de bouleversements politiques et sociaux: "Ce tableau de la caducité d'un roi qui tient une si grande place dans notre histoire" est "mesquin". Qu'en peut-il être avec le François Ie de Hugo? Viennet n'est pas assez borné pour ne pas relever dans l'œuvre "de temps en temps des pensées sublimes", ni assez ignorant pour ne pas savoir que ce roi-là était un "libertin". Sans doute Viennet se déclare-t-il heurté (en quoi il ne juge pas si mal) par une "foule d'incidents ridicules", par une profusion "d'expressions triviales qui provoquent le rire, l'indignation, le dégoût, de monologues sans fin". Mais l'essentiel n'est pas là: "La politique de M. Hugo est aussi abominable que sa littérature. Le titre même de cette pièce est une insulte à la Royauté; il flatte les plus viles passions pour être applaudi" (23 novembre 1832). Pour Viennet, les imprécations paternelles de Triboulet doivent être moins appréciées à la longueur des monologues qu'elles alimentent qu'en fonction de ce but: donner au héros l'occasion de traîner "dans la boue tous les grands du siècle. C'est par les Crillon, les Montmorency que l'auteur fait enlever Blanche, pour avoir le plaisir de leur crier que leurs mères se sont prostituées à des laquais (III, 3). Telle est la tendance de l'auteur. Il n'écrit que pour ravaler ce qui est grand, pour grandir ce qui est bas et ignoble, pour bafouer les rois et la noblesse". Et ces ignominies sont proférées sur une scène officielle, alors même que le roi vient d'échapper à un attentat.

Tout aussi inquiétant est le comportement, dans la salle, des amis de l'auteur, des "vaillantes phalanges". Ces amis-là sont d'un genre très particulier. Leur intervention n'est pas seulement scandaleuse, elle est proprement séditieuse. Pour *le Roi s'amuse,* la scène du casse-croûte collectif sur les banquettes a recommencé. On a enjambé la séparation de l'orchestre pour allumer au lustre à gaz les cigares qui ont enfumé tout le théâtre. Mais il y a beaucoup plus grave: après *la Marseillaise,* on a chanté *la Carmagnole;* on a conspué les membres de l'Institut et le duc de Dino-Talleyrand a dû, pour échapper aux huées, se dissimuler au fond de sa loge. Ces amis-là sont ceux qui, comme Bocage, se retrouvent, aux moments critiques, sur les barricades.

Il n'est pas étonnant que la quasi unanimité de la presse se montre défavorable au *Roi s'amuse,* et même *le Journal des Débats* si favorable à Hugo[9]. Car ce qu'applaudissent si frénétiquement les Célestin Nanteuil, Déveria, Pétrus Borel, c'est beaucoup moins l'œuvre que les opinions de l'auteur, sa dénonciation passionnée de l'Ordre.

Les fracassantes déclarations de Hugo dans ses préfaces nous paraissent aujourd'hui plus rhétoriques que convaincantes. Mais il faut les relire avec la mentalité des contemporains:

> Préface de *Lucrèce Borgia:* "A ses yeux (du poète), il y a beaucoup de questions sociales dans les questions littéraires, et toute œuvre est une action (...). Le théâtre est une tribune".
>
> Préface d'*Angelo:* "Dans l'état où sont aujourd'hui toutes ces questions profondes qui touchent aux racines mêmes de la société (...). Pour quiconque a médité sur les besoins de la société, aujourd'hui plus que jamais, le théâtre est un lieu d'enseignement".

Mais quel enseignement! Ce ne sont, dans ces drames, que duchesses perverses *(Lucrèce),* reines débauchées *(Marie Tudor),* en attendant le scandaleux spectacle offert par la décadence d'une monarchie dans *Ruy Blas* (dans *Hernani,* au moins, le trop léger don Carlos devenait in extremis Charles Quint le magnanime). On doit peser les termes de la préface de *Ruy Blas* pour mesurer la portée de cette évocation du "moment où une monarchie va s'écrouler". Nous sommes en novembre 1838. L'agitation parlementaire inspire à Royer-Collard des réflexions désabusées sur la solidité du régime ("la quasi légitimité aura bientôt usé les honnêtes gens qui s'y sont confiés"); depuis le mois de mars s'est constituée contre le gouvernement une coalition où se retrouvent pêle-mêle, Thiers, Dupin, Barrot, Guizot ("union impie", selon Royer-Collard). Dans quelques semaines (janvier 1839), Lamartine va dénoncer la décadence du régime, les ambitions personnelles, le mépris de l'intérêt général, le service des intérêts particuliers: "vils joueurs de gobelets!". Or dans la préface de *Ruy Blas* on lit:

> Le royaume chancelle, la dynastie s'éteint, la loi tombe en ruine; l'unité politique s'émiette aux tiraillements de l'intrigue; le haut de la société s'abâtardit et dégénère (...); les grandes choses de l'Etat sont tombées, les petites seules sont debout, triste spectacle public (...). Les ordres de

> l'Etat, les dignités, les places, l'argent, on prend tout, on pille tout. On ne vit plus que par l'ambition et par la cupidité (...). En examinant toujours cette monarchie et cette époque (...), on voit remuer dans l'ombre quelque chose de grand, de sombre et d'inconnu. C'est le peuple.

S'agit-il là de l'Espagne de Charles II ou de la monarchie du Roi-Citoyen? La fameuse sortie de Ruy Blas contre les ministres prévaricateurs ne constitue pas seulement une tirade à effet que l'on peut, selon le goût de chacun, considérer comme un sommet de lyrisme ou, au contraire, de déclamation: elle est d'abord ressentie comme un pamphlet, à huer ou à acclamer. Viennet ne s'y trompe pas: ce *Ruy Blas* "est une nouvelle insulte à la royauté, car c'est une reine à la main de laquelle ose aspirer son valet" (24 novembre 1838). Et Viennet ne discute pas un instant les mérites dramatiques de l'œuvre. Hugo, selon sa propre expression, prétend s'essayer à la "philosophie de l'histoire": c'est sur cette philosophie que l'on se prononce, avant de prendre en considération la forme dans laquelle elle est enrobée.

Les drames de Dumas doivent être déchiffrés suivant la même grille. Derrière la banale histoire d'adultère d'*Antony*, on découvre l'exaltation du bâtard (le bâtard, après le bandit de grand chemin: ceux toujours qui se placent hors de la loi), mais on reçoit aussi en plein visage ces furieuses sorties contre les "préjugés" de cette société "fausse, au cœur usé et corrompu". *Charles VII chez ses Grands Vassaux* (20 octobre 1831) peut bien être une tragédie en 5 actes, en alexandrins, respectant les unités et dont le dénouement évoque celui d'*Andromaque* – de quoi apaiser les critiques les plus attardés – il n'empêche que la pièce se termine sur les imprécations de Yaqoub, "jeune Arabe appelé communément le Sarrazin", qui regagne le désert "libre":

> Vous qui, nés sur cette terre,
> *Portez comme des chiens la chaîne héréditaire,*
> Demeurez en hurlant près du sépulcre ouvert.

Richard Darlington (10 décembre 1831) n'est qu'un mélodrame, mais qui étale aux yeux du public comment le candidat à la députation réussit à berner l'électeur naïf et trop confiant ("les masses sont crédules", I, 1); comment la haute aristocratie peut toujours acheter le député qui a réussi à se faire élire en jurant d'être le défenseur du peuple (II, 3); comment, derrière le roi ("le roi, c'est un nom"), le ministre corrompu gouverne, "dirige tout, finances, guerre, administration", pour la seule satisfaction de son ambition personnelle (II, 5). Qui serait assez naïf pour croire que cette dénonciation des déviations du système parlementaire s'applique à la seule Angleterre, cadre de l'action?

Les rocambolesques joyeusetés de *la Tour de Nesle* (29 mai 1832) seraient bien innocentes, spectacle approprié au bon peuple, sans cette tirade des "grandes dames" (due à la plume de J. Janin) qui, dès le premier acte, comme pour annoncer la couleur, dénonce, en une envolée démagogique, les perversions de ces femmes qui, parce qu'elles "se sont abandonnées à tout ce que l'amour et l'ivresse ont d'emportement et d'oubli", parce qu'elles ont "blasphémé, tenu d'étranges discours et d'odieuses paroles", parce qu'elles ont "oublié toute retenue, toute pudeur", ne peuvent être que "de grandes dames, de très grandes dames, je vous le répète". Et cette tirade est acclamée pendant des mois[10].

Il n'en va pas autrement de tous ces drames, aujourd'hui oubliés, que le romantisme offre au public de la Monarchie de Juillet[11]. En 1834, *le Brigand et le Philosophe,* de Félix Pyat, dénonce une société "constituée de façon telle que ses lois amènent presque toujours le développement des mauvais penchants aux dépens des bons"[12]. La scène essentielle d'*Ango* montre, après *le Roi s'amuse,* un François I^e débauché sans vergogne, qui a violé la femme de l'armateur Ango et qui, surpris par le mari outragé, s'évanouit de peur lorsqu'on lui demande réparation par les armes – lâche souverain que la tradition a fait passer pour le Roi-Chevalier. *Le Riche et le Pauvre* (titre prometteur), d'E. Souvestre, exprime l'âpreté de cet Antoine Larry que ses scrupules ont réduit à la misère, alors que son camarade, riche parce que corrompu, accumule fortune et bonnes fortunes (1 février 1837). Quant à *Robert Macaire* (14 juin 1834), son exceptionnel succès est sans aucun doute dû à l'interprétation de F. Lemaître. Mais, dans son article du 26 juin, Méry écrit, après avoir rendu hommage à l'interprète:

> Voulez-vous savoir de quoi *Robert Macaire* est de nos jours la vivante image? Echappé des bagnes, il se grandit jusqu'à l'exploitation en grand de la crédulité publique, et se sauve dans l'impunité. Il s'arrête à une méchante auberge où il vole, il arrive dans les salons dorés où il vole (...). *Est-ce que ce n'est point là ce que vous voyez chaque jour dans notre société?* (...). La société n'est-elle pas un ignoble tripot où les dissipés ne laissent de chance qu'aux fripons?

Et Théophile Gautier:

> *Robert Macaire* fut le grand triomphe de *l'art révolutionnaire* qui succéda à la Révolution de Juillet. Il y a quelque chose de particulier dans cette comédie: c'est l'audace et l'attaque désespérée contre l'ordre social ou contre les hommes.

Chatterton est tout pareillement un réquisitoire contre l'omnipotence de l'argent et les vices d'une société qui méprise les vraies valeurs.

Le répertoire romantique est ainsi très largement animé par une violente hostilité à l'ordre instauré par la Monarchie de Juillet, aux injustices et aux hypocrisies de la société. Ce répertoire nous paraît aujourd'hui riche en galimatias: aux spectateurs du temps il apparaît comme l'expression d'un espoir ou d'une provocation à l'anarchie. Et l'on comprend ainsi pourquoi l'on s'acharne à dénoncer sa portée pernicieuse, jeux de scène qui ne sont jamais innocents car ils préparent les jeux sanglants de l'émeute.

Aussi l'un des critères les plus obstinément utilisés est-il celui de la "moralité". Avant même la création, *Lucrèce Borgia* est dénoncée par certains journaux comme une œuvre scandaleuse: "le comble de l'obscénité: il y aurait une orgie véritable". Après avoir vu le drame, Viennet, malgré lui séduit, reconnaît qu'un "intérêt éminemment dramatique" anime l'œuvre; que la scène où don Alphonse contraint Lucrèce à verser le poison à Gennaro est "d'un effet dramatique qui vous saisit *malgré vous*"; que "cette prose est moins chargée de niaiseries et d'absurdités que la poésie de l'auteur". Et pourtant, immorale jusqu'à l'abomination, cette *Lucrède Borgia* est une "horrible pièce".

Pour *Marie Tudor,* avant même la première cette fois encore, le bruit se répand que le drame est "plus que jamais un tissu d'horreurs", que la reine Marie est "une buveuse de sang". Quand Gustave Planche (*Revue des Deux Mondes*) et

Amédée Pichot (*Revue de Paris*) mettent en valeur à quel point est faux le tableau présenté, ils semblent s'adonner à une besogne de rectification historique: Marie Tudor fut une femme pieuse, de mœurs réservées; si Trogmorton a été exécuté, ce ne fut point pour avoir été amant, mais conspirateur et voleur. La portée réelle de cette critique est celle-ci: par goût pour les spectacles licencieux (la lascive chanson de Fabiani, au début de la Deuxième Journée) autant que pour étaler les stupres d'une souveraine, Hugo a déformé une figure historique. Dans *Angelo,* la grande scène entre Catarina et la Tisbe (II, 5), c'est-à-dire entre la femme du podestat et la comédienne fille de joie, n'est encore qu'un prétexte à couvrir d'ordures la grande dame, – réplique évidente à la tirade de *la Tour de Nesle.* C'est ainsi que doit être lue la longue imprécation de la Tisbe:

> Ce que c'est que ceci, Madame? C'est une comédienne, une fille de théâtre, une baladine, comme vous nous appelez, qui tient dans ses mains une grande dame, une femme mariée, une femme respectée, une vertu! (...). Et vous ne valez pas mieux que nous, Mesdames! (...) Ah! fard, hypocrisies, trahisons, vertus singées, fausses femmes que vous êtes! Non, pardieu! vous ne nous valez pas! (...) Oh! les vertueuses femmes qui passent voilées dans les rues! Elles vont à l'église, rangez-vous donc! inclinez-vous donc! prosternez-vous donc! Non, ne vous rangez pas, ne vous inclinez pas, et ne vous prosternez pas, allez droit à elles, arrachez le voile; derrière le voile, il y a un masque; derrière le masque, il y a une bouche qui ment!

Quand G. Planche rend compte de *Ruy Blas,* il se dit exaspéré par la propension de Hugo à jouer de l'antithèse ("Encore des antithèses!"), argument d'ordre esthétique; mais, comme dans *Lucrèce,* ce qui le heurte d'abord,c'est moins le procédé lui-même que les termes qui fondent l'antithèse et qui constituent une apologie de l'immoralité: "l'amour maternel dans le cœur de Lucrèce Borgia balance entre l'inceste et l'adultère; et maintenant voici une reine amoureuse d'un laquais! Désolation de la désolation"[13]. Même réaction chez Viennet lors de la reprise de *Marion* en 1838: "Je ne conçois pas un public qui tolère de telles horreurs, une femme, une fille qui se prostitue à un juge pour sauver son amant, et puis des détails à donner la nausée..."[14]. Et cette remarque, dont on doit peser toute l'importance: "Le général Lauriston, pair de France, auprès de qui j'étais placé, me disait qu'il n'osait plus mener sa fille au spectacle avant d'avoir vu les pièces lui-même". "L'ensemble est exécrable", non pas tant à cause du "fatras", mais parce que l'on "ne saurait descendre plus bas".

Chatterton n'est pas seulement d'un "ennui" qui "va toujours croissant jusqu'au dénouement". Le drame propose "tout simplement l'apologie du suicide dans un temps où cette manie gagne tous les petits génies incompris"; il est bardé de toutes les "niaiseries romantiques que puisse accumuler un cerveau malade"[15]: une pièce anti-sociale, avant tout. Pour *le Moniteur* (16 février): "déraison et absurdité". Pour *les Débats* aussi (14 février), *Chatterton* est "plutôt l'apologie du suicide que sa condamnation". Pour *l'Univers Catholique:* "Si Chatterton avait eu un esprit plus chrétien, c'est-à-dire s'il avait vu les choses plus dans la réalité et avec moins de présomption et d'exigence, il eût peut-être été très heureux sur la terre".

Dans les jugements qui ont été, à sa naissance, portés sur le drame romantique, on a certes bataillé autour de la valeur des unités, de la régularité du vers, du respect dû aux chefs d'œuvre classiques. Mais, une fois passées les soirées d'*Hernani,* il n'est plus guère question de ces problèmes qui, la veille encore, semblaient si fondamentaux. Le débat, en son fond, ne concerne ni les règles ni l'alexandrin. Derrière la contestation de ces règles, s'affirme le principe énoncé dès la préface de *Cromwell:* la liberté. Derrière la défense des règles s'affirme cet autre principe antagoniste: la Tradition, l'Ordre établi. A partir de 1830, ce qui revient sans cesse dans les chroniques qui demeurent hostiles, c'est la dénonciation d'un répertoire absurde, défiant le sens commun, baptisé raison; et tout ce qui s'écarte du bon sens est réputé dangereux. Dangereux pour le régime politique avec ces déclamations contre les monarques pervers, les prélats sanguinaires, les grandes dames lascives, les nobles corrompus. Dangereux pour l'équilibre social, avec cette glorification permanente de tous ceux qui se font gloire de vivre en dehors de la loi: princes évincés, bandits de grand chemin, courtisanes, épouses adultères, bâtards que l'on incite à devenir des révoltés.

Il va de soi que le spectateur qui assiste à la représentation d'un drame de Hugo, Dumas ou F. Pyat, attend d'abord la satisfaction de ce "plaisir du théâtre", qui est plaisir de l'illusion et qui doit lui permettre d'oublier les soucis de sa vie quotidienne. Encore faut-il que les images qui lui sont présentées, les discours qu'il entend, ne heurtent pas trop ses convictions intimes. Et c'est précisément là qu'intervient le rôle de la critique, d'une partie de la critique: elle est là pour affermir les hésitations, pour justifier le malaise ressenti, pour dénoncer ce qui se cache derrière les appeaux du flamboiement des vers, de la sonorité des tirades, du choc provoqué par les coups de théâtre qui laissent sans réaction. Elle est là pour rappeler que, lorsqu'est en cause l'Ordre même, les jeux de théâtre ne sont jamais innocents.

Il suffit, une fois encore, de se reporter au témoignage de Viennet. Lorsqu'il est appelé à siéger à l'Académie (mai 1831), il dresse, avec une naïve satisfaction, la liste des auteurs de la Compagnie auprès desquels il est "fier" de siéger désormais. En matière dramatique, il n'hésite pas un instant à décerner la palme: Delavigne. Son mérite "est encore contesté par cette foule de novateurs qui ont la prétention de détrôner Despréaux et Racine. Mais quand cette clique aura subi le sort des Pradon, des la Chaussée, de toutes les coteries littéraires, C. Delavigne sera pour tous ce qu'il est pour les hommes de goût, un génie dont les vers élégants et harmonieux rappellent souvent les éminentes qualités des écrivains du grand siècle" (6 mai 1831).

Celui-là est le dramaturge juste-milieu, libéral qui sait se garder des utopies, oseur "avec convenance" (Poitevin), et qui a si bien déclaré dans son discours de réception à l'Académie: "raisonnables avant tout, marchons avec indépendance". Quand, en 1839, Janin en appelle au public pour que soit mis fin aux extravagances des "novateurs" ("ce bruit, ce mouvement, ces tumultes, ces délirantes émotions du drame"), c'est *la Fille du Cid* qu'il propose comme modèle à suivre[16]. Mais quand Gautier, fidèle à ses enthousiasmes de la veille, se préoccupe, à la même époque, de dénoncer ce qu'il considère, lui, comme pacotille dramatique, c'est, à côté du peintre Delaroche, Delavigne qu'il met en cause: "Sous Delacroix, vous avez Delaroche; sous V. Hugo, vous avez M. Casimir Delavigne (...). Chez tous les deux, même exécution pénible et patiente, même couleur plombée et fatiguée, même recherche de la fausse correction et du faux dramatique" (*la Presse,* 30 mars 1840).

Les rapports de Scribe avec la critique de son temps mériteraient une étude détaillée. Car il s'agit là d'un auteur qui, de 1820 à 1850, est indiscutablement considéré comme le maître de la scène contemporaine[17], mais qui ne doit à peu près rien de son succès au soutien des chroniqueurs. Gautier, qui mène contre ce répertoire une campagne incessante, analyse bien le phénomène: "Voilà bientôt quinze ans qu'il défraie à lui seul tous les théâtres de Paris, de la banlieue, de la province, de l'Europe et autres pays du monde (...). Voilà certainement beaucoup de titres au respect de la critique; et cependant nul auteur n'a été plus rudement morigéné que M. Scribe par la férule de cette morose et quinteuse déesse". Dumas, qui dissimule mal l'envie qu'il porte à un confrère qui, "jeune encore", est arrivé "à un million de fortune" et au "fauteuil académique", observe lui aussi que "peu d'auteurs ont été plus attaqués et moins défendus que lui"[18].

Gautier tente d'expliquer ce divorce entre le public et la critique: "M. Scribe a beaucoup d'esprit, de finesse, d'entente de la scène; il n'a ni grands défauts ni grandes qualités; il est commun, mais rarement trivial; sa manière d'écrire, courante et négligée, se fait accepter facilement de tout le monde (...). L'absence de style et de correction ne choque aucunement les spectateurs, inquiets seulement de savoir si l'on épousera ou non à la fin de la pièce. Une autre raison de la vogue de M. Scribe, c'est qu'il n'a pas la moindre étincelle de poésie (...). La poésie et la forme, voilà ce que le public de nos jours ne peut souffrir".

L'analyse donne avec lucidité les raisons pour lesquelles le public s'est attaché à Scribe, et celles pour lesquelles Scribe horripile Gautier. Mais elle passe à côté du problème: à quoi tient l'attitude défavorable de la "quinteuse déesse"? Une réponse est fugitivement donnée: "Quant aux feuilletonistes de profession, l'habitude de voir des pièces leur fait deviner le dénouement dès les premiers mots, et ils saluent à tout moment des scènes de connaissance".

Cette réponse est trop courte. Celle fournie par Dumas est plus pertinente. Dumas reconnaît d'abord que, dans la comédie légère, Scribe a bel et bien opéré une révolution: "M. Scribe est tombé au milieu des successeurs de Piron, de Pannard et de Collé, de sorte qu'il s'est fait du premier coup une masse considérable d'ennemis acharnés; elle se composait de tous ceux dont il froissait les intérêts et les amours propres".

Et Dumas révèle le grief principal, rarement exprimé: "Alors, une réaction sourde s'organisa dans le monde, dans les foyers des théâtres et dans les bureaux des feuilletonistes contre l'usurpateur dramatique qui menaçait d'envahir tous les théâtres de la capitale"[19].

Les reproches formulés par la critique prennent des formes plus avouables: Scribe peint un monde qui n'existe pas; Scribe manque de largeur et de poésie; Scribe fait de l'art un commerce. Dumas réfute, l'un après l'autre, tous ces arguments; il montre que Scribe reproduit fort bien les aspirations, les préoccupations du monde nouveau, qui existe bel et bien; que, si ce théâtre manque de poésie, c'est qu'il peint la société moderne et sa "prosaïque étroitesse".

La vérité est que si la critique s'est montrée sévère à l'égard de Scribe, dénoncé comme un faux grand auteur, elle n'a jamais mené contre lui une campagne aussi violente que celle qui a accueilli le drame romantique. Dès 1824, Chaalons d'Argé a félicité Scribe de présenter un théâtre où "jamais, comme partout, la décence et le goût n'ont été outragés". En face de la revendication du droit à toutes les passions, le culte de la famille; en face de l'exaltation de la vie dissipée, l'hommage rendu à la sagesse, à l'économie, la considération due à l'argent; en face des agitations révolutionnaires, le souci de l'ordre, générateur de paix, et la conviction que les changements de régime ne sont qu'affaires de *Bertrand et Raton*.

Une seule fois, à l'égard de Scribe, la critique s'est vraiment gendarmée: en 1832, pour *Dix Ans de la vie d'une femme*. C'est qu'alors, infidèle à sa vocation, Scribe semble donner dans le drame scandaleux avec l'évocation de cette Adèle que les "mauvais conseils" (sous-titre de la pièce) entraînent à l'adultère, avec le spectacle de ces femmes qui se montrent accueillantes aux ministres pour aider à l'avancement d'un mari complaisant, qui se font entretenir par les financiers, qui n'hésitent pas à payer le jeune amant de cœur. Alors la presse, en sa totalité, dénonce l'abomination. Et G. Planche exécute "la plus hideuse et la plus effrontée de toutes les pièces représentées au boulevard", une pièce à soulever "le cœur des filles entretenues"[20]. La réaction du jeune Fontaney est à l'unisson: "Pièce infâme d'indécence (...). Et l'on amène là des femmes! des jeunes filles!". On croirait entendre Lauriston épanchant dans le sein de Viennet son écœurement devant la dégradation du théâtre contemporain[21].

On ne doit pas trop systématiser; mais il apparaît vraiment que, tout au long de cette Monarchie de Juillet aux assises si instables, l'incertitude des esprits quant au lendemain, alimenté par le souvenir des désordres longtemps renaissants, a constamment amené à faire dévier la critique vers des préoccupations qui étaient de même nature que celles de Fréron ou Geoffroy.

***

II

Par rapport à ce qu'elle était avant 1830, la vie théâtrale elle-même se modifie peu. Pourtant la multiplication des salles de spectacles s'amplifie et les activités de la presse prennent de nouvelles formes.

Dans *Illusions perdues*, Balzac a évoqué la frénésie qui pousse tant de possédants à intriguer pour obtenir l'autorisation d'ouvrir leur théâtre. Le temps est loin où Napoléon prenait des mesures radicales de concentration des spectacles. Aux salles déjà existantes viennent s'ajouter notamment: en 1831 les Folies Dramatiques (où est créé en 1834 le fameux *Robert Macaire*), le Nouveau Théâtre Molière; en 1832, le Théâtre du Panthéon; en 1835 le Théâtre de la Porte Saint Antoine; en 1838 le Théâtre de la Renaissance (contrôlé par Hugo et Dumas); en 1846 le Théâtre Historique (qui appartient en propre à Dumas).

Sauf pour les théâtres subventionnés, le système pratiqué demeure celui du *privilège* concédé par le gouvernement, mais qui suppose que le bénéficiaire dispose d'importants capitaux. En 1836, Hugo et Dumas sont à la recherche d'une scène. Sollicité, le duc d'Orléans se déclare disposé à intervenir auprès des bureaux pour leur faire obtenir le privilège qui leur permettra d'ouvrir un théâtre à la "littérature nouvelle". Mais il faut financer l'opération. Hugo propose pour l'exploitation du privilège Anténor Joly, directeur du journal *Vert-Vert*. Mais Joly met 22 mois pour trouver l'argent. Un commanditaire s'offre, mais à la condition d'être co-directeur. C'est un vaudevilliste enrichi dans les pompes funèbres et qui a pour idéal l'opéra-comique. Le nouveau théâtre, en principe conçu pour le service désintéressé de la nouvelle littérature dramatique, se trouve ainsi placé, dès le début, entre les mains d'un journaliste et d'un commerçant qui est aussi un faiseur de pièces.

Les romantiques n'ont cessé de rêver de ce théâtre idéal qui serait largement ouvert au répertoire d'avant-garde et dégagé de liens contraignants avec tout élément étranger au théâtre. Ainsi s'explique que Hugo, Dumas, Delavigne se soient lancés dans une pressante campagne autour "de la nécessité d'un second Théâtre Français"[22]. Ils ont sous les yeux le spectacle d'un monde dramatique qui est de plus en plus soumis au monde de l'argent. Les obligations d'ordre commercial et économique ne jouaient aucun rôle à l'époque où l'activité théâtrale était presque totalement concentrée sur une troupe qui bénéficiait d'un monopole de fait. Alors la représentation d'une œuvre dépendait du bon vouloir des comédiens, du jeu des hautes influences s'exerçant au sein ou dans le sillage de la Cour. C'est désormais la finance qui est au cœur des spectacles. Le directeur ne peut pas ne pas tenir compte des exigences de ses actionnaires, lesquels, de près ou de loin, contrôlent eux-mêmes les organes de presse appelés à porter des jugements sur les œuvres qui sont présentées. En fait, le système est parfaitement cohérent et clos.

Cette multiplication des théâtres a pour inévitable conséquence que, devant le nombre croissant des spectacles, le chroniqueur n'est plus en mesure d'exercer son office. Le temps est révolu où un Geoffroy pouvait "couvrir" la totalité de l'actualité dramatique. En 1835, G. de Nerval analyse le phénomène. Il rappelle l'usage, "depuis longtemps" établi par les journaux, de partager le travail entre trois chroniqueurs: l'un pour les théâtres lyriques, l'autre pour les théâtres officiels et la Porte Saint Martin, le troisième pour "les théâtres de vaudevilles et mélodrames"[23]. Mais cette répartition des tâches ne suffit même plus: le journaliste de qui relèvent les théâtres de vaudevilles et de mélodrames ne dispose pas du don d'ubiquité: "Maintenant, trois premières représentations se rencontrent dans la même soirée. Que faire? Et laquelle choisir? et comment rendre compte des trois? Car le public veut le feuilleton des premières représentations, et non des secondes".

Celui qui, à l'époque, fait figure de "prince de la critique", J. Janin, se flatte de tourner la difficulté avec désinvolture: ayant à présenter, pour la même soirée, une comédie du Vaudeville et un drame de l'Ambigu, il fait, grâce à son coupé, la navette entre les deux théâtres, mettant à profit le temps des entractes, du ballet, des coups de théâtre que sa longue habitude de la profession lui permet de prévoir et d'imaginer: "Ce soir-là, l'ubiquité du critique demeura constatée par quelques spectateurs des deux théâtres, qui se confièrent l'avoir vu à la même heure aux deux représentations".

Acrobatie difficile à renouveler. La méthode la plus simple est encore de recourir à des *nègres:*

> Maintenant, tout feuilletoniste en titre a *son jeune homme:* chargé d'un feuilleton verbal ou même écrit, à l'usage du feuilleton imprimé: triste feuilleton, mais feuilleton consciencieux; feuilleton dont aucun jugement ne restera, lunette pour *l'œil du maître,* la plus achromatique possible, et que le maître rejette parfois comme trouble ou colorée (...). C'est là, à coup sûr, une critique littéraire et dramatique très vive et très nouvelle[25].

Un tel travail bâclé ne peut pas être pris au sérieux par celui qui l'accomplit: aussi, pour les jeunes surtout, l'exercice de la critique n'est-il pas un magistère solennel, et un peu lourd sans doute, mais qui engage la responsabilité de celui qui en est investi. Dégradation d'une fonction, désormais commercialisée, qui n'est plus qu'un jeu auquel il est d'abord demandé d'être lucratif. Entre la conception que Geoffroy se faisait de son rôle et celle d'un Janin, il y a tout un monde qu'a modelé l'esprit du siècle nouveau.

***

Le visage même de la presse se modifie lui aussi.

La Révolution de 1830 a proclamé une fois de plus le principe de la liberté totale, ce qui entraîne une nouvelle prolifération des publications. C'est alors que naissent des journaux qui ont un bel avenir devant eux: *L'Univers, le Siècle, la Presse;* et aussi que prennent leur essor définitif les grandes revues: *Revue des Deux Mondes, Revue de Paris* (créées l'une et l'autre en 1829), *la Mode, le Charivari*, en même temps que des publications d'inspirations diverses, mais très efficaces: *le Voleur, la Silhouette, la Caricature.*

La loi d'octobre 1830 est franchement libérale, transférant en particulier la compétence des délits de presse des tribunaux correctionnels aux jurys de Cours d'Assise. Mais les cautionnements exigés restent très élevés, liant un peu plus les intérêts de la presse à ceux des puissances d'argent; et les amendes sont très lourdes. Entre 1830 et 1835, *la Quotidienne* (opposition légitimiste) paye, en gros, 52.000 francs d'amende. Dressée en 1833, une statistique établit que le nombre des procès de presse s'est élevé à 400. Au lendemain de l'attentat de Fieschi, la législation se fait plus répressive: elle crée des délits nouveaux (offenses au Roi, adhésion à la République); elle porte le maximum du taux des amendes à 200.000 francs, prévoit même la déportation comme peine et donne compétence à la Cour de Paris pour juger "les excitations à la haine, les provocations à la révolte". Pour subsister, les journaux doivent être financièrement très solides et le rôle de l'argent apparaît, là encore, déterminant.

Le cas d'Emile de Girardin symbolise exactement le nouvel esprit qui anime la presse. C'est en 1836 que, après avoir lancé *la Mode* en 1829, cet affairiste prodigieusement doué prend l'initiative de l'opération qui préfigure les structures de la presse moderne. Jusqu'alors les journaux n'ont guère, en fait de ressources, que les abonnements, fort coûteux (une moyenne de 80 francs par an), ce qui réduit leur diffusion. La trouvaille de Girardin est d'inaugurer la formule de la vente au numéro, à des prix de plus en plus bas (7, 6, puis 4 sous): de créer la presse populaire à grand tirage.

Ne s'adressant plus au seul public cossu et dont le niveau de culture est honorable, le journal doit changer de style. Non seulement, pour retenir sa nouvelle clientèle, il met au point le procédé du feuilleton ("la suite au prochain numéro") appelé à un considérable développement, mais il adopte un style rédactionnel moins sévère que celui des autres quotidiens; il se fait plus léger, plus superficiel aussi (et là on a déjà tout Janin). En matière de critique dramatique, le ton ne peut plus être celui, tant soit peu magistral, des chroniqueurs traditionnels, comme Duviquet, successeur de Geoffroy aux *Débats:* il est fait appel à une équipe plus brillante qui se préoccupe d'abord de piquer l'attention: F. Soulié, Granier de Cassagnac, Nerval et surtout Gautier qui assure, à *la Presse,* le feuilleton dramatique de 1836 à 1855[26].

D'autre part, ce n'est sans doute pas Girardin qui a inventé le système du financement par la publicité. Le recours aux annonces payantes, importé d'Angleterre, a été inauguré en 1827 par Alexandre Baudoin pour son *Aristarque.* Jusqu'en 1830, la pratique demeure limitée: les recettes des annonces ne couvrent guère que que les frais d'impression et de timbre. L'idée ne pouvait manquer de séduire Bertin qui loue bientôt la publicité de l'ensemble de ses pages des *Débats* pour 20.000 francs. Mais c'est avec Girardin que l'opération prend des proportions encore jamais atteintes: en 1838, la quatrième page de *la Presse* est affermée à 150.000 francs, en 1845 à 300.000.

Ainsi, sous toutes ses formes, la loi de l'argent s'étend sur l'entreprise de presse et sur la profession, en même temps que sur le monde du théâtre. Il n'y a rien là qui soit pour provoquer aujourd'hui l'étonnement. Mais les contemporains, moins blasés, ont toléré beaucoup plus malaisément cette métamorphose. Sans doute l'accusation de vénalité a-t-elle toujours été celle qu'il est le plus facile de porter contre le chroniqueur. Mais c'est désormais l'institution elle-même qui apparaît comme soumise au jeu du profit.

La correspondance de Balzac est riche en anathèmes contre "les journalistes en France, les hommes les plus infâmes que je sache" (1836, à Mme Hanska). Balzac ne prétend-il pas connaître "le tarif des consciences de tous les feuilletonistes"? Mais il est loin d'être seul à dénoncer le fléau. En 1834, dans la préface de *Mlle de Maupin,* Gautier donne lui aussi libre cours à l'expression de son mépris. Et Dumas, parce qu'il connaît bien le dessous des cartes pour l'avoir lui-même pratiqué, est revenu bien des fois sur le même thème. Rancœur d'écrivains déçus peut-être. Mais, quand il donne son *Kean* (1836), Dumas est tout de même un auteur heureux dont les succès, discutés sans doute, ont été brillants. Son animosité pourtant est profonde: la tirade dans laquelle Kean tente de décourager la jeune Anna Damby d'embrasser la carrière dramatique (II, 2, 4) est, dans la dénonciation de la corruption journalistique, d'une violence qui scandalise les milieux de la presse ("Vous ne connaissez pas nos journalistes d'Angleterre, miss. . ."). Mais la tirade est trop déclamatoire; il vaut mieux se reporter au réquisitoire dressé par Dumas contre "le géant du feuilleton" dans son article *De la Critique littéraire*[27], d'autant plus que l'attaque porte là moins sur les individus que sur un système générateur de tous les abus. Le début peut faire sourire:

> Luther ne trouva pas d'église catholique plus libertine, plus corrompue, plus vénale que ne l'est à cette heure la presse française. Exceptez-en quelques vieux Romains, très prêts à mourir et qui mourront sur leurs chaises curules; grands et petits journaux font assaut d'impudence et de bassesse.

Mais voici le plus précis:

> De cette bassesse nous accusons moins encore les rédacteurs que les administrations, –, car une direction toute entière est flétrie par les marchés que passe un seul homme. Le gérant d'un journal reçoit, avec sa subvention trimestrielle, le tracé du chemin littéraire ou politique qu'il doit suivre. Il faut dès lors que quiconque se rattache à lui marche dans sa voie.

Et Dumas évoque quelques-uns des lieux communs que, selon la tendance du journal, le chroniqueur dramatique se voit tenu de développer: car la critique n'a plus désormais qu'à reprendre, en les renouvelant par l'expression, de vieilles formules stéréotypées. La critique? "pardieu! c'est chose facile: que fait Scribe? de la littérature marchande; – Casimir Delavigne? de la littérature commune; – Victor Hugo? c'est différent: il ne parle pas même français, lui; c'est chose dite, chose convenue". Et sur la manière dont se lancent les petits journaux qui foisonnent sous la Monarchie de Juillet:

> Un homme de lettres sans libraire, un médecin sans clientèle, un avocat sans cause, se rencontrent, se proposent de manger ensemble, entrent dans un restaurant et, vers la fin du dîner, se disent: – Nous avons de l'esprit, de l'adresse, de l'impudence, pourquoi ne ferions-nous pas un journal? Que nous faut-il? Un marchand de papier, un imprimeur, un gérant responsable. Tout cela se prend à crédit, et se paie sur les premières rentrées. Huit jours après, un journal paraît: il s'appelle *le Renard, le Fouet* ou *la Potence,* peu importe.

On peut regretter que ces tares soient dénoncées avec tant de véhémence par des auteurs qui, eux aussi, se sont intégrés au système et qui ne déclament contre lui que parce qu'ils n'en ont pas tiré tous les bénéfices attendus. Mais le doigt est bien mis, par des connaisseurs, sur les servitudes engendrées par le fonctionnement de la nouvelle mécanique qui atteint son plein rendement sous Louis-Philippe.

III

Le visage des chroniqueurs dramatiques était jusque là tant soit peu uniforme. Fréron procède de Desfontaines, et Geoffroy de Fréron. Duviquet continue Geoffroy, avec moins de flamme. Avec la diversification des journaux, se diversifie aussi le style de ceux qui les servent. On doit se contenter ici d'évoquer sommairement quelques-unes des personnalités les plus caractéristiques des tendances de la critique.

***

A l'époque, on en tombe généralement d'accord, Jules Janin[28] mérite d'être considéré comme le "prince des critiques". Signe des temps nouveaux, celui-là est à l'opposé de Geoffroy, l'illustre prédécesseur auquel a été conféré le même titre: Geoffroy a dû son audience à la fermeté avec laquelle il défendait ses principes. A Janin la notion même de *principe* est étrangère.

"Prince de la critique", Janin le devient par l'influence qu'il exerce, mais surtout parce qu'il représente au plus haut degré certains traits dominants du journalisme d'alors. En 1830, il est tout pareil aux jeunes arrivistes d'*Illusions perdues.* Il a 26 ans; il est riche de ses seules études de droit. Il a débuté dans les petites feuilles, au *Figaro,* au *Courrier des Théâtres* de C. Maurice.

Que ce soit en politique ou en littérature, il ne s'embarrasse pas de convictions. Son roman, *l'Ane mort et la femme guillotinée* (1829) n'est qu'une parodie de roman romantique où, pour céder à une mode fructueuse, sont accumulées les pires horreurs. C'est qu'il ne prend pas plus au sérieux les thèmes de la nouvelle école que les doctrines politiques qu'il semble servir. Collaborant, avant 1830, au *Figaro,* à *la Quotidienne,* il a mené campagne contre le régime de la Restauration, en même temps qu'il prêtait sa plume au *Drapeau Blanc.* Après 1830, à *la Mode,* lancée par Girardin, il se fait d'abord l'apologiste du légitimisme, jusqu'au jour où il se rallie à la Monarchie de Juillet. Les palinodies de Janin sont de notoriété publique, toujours justifiées par de perpétuels besoin d'argent[29] qui l'amènent aussi à jouer les amuseurs auprès des millionnaires désœuvrés: "Janin court toute l'Italie en compagnie du russe Demidoff, qu'il s'est chargé de désennuyer moyennant 2.000 francs par mois, voyage payé"[30].

Ce qui fait sa force, c'est qu'il n'éprouve nulle honte à se désavouer du jour au lendemain. Il faut lire, dans le *Journal* de Viennet (26 février 1836), le récit de la scène de basse comédie au cours de laquelle Dupaty[21], qui a été "outrageusement blessé" par un article, s'en vient demander raison au chroniqueur, récemment décoré par Thiers. Il se trouve que Molé est dans le salon et salue avec effusion son confrère. Alors Janin: "– Quoi! Monsieur, M. Molé vous connaît et vous êtes sur ce pied-là avec lui!". Conscient d'avoir commis une grave bévue à l'égard d'un auteur qui entretient de telles relations, Janin se confond en excuses: "– Eh! Monsieur, je n'ai jamais rien lu de vous, ce sont ceux qui m'ont trompé qui m'ont fourni des notes, qui m'ont lancé sur vous". Intervient la maîtresse de Janin, qui fournit des précisions: c'est Mlle Bertin, ce sont tous les Bertin du monde qui ont suggéré le mauvais article. Et Janin, qui recule précipitamment devant la perspective d'un duel, publie le lendemain une rétractation en bonne forme.

Viennet encore évoque la visite qu'il rend (26 juin 1838) à l'une des soubrettes les plus en vue du Français:

> Je l'ai trouvée brodant un magnifique fauteuil. De questions en questions, je l'ai amenée à me dire pour qui. C'est pour le feuilletoniste Jules Janin. Quatorze ou quinze actrices de divers théâtres se sont imposé le même travail; et, de cette cotisation, résultera un des plus jolis meubles de Paris pour le salon de *celui qui dispose des réputations artistiques et littéraires.* Les pauvres brodeuses ont peur d'une boutade critique. Elles redoutent même une absence d'éloge.

Solidement installé aux *Débats* des Bertin, Janin devient "l'inévitable, soit qu'on lise quelque chose, soit qu'on aille quelque part". On a peine aujourd'hui à imaginer l'audience qu'il finit par s'acquérir et qui s'étend sur près de 40 ans. Dans le feuilleton qu'il lui a consacré[32], Sarcey a mis en évidence l'ampleur d'une autorité qui a été, à l'époque, sans pareille, et pas seulement dans le domaine dramatique, car le personnage est un polygraphe, écrivant, ou faisant écrire par d'autres, sur n'importe quel sujet. "Sur quoi n'a-t-il pas discouru, et que n'a-t-il pas touché? Tout genre lui était bon: histoire, roman, critique, philosophie, morale, traductions, préfaces, et jusqu'à des prospectus pour maisons de commerce".

Sainte Beuve, qui le déteste, dénonce en même temps que sa vénalité et son cynisme l'harmonie qui s'est établie entre l'homme et ses lecteurs, comme lui superficiels et comme lui dépourvus de toute élévation: "Janin (...) est un écrivain qu'il ne faut jamais prendre au sérieux: le fond même de son inspiration est le turlupinage"[33]. "Janin est bien le feuilletoniste des *Débats:* (...) c'est un amuseur comme ces gens-là voudraient voir tous les artistes et écrivains non politiques (...). Nul sérieux, nul souci de la vérité, nulle moralité"[34]. "Grâce à la dégringolade et à la turlupinade de nos gloires, Janin est devenu le seul critique qui leur aille – à Lamartine comme à Deburau, comme à Lamennais. Il y a du Janin dans eux tous, et Janin les loue"[35].

Le "turlupinage", c'est l'art, que Janin possède au plus haut degré, de lancer, non pas une idée, mais une mode, à force de pirouettes et d'imprévu. Il s'est flatté d'avoir "inventé" Deburau, ce qui est faux, le mime ayant déjà attiré l'attention de spectateurs non conformistes (Balzac, Nerval, Gautier). Mais ce qui est vrai, c'est que Janin a publié, le 22 septembre 1829, dans *le Figaro,* un article dithyrambique et délibérément paradoxal, sur ce ton qui lui appartient en propre:

> Savez-vous bien ce que c'est que M. Deburau? Croyez-vous que ce soit le premier venu du monde dramatique? M. Deburau est, après Talma et Potier, l'homme le plus complet que nous ayons eu depuis trente ans (...). L'amour-propre de tous les acteurs se révolte à cette idée. Et les salons ne se doutent pas qu'il existe! Et l'on va entendre *Catherine de Médicis, Zelmire* et *l'Illusion! (...)* Aristocratie parisienne, que tu es arriérée! dans quels tristes préjugés tu es emmaillotée! Fais toi peuple un jour, va voir Deburau et tu sauras ce que c'est que le vrai plaisir.

C'est un rôle analogue que joue Janin dans le *lancement* de Rachel, qu'il s'est aussi vanté d'avoir tirée du néant. Or la carrière de la tragédienne a été préparée de longue main, bien avant l'entrée en scène du journaliste: par Jouslin de la Salle, directeur du Français et par son professeur Samson. Janin a bien consacré à Rachel un premier feuilleton alors que, au Gymnase, elle tient un rôle dans *la Vendéenne* (mars 1837); l'éloge y est ("conscience de la vérité dans l'art... beaucoup d'âme, de cœur, d'esprit, et très peu d'habileté; nul effort, nulle exagération; point de cris, point de gestes; une grande sobriété dans tous les mouvements de son corps et de son visage"), mais demeure mesuré. Le 12 juin 1838, pour ses débuts au Français, Rachel joue Camille devant une salle peu fournie; le succès est réel, mais sans écho extérieur. Au cours des représentations suivantes, dans divers rôles, la tragédienne ne fait que susciter une vive estime. C'est alors que, de retour d'Italie, Janin consacre à Rachel, le 10 septembre, un feuilleton enflammé: "la plus étonnante petite fille que la génération présente eût vu monter sur un théâtre", "ceci est une chose grave". Le 24 juin, Janin revient sur le sujet, de façon plus pressante encore. Et se reproduit le phénomène déjà enregistré pour Deburau: le journaliste joue le rôle d'amplificateur: au cours des 18 représentations de la seconde série, les recettes montent en flèche, jusqu'à un chiffre de 4.000 francs.

Cette influence[36], elle est d'abord celle que les *Débats* exercent sur ces lecteurs du juste-milieu qui constituent une grande partie du public. Elle tient surtout à la façon nouvelle, et quelque peu charlatanesque, dont Janin conçoit le feuilleton. Son style de critique vise à distraire, non à instruire ou à persuader: ce n'est plus l'œuvre dramatique qui est au centre de la chronique, mais le chroniqueur lui-même, bavardant, pirouettant[37]. Les témoignages concordent pour reconnaître que cette manière, si inattendue par sa désinvolture, a charmé les lecteurs. Balzac l'a admirablement pastichée, dans *Illusions Perdues,* avec le premier article de Rubempré rendant compte d'un imaginaire *Alcade dans l'Embarras:* l'article de Rubempré évoque celui que Janin consacra au *Nègre* d'Ozanneaux[38].

Quant à la méthode, Janin la définit lui-même, sans fausse honte: "Les gens qui vous lisent n'ouvrent pas un journal dans le but de savoir si le comédien a été sublime et si la comédienne adorée a disparu hier sous les fleurs (...). Je vous le répète, vous tous qui exercez l'art de la critique: *il faut d'abord songer à vous;* après quoi vous songerez au poète, au musicien, au décorateur, au machiniste; il faut avant tout que le lecteur vous honore et vous estime; qu'il s'inquiète avant tout de vous-même"[39]. Conception qui ravale le public au niveau du gobe-mouches et qui manifeste une parfaite indifférence à l'égard de l'œuvre. Le plus significatif est que l'aveu puisse être fait avec tant de franchise, sans qu'il desserve le moins du monde son auteur.

Quand en 1850 (13 mai, Sainte Beuve consacre un article à *la Religieuse de Toulouse* de Janin, son acrimonie à l'égard du polygraphe s'est beaucoup atténuée[40]. Mais l'analyse qu'il donne de sa méthode recoupe les déclarations de l'intéréssé:

> (Le public) veut avant tout son divertissement et son plaisir. M. Janin, en le lui donnant, a commencé par y prendre le sien propre; il s'amuse évidemment de ce qu'il écrit (...). Embrassant dans sa juridiction universelle (ce qui, je crois, ne s'était pas encore vu jusqu'à lui) tous les théâtres, jusqu'aux plus petits théâtres, obligé de parler de mille choses qui le plus souvent n'en valent pas la peine (...), il s'est dit de bonne heure qu'il n'y avait qu'une manière de ne pas tomber dans le dégoût et l'insipidité: c'était de se jeter sur *Castor et Pollux,* et de parler le plus qu'il pourrait, à côté, au-dessus à l'entour de son sujet.

Janin réussit ainsi à se faire d'abord une réputation d'homme d'esprit, de légèreté non-conformiste, alors que ces apparences recouvrent un opportunisme constant.

Cette désinvolture ne signifie pas que Janin, au fond de lui-même, est totalement indifférent[41]. Il a des préférences, que Saint-Beuve a relevées. Mais c'est une comédie qu'il joue en permanence, prisonnier de l'image qu'il a donnée de lui-même et tenu par le réseau des complaisances, des compromissions auxquelles il est contraint par sa vénalité ou par les exigences de son journal. Il est, en son for intérieur, parfaitement traditionnel, admirateur des Anciens, de Molière. Sainte Beuve le dit fort bien: "Pour que M. Janin ait tout son bon sens, il faut qu'il se sente libre, qu'il n'ait pas affaire à l'un de ces noms qui, bon gré mal gré, ne se présentent jamais sous sa plume qu'avec un cortège obligé d'éloges".

Mais, critique des *Débats,* il se trouve, par exemple, lié par la sympathie active qui unit Bertin à Hugo. La chronique enthousiaste qu'il consacre à *Lucrèce Borgia* ne prouve strictement rien, et moins encore celle par laquelle il rend compte de la création de *la Esmeralda* (musique de Mlle Bertin, livret de Hugo) sur huit colonnes où l'éloge s'étale sans nuances[42]. Face à la déception engendrée par *les Burgraves,* Janin biaise: "Nous avons dit les beautés en toute joie, la grâce du dialogue, l'éloquence du discours, les traits naïfs et vrais, la grandeur, l'héroïsme, l'éclat, la nouveauté; nous dirons en même temps que c'est une œuvre pleine d'invraisemblances, d'étrangetés, de choses impossibles...". Selon Viennet, Janin "était honteux de l'article que les Bertin ont exigé de lui. Depuis que le grand Victor a écrit l'opéra d'*Esmeralda* pour Mlle Bertin, toutes les colonnes de cette feuille lui sont ouvertes et il en use et abuse pour faire célébrer sa gloire"[43]. Sainte Beuve, ici encore, décèle le procédé: "Même quand il a affaire à ces noms illustres (...), auxquels il attache aussitôt toutes sortes d'épithètes, M. Janin a une manière de s'en tirer en homme d'esprit et de marquer jusqu'à un certain point sa contrainte: il les loue trop".

Avec le temps, une fois sa réputation bien assise, Janin peut cesser de jouer les batteurs d'estrade. C'est le moment où, revenant en partie sur ses préjugés, Sainte Beuve constate l'évolution: "Le style de Janin a longtemps battu la campagne en habit d'Arlequin; les années et l'expérience ont fini par lui donner une dose de bon sens et de pensée. Une dose bien frelatée encore"[44]. En décembre 1846, Sainte Beuve juge "excellent" le feuilleton consacré à *Agnès de Méranie* (Ponsard), "plein de bon sens et de justesse"[45]: "Janin décidément est un bon critique, quand il s'en donne la peine et qu'il se sent libre, la bride sur le cou. Il a le goût sain au fond et naturel"[46].

Janin est ainsi le prototype du critique qui, s'étant avec précipitation intégré à un système dont il attend profit et renommée, se trouve soumis à toutes les compromettantes exigences de ce système, dominé par les obligations mercantiles. Le critique se veut toujours guide du public, mais la cause au service de laquelle il met son talent, qui est indiscutablement grand, est d'abord la sienne propre. A fréquenter Janin, on se prend à regretter l'âpreté doctrinale d'un Geoffroy, dont les vues sont assurément trop étroites mais, au moins, correspondent à des convictions personnelles.

***

Il est tentant de recourir à la formule du diptyque aux composantes contrastées, en plaçant face à face, à travers *les Débats* et *la Revue des Deux Mondes,* Janin et Gustave Planche[47], c'est-à-dire la critique désinvolte et celle, qui se révèle âpre, quasi sectaire, de Planche, "l'adversaire des romantiques"[48].

Entre les deux hommes et les deux méthodes critiques, l'antithèse s'établit d'elle-même: autant Janin joue les feux follets, n'hésite pas à se renier au gré de l'humeur ou au prix de la prébende, autant Planche se révèle soucieux de solidité, pesant, agressif, guidé par une ligne directrice: son aversion pour les œuvres contemporaines.

A un tel parallèle doivent pourtant être apportées des corrections qui vont audelà des simples nuances. Tout d'abord le magistère exercé, en matière dramatique, par l'un et par l'autre n'a pas la même résonance. L'autorité de Janin s'étend sur une très longue période, sur des centaines de créations. L'activité de Planche est beaucoup plus resserrée: il entre chez Buloz en mars 1831 et sa production de chroniqueur n'est vraiment intense que jusqu'en 1840. Son bagage de critique tient en une cinquantaine de feuilletons. A partir de 1845, cette activité, coupée de longs silences, se ralentit, et Planche vit sur sa réputation. En 1848, il fait figure de "revenant" (M. Regard), alors que Janin ou Gautier sont au sommet de leur puissance.

D'autre part, la renommée de Planche n'est fondée ni sur l'exercice d'une séduction, ni sur l'originalité de la méthode. Elle repose sur une réputation de hargne: un iconoclaste qui s'en prend de préférence aux réputations établies, qui s'engage à contre-courant des modes du moment, un esprit grincheux qui, un peu semblable à Léautaud, manie avec satisfaction le ricanement et la condamnation sans appel.

Son autorité est attestée par la virulence des haines (le mot n'est pas trop fort) qu'il suscite: celle que Sainte Beuve distille tout au long de ses écrits intimes et qui se manifeste par résurgence dans certains de ses feuilletons; celle de Dumas; celle de Musset; celle, intermittente, de Balzac; celle de Vigny, après *Chatterton;* celle, tenace et tonnante, de Hugo[49]. Au point que, en 1835, Planche doit rompre pour quelques mois avec *la Revue des Deux Mondes* qui le juge trop compromettant. Dans les attaques dont il est la victime, il n'est pas un argument (à l'exception, notable, de celui de vénalité) qui ne soit pas utilisé et l'on croirait à une réincarnation de Fréron ou Geoffroy. Planche est constamment présenté comme un envieux rongé par son impuissance créatrice (ce qui ne manque pas d'entraîner une allusion à son impuissance d'homme). Planche est un cynique en "guenilles", loqueteux, nauséabond, et son haleine est fétide (en fait, Planche est certes mal habillé, négligé de sa personne: c'est qu'il est pauvre et qu'il cherche dans cette négligence systématique une sorte de revanche par l'affectation de la bohême mal soignée)[50]. Planche est un cuistre amphigourique et redondant. Planche est un esprit obtus, fermé à tout ce qui n'est pas prosaïque. Janin a pu être méprisé, Gautier considéré comme superficiel et dépourvu de sérieux; ni l'un ni l'autre n'ont jamais été pris à parti avec tant de violence.

Pourtant, lorsque Planche s'engage dans la voie de la critique, il est dans la même situation que Janin et Gautier. Le problème qui se pose à lui est celui que les deux autres ont dû résoudre. Pour tous trois, issus de la moyenne bourgeoisie, désargentés, comme pour Rastignac, Lousteau, ou Thiers, il s'agit de se faire une place au soleil. Au moment où, en 1831 (il a 23 ans), il entre à la *Revue*, Planche a déjà multiplié les tentatives infructueuses pour échapper à la carrière médicale que son père entend lui faire embrasser. Les lendemains de la Révolution de 1830 paraissant ouvrir tous les espoirs ("la foire aux places"), il a, en dépit de convictions politiques flottantes, regardé du côté de la diplomatie, du côté de l'enseignement (une chaire à la Sorbonne, au Collège de France, – pas moins). Il a surtout tenté sa chance du côté de la littérature. L'article de critique esthétique qu'il a présenté au *National* a été refusé car, objecte Carrel (qui n'est pourtant pas un timoré), "l'indépendance d'esprit" qui s'y manifeste exigerait que l'auteur eût un journal à lui. *La Gazette Littéraire* ne se révèle pas plus accueillante. Ricourt qui, pour donner un pendant artistique au *Globe*, vient de lancer *l'Artiste*, lui offre une "tribune libre", mais Planche doit s'y contenter d'un obscur anonymat. Sa première étude importante, *le Salon de 1831*, est un fiasco financier; elle ne lui crée même pas un début de réputation. Son projet de traiter avec Renduel pour l'édition d'un grand roman de 800 pages avorte. A l'automne 1831, Planche se trouve placé devant un échec total; c'est la pauvreté et le dénuement.

Grâce à Vigny, en novembre, il entre en rapports avec Buloz qui vient d'acquérir *la Revue des Deux Mondes*. Mais il faut ici redresser des perspectives, altérées par la longue existence de cette publication qui finira par devenir une véritable institution littéraire et académique. Quand Buloz achète la revue, elle est mal en point, elle n'a pas encore acquis le ton sérieux qui fera une grande partie de sa réputation; ce n'est que vers 1838 qu'elle se rapproche du pouvoir: Buloz est alors sur le point de devenir Commissaire Royal au Théâtre Français. Etre admis au sein de l'équipe rédactionnelle d'une revue à l'avenir incertain ne constitue pas une promotion spectaculaire; de plus, au sein de cette équipe, Planche est engagé, comme à *l'Artiste*, pour jouer l'homme à tout faire, dont la plupart des chroniques restent anonymes.

Pour Planche installé à *la Revue*, le problème est identique à celui qui se pose à Janin: il est urgent, à 23 ans, de se faire un nom. Et la méthode la plus efficace consiste encore à faire un éclat, justifié ou gratuit – peu importe pourvu qu'il soit bruyant. Et c'est, le 1er décembre, l'article véhément, *la Haine Littéraire*, décoché contre ce Latouche qui a, en octobre 1829, dénoncé si vigoureusement *la Camaraderie littéraire* pratiquée par le "clan" romantique. L'intervention de Planche ne se justifie ni par les nécessités de l'actualité, ni par une quelconque ferveur romantique, mais bien, en prenant pour cible un contemporain notoire, par le seul désir de faire parler de soi. Et l'objectif est en grande partie atteint puisque l'on en vient à envisager un duel. Dans un registre différent, ce feuilleton de *la Haine Littéraire* est pour Planche ce qu'est pour Janin la critique consacrée au *Nègre* d'Ozanneaux[51].

On doit se demander si, comme Fréron ou Geoffroy, dont il semble procéder par la véhémence doctrinale de ses condamnations contre les nouveautés et les dérèglements du siècle, Planche est aussi prisonnier qu'il y paraît d'un système de valeurs cohérent. "L'adversaire des romantiques"? A vingt ans, il est un lecteur assidu du *Globe*, et c'est de son âge. Dans les années 1827–1830, il fréquente les salons de Hugo, de Vigny, de Nodier, et il n'y a rien là d'étonnant: c'est par la fréquentation de ces cercles qu'un débutant peut espérer sortir de l'obscurité. Mais ses convictions restent flexibles. La formation qu'il a reçue, l'influence exercée sur lui par son professeur Damiron le portent vers le culte de la pensée ("tout comprendre pour tout juger"), reconnue comme la faculté maîtresse et universelle, vers le libéralisme social et un spiritualisme vague. Planche n'est pas, à proprement parler, un Idéologue; sa conception du monde dérive pourtant des leçons de Condillac, dans la mesure où la primauté est accordée à l'analyse, à la logique, dans la mesure où une méfiance instinctive l'écarte de tout ce qui est pure imagination, fantaisie, abstraction du réel.

Tout cela ne suffit pas à faire de lui un "classique" à la Viennet. Après les créations du *Louis XI* de Delavigne et de la *Teresa* de Dumas, il conclut de façon péremptoire que "la tragédie est morte, la semaine dernière, après une longue et pénible agonie (...). Le règne du drame commence"[52]. Et même lorsque, un peu plus tard, il se raidit dans son hostilité aux excès du romantisme, jamais il n'a des opinions aussi catégoriques que Nisard[53], lequel est persuadé que les Classiques représentent le Beau absolu, auquel sans cesse il convient de faire référence: Planche estime que "les hommes de notre temps ne valent pas moins que les hommes du XVIIe siècle"[54]. Son admiration pour Corneille reste mitigée: "il manque à (ses) personnages (...) d'avoir vécu, de pouvoir vivre". Celle qu'il porte à Racine ne va pas jusqu'à la dévotion. Et dans le répertoire de Molière, ce sont *les Femmes Savantes* qui sont placées au plus haut, préférées à *Tartuffe* et au *Misanthrope*. Quand bien même il renie les propos par lesquels il a promis la tragédie à l'ensevelissement (en 1837, il reconnaît que la tragédie constitue une "forme vraie")[55], il ne se fige pas dans une attitude de traditionaliste: les querelles élevées autour de Racine et Shakespeare, "querelles alexandrines de la Restauration"[56], ont porté "plus de dommages que de profit à l'art"[57]. Et, comme Stendhal, il estime que si les grands classiques "revenaient parmi nous, ils emploieraient leurs merveilleuses facultés autrement qu'ils l'ont fait. Affranchis des entraves qu'ils ont acceptées, et dont ils comprendraient toute l'inutilité, ils ne recommenceraient pas les monuments qu'ils nous ont laissés"[58].

Planche n'a donc jamais affirmé que le dramaturge contemporain doit tout uniment se mettre à l'école du classicisme. Ce qu'il réclame, c'est que l'auteur dramatique, tout en recherchant des formes théâtrales propres à son temps, reste fidèle aux principes qui ont guidé les écrivains du passé: l'analyse du cœur humain, l'étude des passions dans la logique de leur développement, la fidélité à la réalité historique, la correction rigoureuse du style et sa conformité aux personnages et au sujet traité.

Là est l'arrière-pensée qui donne sa cohérence à la critique dramatique de Planche. Cette critique n'est pas référence systématique au passé. Elle est une entreprise de dénonciation de l'escroquerie que constitue l'exaltation d'un "drame qui *se donne* pour le petit-fils de Shakespeare"[59]. Cette attitude est conforme à la conception que, dès le début, il s'est faite du rôle du critique, – une conception qui rappelle étrangement, là, celle de Geoffroy (mais les motivations sont différentes). Le critique n'a pas à rendre compte d'impressions personnelles, mesurées au degré de plaisir éprouvé: il doit se faire le guide du public, en un temps où, il l'affirme dès 1831, "l'art est malade"[60]. Le but est de désabuser cette "foule demi-savante qui remplit les loges de nos salles"[61]. Dans l'article qu'il consacre à *la Critique Française en 1835,* Planche condamne la critique telle qu'elle se pratique autour de lui: celle de Ch. Maurice, celle de la "petite presse" ("de la boue pour ceux qui la méprisent, de l'encens pour ceux qui la paient"); celle qui, par souci de ménager tout le monde, ne se prononce jamais nettement et se fait complaisante à chacun; la critique de ceux (Janin) pour qui "l'esprit est une profession, une faculté qui dispense de la prévoyance et de la mémoire"; celle qui se repaît de vaine érudition; celle qui se met au service d'une coterie et ne songe qu'à "proclamer à toute heure, en tout lieu, à tout venant, la beauté souveraine de l'œuvre du maître" – le trait vise, bien entendu, le clan des hugolâtres. Le critique, selon Planche, n'est ni un funambule du feuilleton, ni un cuistre, ni un séide: mais un esprit lucide, insensible aux partis-pris et aux modes, qui met en garde le spectateur comme le créateur contre les déviations qui les guettent.

Or il n'admet pas que l'on présente les œuvres dramatiques nouvelles comme correspondant aux nécessités des temps nouveaux. Alors même que, en 1832, il annonce le règne du drame, il conteste que les premières œuvres de Hugo et Dumas engagent le théâtre sur des voies fécondes. Ces prétendus chefs d'œuvre sont nourris des pires poisons: infidélités à l'histoire et à la vérité psychologique, abandon à "la pompe du spectacle", à "la richesse des images"[62]. Le nouveau théâtre n'est pas là où le situent habituellement un public abusé et des auteurs habiles à créer l'illusion; le nouveau théâtre est à naître. Parmi les critiques de la jeune génération, Planche est le seul, en 1832, à porter un tel verdict: c'est beaucoup plus tard que Sainte Beuve formule ouvertement des réserves.

Une telle prise de position à contre-courant est encore, comme dans l'attaque portée contre Latouche, un moyen de se singulariser. Elle est aussi l'expression de la sourde envie éprouvée à l'égard de confrères féconds par un écrivain qui ne réussit pas à devenir un véritable créateur. Mais ces raisons personnelles le poussent dans le sens de sa conviction essentielle: on trompe le public.

On le trompe par le déchaînement de "la camaraderie" pratiquée dans les "réunions, cercles, coteries littéraires", au profit d'hommes qui, n'admettant pas la moindre critique, se sont lancés dans une entreprise de déification d'eux-mêmes: "étourdi par les rêves orgueilleux de sa vie nouvelle", par "les flatteries de la foule", Hugo ne connaît plus "d'autre loi que son caprice", il sent qu'"il devient dieu"[63].

A partir de 1832, Planche rend compte de toutes les grandes créations[64]. L'entreprise de salubrité publique commence avec le jugement porté sur *le Roi s'amuse*[65]: drame dont la prétention à la vérité historique est totalement injustifiée (il ne "relève absolument" que de la "libre fantaisie" du poète), dont les personnages et l'action défient la vraisemblance (Triboulet s'exprimant avec une "mélancolie" qui rappelle Pascal et Byron, Triboulet se muant au dernier acte en "publiciste" révolutionnaire), dont l'expression, lyrique à l'excès, étouffe l'action. C'est tout pareillement pour montrer "aux esprits sérieux ce qu'ils entrevoient d'une façon confuse, l'altération progressive des éléments essentiels de la poésie", qu'il s'en prend à *Marie Tudor*[66]: trahison de la réalité historique, de la vérité psychologique et morale (Jeanne, amoureuse comme "une pensionnaire de seize ans après la lecture de quelques romans vulgaires"): il faut plaindre "les peuples qui ont besoin de pareils spectacles". *Angelo* est exécuté avec plus d'âpreté encore. Le début de l'article donne le ton: "Oserons-nous bien parler d'*Angelo?* "[67]: non pas un drame "historique", mais un mélodrame avec tous les accessoires (la clé, la croix, le poison, la résurrection) et tous les personnages convenus (le tyran, le sbire, la courtisane). La conclusion est catégorique: "Il ne reste plus maintenant à la critique sérieuse qu'une seule arme contre les œuvres dramatiques de M. Hugo, c'est le silence".

Mais lorsque paraît *Ruy Blas,* le silence est au-dessus des forces de Planche. "Désolation de la désolation!"; "Encore des antithèses! Dans *Hernani*, c'était le roi opposé au bandit, dans *Marion de Lorme,* c'est la courtisane réhabilitée; la hache du bourreau est dans l'alcôve de *Marie Tudor;* l'amour maternel dans le cœur de *Lucrèce Borgia* balance entre l'inceste et l'adultère, et maintenant voici une reine amoureuse d'un laquais!"[68]. L'antithèse est un procédé artificiel, étranger à la vérité humaine. Dans ce drame, le recours à l'histoire est un trompe-l'œil: la peinture de la Cour espagnole est une "caricature puérile", la séance du Conseil une bouffonnerie digne de la foire. Toute la première partie du 4e acte (qui est dominée par don César) évoque Bobêche ou Galimafré; don Guritan est "une des figures qui traînent depuis longtemps sur les tréteaux forains et qui ont le privilège d'égayer les marmots et les nourrices"[69]. La conclusion est péniblement perfide: "ou *Ruy Blas* est une gageure contre le bon sens, ou c'est un acte de folie"[70].

Chatterton est traité avec plus de ménagements. Vigny, au moins, ne se prend pas pour un dieu. Il évite les facilités du mélodrame. Il s'écarte de cette "poésie réaliste" dans laquelle Hugo et Dumas se sont dévoyés[71]. Mais outre que le protagoniste n'a, cette fois encore, rien de commun avec celui de l'histoire, fort peu estimable pamphlétaire, pas plus que Kitty ou le Quaker il n'est un véritable personnage: un symbole, celui du Génie, figé à côté de ceux de l'Innocence et de la Sagesse. Or la confrontation de symboles n'a jamais suffi à créer une intrigue dramatique: "l'action est absente", "drame spiritualiste et inactif"[72].

Les succès remportés par le drame doivent ainsi être attribués à la perversion du goût du public, aux manœuvres des thuriféraires de la secte. Mais aussi, et l'observation est intéressante, même si elle est inspirée à Planche par son coup de passion pour Marie Dorval, à la qualité exceptionnelle des interprètes. A propos de *Margarita Cogni* (Ancelot)[73], Planche explique pourquoi le spectateur se laisse prendre aux œuvres nouvelles, oublie leur "absence de logique et de composition", l'étrangeté et l'obscurité des personnages. C'est que Dorval sait créer l'illusion dramatique: par son "inépuisable spontanéité", par "la simplicité de ses attitudes, par la familiarité de son action", elle réussit à "humaniser" Marion ou l'Adèle d'*Antony.* "C'est pourquoi la nouvelle école dramatique (lui) doit une reconnaissance inviolable"[74].

En bref, l'ensemble du théâtre contemporain rebute Planche. Il est sévère pour Delavigne, pour *les Enfants d'Edouard,* simple "pâture pour les yeux"[75], pour *Don Juan d'Autriche*[76]. Il renvoie au néant ce Scribe qui se contente d'inonder "de ses ballots tous les marchés dramatiques de Paris". Et c'est par l'écœurement du public devant "tant de tragédies menteuses, tant de héros sans cœur, et qui n'appartiennent à l'humanité que par le casque ou la cuirasse", devant le drame faussement shakespearien "et qui n'a dans son blason qu'un poignard et des cantharides", par la lassitude "d'assister à la violation de l'histoire et de la raison", qu'il explique le succès remporté par la *Marie* de Mme Ancelot, qui constitue, malgré la confusion de l'intrigue, le maniérisme du style, "une halte salutaire"[77].

Si, après 1848, il se montre parfois plus indulgent, pour *Claudie* (G. Sand)[78], voire franchement élogieux, pour *le Chandelier, les Caprices de Marianne,* c'est que des ambitions académiques l'incitent à la modération. C'est surtout que, désabusé, vieillissant, il se prend à regretter cette époque de 1830 qui, peut-être, s'est révélée stérile mais qui, du moins, "était une période laborieuse où l'amour de la gloire tenait plus de place que l'industrie" (15 octobre 1836).

A tous ceux qui, de près ou de loin, ont tenu au romantisme, la critique de Planche est apparue étroite, inspirée par l'envie, l'impuissance, ou les rancunes personnelles. Et il est bien vrai que souvent elle est cela. Mais Planche n'a fait que dire très haut ce que tant d'autres, à commencer par Sainte Beuve, réservaient à la discrétion de leurs journaux intimes. La brutale franchise de Planche n'est pas toujours inspirée par le seul souci de crier la vérité: il a une "image de marque" à soigner, celle du pourfendeur de réputations trop éclatantes. Mais les griefs qu'il accumule correspondent à une aversion qui est, chez lui, spontanée. Et sur les pièces romantiques, il ne fait que formuler des jugements qui, dans leur partie négative du moins, sont ceux qu'a repris la postérité: inconsistance des personnages, imbroglio et invraisemblance de l'intrigue, tendance au pathos. Planche n'est pas armé (c'est là son insuffisance essentielle) pour apprécier dans ces œuvres ce qu'elles révèlent de jeunesse, de lyrisme, de fantaisie, d'aspirations à une dramaturgie libérée. Critique à courtes vues sans aucun doute, mais qui, à sa manière, rêche et peu attirante, incarne bien l'immense désillusion éprouvée au contact des réalités par ceux qui avaient trop rêvé en 1830. Quand Gautier revient sans cesse sur ce qui a été pour lui l'éblouissement d'*Hernani* ou d'*Antony*, il ne fait que traduire à sa manière, qui est très différente, la même nostalgie.

***

Il serait d'un effet facile de mettre en évidence la contradiction que constituent la longue activité de Gautier comme critique dramatique et les sarcasmes dont il a, au début de sa carrière, abreuvé ceux qui, incapables d'être des créateurs, s'arrogent la prétention de juger les œuvres d'autrui: "Cuistres, monstres, eunuques et champignons". Au moment de *Mlle de Maupin* (1835, Gautier a 24 ans), le romancier n'a pas de termes assez violents pour dénoncer les "pieux feuilletonistes qu'effarouchent les ouvrages nouveaux et romantiques", alors que "les classiques anciens dont ils recommandent chaque jour la lecture et l'imitation les surpassent de beaucoup en gaillardise et en immoralité"[79]. De ces critiques, il dénonce "(les) bévues historiques ou autres, (les) citations controuvées, (les) fautes de français, (les) plagiats, (le) radotage, (les) plaisanteries rebattues et de mauvais goût, (la) pauvreté d'idées, (le) manque d'intelligence et de tact".

Or, dès le printemps 1835, Gautier, en même temps que Nerval, collabore au *Monde Dramatique,* avant d'être appelé, avec Nerval encore, à *la Presse* par l'habile Girardin qui entend donner aux comptes-rendus dramatiques un ton nouveau. L'intention délibérée de battre Janin sur son propre terrain est bien marquée par la décision que prennent les deux amis de signer: G.G. (Gautier-Gérard), pour répondre aux initiales déjà célèbres: J.J. Mais, bien que Nerval n'ait pas cessé de remplir ici et là[80] sa besogne de chroniqueur, Gautier ne tarde pas à demeurer seul à assurer de façon permanente le feuilleton de *la Presse.* C'est là que, pendant 19 ans, (1836–1855), il commente avec le plus grand succès l'actualité dramatique. Activité qu'il poursuit, à partir de 1855, 16 ans encore au *Moniteur Universel,* puis à *la Gazette de Paris,* jusqu'en février 1872[81]. Au total donc, 36 années de "forçat de la publicité", condamné à tourner la meule du journal comme Plaute la meule du moulin[82].

Quand il s'engage avec Girardin, la ferveur Jeune-France de Gautier est intacte, difficile à concilier avec les exigences d'une production régulière (le feuilleton doit "tomber" chaque lundi) et qui doit se borner à commenter les œuvres d'autrui. Aussi Gautier n'a-t-il jamais cessé de se désoler de n'être que "la trompette, quand on pourrait être la lyre" (*Moniteur,* 5 juin 1864), avec la conscience d'une sorte de déchéance. Il le reconnaît dans son autobiographie: "Là finit la vie heureuse, indépendante et primesautière. Le journalisme m'avait accaparé et attelé à ses besognes. Que de seaux j'ai puisés à ces norias hebdomadaires ou quotidiennes, pour verser de l'eau dans le tonneau sans fin de la publicité! Le livre seul a de l'importance et de la durée. Le journal disparaît et s'oublie. Le feuilleton est un arbuste qui perd ses feuilles tous les soirs et qui ne porte jamais de fruits".

Sur la tombe de son confrère Fiorentino (du *Moniteur*), Gautier a évoqué les servitudes du feuilleton: "Etre spirituel à jour fixe, être soi à travers les autres, difficulté immense! Improviser sur le thème jeté par hasard par le théâtre, avoir sur toute matière une érudition prête; transformer, en lui gardant son caractère, la pièce inepte en compte-rendu charmant, manier avec habileté cet amour-propre du comédien plus irritable encore que celui du poète, s'occuper toujours de la gloire d'autrui et jamais de la sienne, joindre l'activité de l'homme du monde au travail de l'homme de cabinet (...), eh bien! ce rude labeur, il nous écrase tous"[83].

Ces propos désabusés permettent de fixer les lois d'un genre, le feuilleton, qui devient, à partir de 1830, une institution dramatique: ne rien laisser échapper de l'actualité théâtrale; être brillant pour se faire lire, sans cesser d'être solide; ne pas heurter les susceptibilités des gens de théâtre; enfin, demeurer soi-même en se consacrant aux ouvrages des autres.

Le miracle, avec Gautier, est en ceci que ses feuilletons ne se ressentent pas de cette amertume. Sa conscience professionnelle est indiscutable[84], comme son entrain, sa franchise, au point que, avec lui, le feuilleton devient bel et bien une création personnelle[85]. Le miracle est en ceci surtout que, soumis à tant d'exigences, Gautier reste lui-même, sans renier ses ardeurs et ses engouements de l'époque où il était libre et fantasque, alors même qu'il écrit pour des lecteurs de sens rassis et de comportement bourgeois. Au surplus, au sein d'une presse si engagée dans les compromissions de la vénalité, Gautier reste intègre. Sans doute vit-il de son activité journalistique, mais celle-ci ne constitue pour lui qu'un revenu normal et sans équivoque. Il le dit à du Camp: "Je n'ai que cela pour vivre, et d'autres en vivent auprès de moi". En 15 ans (1836–1851), il reçoit, selon une lettre de Rouy, gérant de la *Presse,* 100.337 francs[86], sans qu'il songe jamais à recourir aux pratiques familières à Ch. Maurice. Cette intégrité fait sourire de commisération Girardin qui le dit à du Camp: Gautier "est un imbécile qui ne comprend rien au journalisme. Son feuilleton aurait dû lui rapporter 30 ou 40 mille francs par an, il n'a jamais su lui rapporter un sou. Il n'y a pas un directeur de théâtre qui ne lui eût fait des rentes, à condition de l'avoir pour porte-voix".

Tout comme un autre, Gautier a ses partis-pris et des amis à soutenir. Pour porter aux nues le *Léo Burckhardt* de Nerval[87] ou la *Cléopâtre*[88] de Mme de Girardin (qui n'est pas pour lui la femme du directeur, mais une confidente), le feuilleton prend des proportions inhabituelles. Mais la complaisance n'est pas monnayée. Et on doit observer de quelle façon Gautier se tire de la difficile épreuve qui, pour un critique, consiste à rendre compte d'une pièce dont il est l'auteur. On se trouve mal à l'aise de constater que, dans ce cas, Nerval profite de l'anonymat pour se livrer à une opération d'auto-glorification. Nerval, par exemple, est le co-auteur de *Piquillo* (1837), de *Caligula* (1837), de *l'Alchimiste* (1839), représentés sous le seul nom de Dumas: les feuilletons qu'il consacre à ces créations[89] attestent que tout sens critique est alors chez lui aboli, que la volonté d'abuser le public est patente[90]. Il est pénible de relever, sous la plume d'un homme de goût, des éloges dithyrambiques de ce *Caligula* si prosaïque, loué pour sa "valeur poétique fort rare" et crédité d'un succès qui "n'a pas été douteux un seul instant", alors que l'échec a été indiscutable. De même, l'insignifiant *Alchimiste* est mis au niveau des "pièces romanesques de Shakespeare et de Calderon" pour sa qualité "poétique"; et la très médiocre comédienne que fut Ida Ferrier (maîtresse, puis épouse de Dumas) est gratifiée d'un "talent tragique dont on ne soupçonnait pas la portée". Or Gautier a été amené, lui aussi, à rendre compte d'une œuvre dont il est l'auteur: *la Juive de Constantine* (Porte Saint Martin, 13 septembre 1846). Mais il le fait à visage découvert[91], sans dissimuler qu'il aborde là un "point assez délicat", sans nier que la pièce a été accueillie avec "des sifflets et des murmures", s'efforçant d'expliquer l'insuccès, en particulier par les idées fausses que le public se fait des mœurs algériennes. Il n'y a là ni amertume, ni complaisance à soi-même, ni recherche d'une excuse par le mauvais jeu des acteurs: l'œuvre serait signée d'un autre que lui-même, Gautier ne la présenterait pas d'une façon différente. Cette honnêteté intellectuelle console de la lecture de bien des chroniques contemporaines.

Dans ses jugements, Gautier est enfin servi par sa volonté de soustraire sa critique aux préjugés politiques et idéologiques, ce qui ne signifie pas, bien au contraire, qu'il reste neutre ou indifférent. Sa fidélité au dogme de l'Art pour l'Art demeure constante et lui permet d'éviter ces partis-pris "utilitaires" dont, dans la préface de *Mlle de Maupin,* il dénonce les méfaits: "Chaque feuilleton devient une chaire; chaque journaliste un prédicateur".

Aux yeux de Gautier, l'œuvre dramatique ressortit à un genre inférieur. Sa prédilection continue d'aller à l'œuvre poétique. En 1834, il affirme: "L'Ode est le commencement de tout, c'est l'idée. Le théâtre est la fin de tout, c'est l'action. L'un est l'esprit, l'autre est la matière. Ce n'est que dans leur vieillesse que les sociétés ont un théâtre". Même adonné au feuilleton, Gautier n'a jamais renié cette profession de foi. Le théâtre lui paraît lié à trop d'exigences matérielles, à ces nécessités de la construction, de l'agencement des scènes, que les "carcassiers" (du type de Scribe) considèrent comme le sommet de l'art dramatique, alors qu'elles n'en constituent que les servitudes. Et toujours il s'applique à rechercher, dans une œuvre nouvelle, ce qu'elle préserve des "idéalités", c'est-à-dire de vertu poétique.

Ce qui fait la richesse et le charme de cette critique, c'est que, tout en se pliant aux lois d'un genre qu'il n'aime pas, tout en sachant qu'il s'adresse à un type de lecteurs qui ne sont pas inspirés par le goût artiste, Gautier reste lui-même, avec ses préférences, ses aversions, sa fantaisie.

Au contraire de ceux de Planche, les jugements de Gautier ne sont commandés par aucun souci dogmatique. La querelle élevée autour de Racine et Shakespeare, à laquelle il a participé avec tant de flamme, cesse bientôt de l'aveugler; mais, sur un ton désormais apaisé, il demeure fidèle à la position prise naguère. En pleine réaction néo-classique (Rachel est à son apogée), il refuse de tomber dans l'idolâtrie racinienne: "Il est convenu que Racine est la perfection même. On peut nier la Divinité, la royauté, la famille, soutenir les opinions les plus étranges, les paradoxes les plus hardis; mais il est une chose qui fera toujours rembler les plus téméraires, c'est de hasarder l'ombre d'une observation sur Racine. Pour lui, toutes les phrases sont stéréotypées: c'est le pur, l'harmonieux, l'élégant, le chaste, le divin Racine. Nous ne sommes pas un iconoclaste, loin de là; cependant il nous est impossible d'admettre sans y regarder ces jugements tout faits" (8 janvier 1844). Et, sans éclat mais fermement, il remet en cause l'intangible credo.

Bien davantage Corneille est son homme: c'est reprendre la hiérarchie romantique établie depuis *la Préface de Cromwell. Le Cid* est grand par les défauts que les "raffinés du temps" ont cru devoir y dénoncer (immoralité, absurdité, incorrection) et qui font de l'œuvre un chef d'œuvre, parce qu'elle était, en 1636, en marge des canons obligés. Gautier s'amuse à jouer du paradoxe: il se lance dans un vigoureux "plaidoyer" en faveur de ce rôle de l'Infante, toujours sacrifié, si souvent supprimé et avec une ferveur ironique il utilise, en les retournant pour sa démonstration, les arguments mêmes des détracteurs: le rôle de l'Infante n'est pas du tout inutile à l'action; c'est se montrer infidèle à ce fameux "culte" dû aux Classiques que de mutiler le texte de Corneille (26 mai 1856). Bien davantage que Racine, Corneille est proche de l'idéal de liberté représenté par Shakespeare[92].

Mais plus que des chefs d'œuvre consacrés Gautier est friand de ces pièces négligées ou sous-estimées, comme *Nicomède* ("il a fallu la venue de l'école romantique pour que justice fût rendue à l'œuvre sublime"; "à quel génie supérieur encore (Corneille) fait penser, s'il avait joui de la liberté de Shakespeare!"); comme *l'Illusion Comique,* "étrange monstre", pièce qui "a jailli du cerveau rayonnant de Corneille, feu d'enthousiasme, de jeunesse, de poésie" (10 juin 1861); comme le *Saint Genest* de Rotrou, œuvre marginale et baroque ("tant de jeunesse et de sève", "une variété de tons infinie", "toute la gamme du style depuis le grandiose jusqu'au sublime") (17 novembre 1845).

En face de Molière, Gautier est animé par la volonté de rendre vie et verdeur à un répertoire que l'admiration convenue a peu à peu sclérosé. Il ne s'indigne pas, bien au contraire, de voir Provost substituer à l'interprétation habituelle l'image d'un Arnolphe "pensif et morose": "C'est par de semblables compositions de rôles et non par les rengaines sempiternelles d'une prétendue tradition qui s'altère de jour en jour qu'on parviendra à redonner de l'intérêt au vieux répertoire" (25 décembre 1848).

Il proclame la nécessité de rompre avec la morne tradition du décor unique (pour *le Cid* par exemple), des mises en scène étriquées qui réduisent *Athalie* à n'être plus que "de la pompe comique, du Racine travesti" (12 avril 1847). Il entend surtout renoncer à cette ségrégation constamment pratiquée dans le répertoire au nom d'un "goût" étroit et académique: c'est le *Dom Juan* original qu'il faut reprendre, non la version édulcorée par Thomas Corneille:

> Les classiques n'aiment pas les chefs d'œuvre qu'ils font semblant d'adorer. Ils ne peuvent supporter Corneille que retouché par Andrieux et Planat, et Molière que versifié par Thomas. Dans l'œuvre de ces génies, ils choisissent cinq ou six pièces et s'en tiennent là" (11 janvier 1847).

La revendication est pressante, autant que justifiée: "Nous demanderons pourquoi l'on ne joue pas tout Molière tel qu'il est imprimé, avec ses intermèdes de Polichinelles, de Trivelins, de Scaramouches, de Pantalons et de Matassins. Nous regrettons fort tout ce monde bizarre et charmant qui traverse ses comédies avec des entrechats, des chansons et des éclats de rire, comme de folles lubies passant par de sages cervelles"; "Qu'on nous rende toutes ces charmantes pièces, *le Sicilien, la Princesse d'Elide, les Fâcheux, l'Impromptu de Versailles, Mélicerte, Don Garcie de Navarre,* qu'on ne nous fait jamais voir"[93].

En face du répertoire traditionnel, Gautier est loin de se présenter en "iconoclaste". Mais il veut que l'exigence de révérence ne soit pas artificielle. Il récuse les fausses valeurs, dont les tragédies de Voltaire constituent à ses yeux un bon exemple (Gautier est pourtant loin de partager les préjugés idéologiques de Fréron ou Geoffroy (8 décembre 1845). L'admiration est dégagée des préventions scolaires et des enthousiasmes de commande. Gautier porte en lui l'image privilégiée d'un théâtre dont la vertu n'est pas le fruit d'une solide construction, mais qui fait la plus large place à l'imagination, à la fantaisie, à la nouveauté. Si Marivaux attire Gautier, c'est que, dans ses comédies, passe "comme un frais souffle de *Comme il vous plaira*", qu'on y retrouve la "veine romanesque de Shakespeare (20 janvier 1851). De même, Beaumarchais n'est pas seulement "immensément spirituel" (cliché); "nous le trouvons pour le moins aussi poétique", par le "romanesque", "par l'imagination, par le sentiment du rythme": "Style de décadence, corruption du goût, recherches bizarres, concetti italiens, agudezas espagnoles, diront les pédants. Style charmant, plein d'esprit, de nerf, de nouveauté, d'imprévu (...), répond le public"; "quoique réel, il est très *fantasque* (...), fantasque par l'esprit plus que par l'imagination" (1 novembre 1852).

Gautier juge tout aussi librement le répertoire contemporain. La fièvre d'*Hernani* étant tombée en même temps que croît l'engouement pour Scribe et Delavigne, il reste d'abord, dans l'âme du chroniqueur, la nostalgie de ces fulgurantes soirées. Sans cesse il revient sur le souvenir des créations d'*Hernani,* d'*Antony,* de *Chatterton,* moins par regret de la jeunesse qui s'éloigne que pour rappeler, devant l'envahissement de la "crème fouettée du vaudeville", que "le sentiment de la poésie n'est pas aussi mort en France que certains veulent bien le dire" (22 janvier 1838). Le principal mérite d'*Hernani* demeure celui de la jeunesse: "c'est un des plus beaux *rêves* dramatiques que puisse accomplir un grand poète de vingt cinq ans". *Chatterton* est le symbole d'une génération qui "était ivre d'art, de passion et de poésie; tous les cerveaux bouillaient, tous les cœurs palpitaient d'ambitions démesurées" (14 décembre 1857).

Aussi avec quelle avidité Gautier ne guette-t-il pas la moindre manifestation d'inspiration poétique. Le compte-rendu consacré aux *Burgraves* (à cette époque où Célestin Nanteuil constate avec mélancolie que les vaillantes phalanges de 1830 sont dispersées et assagies) s'étend sur deux très longs feuilletons (13–14 mars 1843) qui, à première vue, sont consacrés à une simple analyse de l'intrigue. En réalité Gautier fait tout autre chose: il recrée la trilogie par les évocations colorées de sa propre imagination, il la complète de ses visions du Rhin médiéval, des Titans aux armures de fer, des sombres manoirs sur les dalles desquels glissent les spectres de la vengeance. Pour le feuilletoniste, *les Burgraves* sont d'abord un point de départ pour l'essor de sa propre fantaisie. Dès lors, qu'importent les défauts de l'œuvre?

> Nous aimons assez les beautés choquantes, et nous acceptons parfaitement un peu de bizarrerie, de barbarie, de mauvais goût, pour arriver à certains vers éclatants et soudains qui font dresser l'oreille à tout véritable poète comme une fanfare de clairon à tout cheval de guerre.

Aussi le répertoire de Musset comble-t-il d'aise Gautier. *Un Caprice* "est tout bonnement un grand événement littéraire: un acte plein d'esprit, d'humour et de poésie","digne de Marivaux" (29 novembre 1847). *On ne badine pas avec l'amour* révèle "cet esprit qui, semblable à Euphorion, le fils de Faust et d'Hélène, voltigeait toujours entre la terre et le ciel, *au-dessus des réalités,* et ne s'y posait quelques minutes que pour remonter plus haut"; la trop "rigoureuse logique" du théâtre moderne a banni les chœurs de l'œuvre théâtrale: ceux que Musset a introduits dans sa comédie enchantent Gautier (25 novembre 1861).

Quand, en 1844, E. Augier, parfaitement inconnu et qui n'est pas encore un des chefs de file de "l'école du bon sens", débute avec *la Ciguë,* le critique s'abandonne à la "plus agréable surprise" de sa vie: "une comédie pleine d'esprit, de verve et de bon goût, versifiée d'une manière charmante, qui rappelle, pour le fond, le *Timon* de Shakespeare et, pour la forme, la manière grecque d'André Chénier" (20 mai 1844).

Gautier ne connaît, en fin de compte, d'un bout à l'autre de sa carrière, qu'une seule aversion: celle des anti-poètes, des "faiseurs" obsédés par les prétendues exigences de la construction dramatique: les "carcassiers", experts en "adresses d'ordre inférieur" (29 novembre 1847), en "charpentes", "ficelles" et autres habiletés "mécaniques" (25 novembre 1861). C'est parce qu'il ne songe pas à la représentation que Musset, libéré de tels soucis, a pu écrire "des pièces impossibles", qui sont "l'honneur et la fortune du théâtre français": "n'étant gênée par aucune préoccupation du possible, son originalité se développa dans toute sa grâce et sa franchise"(25 novembre 1861). Et cette même perspective permet à Gautier, dès 1839, de porter sur *Lorenzaccio,* qu'il oppose à l'incolore *Laurent de Médicis* de Léon Bertrand (Théâtre Français) un jugement dont la justesse paraît aujourd'hui prophétique (27 août 1839).

Le symbole de ces "carcassiers" est Scribe, que Gautier a poursuivi, tout au long de son activité, d'une ironie sans hargne, mais inlassable. Gautier ne nie pas le succès considérable de ce répertoire ("partout et toujours M. Scribe")[94]; il ne dénie à Scribe ni l'esprit, ni "l'entente de la scène", ni une "merveilleuse facilité d'improvisation", ni une "manière d'écrire" qui "se fait accepter facilement". Mais grief fondamental: M. Scribe "n'a pas la moindre étincelle de poésie", pas plus dans l'inspiration que dans l'expression: "c'est quelque chose de rond, de moëlleux, de soufflé" (23 novembre 1840). Lui sont étrangères "la poésie et la forme", la "connaissance du cœur", la "vérité historique", la "philosophie". Le public se laisse prendre par l'effet d'"habiletés mécaniques", de ces "combinaisons mystérieuses dont la critique est obligée de chercher la lettre, comme pour une serrure Hurel ou Fichet"[95].

Et, élargissant le débat, Gautier, sans rien concéder à ses lecteurs de *la Presse,* porte son diagnostic sans aucune indulgence:

> Ses pièces réussissent et plaisent (...) aux honnêtes bourgeois plus ou moins pères de famille qui, sans se préoccuper d'art, de style, de poétique, vont se délasser le soir au théâtre des travaux de la journée (...). (Le public) reste froid aux beaux élans lyriques et, si les ailes d'or du poète (...) le font planer dans l'azur au-dessus de cet enchevêtrement d'air poussiéreux qu'on nomme la charpente dramatique, il s'impatiente et trouve qu'il perd son temps. Les poètes doivent aujourd'hui renoncer au théâtre; la littérature n'a rien à y voir (23 novembre 1840).

Si l'on ajoute que Gautier se révèle un observateur extrêmement attentif des réalités propres au théâtre – jeu des acteurs, mises en scène et manière de dire les vers[96], variation des publics suivant les générations et les salles de spectacle[97] – il faut convenir que le chroniqueur de *la Presse* est peut-être le commentateur le plus brillant, mais aussi le plus sérieux et le mieux inspiré de toute sa génération, quand bien même, à la longue, en fin de carrière, il a cédé à la tentation de la facilité, de la complaisance et du rabâchage.

IV

Pour illustrer de façon synthétique le jeu de la critique sous la Monarchie de Juillet, il est préférable de prendre en considération une querelle qui éclate dans les dernières années du régime: à un moment où, étant retombée la ferveur des vaillantes cohortes, se font à nouveau entendre des voix qu'avaient à peu près étouffées les clameurs mérovingiennes.

La *Lucrèce* de Ponsard[98] est créée à l'Odéon le 22 avril 1843. Saluée par le plus grand nombre comme restaurant avec éclat la tragédie classique, le succès de ce coup d'essai d'un provincial de 29 ans est violemment contesté par d'autres[99]. Elle donne lieu à toute une littérature de brochures polémiques et de parodies.

En ces années 1842–1843, l'attitude du public et de la critique est bien différente de ce qu'elle était dix ans plus tôt. L'attrait de la nouveauté, l'ampleur des espoirs conçus de l'éclosion d'une littérature dramatique libérée, et aussi le "terrorisme" exercé par la "secte", avaient pratiquement réduit au silence les opposants: un Viennet a constitué une rare exception. On a courbé la tête; on a protesté in petto; on n'a pas voulu paraître par trop "épicier" et l'on a acclamé en guise de revanche Delavigne. Puis, peu à peu, des voix se sont élevées, rendant quelque assurance au spectateur qui, au fond de lui-même, n'a fait que supporter à son corps défendant les extravagances qu'on lui infligeait.

Très tôt, Planche a dénoncé ce qu'il y a d'artificiel, d'outré dans les drames de Hugo et Dumas. Mais celui-là est "l'adversaire". Or voici que, du sein même du camp des novateurs, s'élèvent des voix qui donnent à penser que, peut-être, on avait raison de rester sceptiques. A la fin de 1833, dans *les Débats* (1 et 26 novembre), Granier de Cassagnac, très lié à Hugo, a pris âprement à parti les drames de Dumas[100]. Les arguments utilisés par Cassagnac sont ceux précisément que n'ont jamais cessé de développer les Viennet ou les Planche: déformation constante de la vérité historique, pillage éhonté des écrivains étrangers.

Au même moment, dans *la Revue de Paris* (décembre 1833–février 1834), Nisard a publié des articles remarqués où est dénoncée la "littérature facile". Saint Marc Girardin, avec tout le poids que lui donne sa chaire de Sorbonne, dénonce dans ses cours les faiblesses du drame: quand il sera publié (1843), son *Cours de Littérature dramatique* connaîtra un vif succès de librairie (2.000 exemplaires enlevés en un mois). En 1840, dans *la Revue des Deux Mondes* (1 mars), Sainte Beuve lui-même consent à faire part à ses lecteurs des réserves qu'il conserve depuis longtemps par devers lui à l'égard du romantisme dramatique: *Dix Ans après en littérature* établit, à peu près, un constat d'échec. En 1843, encouragé par la déroute des *Burgraves,* Sainte Beuve ira jusqu'à écrire: "Dumas s'est gaspillé, de Vigny n'a jamais pu s'évertuer, Hugo s'est appesanti. C'est par le théâtre qu'il reste tout à faire"[101]. Gautier lui-même, dès 1838 (1 janvier) a porté le pénible diagnostic: "Le mouvement si énergiquement imprimé à l'art dramatique par *Christine, Hernani, Henri III* ne s'est pas continué; nous avons cru un moment que nous allions avoir un théâtre moderne; mais nos espérances ont été trompées". Et Rachel est arrivée à point nommé pour réhabiliter ces classiques dont on a si fort proclamé qu'ils étaient définitivement "enfoncés".

En 1842–1843, il est donc devenu clair que, à dénoncer l'échec du drame romantique, on ne court plus le danger de passer pour un philistin. Le spectateur, enfin libéré de la tyrannie qui pesait sur lui, retourne à ses idoles sans crainte d'être moqué.

Dans les dernières semaines de 1842, sont annoncés ces *Burgraves* d'un Hugo que le demi-succès de *Ruy Blas* (1838) avait bien paru condamner à la définitive retraite dramatique. Cette rentrée du chef de l'école doit donc impérativement déboucher sur un franc succès si l'on veut démentir les bilans décevants dressés par les vieux adversaires du drame comme par ses partisans. Sans doute est-ce bien l'imagination du poète qui, à partir des visions révélées par le voyage sur le Rhin, l'incite à concevoir cette œuvre aux dimensions gigantesques; mais assurément aussi une claire conscience de la nécessité de sortir franchement cette fois des chemins habituels et de jouer le tout pour le tout. Et de fait, tout le bruit qui s'élève autour des *Burgraves* avant leur création, par voie de presse ou dans les salons, répond à l'intention de préparer le public à l'éclosion d'un drame aux ambitions hors du commun.

Or, au cours même des répétitions, se développe une manœuvre qui apparaît bientôt aux fidèles de Hugo comme un contre-feu; une rumeur insistante court: "un nouveau Racine est né".

Ce nouveau Racine, dont la providentielle apparition doit démontrer, au bon moment, que les leçons de la Tradition n'ont rien perdu de leur valeur, c'est un débutant inconnu (ce qui confère à la rumeur un surcroît de piment): Ponsard. Le succès de sa *Lucrèce* va être remporté *avant même la représentation* par tout un jeu d'intrigues où sont mêlés les journalistes, les salons, les gens de théâtre et les entrepreneurs de spectacles.

Ponsard n'est pas un Viennet, dont le conservatisme est tout de même trop éculé. Sa formation sans doute est classique[102]; il admire Voltaire, autant pour ses mérites d'écrivain que pour ses idées, ce qui constitue un bon point aux yeux de cette large fraction du public bourgeois qui se réclame toujours de l'idéologie des Lumières. Né en 1824, Ponsard a, au fond de sa province, connu, avec quelque décalage par rapport aux engouements parisiens, la ferveur romantique: "Je me rappelle l'effet que produisait le nom de Dumas sur nous autres collégiens ou étudiants, qui sentions s'épanouir en nous le besoin d'admirer"[103]. Mais il a rendu compte (1840), pour *la Revue de Vienne,* des représentations de Rachel à Lyon et fait gloire à la tragédienne d'avoir "remis en honneur dans la province les chefs d'œuvre du répertoire classique": l'hommage est banal. A la même époque exactement, après qu'il a traduit le *Manfred* de Byron, il a mis sur un pied d'égalité Racine et Shakespeare, louant celui-ci de ne pas se tenir "toujours sur les hauteurs de l'abstraction" et de ne pas craindre "de descendre dans les petits détails de la causerie".

C'est certainement la révélation de Rachel qui l'incite à mettre en chantier sa *Lucrèce* et non l'intention de prendre position dans le débat dramatique ouvert depuis plus d'une décade, et désormais en grande partie dépassé. Ce n'est même pas lui qui prend l'initiative de faire jouer une pièce qui n'est en réalité qu'un exercice d'école. C'est Charles Reynaud, un de ses amis, qui, selon la narration versifiée de Ponsard, prend en 1842 "dans ses bras la naissante Lucrèce, Et l'emportant, ainsi qu'un amant sa maîtresse", la promène dans Paris.

Reynaud, journaliste qui a été mêlé au saint simonisme, engage donc une campagne d'information, soutenu par un confrère, Achille Ricourt, directeur de *l'Artiste* et professeur de déclamation. Ricourt a naguère milité en faveur de la cause romantique: son sens de l'opportunité l'a persuadé que le vent souffle désormais d'un autre côté et, suivant l'opinion publique pour la mieux orchestrer, il saisit l'occasion, séduisante pour un chroniqueur soucieux de se mettre en valeur: il prend en mains le sort de *Lucrèce,* il se présente bruyamment en "découvreur", à la Janin.

Il est soutenu par le comédien Bocage dont la carrière, à ce moment fort incertaine, a bien besoin d'être relancée. Les triomphes de Bocage à la Porte Saint Martin sont loin: un passage au Français (1841–1842) ne lui a valu aucune création notable. Son engagement à l'Odéon, où il retrouve une Dorval déjà déchue et ce Rouvière que prône tant Baudelaire, constitue un pis-aller. On comprend que Bocage, alerté par la rumeur, se soit intéressé à l'œuvre de Ponsard, d'autant plus que, républicain impénitent, le comédien ne peut qu'être attiré par le rôle de Brutus, contempteur de la royauté.

A partir d'une lecture de la tragédie au café Tabourey, Ricourt organise systématiquement la publicité de la pièce, qu'il s'applique à présenter, dans les salons, comme consacrant la résurrection de la vénérable tragédie, résurrection manquée avec la dernière tentative effectuée pour restaurer le genre, l'*Arbogaste* de Viennet (1841) qui a échoué au milieu des quolibets.

Ici intervient Auguste Lireux, qui vient de prendre la direction d'un Odéon en perdition et qui a impérativement besoin de renflouer ses finances pour ne pas sombrer. Lireux a 32 ans et vient, lui aussi, du journalisme: à Rouen, il créé une feuille satirique *l'Indiscret,* puis contribué à la fondation de *la Patrie.* Il a accepté d'assumer la gestion du théâtre dans les conditions les plus aventureuses: sans subvention. Il s'est engagé dans une politique hardie du répertoire: il monte *les Ressources de Quinola* de Balzac, *la Ciguë* d'Augier, fait adapter des œuvres de Calderon, Lope de Vega. Les résultats n'ayant pas répondu aux espoirs placés dans ce recours à des œuvres "modernes" ou exotiques, Lireux va tenter sa chance dans la direction opposée: cette *Lucrèce*, si sagement traditionnelle et autour de laquelle s'élève déjà un bruit flatteur, fournira peut-être le succès qui lui manque. Ses convictions républicaines sont solides (au moment du coup d'Etat de Louis-Napoléon, il sera arrêté puis exilé) et une tragédie qui évoque la chute d'un trône lui convient parfaitement; il sait d'autre part que le public habituel de l'Odéon vibre toujours aux appels claironnés du civisme démocratique. *Lucrèce* est reçue le 20 décembre 1842.

Fort de son expérience journalistique, Lireux lance lui aussi une campagne destinée à mettre le public en condition, sur le thème désormais banal de la permanence des valeurs classiques. L'hyperbole ne l'effraie pas:

> Un nouveau Racine est né! Ce n'est pas seulement Paris, mais la France entière qui doit se déliciter de cet avènement. M. Ponsard, jeune homme du Midi, ayant cultivé par de bonnes études les rares dispositions qu'il a reçues de la nature, est l'auteur d'une tragédie admirable (...), un de ces génies comme il plaît à Dieu de n'en accorder aux hommes qu'à de rares intervalles".

Pendant que se prépare, sur une orchestration différente, la première des *Burgraves*, l'effort de captation du public se poursuit sans relâche. Aux échos de presse s'ajoutent les lectures dans divers salons. Sainte Beuve assiste à l'une d'entre elles chez Mme d'Agoult; Bocage réunit chez lui (27 mars, à un mois de la création) un auditoire choisi où figurent des classiques invétérés comme Viennet, le très traditionaliste comédien Samson, et des romantiques comme Soulié, Gautier. Si bien que, phénomène remarquable, la critique s'exprime avant même la représentation. Sainte Beuve parle déjà, le 15 avril, d'un "succès complet et vrai"; le 2 avril il note: "On parle beaucoup d'une tragédie de *Lucrèce*; c'est du Corneille retrouvé, du Romain pur et primitif"; le 14, Janin couvre l'information de toute son autorité: "Cette tragédie est un événement. On en parle beaucoup plus que l'on ne parle des plus gros drames applaudis du Théâtre Français. C'est une faveur très recherchée d'assister à la lecture de ces beaux vers". Sont à l'unisson la légitimiste *Quotidienne, le Messager, le Corsaire.* L'influent *Constitutionnel,* que dirige Jay, ancien romantique déçu, se rallie au mouvement.

Avant même qu'il ait mis le pied à Paris, Ponsard est donc sacré héritier de Racine. Le jeu de la critique est faussé puisque, pour des raisons diverses, elle se prononce a priori et avant l'épreuve décisive de la scène. On crie au chef d'œuvre avant d'avoir vérifié qu'il s'agit d'une véritable œuvre dramatique, propre à la représentation.

Tout ce tumulte préoccupe ceux qui espèrent que *les Burgraves* prouveront que les les fruits passent enfin les promesses des fleurs. Dans *la Presse,* Gautier multiplie les traits d'ironie contre le "dieu Ponsard". Le 21 février (à 15 jours de la création du drame de Hugo), oubliant qu'en 1830 lui-même et ses amis ont porté *Hernani* au pinacle bien avant la création, il dénonce le caractère artificiel de l'engouement suscité: "les ponsardisants augmentent en nombre et en ferveur; ils sont déjà intolérants comme de vieux néophytes".

Dans le salon de Mme de Girardin, on prépare activement la création de *Judith* de la maîtresse de maison (elle aura lieu en avril); ici encore on s'applique à infléchir l'événement. Méry retrouve sa plume de satirique et de mystificateur pour montrer que cette *Lucrèce* rivale n'est rien d'autre qu'un exercice à la portée de tout rhétoricien qui connaît ses classiques et la prosodie: il s'engage à composer lui aussi une *Lucrèce* en huit jours. *Le Globe* en publie bientôt un acte apocryphe, sans donner de nom d'auteur, et laisse croire qu'il s'agit du texte tant attendu de Ponsard. Astuce journalistique qui se révèle incapable d'endiguer le courant déjà naissant.

Le 7 mars, sont créés *les Burgraves,* enfin. La représentation est organisée suivant la stratégie habituelle qui exaspère tant Viennet (il a assisté à la seconde représentation, "car il n'est pas possible d'assister aux premières représentations de M. Hugo"). L'accueil des fidèles peut d'abord faire croire à un succès. Mais l'attitude de la presse est très réservée: il est évident que le nouveau drame n'apporte pas cette révélation qui renverserait la tendance. Les comptes-rendus favorables viennent du côté où l'on pouvait les attendre: des *Débats* (Janin), le journal des Bertin; de Gautier dans *la Presse*; de Sandeau dans *la Revue de Paris;* de Philothée O'Neddy (Dondey de Santeny) dans *la Patrie;* d'E. Thierry dans *le Messager*. Bref, seuls font état d'un succès ceux qui étaient convaincus d'avance et que l'on ne croit plus sur parole. Selon Sainte Beuve (*Chroniques Parisiennes*), Janin a exprimé ainsi, au foyer du théâtre, son véritable sentiment: "Si j'étais ministre de l'Intérieur, je donnerais la croix d'Honneur à celui qui sifflerait le premier".

Dans *le Siècle,* Hippolyte Lucas renâcle devant des vers qui "embarrassent la pensée". Veuillot, dans *l'Univers,* dénonce un "grand fouillis de personnages hors nature", la "complication de morts vivants et de vivants morts", l'intrigue "à la fois pleine d'invraisemblance et de vulgarités". *La Gazette d'Augsbourg* (Heine) parle d'une œuvre "indigeste"[104]. *La Quotidienne* (Merle), *Le National, la France* (Th. Anne), *le Journal du Commerce* (A. Arnould) et surtout *le Constitutionnel,* qui ne publie pas moins de sept feuilletons hostiles, dressent avec jubilation un constat d'échec. Seul, dans *la Revue des Deux Mondes* (15 mars), Ch. Magnin porte un jugement équilibré, consentant à assimiler Hugo à Eschyle, mais relevant l'invraisemblance de l'intrigue et surtout de personnages qui, "même quand ils s'appellent Charles Quint ou Frédéric de Souabe", ne sont que les "fils de l'imagination du poète". A la onzième représentation, la recette tombe à 1.328 francs. La déconfiture est évidente. La voie est désormais tout à fait libre pour Ponsard.

La création de *Lucrèce* ne donne pas lieu, comme on le dit souvent, à un triomphe. On reprend la tactique de Hugo pour *Hernani* en renonçant au soutien de la claque; la moitié de la salle est occupée par les amis et les partisans de l'auteur. C'est Viennet qui, dans son *Journal* (23 avril), donne le ton juste: une soirée "fort orageuse".

> Les amis de l'auteur avaient eu l'indiscrétion de dire que c'était une réaction de l'école classique et les séides du romantisme s'étaient ligués contre cette audace avant de savoir s'il y avait quelque réalité dans cette annonce. Leur opposition s'est manifestée dès le premier acte, et ils ont sifflé des passages que, de mon côté, j'attribuais à leur système (...). L'affection exagérée de la couleur locale et un bon nombre de vers rocailleux et disloqués auraient dû calmer la fureur de ces hugolâtres. Mais le mot d'ordre était donné.

Le point de vue de Viennet est d'un grand intérêt: ce tenant obstiné des saines doctrines ne se range pas du tout parmi les "ponsardisants" (il se souvient sans doute que, dans *la Revue de Vienne,* Ponsard a fort mal parlé de son *Arbogaste*). Et il est bien près de reprocher à la nouvelle tragédie de tomber dans les excès de l'école détestée. Mais Ponsard a été hué par les hugolâtres: Ponsard est donc, aux yeux de Viennet, un "allié objectif". Et ce point de vue est celui de bien des spectateurs. Vigny observe: "Toute la presse vient de louer *Lucrèce* pour ses qualités classiques, tandis que son succès vient précisément de ses qualités romantiques, détails de la vie intime et simplicité du langage".

Ce qui séduit le public de 1843, c'est d'abord, après tant d'extravagances dans l'intrigue et les caractères, la simplicité de l'évocation des mœurs romaines, de la sereine vie domestique au foyer de Lucrèce. Enfin une héroïne qui n'est plus une hystérique revendiquant le droit à la passion, une fille de joie réhabilitée, une grande dame débauchée. Des vers comme ceux-ci ne flamboient sans doute pas de l'éclat des alexandrins déniaisés; mais ils réconcilient avec la vieille sagesse patriarcale, après tant de déclamations qui ont dénoncé le prosaïsme des liens conjugaux et familiaux:

La vertu qui convient aux mères de famille
C'est d'être la première à manier l'aiguille,
La plus industrieuse à filer la toison,
A préparer l'habit propre à chaque saison.

Ces propos dignes de Chrysale ne paraissent plus du tout maximes d'"épiciers"; on les couvre des plus sûres cautions: ils sont inspirés par le pur naturel de Théocrite ou des premiers livres de Tite-Live. Dans *la Revue des Deux Mondes* (1er juin 1843), Magnin peut bien faire valoir que *Lucrèce* n'est animée que par un "faible sentiment historique"; que Ponsard commet des anachronismes de mœurs; que son Sextus, le débauché, date de l'époque de César et de Marc-Antoine; que les conversations entre Sextus et Tullie, la maîtresse qu'il abandonne, doivent leur accent à Ovide, Properce, Catulle; – Magnin, avec ses arguments qui remontent à Guez de Balzac ou à Saint Evremond, ne convainc pas les spectateurs qui, dans peu de temps, vont faire un triomphe à la *Gabrielle* d'Augier, dont le dernier vers est resté célèbre: "O père de famille! O poète, je t'aime!"[105]. Il est temps de proclamer clairement que les droits anarchiques de l'individu, les sophismes romantiques, doivent s'incliner devant les exigences de l'institution sociale, qu'une Lucrèce est une véritable héroïne, qu'un Sextus perd sa couronne parce qu'il s'est conduit comme ce *Roi* que l'on a présenté naguère s'amusant en toute impunité. Car la pièce de Ponsard est en outre républicaine, hymne à la liberté, bien propre à séduire les spectateurs de l'Odéon. Mais ce républicanisme n'a rien à voir avec les appels subversifs au peuple et au déchaînement des instincts de la plèbe: il est fait de vertueuse dignité, du rappel des traditions ancestrales, de rigueur à la Plutarque. Le débat du second acte entre Brutus et Valère est tout entier de ce ton d'idéalisme éthique et politique[106].

C'est sur une équivoque que s'est établie la réputation du "nouveau Racine". Gautier n'a pas tort lorsque, comme Vigny, il fait remarquer que, violant l'unité de lieu, jetant sur la scène le masque grimaçant de Brutus qui feint la folie, recherchant des effets de couleur locale, s'appliquant à éviter le style emphatique à périphrases, Ponsard doit beaucoup à l'école romantique; les vertus proprement "classiques" de *Lucrèce* sont minces. Ponsard n'est égalé à Racine que parce que, dans l'état des esprits, des mœurs et du public, il est devenu impératif d'opposer un nom à celui de dramaturges dont les délires ont lassé jusqu'à la satiété et qui ont démontré la vanité de leurs promesses. L'accueil réservé à *Lucrèce* par la presse ne fait que refléter ces sentiments éprouvés par la majorité des spectateurs, dont les uns n'ont jamais admis les outrances du drame et dont les autres dressent avec nostalgie un constat d'échec. Dans *la Revue des Deux Mondes,* en juillet 1843, Sainte Beuve tire la leçon (*Quelques vérités sur la situation en littérature*): la réaction dramatique a été provoquée d'abord par les excès de l'école moderne, "les grands talents ayant donné le pire signal". Dans la presse délibérément classique, au *Constitutionnel,* au *National,* à *la Patrie,* tout est mis en œuvre pour entretenir une équivoque que le public lui-même a souhaitée.

Certains esprits, par système ou pour des raisons particulières, gardent leurs distances. Dans la *Revue de Paris* (30 avril 1843), Sandeau affirme avec lucidité qu'il ne saurait voir dans *Lucrèce* le "présage d'une révolution dramatique"; mais il traduit bien l'exaspération d'une grande partie du public devant les outrances du drame romantique, quand il loue chez Ponsard un langage "trempé aux sources les plus pures, ce bel et bon langage, franc et net, sobre et ferme, ne disant que ce qu'il veut dire, le disant bien, et ne laissant jamais la pensée d'égarer en de vains détours": ce que Gautier traduit, mais sur un ton irrité, en observant que la presse classique n'apprécie, dans la pièce de Ponsard, que l'absence de tout lyrisme.

La position prise par l'influente *Revue des Deux Mondes* mérite une mention particulière. De facture classique, d'inspiration sagement républicaine, la tragédie semble propre à plaire à un organe de tendances conservatrices. Pourtant, la première chronique (G. de Molènes, 1 avril 1843) est tiède, et l'éloge y apparaît comme gêné. La seconde (1er juin), due à C. Magnin, refuse même à l'œuvre le mérite d'être fidèle à l'esprit de l'antiquité. Elle a recours à des arguments ad hominem, en rappelant que, il y a peu, Ponsard s'est livré à de sévères attaques contre l'*Arbogaste* de Viennet[107], incorruptible champion des saines doctrines, ce qui laisse entendre que Ponsard n'est, pour la cause classique, qu'un allié incertain et tout à fait provisoire. En réalité, la position de la *Revue* s'explique par des considérations d'une autre nature. Tout simplement: elle est dirigée par Buloz qui, depuis le 5 mars 1840, succédant à Vedel, administre le Français. Or c'est Buloz qui a encouragé Hugo à faire jouer ses *Burgraves,* avec le succès que l'on sait. Avant la création de *Lucrèce,* au moment où la campagne de mise en condition de l'opinion atteint son point le plus fort, le Français s'est inquiété de la perspective d'une réussite qui va revenir à l'Odéon, le théâtre rival, et est intervenu auprès de Ponsard pour que sa pièce lui soit transférée. La démarche n'a pas abouti et les réserves formulées dans la *Revue* ne sont que l'expression d'un dépit.

***

Ainsi, dans le débat engagé autour de *Lucrèce,* tout paraît faussé, artificiel, étranger à la valeur réelle de la pièce.

Les éloges traduisent avant tout une exaspération qui peut désormais se donner libre cours: revanche enfin saisie sur un "terrorisme" dramatique qui a trop longtemps imposé le silence. Le succès de *Lucrèce* est le second volet d'un diptyque dont le premier est constitué par la chute des *Burgraves.* L'intention profonde sera bien définie, un peu plus tard, après *Agnès de Méranie,* par A. Dufaï dans sa brochure *Agnès de Méranie et les drames de Victor Hugo étudiés et comparés:* le théâtre de Ponsard n'y est exalté que comme le bienfaisant antidote à l'agitation de l'"école du Non-Sens". Et l'on voit apparaître sans périphrases l'argument essentiel: le théâtre de Hugo ne convient qu'à "un parterre de galériens, de prostituées et de bouffons, de laquais ou de vieux imbéciles"[108], c'est-à-dire à la lie de la société.

Ces éloges se justifient encore par l'inspiration générale d'une œuvre raisonnable qui épargne au spectateur les appels à la subversion et se contente de rappeler que les souverains, pour rester dignes de leurs fonctions, ne doivent pas oublier qu'un contrat les lie à ceux qu'ils gouvernent (et c'est bien l'idéal du Roi-Citoyen).

Ces éloges vont enfin à une œuvre qui, en termes nobles et en alexandrins, offre l'image d'un style de vie qui est, à peu près, mais dans un ton différent, celui des comédies de Scribe: la sagesse patriarcale, les vertus domestiques, la fidélité conjugale.

Sur cette toile de fond, se greffent les animosités et les sympathies: le parti-pris, favorable, de Janin qui s'enflamme pour l'œuvre d'un compatriote; le parti-pris, défavorable, de *la Revue des Deux Mondes* qui voit l'Odéon réussir l'opération manquée avec *les Burgraves.* Dans tout ce débat, il est, au fond, fort peu question des mérites réels de *Lucrèce.*

Aussi l'engouement pour Ponsard est-il de très courte durée. De lui on attendait qu'il fît la démonstration de la permanence des valeurs théâtrales traditionnelles. Ayant joué son rôle, *Lucrèce* semble dépourvue de tout attrait dramatique. A la reprise, quelques mois après la création (28 septembre), l'accueil du public a perdu toute chaleur. Sainte Beuve observe: "*Lucrèce* est morte de langueur, de froideur, de vieillesse déjà. Il y a six mois à peine elle réussit par son honnêteté même et un certain air de simplicité noble auquel on n'était plus accoutumé. Puis on en est déjà las; on n'y trouve plus rien". (*Chronique Parisienne,* 30 septembre 1843). Dès le mois de mai, dans son *Journal,* Hugo a noté avec perspicacité: "Tous les quinze ou vingt ans, le peuple parisien, accablé qu'il est d'émotions de toutes sortes, politiques et littéraires, spectateur haletant de deux révolutions qui s'accomplissent à la fois, l'une dans les faits, l'autre dans les idées, le bon peuple français a besoin d'une tragédie classique. On la lui sert. Il la boit avec délices, comme on boit un verre d'eau bien claire, à midi, en plein soleil, dans la poussière de la grand'route".

De fait, *Agnès de Méranie* (22 décembre 1846), qui est pourtant loin d'être inférieure à *Lucrèce*, tombe sans gloire et la même presse qui avait accueilli la tragédie précédente comme un chef d'œuvre est franchement défavorable. C'est que, en portant aux nues la première pièce de Ponsard, cette presse n'a pas fait vraiment œuvre de critique: elle s'est contentée de traduire docilement un mouvement d'opinion.

Notes

1 Cf. Wylie (L.M.), *Saint Marc Girardin bourgeois* (New York, 1948).

2 Pasquier a des souvenirs très précis: il a été jeté en prison sous la Terreur et n'a été sauvé que par le 9 Thermidor.

3 Dumas, *Mémoires,* II, p. 244–245.

4 Op. cit., p. 504.

5 *Journal,* 2, mars 1835.

6 *La Rampe et les Coulisses,* 1832, p. 136.

7 *L'Artiste,* 1831, II, p. 35.

8 II, p. 325.

9 Comme Viennet, les chroniqueurs ne se montrent pas insensibles à certaines beautés du texte: parsemé de belles pensées (*Courrier des Théâtres*), des vers très beaux et très remarquables (*National;* G. Planche dans *la Revue des Deux Mondes*). Mais ce qui frappe surtout le rédacteur du *National,* c'est que l'ouvrage "a été défendu, *comme cela est d'habitude pour Victor Hugo,* par des hurlements, des menaces, de grossières insultes".

10 Dumas, *Mémoires,* II, p. 351–352: "on se rappelle le succès qu'eut cette tirade à la première représentation, et je dirai même celui qu'elle a eu aux sept on huit cents représentations suivantes".

11 Cf. D.O. Evans, *les Problèmes d'actualité au théâtre à l'époque romantique,* 1923.

12 Dans la pièce, le président très respecté du tribunal, qui jouit de la confiance du souverain, est un bandit qui a fait fortune.

13 *Revue des Deux Mondes,* 1838, p. 532 et sq.

14 18 mars 1838. Une fois encore Viennet n'est pas insensible à certains mérites *dramatiques* de la pièce: "il y a, dans le 4e acte, et dans quelques parties du 5e, des scènes assez belles".

15 24 mars 1835.

16 *Critique dramatique,* t. II, p. 162.

17 Cf. Descotes, *le Public de théâtre,* chap. VIII.

18 *Souvenirs dramatiques,* t. II, chap. *De la Camaraderie.*

19 Viennet, que le répertoire de Scribe rassure pleinement ("l'un des plus spirituels auteurs de notre époque"), fait des réserves sur le comportement commercial de Scribe: "il abuse de sa vogue pour s'emparer de tous les théâtres à l'exclusion de ses confrères". D'où l'hostilité violente des confrères: au moment où Scribe est candidat à l'Académie (1834), ceux-ci se déchaînent contre lui (Jouy, C. Bonjour) (*Journal,* 27 novembre).

20 *Portraits Littéraires,* II, p. 71.

21 Cf. Dumas, *Souvenirs Dramatiques* (t. II): Dumas s'applique à montrer que la pièce de Scribe est infiniment plus immorale que les drames romantiques, qu'*Antony* en particulier.

22 Dumas, *Souvenirs Dramatiques,* t. II, p. 325 et sq.

23 Dans *Illusions Perdues,* les rédacteurs se partagent "l'empire" des spectacles: à Frédéric le Français et l'Odéon; à Vernon l'Opéra, les Italiens, l'Opéra-Comique; à Hector les théâtres de vaudevilles, etc. (éd. Garnier, p. 393–394).

24 Nerval, *Le Monde Dramatique,* I, p. 1835. (*Œuvres complémentaires, la Vie du Théâtre*).

25 Nerval se réfère à un article de Janin paru dans *les Débats* (16 novembre 1835), dans lequel le critique raconte comment, ne pouvant être "en même temps aux Variétés et au Vaudeville", il a envoyé à sa place aux Variétés "un petit critique blond".

26 Comme Janin, Gautier se lasse bientôt de ce travail forcé du lundi. Il utilise des "collaborateurs" parmi lesquels Maxime du Camp, L. de Cormenin, Julien Turgan, et son propre fils.

27 *Souvenirs Dramatiques,* II, p. 170 et sq.

28 Cf. J.M. Bailbé, *Jules Janin, une sensibilité littéraire et artistique,* Lettres Modernes, 1974. Cf. *Jules Janin et son temps: un moment du romantisme,* publication de l'Université de Rouen, PUF, 1975.

29 Cf. Viennet, 5 juillet 1837: "Jules Janin n'a pas un sou vaillant; et il lui faut bien des milles francs pour entretenir la fille du sculpteur Bosio, qui s'appelle la Marquise de la Carte".

30 Id., 26 juin 1838.

31 Poète et auteur dramatique (1775–1851) qui vient d'être élu à l'Académie.

32 *Temps,* 29 juin 1874.

33 *Cahiers,* éd. Molho, I, p. 98.

34 ID., p. 112

35 Id., p. 159–160.

36 Sarcey témoigne: "Il était le prince des critiques; ce mot avait passé en axiome (...). Chacun de ses feuilletons était un événement. On le lisait partout, même dans les plus minces bourgades (...). Je me souviens fort bien qu'en mon enfance, mon père, dans sa toute petite ville, attendait le feuilleton de Janin, à son tour, selon l'usage provincial, lui, treizième ou quatorzième" (*Temps,* 29 juin 1874).

37 A titre d'exemple, ce développement: "O mon pauvre vaudeville, mon pauvre ennemi, qu'es-tu devenu? Où es-tu? Où te caches-tu? (...) Il est mort, je suis mort, nous sommes morts tous les deux. Ci-gît le vaudeville! 6 JJJ!!!" (*Débats,* 18 novembre 1833).

38 Cf. Janin, *Histoire de la Littérature Dramatique,* I, p. 27; cf. Gautier, *Portraits Contemporains,* p. 205.

39 Loc. cit., I, p. 353.

40 A cette date, Janin, homme arrivé, s'est nettement assagi et rangé.

41 Sainte Beuve, *Cahiers,* p. 112: "Ses meilleures pages font l'effet d'un champagne mousseux, d'un verre d'eau de Seltz ou encore de ces sorbets légers et frais qu'on sert entre deux services pour tenir l'appétit en haleine".

42 La carrière de l'opéra est très décevante: 6 représentations, une représentation réduite à trois actes, 19 réduites au premier acte.

43 30 mars 1843.

44 *Cahiers,* I, P. 197.

45 "Bon sens", écrit Sainte Beuve. C'est que, en 1846, "l'école du bon sens" est en plein développement, sur les ruines de la dramaturgie romantique. Une fois de plus, Janin sait s'adapter.

46 *Cahiers,* I, p. 323. Cf. 18 janvier 1847: "Un très bon feuilleton de Janin sur le *Dom Juan* de Molière. Toutes les fois que Janin a à parler de Molière, il le fait à merveille, *avec conviction,* verve et *bon sens".*

47 Cf. P. Moreau, *la Critique Littéraire en France;* "En face du *Journal des Débats, la Revue des Deux Mondes...*" (p. 126).

48 Cf. M. Regard, *l'Adversaire des Romantiques: Gustave Planche;* M. Regard, *Gustave Planche* (Nouvelles Editions Latines, 1955).

49 Dans la préface d'*Angelo,* après que le critique ait éreinté le drame, c'est Planche qui est désigné par la formule: "l'envieux, ce témoin fatal est toujours là (...), espion à Venise, eunuque à Constantinople, pamphlétaire à Paris". Sur la portée exacte des termes "espion" et "eunuque", cf. Regard, op. cit., p. 158. Après la mort de Planche, la rancune de Hugo reste vivace: dans *l'Homme qui rit* (1869), le critique est Barkilphédro, "serpent", "punaise", "puce d'un lion"; cf. Regard, p. 358–359.

50 Cf. Hugo, *Voix Intérieures, Pièce Onze:*
"La haine est son odeur, sa sueur, son haleine".

51 A quoi s'ajoute le fait que Latouche est l'intime de G. Sand et ainsi le rival de Planche. Planche, critique apparemment dogmatique, s'empêtre constamment, dans les jugements qu'il porte, dans ses sympathies et ses antipathies personnelles: cf. ses jugements sur G. Sand, Vigny, M. Dorval.

52 *Revue des Deux Mondes,* 15 février 1832.

53 Nisard, né en 1806, est le contemporain de Planche. Il a, lui aussi, commencé par le journalisme, mais par le journalisme politique. A partir du moment où il se rallie à la Monarchie de Juillet, le traditionalisme l'emporte définitivement chez lui. Ses *Etudes sur les poètes latins de la décadence* (1834) visent, à travers Stace et Lucain, les modernes poètes décadents: c'est lui, beaucoup plus que Planche, le véritable "adversaire des romantiques". Si, en tant que critique dramatique, Nisard ne compte que fort peu, son influence a été considérable en tant qu'historien de la littérature: il est de ceux qui ont contribué à former au culte du classicisme des générations de professeurs et d'élèves. Cf. E. Equey, *Nisard et son œuvre,* Berne, 1903.

54 *Revue des Deux Mondes,* 1 février 1839.

55 Id., 15 mai 1837.

56 *Chronique de Paris,* 19 juillet 1836.

57 *Revue des Deux Mondes,* 1 août 1832.

58 *L'Artiste,* 24 novembre 1834.

59 *Revue des Deux Mondes,* 15 octobre 1836.

60 *Salon de 1831, Introduction.*

61 *Revue des Deux Mondes,* 1 janvier 1835.

62 Id., 15 février 1832.

63 Id., 1 septembre 1836.

64 Il reste silencieux sur *les Burgraves:* il est alors en Italie.

65 *Revue des Deux Mondes,* 1 décembre 1832.

66 Id., 15 novembre 1833.

67 Id., 1 mai 1835.

68 Id., 1 novembre 1838.

69 On doit lire, pour bien opposer les points de vue, l'article dans lequel Gautier, à la reprise de 1872, évoque, à propos de *Ruy Blas,* ces portraits dignes de Velasquez, peints avec "une grandesse d'attitude et un sentiment de l'époque qui font illusion". "Toute l'Espagne picaresque vit dans cette étonnante figure de don César de Bazan (...). Et don Guritan! (...) C'est don Quichotte à la Cour, ayant la Reine pour Dulcinée du Toboso" (*Gazette de Paris,* 28 février 1872).

70 "De cet orgueil démesuré à la folie, il n'y a qu'un pas, et ce pas, M. Hugo vient de le franchir en écrivant *Ruy Blas".* Planche n'oublie pas que le frère du poète est mort fou.

71 Dans *le Temps,* (17 février 1835), Loève-Veimar loue aussi Vigny de n'avoir pas eu recours à "une bruyante action", à "la brutale influence des passions physiques".

72 *Revue des Deux Mondes,* 15 février 1835. *La Revue* fit accompagner la chronique de Planche d'une note qui, rédigée par Sainte Beuve, reportait la responsabilité d'un jugement sévère sur "le rédacteur à qui nous avons confié les théâtres".

73 *Revue des Deux Mondes,* 15 novembre 1834.

74 A propos de *Chatterton,* Planche loue Dorval en termes très chaleureux. Mais cruellement pour Vigny, il insiste sur le fait que le rôle de Kitty ne lui convient pas: "à jouer des rôles comme Kitty Bell, Mme Dorval finirait par appauvrir ses facultés oisives; et pour atteindre jusqu'à elle, M. de Vigny court le risque de compromettre la pureté paisible de son style".

75 *Revue des Deux Mondes,* 1 juin 1833.

76 Id., 15 octobre 1835.

77 Id., 15 octobre 1836.

78 Id., 1 octobre 1853.

79 Gautier avait été exaspéré par la chronique que *le Constitutionnel* avait consacrée à son article sur Villon, dénoncé comme immoral (*La France Littéraire,* janvier 1834).

80 Cf. Nerval, *Œuvres Complémentaires,* t. II, *La Vie du Théâtre* (présentation J. Richer; éd. Lettres Modernes, 1961).

81 Gautier écrit dans bien d'autres journaux: *la Caricature, la Revue de Paris, la Revue des Deux Mondes,* etc.

82 Cf. *Histoire de l'art dramatique en France depuis 25 ans,* 6 vol., Hetzel, 1858–1859; R. Jasinski, *Les Années romantiques de Gautier,* 1929; H. van der Tuin, *L'Evolution psychologique, esthétique et littéraire de Gautier,* Amsterdam, 1934.

83 Recevant le jeune Sarcey, Fiorentino lui tint des propos analogues: "Vous ne savez pas encore ce que c'est que d'écrire à jour fixe, pendant vingt ans, deux feuilletons par semaine. Vous en jugez comme la foule, qui trouve tout naturel qu'un homme ait de l'esprit à l'heure dite, tous les huit jours. Mais vous verrez quelle chaîne lourde c'est à traîner, à mesure qu'elle s'allonge, qu'un feuilleton hebdomadaire" (Sarcey, 6 juin 1864).

84 Gautier a eu recours à des "nègres" dans la seconde partie de sa carrière: il a utilisé, pour la musique, Bureau et Reyer; pour le théâtre, son propre fils, du Camp, Turgan, Cormenin.

85 L'immensité de la production journalistique de Gautier en a rendu impossible la publication intégrale. L'*Histoire de l'art dramatique* n'en rassemble qu'une partie qui s'étend jusqu'en 1852. Cf. l'Anthologie présentée par A. Britsch, *Th. Gautier, les maîtres du théâtre français* (Payot, 1929). L'activité critique de Gautier s'est étendue au domaine littéraire en général, à la musique, et surtout aux arts plastiques.

86 Le feuilleton lui est d'abord payé 150 francs. Au *Moniteur* (à partir de 1855), 200 francs, puis (à partir de 1869) 250 francs.

87 La *Presse,* 22 avril 1839.

88 Id., 16 novembre 1847.

89 *La Charte de 1830,* 6 et 11 novembre 1837; 30 décembre 1837; 7 janvier 1838; *le Messager,* 13 avril 1839.

90 Dans *Piquillo,* Jenny Colon tient un rôle: "ravissante prima donna", "oiseau mélodieux et charmant", "spirituelle comédienne".

91 *La Presse,* 16 novembre 1846.

92 "L'action du *Cid* est aussi errante que celle d'*Othello,* de *Macbeth* ou de *Roméo et Juliette"* (ibid.).

93 Même souhait dans *le Moniteur,* 25 août 1862, pour la reprise de *Psyché.*

94 "Soyez sûr qu'à Tombouctou, il y a maintenant des acteurs en train d'apprendre un vaudeville de M. Scribe (...). Les Papous de la mer du Sud, lorsqu'ils jouent la comédie de société, choisissent toujours *le Mariage de raison* ou *Michel et Christine"* (la Presse, 23 novembre 1840).

95 *Le Moniteur Universel,* 25 novembre 1851. Dans l'article élogieux qu'il a consacré à Gautier (*le Temps,* 31 août 1874), Sarcey relate les propos de son aîné: "Pour Gautier, Scribe n'existait pas. Il n'avait pour cet art secondaire (la comédie, le vaudeville) que des expressions de fureur. Tandis que nous, qui aimons le théâtre pour lui-même, nous nous plaisons à rendre justice aux grandes, aux merveilleuses qualités de Scribe; il ne se contentait pas de les méconnaître, il les foulait aux pieds avec colère, avec rage".

96 Par exemple, *la Presse,* 24 janvier 1842, à propos du *Cid*; 23 janvier 1843 (Rachel dans *Phèdre*); 8 décembre 1845 (Rachel dans *Oreste* de Voltaire); 27 mai 1850 (Rachel dans *Angelo*).

97 Par exemple, 14 décembre 1857 *(Chatterton);* 25 juin 1867 *(Hernani); Gazette de Paris,* 28 février 1872 *(Ruy Blas).*

98 Sur Ponsard: C. Latreille, *La Fin du théâtre romantique et François Ponsard,* Hachette, 1899; H. Schrenker, *Ponsard als Dramatiker und Lyriker,* Erlangen, 1913.

99 *L'Anti-Lucrèce* (1843, anonyme); Urbain Gauthier, *L'Anti-Lucrèce ou critique raisonnée de Lucrèce* (1844); L. de Châtellerault, *Lucrèce à Poitiers ou les écuries d'Augias* (1843); Sieglerschmidt, *Examen et appréciation impartiale de Lucrèce* (1844).

100 L'épisode est peu clair. Hugo s'est toujours défendu d'avoir inspiré Cassagnac. A cette époque, Hugo et Dumas sont en concurrence à la Porte Saint Martin (*Marie Tudor, Angèle*); l'un et l'autre sont empêtrés dans leurs liaisons avec les comédiennes (Juliette Drouet, Ida Ferrier); le directeur Harel joue entre les deux auteurs un rôle équivoque.

101 *Chronique Parisienne,* 17 avril 1843.

102 Cf. Latreille, op. cit., p. 129 et sq.

103 *Œuvres complètes,* III, p. 360 (1852).

104 Heine (*Lutèce,* 20 mars 1843): "Lugubre jeu de marionnettes, singerie convulsive et hideuse de la vie (...); de l'ennui triplé".

105 Autre vers caractéristique dans *Gabrielle:*
"Il n'est point de bonheur hors des routes communes".

106 *Agnès de Méranie* (1846), la seconde tragédie de Ponsard, évoque la lutte d'un monarque contre les empiètements de la théocratie papale. Le noble chevalier des Barres fait la leçon à Philippe-Auguste: si le monarque doit choisir entre son bonheur personnel et celui du peuple,
"S'il faut sacrifier un intérêt à l'autre,
Ce n'est pas l'intérêt du peuple, c'est le vôtre" (II, 3).

107 Ponsard répond par un article dans *le Constitutionnel* (3 juin). Magnin se justifie ensuite dans le même journal (6 juin).

108 A. de Bougy répond par ses *Turlupinades à l'encontre des pédagogues et des cuistres de l'Ecole du Bon-Sens* (1847).

CHAPITRE V

I

La révolution de 1848 assène à la société française une secousse brutale qui donne aux contemporains l'affolante impression d'un bouleversement total. Aucune formule n'est plus exacte que celle de *l'Education sentimentale:* "Des gens d'esprit en restèrent idiots pour toute leur vie". Tocqueville a évoqué la "terreur" qui saisit les gens de bien au lendemain de la chute de Louis-Philippe, terreur analogue à celle qu'éprouvèrent les "cités civilisées du monde romain quand elles se voyaient tout à coup au pouvoir des Vandales et des Goths".

Après les émeutes de février, le monde des lettres et des arts est secoué de frissons, d'enthousiasme ou de panique[1]. Planche, par exemple, se reprend à caresser des ambitions politiques. Mais Sainte Beuve ne songe plus qu'à trouver refuge à l'étranger, en Suisse, aux Pays-Bas: "Nous allons tomber dans une grossièreté immense. Le peu qui nous restait de la Princesse de Clèves (et Dieu sait qu'il ne nous en restait pas grand chose) va s'abîmer pour jamais et s'abolir".

La répression conduite par Cavaignac en juin, la rapide ascension de Louis-Bonaparte, l'instauration de l'Empire enfin, mettent un terme à ces angoisses dévorantes. Mais l'abominable souvenir de la grande peur demeure; et c'est lui qui va inspirer, dans le domaine de la critique, des jugements d'une sévérité idéologique accrue. En ses mécanismes profonds, le réflexe joue de la même façon qu'au lendemain de la Terreur: comme à cette époque où triomphait Geoffroy, on prend conscience, de la façon la plus précise, des réalités que préparent les déclamations démagogiques, la glorification de l'anarchie dans les sentiments et les comportements, l'exaltation du hors-la-loi, du révolté, de la prostituée. Avec leurs envolées sur la toute puissance du "peuple", les préfaces de Hugo ou les dénonciations de l'ordre social que l'on fait acclamer dans les théâtres, débouchent sur les journées de février. On ne doit pas s'étonner si, l'alerte passée, les interdictions pleuvent sur le répertoire au romantisme subversif: *Ruy Blas, la Tour de Nesles, Richard Darlington* (Dumas), *l'Auberge des Adrets, Robert Macaire, le Chiffonnier de Paris* (Pyat) sont proscrits.

Le plus haut personnage de l'Etat le proclame: "Il est temps que les bons se rassurent et que les méchants tremblent". Aussi, sur les scènes parisiennes, les théories libertaires ou socialistes qui ont fait si peur peuvent-elles fournir aux vaudevillistes l'occasion d'exprimer leur soulagement de voir dissipé le cauchemar: *la Propriété, c'est le vol*[2], *les Caméléons, la Hausse des écus, la Foire aux écus.*

Reprenant le rôle d'hygiène sociale que lui assignaient Fréron ou Geoffroy, toute une partie de la critique s'applique désormais à sauvegarder l'ordre public, ce que, sous le régime déchu, un Viennet trop mal écouté avait considéré comme son impérieuse mission: elle se fait l'auxiliaire de la censure. Quand, retombant dans l'éternelle erreur, cette censure pèche par excès de tolérance, on se substitue à elle. Ainsi a d'abord été interdite cette *Dame aux Camélias*[3] qui retrouve la veine détestable de *Marion de Lorme;* puis les pouvoirs publics ont fini par autoriser la représentation sur intervention de Morny. Cette défaillance est heureusement compensée par l'intervention de Th. Barrière et Lambert-Thiboust qui font jouer avec le plus vif succès[4] sur la même scène *Les Filles de marbre*, âpre dénonciation de la malfaisance morale et sociale des modernes Laïs, Aspasie, Phryné (personnages du prologue). Et l'ineffable Desgenais, le Diogène contemporain, dont le nom va longtemps rester au théâtre synonyme de l'emploi des "raisonneurs", s'attache avec éloquence à redresser les perspectives en une tirade qui n'est pas du tout destinée à faire rire:

> Je ne suis plus Desgenais; je m'appelle la raison. C'est qu'en vérité ces femmes sont des démons. Et on les a chantées, louangées, poétisées. C'est à mourir de rire, ma parole d'honneur! Sapristi! voilà assez longtemps que ça dure. Allons, mesdemoiselles, passez à l'ombre, rangez vos voitures! Place aux honnêtes femmes qui vont à pied[5].

Si Pontmartin renâcle devant *la Dame aux Camélias*, c'est d'abord parce que la pièce lui paraît hausser au niveau des "puissances sociales" ces "Phrynés à la petite semaine". S'adressant à l'auteur, il s'écrie: "Vous ne les salissez pas, c'est impossible; vous les grandissez". "On vient voir et applaudir vos pièces; mais cette curiosité même est presque une injure"[6].

Personnage définitivement arrivé, Janin ne cache pas son enthousiasme pour *la Dame* (9 février 1852). Pourtant, comme une partie du public, il fait de sérieuses réserves sur la scène de l'intervention du père Duval; non pas pour sa faiblesse dramatique, mais au nom de la décence: il est inconvenant que le noble père de famille s'abaisse au niveau des Phrynés: "Par grâce et par pitié, ne mêlez pas le père de famille à ces tristes amours. Ne forcez pas les têtes chauves à s'incliner devant les têtes bouclées". Dans *le Constitutionnel*, Ponsard formule le même grief.

Quand Dumas fils, dans *Diane de Lys*, met en scène les amours adultères d'une patricienne avec un artiste, Cuvillier-Fleury proteste contre un spectacle capable d'inspirer les pires déclamations contre les hautes classes de la société: "M. Dumas aurait beau chercher dans la société parisienne, il n'y trouverait pas, et Dieu merci, une seule Diane de Lys". Le piquant est que le personnage de Diane est directement inspiré à Dumas par Lydie Nesselrode, sa maîtresse, femme du comte Dimitri Nesselrode.

A peine *le Chandelier* de Musset a-t-il été créé (29 juin 1859) que le ministre Baroche enjoint à l'administrateur Houssaye de suspendre la carrière d'une pièce où est si allègrement bafoué l'honneur conjugal, bien que, pour faire la part du feu, Musset ait consenti à modifier le dénouement, Jacqueline et Fortunio se séparant pour que soit sauve la morale. Le chroniqueur de *la Semaine* (juin 1850) s'indigne de découvrir dans la comédie "une audace de corps de garde et presque de mauvais lieu". L'interdiction est reconduite par le Second Empire qui, après une série de 40 représentations, s'avise des néfastes leçons que développe l'œuvre de Musset. *Le Chandelier* ne sera repris qu'en 1872[7].

Ses yeux s'étant enfin ouverts, V. Cousin (on se souvient de ses appels enflammés d'antan à la libération de la jeunesse) prêche, à cette heure, la nécessité d'une "forte éducation morale", afin de "lutter contre le débordement des mauvaises doctrines"[8]. Le clergé, l'école religieuse (à laquelle la loi Falloux restitue tout son lustre) sont appelés à la rescousse. Le temps n'est plus d'applaudir au théâtre le spectacle des méfaits de la Congrégation et des Jésuites[9]. On tolère la représentation des *Caprices de Marianne* (1851), mais dans un texte où est supprimée toute allusion anticléricale; pour *On ne badine pas avec l'amour* (1861), le curé est prudemment transformé en "tabellion".

Pour se pénétrer de l'importance que prend officiellement le critère de moralité (forme camouflée du critère de conservation sociale), il vaut la peine d'évoquer les trois rapports (1853, 1854,1856) présentés par Sainte Beuve devant la Commission chargée de désigner les œuvres dramatiques dignes de bénéficier des primes instituées par l'arrêté (12 octobre 1851) du ministre Faucher, celui-là même qui s'est opposé d'abord si fermement à la représentation de *la Dame aux Camélias:* une prime de 5.000 francs à l'auteur dont la pièce sera jugée "avoir le mieux satisfait à toutes les conditions désirables d'un but moral et d'une exécution brillante" (art. 1); une autre prime de 5.000 francs à l'œuvre qui sera "de nature à servir à l'enseignement des classes laborieuses par la propagation d'idées saines et le spectacle de bons exemples" (art. 4).

On ne saurait trop recommander la lecture de ces rapports. Ils constituent, à leur manière, des textes édifiants de critique dramatique, puisqu'ils tendent à porter jugement sur des œuvres théâtrales, à désigner de la façon la plus officielle celles vers lesquelles il convient d'entraîner le public.

L'embarras du rapporteur, engagé dans cette attribution d'un prix Montyon de la dramaturgie, et qui se souvient sans doute d'avoir conçu des ambitions moins conformistes, est évident: le rapport de 1853 postule qu'il n'est pas question de "provoquer la création d'un genre exclusivement moral; un tel genre a été tenté en d'autres temps et n'a produit bien vite que monotonie, emphase et déclamation, suivie de beaucoup d'ennuis". Après cette mise au point, il faut tirer le bilan, qui est décourageant: le prix de 5.000 francs ne peut aller ni à *Ulysse* (Ponsard), ni à *Diane* (Augier), ni à *le Cœur et la Dot* (Mallefille), ni à *Mademoiselle de la Seiglière* (Sandeau): œuvres hautement estimables, mais on ne saurait affirmer que "le but moral (entre) le moins du monde dans l'inspiration de ces pièces". A son grand regret, la Commission établit donc un contrat de carence: pour le prix de 5.000 francs, pour celui de 3.000 francs (réservé aux œuvres de moins de 4 actes), il s'avère impossible de désigner l'ouvrage qui remplirait les conditions exigées. Par bonheur, l'enquête se révèle moins tristement négative pour la pièce capable de "servir d'enseignement aux classes laborieuses". La Commission propose même deux titres: *les Familles* (E. Serret), *La Mendiante* (Bourgeois et Masson). L'éloge décerné à la pièce de Serret mérite d'être reproduit:

> Deux familles sont en présence: l'une toute mondaine, dans laquelle la discorde et le désordre se sont glissés, ne sert qu'à faire ressortir les mœurs unies et simples d'une autre famille toute laborieuse et restée patriarcale. Les incidents, les obstacles sont bien ménagés, et toujours en vue de faire sentir le prix de l'union, de l'honnêteté domestique[10].

Un an plus tard, le recensement n'est pas plus fructueux, "aucun des auteurs qui ont fait jouer des pièces sur le Théâtre Français durant l'année 1853 n'ayant envoyé d'ouvrage au concours". Pour le prix réservé à l'édification des "classes laborieuses", il a fallu se résoudre à couronner, de Ponsard, *l'Honneur et l'Argent* que désignaient déjà "la voix publique et l'acclamation d'un grand succès". "Ouvrage d'un but moral avoué"[11], mais qui a suscité, au sein de la Commission, bien des réserves: l'auteur "jette quelquefois bien durement le défi à la société; il la maltraite en masse et de parti-pris plus qu'il ne conviendrait dans une vue impartiale et plus étendue". Pourquoi les personnages de créanciers sont-ils présentés comme "ridicules et presque odieux"? pourquoi "cette teinte repoussante par cela seul qu'ils sont créanciers"?

La campagne de 1856 est encore plus désastreuse, puisqu'elle est négative sur toute la ligne. Après avoir écarté *la Joconde* de P. Foucher et Régnier ("d'une moralité un peu forcée") et *Péril en la demeure* d'O. Feuillet ("toute morale d'intention sans doute, mais bien légère de tissu"), la Commission, d'abord tentée de consacrer *les Jeunes Gens* de L. Laya, a conclu que la morale qui s'en dégage ("doctrine du laisser-faire et du laisser-aller") "n'est pas précisément celle qui répond au but indiqué par l'arrêté".

Le rapport sur l'attribution de la prime prévue par l'article IV est une véritable page d'anthologie puisqu'elle constitue un débat en règle, débat de critique dramatique, autour des mérites du *Demi-Monde* de Dumas.

Les éloges ne sont pas ménagés à la pièce, "la plus remarquable" de celles "représentées pendant l'année": "franchise de ses expositions", "spirituelle et frappante énergie de ses tableaux". Au surplus, "la leçon morale" est "vivement donnée"; l'auteur a réussi à saisir "le faux vernis d'honnêteté dont se couvre ce monde limitrophe", il s'est bien attaqué "à la corruption du cœur et de l'esprit". Une œuvre donc qui, à première vue, est capable d'inspirer "une aversion non douteuse (aux) cœurs droits et (aux) esprits bien faits". "C'est une pièce où l'on ne mènera certes pas sa fille mais on pourra y conduire son fils".

Pourtant la Commission a enregistré certaines observations qui sont préoccupantes: une étude attentive a révélé que "il ne paraissait point du tout certain que la peinture fidèle de ce vilain monde fût d'un effet moral aussi assuré; que le personnage même le plus odieux de la pièce avait encore bien du charme; que le personnage même le plus honnête, et qui fait le rôle de réparateur (Olivier de Jalins), était bien mêlé aux autres et en tenait encore pour la conduite et pour le ton; que le goût du spectateur n'est pas toujours sain, que la curiosité est parfois singulière dans ses caprices, qu'on aime quelquefois à vérifier le mal qu'on vient de voir si spirituellement retracé...".

Au terme d'un jugement si balancé, il a bien fallu prendre une décision. On appréciera de quelle façon les Commissaires se tirent de la délicate situation dans laquelle ils se trouvent placés: "On n'a eu qu'à relire l'article IV", qui précise que l'œuvre choisie doit être "de nature à servir l'enseignement des classes laborieuses par la propagation d'idées saines et le spectacle de bons exemples (...). La seule lecture de ce paragraphe si précis a mis fin à la discussion et la Commission, à l'unanimité, n'a eu qu'a passer outre". L'attendu se passe, là, de tout commentaire qui ne pourrait qu'en alourdir la saveur.

Avec la consolidation du régime, l'inquiétude à l'égard du danger social s'apaise. Mais dans les dernières années de l'Empire, quand on assiste à la résurgence des théories et des mouvements subversifs, le Corps Législatif se saisit du problème de la "décadence" du théâtre moderne, rendu responsable de "démoraliser les masses"; un des orateurs ne trouve pas d'autre remède à prescrire, "pour opposer une digue au *mauvais goût* et aux *mauvaises mœurs*", que d'"entretenir par de fréquentes représentations la tradition des chefs d'œuvre"[12].

Le moralisme vétilleux de la critique conformiste sous le Second Empire traduit la volonté de consolider un système social qui a semblé bien près de s'effrondrer. Mais ce souci de défendre les vertus traditionnelles est démenti de façon trop évidente par l'appétit de plaisir et de gain qui donne sa coloration propre à la "fête impériale". L'écart est considérable entre les déclamations qui dénoncent l'immoralité scandaleuse de certaines pièces et le spectacle de la frivolité triomphante. Aussi, de façon curieuse, mais tout à fait logique, voit-on recourir au même critère, mais cette fois dans une intention polémique, les esprits qui mènent une guerre plus ou moins ouverte contre le régime. Ceux qui font profession de foi républicaine ou même socialiste, opposent leur moralisme pur et dur à celui des gens en place par eux dénoncé comme une infâme hypocrisie. Les tribunaux peuvent bien condamner *les Fleurs du Mal,* la censure interdire *le Chandelier,* le ministère encourager l'éclosion de pièces capables de diffuser les idées saines: mauvaise conscience de Tartuffes qui s'appliquent à donner le change sur leurs propres dévergondages.

Et, à leur tour, ceux que nous appellerions aujourd'hui les critiques de gauche font la preuve d'une vigilance extrême en matière de moralité. On le perçoit de façon éclatante quand on confronte les jugements portés sur le théâtre de Musset par les critiques des bords extrêmes. Catholique intransigeant, Veuillot rend compte de *Fantasio:* il considère la comédie comme une "rêverie",

> mais de la pire espèce; une rêverie préparée, combinée, machinée, fardée et fatiguée (...). Musset s'y peignit, mais tel qu'il était, vieux sous son fard, plein d'expérience inutile, morose, sceptique, et, plus que tout, ennuyé, c'est presque dire ennuyeux (...). Pour intéresser et pour plaire, le jeune homme moderne doit être (...) un failli de cœur, qui fera résolument banqueroute à tous ses créanciers naturels, à la famille comme à Dieu, à la société comme à la famille, qui vivra uniquement pour lui-même de la plus lâche privation de tout sentiment et de qui personne enfin, sauf les taverniers et les ribaudes, ne tirera jamais que de fort médiocres dérisions de l'âme, de l'intelligence et de la vie[13].

Mais de l'autre côté le ton est identique. Dans *l'Evénement,* le journal de Hugo et de Vacquerie, républicain radical, exulte de l'échec de *Louison,* après le succès incertain d'*Andrea del Sarto.* En 1864, Lissagaray, qui sera un des plus notables Communards, consacre une conférence à celui qui n'a eu "pour Muse que la débauche, pour croyance que la négation dédaigneuse": "dans ces temps de lutte et de rénovation, il n'y a pas d'homme en dehors du citoyen"[14]. Pour ceux-là aussi, le théâtre de Musset est détestable parce qu'il tend à démoraliser le spectateur, à le détourner de la tâche essentielle qui est de construire une société nouvelle.

L'argumentation des critiques de gauche est très différente de celle des critiques conservateurs. Mais l'inspiration est la même: il s'agit de rappeler le public au respect de ce qui est sacré ou de ce qui a été consacré par une tradition vénérable. Ces chroniqueurs se font puritains, dénonçant ce que les spectacles du moment peuvent présenter de frelaté et de dégradant, en quoi ils découvrent le véritable esprit du régime. Zola, qui n'est encore qu'un débutant, s'en prend au genre dramatique qui, de très loin, est alors le plus en vogue: l'opéra-bouffe, le répertoire de Meilhac et Halévy sur musique d'Offenbach, dont on a pu dire à juste titre qu'il symbolise toute une époque, sa légèreté et son scepticisme. Bien avant de concevoir *Nana* et de libérer ses invectives contre un théâtre dégradant, Zola dénonce avec une fureur de néophyte la veine sacrilège qui inspire, après *Orphée aux Enfers, la Belle Hélène* et sa scandaleuse mascarade des dieux de l'Olympe:

> Nos gentilshommes, nos fils de famille vivent dans un rire idiot. Ils applaudissent les turlutaines de MM. Offenbach et Hervé[15], ils font reines de misé-

> rables danseuses de corde qui gambadent sur les planches des théâtres comme des artistes de foire (*la Tribune,* 6 décembre 1868).
>
> J'aboie, dès que j'entends la musique aigrelette de M. Offenbach. Jamais la farce bête ne s'est étalée avec une pareille impudence (...). Ah! misère! le jour où une femme aura l'idée sublime de se mettre à quatre pattes sur la scène et de jouer au naturel le rôle d'une chienne errante, ce jour-là, Paris se rendra malade d'enthousiasme (id., 3 octobre 1869).

Zola n'est pas le seul à qui cette démolition de l'antiquité et des légendes consacrées apparaît comme scandaleuse. Aux *Débats,* Janin, qui assume pleinement son office de critique établi, dénonce, au lendemain de *la Belle Hélène,* "ce traître Halévy, ce misérable Offenbach qui profanent tous les chefs d'œuvre et tous les souvenirs". Dans *le Petit Journal,* Timothée Trimm (pseudonyme de Léo Lespès) déclare qu'il est sorti des Variétés l'âme navrée et qu'il s'en est allé "relire son vieil Horace". En 1865 (26 juin), Sarcey, opposant au régime, se trouve embarrassé pour expliquer à ses lecteurs le succès de cette *Belle Hélène.* La musique ne lui paraît pas constituer l'élément essentiel de la réussite; mais il ne peut pas se résigner à admettre que cette réussite est due à la "moquerie perpétuelle de noms qui avaient jusque là semblé sacro-saints": ce serait à désespérer du bon goût du spectateur parisien. Aussi se lance-t-il dans une analyse alambiquée pour établir que le mérite de l'opérette est en ceci que *la Belle Hélène* ressuscite la Commedia dell'Arte. Les critiques anti-impérialistes ne cessent de dénoncer la malfaisance d'un régime qui, ne s'inspirant d'aucun autre idéal que ceux du profit et du plaisir, voue à l'irrévérence graveleuse ce qui, en matière dramatique, est encore digne de respect: les chefs d'œuvre immortels, et ceux de l'Antiquité d'abord.

Au moment où la critique conservatrice prône le retour aux grands modèles du XVIIe siècle pour élever un rempart contre le développement d'un répertoire moderne délétère, la critique de gauche adopte une position analogue, pour des raisons différentes bien entendu: c'est chez Corneille, chez Molière que le spectateur trouvera l'illustration des vraies valeurs françaises, celles que ne cesse de bafouer le système en place. En 1861 (10 juin), Sarcey rend compte d'une reprise de *Nicomède.* C'est pour lui prétexte à déplorer que les femmes du temps "réservent leurs sourires pour *le Duc Job* et *le Pied de Mouton*" et "boudent le vieux Corneille". On mène les jeunes filles au *Duc Job:* "Je n'y vois, pour ma part, aucun mal: elles apprennent là comment Arthur finit par épouser Joséphine. Comme, après tout, il faudra bien qu'un jour elles aient aussi leur Arthur, il n'est pas mauvais qu'elles y pensent de temps en temps". Mais c'est dans *Nicomède,* dans les œuvres classiques, que ces jeunes filles découvriraient ce qu'est la véritable noblesse, la véritable grandeur d'âme.

Les chefs d'œuvre du passé sont ainsi considérés comme faisant partie de la saine tradition nationale, celle qu'il convient de rétablir pour rendre au pays un autre visage que celui que lui donnent les gandins et les cocodès. A ce propos, Sarcey évoque une scène plaisante, mais significative. En 1862, au lendemain de la chute de la *Gaëtana* d'E. About, chute provoquée par la "turbulente et généreuse jeunesse" des Ecoles qui a sifflé la pièce d'un familier des Tuileries, une délégation d'étudiants est reçue par La Rounat, directeur de l'Odéon. Elle exige l'interdiction définitive de *Gaëtana.* La Rounat se défend en répondant qu'il n'a rien de prêt pour la remplacer du jour au lendemain. "– Rien de prêt! s'écrièrent les représentants de la jeunesse française, rien de prêt! et Corneille! monsieur;

et Racine ! monsieur; et Molière! monsieur: ces génies immortels dont vous devez entretenir la flamme! ah! donnez leurs chefs d'œuvre qui sont le plus pur de notre gloire! (...) nous viendrons tous![16].

Le patrimoine dramatique constitue une des grandes préoccupations des critiques du Second Empire, qu'on le conçoive comme capable d'enrayer la "démoralisation des masses" ou comme représentant, en face de la légèreté cynique, le solide fond français.

Aussi le code non-écrit des exigences en matière de théâtre demeure-t-il, pour une large part, celui de la tradition. Un chroniqueur commence presque toujours par s'interroger sur la cohésion des caractères, la logique et la vraisemblance dans la conduite de l'intrigue: méthode parfaitement classique. Lorsque (14 juin 1851) sont créés *les Caprices de Marianne,* Lireux, dans *le Constitutionnel* du 15, met en valeur à quel point est grand, chez Musset, l'art de "l'agencement dramatique": "je ne sache pas d'auteur qui pose plus franchement la scène que M. de Musset. C'est qu'il prévoit les objections que les "connaisseurs" vont formuler à l'égard d'une pièce aussi étrange: "Est-ce une véritable pièce, cela? où est le mystère de l'intrigue, la complication des scènes, la multiplicité des détails? Quoi! les événements arrivent sans préparation!". Et, de fait, Planche demeure très réservé: "La comédie n'est pas faite ou du moins n'est pas achevée" (*Débats,* 16 juin 1851). Si hostile qu'il soit aux exigences des "carcassiers", Gautier lui-même signale que *la Question d'Argent* de Dumas fils est "conduite avec un art parfait"[17], bien que la pièce soit en réalité l'une des moins bien menées de son auteur.

Au lendemain de l'échec d'*Henriette Maréchal,* les Goncourt, à en croire Edmond, sont habités par une furieuse volonté de revanche: ils continueront à écrire pour le théâtre, mais cette fois en dehors de toutes les prescriptions de la critique, "sans aucune concession aux ingénieuses ficelles, aux secrets, à tout ce charpentage moderne"[18]. En réalité, rien n'est plus étranger à l'opinion dominante de l'époque que cette note (21 janvier 1868) du *Journal* des frères: "Tout bien vu, le théâtre doit être une épopée ou une fantaisie".

De ce qui précède, il se dégage cette conclusion inattendue: à quelques assouplissements près et en dépit des "révolutions" dont les promoteurs ont claironné qu'elles allaient bouleverser le théâtre (celle de Diderot, celle de 1830, en attendant celle du Naturalisme), le vieux catéchisme dramatique du XVIIe siècle n'a jamais cessé de servir de référence. Son culte a été entretenu, en profondeur, par les leçons de la Harpe, Geoffroy, Villemain, Saint Marc Girardin, par les Histoires de la Littérature rédigées par ces universitaires qui, avec une exceptionnelle continuité, ont formé dans les collèges et les Facultés, de génération en génération, les esprits des futurs spectateurs et des futurs critiques. Ce catéchisme repose sur des exigences qui ont été incorporées à la doctrine "classique": la préoccupation d'une composition logique, progressive, satisfaisante pour la raison; la primauté donnée au souci d'une exacte peinture du cœur humain; la méfiance à l'égard de tout ce qui sort de l'ordre du vraisemblable et de l'intelligible. Les débats engagés, en 1820–1830, autour des unités ont été tumultueux, mais ils n'ont pris en considération qu'un épiphénomène. Jamais n'a été mise en cause la règle primordiale qui postule que l'œuvre dramatique doit être d'abord cohérente, dans sa structure interne comme dans la peinture des caractères. Revenue des illusions entretenues par la génération précédente, la critique du Second Empire ne fait que consacrer cette primauté.

Quant aux indignations en face de certaines audaces de mots ou de mœurs, que sont-elles d'autre, sous une forme renouvelée, que la très ancienne revendication de la soumission aux "bienséances", du respect de l'ordre qui régit la Société?

***

Au prix de quelques audaces d'apparence, cette critique est donc foncièrement conservatrice.

Elle l'est encore selon une acception différente du mot. En effet, ce qui apparaît comme le phénomène le plus remarquable dans les suites du coup d'Etat, c'est que, comme après 1815, grâce à certaines transformations institutionnelles et à quelques changements spectaculaires dans le monde dirigeant, les cadres et les structures de la Monarchie de Juillet se perpétuent et se consolident.

Si l'on y regarde de près, on aboutit, dans le domaine particulier du théâtre, à des conclusions qui recoupent parfaitement celles que l'on tire d'analyses portant sur les affaires publiques. Tant il est vrai que le monde de la scène, et celui de la critique qui en constitue une fraction, n'est qu'un reflet, entre bien d'autres, de structures beaucoup plus larges.

Abstraction faite de la petite équipe de fidèles qui entourent l'Empereur, et qui se hissent aux places les plus en vue, le personnel politique et administratif du régime demeure le même. Les sénateurs, les conseillers d'Etat, les députés, les hauts responsables de l'économie, de la banque et des affaires, ceux qui tiennent en main les grands corps de l'Etat, sont, dans leur immense majorité, tout le contraire de nouveaux venus[19]. Dans le monde du théâtre subsiste, dans l'ensemble, le système mis en place en 1830: les réglementations administratives, le régime de la presse, le style journalistique, les équipes de la critique.

En matière de dispositions réglementaires, le régime des spectacles n'est pas modifié de façon sensible[20]. En 1849, à l'heure où les grands enthousiasmes de la Révolution ne sont pas encore tout à fait retombés, on a débattu, au sein du Conseil d'Etat, d'une réorganisation de la vie dramatique "sous le triple aspect de la liberté industrielle, de la censure et des cautionnements". Scribe a plaidé, sans surprise, pour le maintien du "privilège" qu'il juge "légitime". Dumas, généreusement, lui a opposé: "je ne conçois point des privilèges: dès qu'il y a privilège, il y a abus". Souvestre a fait valoir que le privilège constitue un monopole injustifiable puisqu'il ne fait pas "gagner de l'argent au gouvernement" et ne sert pas non plus "à l'avancement moral ou intellectuel". Lyrique, Hugo a dénoncé "la manière dont on trafiquait des privilèges"; tout haut, il a rêvé de "théâtres spéciaux pour le peuple", qui seraient à la charge des municipalités et répartis dans les différents quartiers, "surtout dans les quartiers les moins riches". Comme le constate Dumas, à la fin de son compte-rendu, "on sait que, par suite du revirement politique qu'amena l'élection du 10 décembre, le projet de loi que préparait le Conseil d'Etat sur l'organisation des théâtres fut abandonné avant d'avoir été soumis à la discussion publique".

La législation reste donc fondée sur le privilège et le cautionnement, à l'exception des scènes nationales: le principe de la "liberté industrielle", qui assure la prédominance du profit financier, est maintenu. Et, que ce soit avant ou après

1848, ce sont bien à peu près les mêmes noms que l'on retrouve à la direction des théâtres[21]. La continuité se révèle, dans ce domaine, sans à-coups.

Plus encore que sous Louis-Philippe, les théâtres sont entre les mains d'affairistes. Barbey d'Aurevilly ne cesse de mener campagne contre la déviation imposée à l'art dramatique par ses bêtes noires, les directeurs: hommes d'argent, qui font de leurs salles des boutiques dont les recettes doivent satisfaire leur cupidité: "Ils ont suivi le mauvais goût public et ses fausses lumières, les passions du moment qu'ils développent, l'engouement de la circonstance, la mode et que sais-je? Tout ce qui pousse au succès immédiat et grossier, qu'on appelle le succès d'argent qui a été le vrai succès pour eux"[22]. Ces directeurs exploitent leur "privilège" sans jamais tenir compte de "la grandeur ni de la beauté des œuvres", "ni du respect des mœurs, ni de l'éducation du peuple". Ils se refusent à toute initiative un peu hardie et leur politique est d'abord celle des reprises qui seront fructueuses, celle des "rabâcheries accoutumées". Barbey revient sans cesse sur ce recours constant à la facilité qui enlève tout sens à l'exercice de la critique: "Pas de feuilleton possible cette semaine. Rien nulle part. Les vieux riens partout. Seuls les chiens de la Bible et les théâtres retournent à leurs vomissements"[23].

Cette loi de l'argent qui, selon Barbey, conditionne toute la vie dramatique du temps, s'étend à la critique dont elle paralyse l'activité: le directeur *tient* le journal par les contrats de publicité et par le jeu des billets gratuits distribués aux chroniqueurs: "Les places de la Critique au théâtre ne doivent pas être des subventions. Il ne faut pas qu'un directeur s'imagine que nous sommes ses pensionnaires, lorsque nos journaux, avec leur publicité, font dix fois plus pour eux qu'ils ne font pour nous"[24]. Car les directeurs ne plaisantent pas avec le critique qui fait preuve d'indépendance d'esprit. En février 1869, l'Ambigu refuse de délivrer à Barbey, chroniqueur du *Nain Jaune,* une place pour la création de *la Guerre des Gueux* (Claretie); il refuse même de lui réserver une place payante. En 1868, Montigny, directeur du Gymnase, a agi de la même façon. Barbey s'est alors adressé à ses confrères pour qu'ils élèvent une protestation. A l'exception de Claretie, aucun n'a répondu à l'appel: "la phalange macédonienne de grands esprits et de fiers caractères qui font si héroïquement la critique de la semaine" a refusé de bouger. Sarcey s'est contenté de reprocher à Barbey "très aimablement de n'avoir pas laissé tomber silencieusement le sot procédé du Gymnase"[25]. Sous le signe de Mammon, la complicité est totale. Il s'agit là, certes, d'un réquisitoire de polémiste. Mais, la part faite aux outrances, il reste que Barbey met le doigt sur l'une des tares majeures du système.

Le public, de son côté, demeure lui aussi le même que celui qui a, dans les années 1840, consacré la déconfiture du drame romantique et assuré le triomphe de Scribe, d'Augier, avant de faire de Dumas fils et de Sardou les maîtres du temps. Sans doute ces spectateurs ne se confondent-ils pas tout à fait avec ceux de la génération précédente[26]: ils sont d'origine plus cosmopolite, plus volontiers cyniques, ouvertement positifs et avides, même s'ils veillent jalousement sur la "moralité" d'une œuvre. Mais, là encore, on observe le même phénomène de consolidation: dans les années 1830, le spectateur bourgeois a dû supporter les excentricités romantiques: par crainte de s'attirer des quolibets, de paraître trop attardé, il n'a pas toujours eu, comme Viennet, le courage de clamer son indignation. Désormais, il se sent assez libéré des nécessités de la prudence pour étaler ses goûts véritables. Gautier en témoigne constamment. Dans son article sur la reprise de *Chatterton* (14 décembre 1857), après avoir cédé à la nostalgie du souvenir ("La jeunesse de ce temps-là était ivre d'art, de passion et de poésie. Le sort d'Icare n'effrayait personne. Des ailes! Des ailes! Des ailes! s'écriait-on de toutes parts, dussions-nous tomber dans la mer!"), l'enthousiasme du chroniqueur retombe: l'évocation de cette fièvre ancienne ne peut sembler que "bizarre à la génération qui a maintenant l'âge que nous avions alors". La même année (2 février), devant le succès remporté par *la Question d'Argent* (Dumas fils), un succès qui atteste la "communion complète" de l'auteur avec les idées de son temps, Gautier note:

> En présence de cette assemblée si docile et si heureuse, si enthousiaste, nous, vétéran des grandes luttes romantiques, nous comparions le public d'alors au public d'aujourd'hui et trouvions les fils plus favorisés que les pères; il est vrai que nous combattions pour la poésie, que les Français n'ont jamais pu souffrir, et qu'il ne s'agissait, au Gymnase, que de la réalité.

A l'exception de quelques francs-tireurs dont l'influence demeure confidentielle, les représentants de la critique s'adaptent aux goûts franchement avoués du public. Gautier est le plus éclatant exemple de cette nécessité de la soumission à l'esprit du temps: quelles que soient les réserves que lui inspire ce type de répertoire, son compte-rendu de *la Question d'Argent* est franchement élogieux. Et ce même Gautier, qui a si longtemps fait campagne contre Scribe et les "carcassiers", rend maintenant hommage au sens dramatique de ce Dumas qui, en la matière, procède directement de Scribe.

II

L'importance de la critique croît à la mesure de l'engouement pour les plaisirs de la scène. Le Second Empire correspond sans doute à l'une des époques les plus ternes de l'histoire de notre théâtre; mais, à l'image de ce qui s'est passé pendant la plus grande partie du XVIIIe siècle, cette médiocrité ne reflète pas l'extraordinaire attrait qu'exerce le théâtre sur les contemporains. Les cafés-concerts pullulent; les théâtres lyriques, qui ne sont pas moins de quatre, attirent de façon permanente des publics nourris. Le mélodrame et le vaudeville poursuivent une carrière triomphante. Et la présence dans la salle de théâtre demeure l'une des constantes des obligations mondaines. Le M. de Camors d'Octave Feuillet, établissant le programme de ses journées (le Bois, le Cercle), ne manque pas de le préciser: "S'il y a le soir une première représentation, j'y vole". La vie du théâtre prolonge et complète la vie du boulevard et, bien entendu, celle de la galanterie. Ce qui explique la prolifération d'une littérature très particulière, ces brochures consacrées aux *Comédiennes adorées,* aux *Petites Dames des Théâtres,* qui pourraient faire croire qu'elles ont quelques rapports avec l'art dramatique si elles n'étaient pas complétées par celles qu'inspirent *les Belles Pécheresses, les Cocottes, les Petites Chattes de ces Messieurs:* une littérature bien propre à justifier les fulminations de Zola dans *Nana.*

Il s'ensuit que la place réservée dans les journaux au monde des théâtres prend une importance encore jamais atteinte. Et comme le phénomène s'accompagne de celui du développement constant de la presse écrite (prolongement de la situation créée sous la Monarchie de Juillet), il faut attacher une attention particulière à l'influence, désormais considérable, jouée par l'épanouissement de la "chronique", consacrée comme un véritable *genre*, avec ses exigences et ses lois, lesquelles dérivent de cette nécessité fondamentale: à tout prix retenir l'attention du lecteur, le surprendre, l'amuser, le choquer au besoin. La recette élaborée vingt ans plus tôt par Janin est parfaitement au point. Quand, dans les années 1865, Zola, qui est plus près du Rastignac désargenté que du solennel théoricien du naturalisme, s'essaie à la chronique (au *Petit Journal, au Courrier du Monde*, à *la Vie Parisienne*, au *Figaro*), il doit aussi se soumettre à cette loi du divertissement: "Je sais bien que ma réputation d'homme littéraire souffrira à ce compte, mais on m'assure que les lecteurs y gagneront. Je m'incline respectueusement devant les lecteurs et j'obéis à leur bon plaisir. Public, le critique ennuyeux qui va mourir te salue"[27].

Le régime auquel est soumise cette presse est conçu en vue d'empêcher le retour à la prolifération anarchique de publications qui a marqué l'établissement de la liberté au lendemain de février 1848. Aussitôt après la répression de juin, les principaux journaux républicains sont interdits. Faucher, ministre de l'Intérieur, présente ensuite une loi rétablissant (la "continuité" toujours) les dispositions pénales *antérieures à 1819* et fixant le cautionnement à 24.000 francs; c'est à cette occasion que Lamennais s'est écrié: "Silence aux pauvres!". La réglementation de 1852 impose, pour tout journal politique, l'autorisation du gouvernement. La censure n'est pas officiellement rétablie; mais la docilité des journaux qui subsistent est obtenue par une voie plus insidieuse: celle de l'"avertissement" qui, à la troisième fois, aboutit à la suspension automatique. C'est le directeur même qui exerce sur les articles de ses collaborateurs l'office normalement dévolu à la censure.

On observe alors le retour du phénomène enregistré sous l'Empire, sous la Restauration. Privée de toute possibilité de débattre des problèmes de la vie publique (jusqu'en 1861, un journal n'a le droit de publier, sur les séances du Sénat et du Corps Législatif, que les comptes-rendus officiels), cette presse reporte l'expression de ses préoccupations sur l'actualité littéraire, artistique et dramatique, qui sert ainsi de substitut et d'exutoire. Renan en fait l'observation: "Les lecteurs intelligents cherchèrent à la troisième page ce qu'on ne pouvait dire à la première". Ainsi, en mai 1865, la chronique du *Petit Journal* intitulée *Confidences d'une Curieuse* (la "curieuse" est Zola lui-même) évoque-t-elle la distribution des récompenses à l'issue du Salon:

> (Les Français) qui ont fait trois ou quatre révolutions ont le fanatisme de l'autorité; ils aiment leur maître, même en peinture, et c'est la seule raison qui puisse m'expliquer la décision que vient de prendre le jury des récompenses pour le Salon de 1865. Le portrait de l'Empereur par M. Cabanel à obtenu la grande médaille.

Dans bien des cas c'est à travers ce prisme qu'il faut apprécier certains jugements dramatiques. Sarcey entre à *l'Opinion Nationale* en 1859. Sous l'Empire, sa renommée et son influence sont encore modestes: c'est sous la IIIe République qu'il deviendra "l'oncle Sarcey", "l'oracle". Mettant à profit la relative tolérance qui s'instaure avec la proclamation de l'amnistie, *l'Opinion Nationale* vient d'être fondée et elle représente, avec *le Temps*, puis *l'Avenir National*, une tendance nettement libérale. Sarcey est entré à l'Ecole Normale en 1848; il a été professeur, mais ses idées trop avancées lui ont valu d'être envoyé en disgrâce à Rodez. A la veille d'aborder le journalisme, il a, en 1858 (il est âgé de 31 ans), donné sa démission: son engagement à *l'Opinion Nationale* rend bien compte de ses opinions du moment[28].

En octobre 1867 (donc bien avant la loi du 11 mai 1868 qui assouplit le régime de la presse), Sarcey commente une reprise de *Polyeucte* à laquelle il ne consacre pas moins de deux articles (7 et 28 octobre). Un feuilleton sur un vénérable chef d'œuvre, d'inspiration chrétienne, présente à première vue toutes les garanties de conformisme idéologique et politique. De fait, l'étude semble bien d'abord inoffensive, menée avec le souci du piquant que requiert le genre: l'article s'ouvre sur l'ironique admonestation aux honnêtes mères de famille qui boudent Corneille parce qu'elles s'imaginent n'avoir rien à "démêler" avec une Pauline ("mais Pauline, c'est vous, c'est votre fille, c'est votre amie!"); badinage sur la jeune fille qui, au bal, attend sur sa banquette l'invitation dont elle rêve de la part du jeune homme "bien mis, élégant de sa personne", que tout le monde admire "pour la grâce de ses manières et l'agrément de sa conversation" (Sévère), alors qu'elle a laissé à la maison "un brave garçon, gauche, timide, mais tendre, mais fier, mais dévoré d'un feu intérieur" (Polyeucte bien entendu). On se croit engagé dans la lecture d'une chronique agrémentée du sel du paradoxe et de l'anachronisme. Mais bientôt, après un dernier clin d'œil bien appuyé (Sévère, "la coqueluche des filles à marier"), l'éclairage, sinon le ton, se modifie et le personnage de Sévère s'efface derrière l'évocation d'une figure historique qui n'a plus rien à voir avec celle du favori de l'empereur Décie: celle, rigoureusement contemporaine, de Morny, le demi-frère de Napoléon III, disparu deux ans plus tôt:

> M. de Morny était de cette race, comme en sont, au dernier degré de l'échelle, les gandins de notre génération: gens spirituels et sceptiques, aimables et égoïstes, qui n'ont d'autre objet au monde que la satisfaction de leurs désirs, mais qui cachent ce mauvais fond sous des manières polies et délicates (...). Il est fort capable d'entrer au conseil des princes, de conduire une révolution.

Et naturellement, derrière *révolution,* il faut lire *coup d'Etat: Polyeucte* est un prétexte à revenir sur le drame du 2 décembre.

Le second feuilleton, conduit suivant le même procédé, est plus précis encore. Il débute par un long bavardage sur la nécessité d'habiller "à notre mode, de l'habit noir et du chapeau rond" les personnages du théâtre classique ("Polyeucte, Sévère ou Félix, c'est ce monsieur qui vous coudoie"). Entrée en matière qui a pour raison d'être d'aboutir à une étude du personnage de Félix, où le souci dramatique s'efface très vite derrière l'intention polémique: "Ce Félix est le type le plus parfait qui ait jamais été mis sur la scène du fonctionnaire qui sacrifierait tout, honneur, vertu, dignité, pour garder sa place. Il est gouverneur de sa province; en d'autres termes, c'est un préfet, un préfet de l'Empire, et qui, comme beaucoup de préfets, ne voit dans les événements qui surviennent que les chances qu'ils lui apportent de garder ou de perdre sa préfecture. Il n'est plus ni père, ni mari, ni citoyen, ni homme; il est préfet. Rester préfet est son seul objectif, son plus cher idéal (...). Sa place et de l'avancement". Toute la suite de l'article, fort longue, repose sur cette assimilation: "c'est qu'il ne plaisante pas, l'Empereur" (il s'agit, bien entendu, de l'empereur Décie); "est-il possible de vivre, à moins d'être préfet? ".

Le 17 février 1868, Sarcey commente *le Misanthrope* à partir d'une analyse du caractère d'Alceste par Paul de Saint Victor (*la Presse*), qui a vu dans le personnage un bourru impoli, s'irritant pour des riens et fatiguant son entourage par l'excès de sa maussaderie. Sarcey conteste cette interprétation qui fait d'Alceste un ridicule. On croit voir renaître là la vieille querelle lancée par Rousseau. En réalité, l'intention ne se révèle que dans la seconde partie de l'article: Alceste n'est pas ridicule, il est un "homme logique", "immortel patron des natures droites et fortes", qui n'accordent "rien aux préjugés du monde": " En théologie, Alceste sera un grand hérésiarque; en politique un républicain, ou tout au moins un révolutionnaire". Et se développe la profession de foi républicaine, apostrophe lyrique adressée au personnage:

> Viens chez nous, tu es des nôtres! Inspire nous le mépris des opinions reçues, et le courage de porter la main sur les vaines idoles (...) Alceste l'honnête homme, Alceste le fier républicain (...). C'est ainsi qu'une grande œuvre élève et fortifie le cœur de ceux qui la veulent comprendre. On y vient, dans les heures de tristesse, chercher du réconfort, et l'on repart mieux trempé pour la lutte.

Le 14 septembre 1868 (à cette date la liberté d'expression est beaucoup plus largement concédée), retour à *Cinna* et analyse du personnage d'Auguste, "le tyran". Ici encore l'analyse dramaturgique ("comme œuvre dramatique, il n'en est guère de plus mal bâtie", surabondance de scènes qui ne sont "que des discours d'avocat normand") ne fait que précéder le glissement vers des considérations sur l'état des mœurs de la génération des Retz et des Condé. Puis, par le biais de la transition ("nous aussi, nous avons vécu à une époque troublée d'agitations politiques"), se dégage la portée réelle de l'article: le Tyran, Auguste naturellement, est un mépriseur d'hommes, son entourage est constitué de "médiocres faquins". Et, pour finir, les applications directes: "Pour moi, je revoyais tout d'un temps ces candidatures officielles où les Cinna au petit pied sont patronnés par des Auguste de sous-préfecture". Quant au Tyran: "c'est un homme qui a tant usé des plaisirs et des misères de l'ambition qu'il s'abandonne à lui-même, se laisse aller, lui et son empire, à la dérive des événements, et contemple vaguement, avec une résignation ennuyée, le naufrage où il court".

L'article s'achève avec toute la précision souhaitable, par le commentaire de la tirade qui justifie "tous ces crimes d'Etat qu'on fait pour la couronne": "revenant sur les attentats qui ont précédé l'élévation d'Auguste, il en donne la seule excuse que vous trouverez jamais dans la bouche de ceux qui approuvent le 18 Brumaire et le 2 décembre".

Les pièces du répertoire contemporain sont aussi aisément soumises au même traitement. En 1869 (3 mai), Sarcey rend compte d'une reprise de *Lucrèce* et avoue y avoir bâillé d'ennui. Mais l'occasion est trop belle de remettre sous les yeux de ses lecteurs la tirade de Brutus contre les tyrans, celle de Sextus contre un Sénat amorphe et veule:

> Les membres s'en allant ruine par ruine,
> Tout doucement bientôt s'éteindra la machine.

Et Sarcey d'évoquer avec insistance les applaudissements "qui éclatent de toutes parts", l'émotion qui a saisi "tous les cœurs".

En 1862, *le Fils de Giboyer* (Augier) porte le critique aux cimes de l'enthousiasme (8 décembre): "Je ne crois pas que, depuis *le Mariage de Figaro,* une œuvre plus hardie, plus singulière, plus émouvante, ait été présentée au public"; "M. Augier est à présent maître de sa manière: il a créé une comédie nouvelle". Un tel éloge est justifié par le don de l'auteur de "créer et de faire vivre des personnages", de construire un "drame très varié, très multiple, un toutefois". Mais ces considérations ne sont que des hors d'œuvre: le plus éclatant mérite de la pièce est d'opposer "deux principes et deux partis qui se disputent le monde: le droit divin et le droit du peuple, le parti des prêtres et celui des libres-penseurs". La comédie est en effet une machine de guerre montée par un libéral voltairien contre le clan clérical (celui de l'Impératrice même), représenté par un noble cynique (le marquis d'Auberive), un jeune sot plein de préjugés (le fils Maréchal), un maître de forges enrichi qui entend consacrer son ascension sociale par son adhésion au légitimisme, par une aventurière qui cultive les prêtres pour redorer son blason (la baronne de Pfeiffer); et, à leur service, Giboyer, le journaliste taré, renégat de la cause démocratique, qui a honteusement vendu sa conscience et sa plume[29].

La ferveur de Sarcey ne se justifie pas par les qualités dramatiques de la comédie, mais par le fait que *le Fils de Giboyer* correspond à ce qu'attendaient "les fils de 89", aujourd'hui soumis à un pouvoir arbitraire, empêtré dans toutes les compromissions du cléricalisme.

Veuillot, qui a plus ou moins servi de modèle au personnage de Giboyer, ne s'y trompe pas: dans une très longue réponse, publiée chez l'éditeur Gaume, il part en guerre contre la pièce et ses laudateurs. Ainsi engagée, la polémique n'a plus rien à voir avec le théâtre, même si Sarcey y est vertement semoncé pour les incorrections de sa prose: Veuillot est animé par une autre intention que celle de faire œuvre de puriste. L'intention se révèle dans ces lignes: "Je ne néglige jamais un morceau de M. Francisque Sarcey. Aucun procédé ne saurait donner plus juste le niveau intellectuel et littéraire de la presse démocratique".

***

Comme sous la Restauration encore, on voit se multiplier les journaux (une cinquantaine pour la seule année 1855) qui, officiellement apolitiques pour ne pas avoir à demander l'autorisation indispensable, se présentent comme littéraires ou artistiques, et qui le sont parfois en effet. Feuilles la plupart du temps éphémères, mais dont quelques-unes sont notables: un nouveau *Figaro,* fondé en 1854 par Villemessant, hebdomadaire agressif qui devient quotidien en 1866 et, en 1867, ouvertement politique: Rochefort y collabore; *le Gaulois,* fondé en 1867 par E. Tarbé et de Pène, un des organes de l'opposition libérale; *le Nain Jaune*, dirigé de 1863 à 1865 par A. Scholl, puis à partir de 1867 par G. Ganesco, et qui cesse vite d'être un journal littéraire pour devenir un journal d'opposition.

Dans ces publications, l'attention portée au théâtre est soutenue; mais on s'en tient souvent aux bruits de coulisses, aux querelles de comédiens, aux aventures d'actrices – ce qui permet d'ailleurs, par le biais de l'intention satirique, de dénoncer les tares d'un régime immoral et tout voué au plaisir.

A une modification près, que l'on analysera plus loin, la grande presse demeure ce qu'elle était avant 1848. Il existe un organe officiel du pouvoir, *le Moniteur*

Universel, qui se transforme en *Journal Officiel* le 1 janvier 1869, où Gautier tient la chronique dramatique à partir du 4 avril 1855[30]. *La Patrie,* naguère journal d'opposition, est, depuis 1844, entre les mains du banquier Delamarre, un organe conservateur qui devient semi-officiel jusqu'en 1861[31]. On peut en dire tout autant du *Pays* qui, dirigé de 1850 à 1852 par Lamartine, devient ouvertement bonapartiste (il porte le sous-titre *Journal de l'Empire*) avec Granier de Cassagnac; Barbey d'Aurevilly y donne des chroniques de 1852 à 1862[32]. *Le Constitutionnel* se situe aussi dans la ligne gouvernementale: on y trouve, à côté de Sainte Beuve, Roqueplan (qui a administré plusieurs théâtres et dont la renommée de chroniqueur est étincelante). *La Presse,* où P. de Saint Victor succède à Gautier, représente encore en 1855 le plus fort de tous les tirages[33]. Solidement appuyés sur leur passé, *les Débats* bénéficient d'une audience très supérieure à leur modeste tirage[34]: Janin continue d'y trôner. *La Gazette de France*[35] est toujours la forteresse du légitimisme et les catholiques intransigeants disposent de *l'Univers,* dont la création remonte à 1833 et où, depuis 1848, Veuillot déploie son ardeur d'infatigable polémiste[36]. Continuité donc, mais radicalisation dans le sens du conservatisme: les journaux républicains ont disparu, à l'exception du *Siècle,* fondé en 1836 et qui est dirigé par Léonor Havin: par prudence opportuniste, Napoléon III conserve ce journal raisonnablement oppositionnel et dont le tirage est très élevé[37].

Ce qui change, dans les structures de cette presse, c'est, suivant la ligne d'évolution du régime, sa soumission accrue aux puissances d'argent. Deux exemples sont particulièrement caractéristiques. Le vénérable *Constitutionnel,* journal d'opinion par excellence, appartient au célèbre docteur Véron et à Morny, qui détient la moitié des droits de gérance. En 1852, il est acheté par ce banquier Mirès qui, deux ans plus tard à la tête de la Caisse Générale des Chemins de fer, se lance dans de gigantesques spéculations qui finissent par entraîner son arrestation et sa condamnation (1861). *La Presse* de Girardin connaît le même sort: en 1856, l'entreprise revient à un autre banquier, Moïse Milhaud, qui a été associé à Mirès dans l'opération des chemins de fer et fonde en 1856 la Caisse générale des actionnaires. En 1863, Milhaud prend l'initiative, promise à un succès considérable, de lancer *le Petit Journal,* premier quotidien populaire à un sou (150.000 exemplaires dès 1864). Plus ouvertement que jamais, l'entreprise de presse est conçue comme une affaire commerciale: le souci d'attirer à tout prix le lecteur prime toute autre considération, même dans les journaux de tendance[38].

La presse périodique se perpétue, elle aussi. *La Revue des Deux Mondes* de Buloz, colonisée par la grande bourgeoisie orléaniste, poursuit son cheminement vers l'académisme solennel. Les catholiques libéraux, avec Montalembert et Falloux, disposent du *Correspondant* depuis 1843. *La Revue de Paris* jusqu'en 1858, date à laquelle elle est supprimée, joue toujours le rôle de contrepoids à *la Revue des Deux Mondes.* A quelques ajustements près, on se croirait encore sous le régime antérieur.

C'est dans les deux dernières années de l'Empire seulement que le visage de la Presse se modifie, après que la loi du 11 mai 1868 a supprimé la déclaration préalable et le système des avertissements. En moins d'un an, 140 journaux sont créés à Paris, dont beaucoup sont violemment hostiles au régime: *la Lanterne* de Rochefort, bientôt remplacée par *la Marseillaise, le Peuple* de J. Vallès, *le Rappel* des fils Hugo et de Vacquerie. Le souci politique s'étale là ouvertement, sans qu'il soit besoin de recourir aux voies détournées de l'actualité intellectuelle ou dramatique.

***

Aussi les maîtres de la critique dramatique restent-ils ceux qui se sont imposés sous Louis-Philippe. L'habitude a été prise, à partir de 1848, de surnommer "Burgraves" le groupe d'hommes publics qui, d'un régime à l'autre, assurent la permanence du pouvoir politique réel. La critique, elle aussi, connaît ses Burgraves: au premier plan, Gautier et Janin.

Englué dans les servitudes du feuilleton, tenu par ses liens avec le monde officiel, Gautier conserve toute son audience, que justifie encore sa verve, riche de paradoxes. Mais son peu de goût pour le théâtre s'est mué en une sorte d'indifférence. Plus que jamais il a recours à son fils pour la rédaction de ses articles. Selon les Goncourt, "le père fait la tête et la queue de l'article. Le fils, tout encombré de bouquins, pioche l'historique et les dates du milieu". Tout se passe comme si, blasé sur l'utilité de sa besogne, le critique jugeait qu'il ne vaut plus la peine de s'indigner, ni même de se montrer sévère. Le *Journal* des Goncourt (mai 1861) interprète avec dureté cette indulgence: "L'explication de tout cela, c'est une couardise à plat ventre devant les petites gens du ministère d'Etat". Et en janvier de la même année: "Saint Victor nous dit qu'il y a de la terreur au fond de cette bonté de Gautier. Il n'a fait dans sa vie qu'un éreintement[39]: l'éreintement d'une pièce, *l'Ecole du Monde,* de M. Walevski[40]. Pas de chance! Et il est perpétuellement tourmenté de la crainte d'éreinter quelqu'un qui puisse, pour l'avenir, devenir un autre Walevski". Propos désobligeant, mais qui manifeste bien l'état d'esprit de la jeune génération à l'égard d'un des plus notables Mandarins de la critique.

Aux *Débats,* Janin demeure le polygraphe qu'il a toujours été, fidèle au style qui a fait sa fortune, capricieux et nonchalant, rendant compte de tout: "Feu d'artifice mouillé dont les soleils partent à l'aventure" (Roqueplan): "l'excessif sautillement de Janin" (E. de Goncourt). Au surplus, goutteux, Janin ne quitte plus guère la chambre et pratique désormais résolument la critique par nègres interposés.

A l'ombre de ces oracles, de la masse multiforme des chroniqueurs, quelques noms se détachent, qui ne s'imposeront définitivement qu'après la disparition des grands aînés, donc après 1870: les Sarcey, les Weiss, qui en sont encore à définir leur manière personnelle, et que l'on retrouvera au chapitre suivant.

Paul de Saint Victor[41] néanmoins est déjà un chroniqueur écouté depuis qu'il a succédé à Gautier à *la Presse;* dès 1867 (il a alors 40 ans), il publie, sous le titre *Hommes et Dieux,* un premier recueil (mais ses études les plus appréciées sont très postérieures: *les Deux Masques,* 1880–1883). En 1848, il a été secrétaire de Lamartine. Il appartient, comme A. Scholl, comme Roqueplan, au "camp des littérateurs qui portent des gants" (Goncourt), à la fois dandy, homme de lettres et viveur, bonne illustration du monde des boulevards. Barbey, qui a fait sa connaissance en 1848, voit alors en lui "un jeune homme qui a le malheur d'être le secrétaire de M. Lamartine, mais qui n'en est pas moins un des plus jolis et des plus brillants esprits qu'on puisse voir et avec lesquels on puisse causer"[42]. Le théâtre l'attire peu; mais l'exercice de la critique dramatique est, pour le bon ton, une nécessité inévitable: la vie théâtrale joue un trop grand rôle dans la "fête" de l'Empire. Dans l'article qu'il consacre, le 27 janvier 1867, à ce puissant confrère, Sarcey l'observe: Saint Victor ne rend compte, chaque année, que de "trois ou quatre œuvres qui méritent d'être analysées et discutées":

> Hors de ces quatre ou cinq feuilletons, notre confrère ne s'occupe guère plus du théâtre que s'il n'existait pas. Et s'il le fait, c'est avec un ennui et un mé-

> pris évidents. Il ne porte même pas, dans son dédain, la bonne humeur railleuse du Gautier d'autrefois, ou la superbe nonchalance du Gautier d'aujourd'hui. C'est un je ne sais quoi de hautain et de sec qui frise même par instants l'impertinence.

Ce ton est à l'image du personnage que les Goncourt on vu "toujours portant la tête comme une épithète neuve, à demi joli garçon entre le type de Velasquez et le type garçon coiffeur, la moustache cirée, pincée, le ton sec et cassant, un petit stick en main". Nerveux, très inégal d'humeur, il cherche à donner de lui-même une image qui tient à la fois du style de Morny et de celui de certains personnages de Dumas fils, les Ryons ou les Olivier de Jalins.

Les jugements qu'il porte n'ont pourtant rien de bien original: "Il a tout, excepté des idées et des convictions"[43] note Barbey. En fait, Saint Victor n'est pas un vrai critique, ni même un analyste, mais un commentateur, qui s'abandonne au gré de son imagination ou de son érudition. En ses débuts surtout, il veille à ne pas tomber dans les poncifs de la critique contemporaine: il accable de son mépris les tenants de l'esthétique de la pièce bien faite, "M. Scribe et les autres charpentiers dramatiques": reprise du thème favori de Gautier dont il assume la succession; mais c'est assez pour l'amener à saluer avec chaleur *le Chandelier.*

Sa culture est résolument classique et les audaces du réalisme contemporain ne tardent pas à le choquer. C'est le style seul qui fait illusion chez ce "Vénitien du feuilleton", ou, comme l'écrit Saint Beuve, "ce Don Juan de la phrase". On se fera une idée de ce style par cette appréciation sur le théâtre de Th. de Banville, où domine le souci du développement brillant:

> Je me figure volontiers la Muse de M. de Banville comme une de ces néréides de bassin royal qui soufflent de l'eau dans un coquillage. Cette poussière d'onde diamantée n'étanche aucune soif et ne féconde aucune plante, mais la lumière y joue en nuances d'arc-en-ciel, son bruit cadencé invite à la rêverie; c'en est assez pour qu'elle charme et qu'elle vous arrête.

A propos du théâtre de Musset:

> Vous figurez-vous des comédies qui marchent sans ficelles, qui vont et viennent, entrent et sortent, ouvrent et ferment les portes sans consulter les règles du damier dramatique; qui vont au cabaret quand elles ont soif, dans la rue quand l'envie leur prend de flâner; au jardin, au parc, à l'église, au cimetière, quand c'est là que l'infante dont elles sont coiffées leur a donné rendez-vous; qui, au besoin, se percheraient sur une échelle de soie pour peu que la nuit fût belle...

Les Goncourt (qui l'évoquent dans le personnage du prestigieux Remonville de *Charles Demailly*) sont d'abord éblouis: "un écrivain dont la pensée vit toujours dans le chatoiement de l'art ou dans l'aire des grandes idées et des grands problèmes". Mais la déception est bientôt là: "très original dans sa façon de s'exprimer, il l'est assez peu dans sa façon de penser". Sarcey ne dit pas autre chose: Saint Victor

> a une manière si brillante, si phosphorescente que l'œil n'en peut soutenir la vue (...). Ainsi de ces morceaux de style. Le premier cause une sensation de plaisir. Ces métaphores si justes et si vives, ces alliances de mots si inattendues et si pittoresques, cet art de rapprocher à l'improviste des noms et des idées qui semblent devoir être séparés à jamais (...), tout cela charme au premier abord. Mais l'effort est trop violent, trop continu (...). On ferme involontairement les yeux pour se soustraire à ces mille points brillants qui les éblouissent et les importunent.

Cette phosphorescence séduit Barbey: "Vous avez introduit la poésie dans la critique où elle ne s'était jamais vue et ça été une fête pour tous les deux. Par ma voix, la Critique vous en remercie"[44].

Saint Victor ne fait que perpétuer, dans un registre différent, le style de Janin avec cette habitude de s'enfermer "assez rarement dans la matière qu'il traite": "Si une comédie met en scène quelque divinité de l'Olympe ou quelque grand homme, il se détourne de la pièce, par un prompt à gauche, et donne au public une étude complète du héros ou du dieu" (Sarcey).

Figure notoire du boulevard, Saint Victor est d'autre part empêtré dans tout un réseau de compromissions galantes ou politiques. Il est l'amant de Lia Félix, la sœur de Rachel, qui l'entraîne dans bien des intrigues de coulisses: "Jamais un jugement personnel et désintéressé. Et puis aussi, dans toute cette violence, il doit y avoir un fond de querelle avec Lia" (Goncourt). Au moment (1862) de la création du *Fils de Giboyer,* Saint Victor reçoit une lettre du Prince Napoléon qui lui recommande chaudement la pièce[45] : le critique transforme aussitôt son feuilleton qui était d'abord hostile à la pièce d'Augier.

A l'étage immédiatement inférieur, se situe la cohorte de ceux dont les articles sont vivement attendus, appréciés, mais qui sont surtout des chroniqueurs mondains: les Roqueplan, les Scholl, boulevardiers fringants, couverts de femmes et prompts au scandale, qui se préoccupent davantage de donner le ton que de porter des jugements. Scholl est l'amant de Mlle Doche (créatrice de *la Dame aux Camélias*); de Léonide Leblanc, des Variétés, du Gymnase, puis du Vaudeville ("gracieuse et mignonne personne" qui jouit d'une belle réputation de "mangeuse d'argent"); de Mlle Prévost des Bouffes Parisiens; de Mlle Ferraris, des Variétés. Il a fondé des journaux, *le Satan, la Naïade, le Nain Jaune, le Jockey, le Lorgnon;* il est, un temps, rédacteur en chef du *Voltaire.* Le journalisme est pour lui un instrument propre à soigner sa réputation d'homme d'esprit agressif et batailleur.

Car, comme à l'époque de Lousteau, le journalisme, par le biais du feuilleton, et particulièrement du feuilleton dramatique, constitue l'une des voies privilégiées offertes à l'arriviste. La carrière des Goncourt s'ouvre sur leur collaboration à *l'Eclair* et au *Paris* de Villedeuil, et les jeunes gens s'exaltent: "Chaque matin, éveiller Paris avec son idée! Avoir le journal qui fait la parole ailée! Tous les jours battre la charge, renvoyer le sarcasme comme un volant, attaquer, riposter, et tenir la France suspendue à sa plume!"[46].

En 1853, sous le pseudonyme de Cornélius Holff, les Goncourt et Villedeuil rassemblent en un volume, *Mystères des Théâtres,* leurs comptes-rendus dramatiques qui ressemblent beaucoup à ceux de Janin, impertinents, d'une parfaite désinvolture à l'égard de l'œuvre à analyser. Par exemple, dans l'article consacré à une comédie de G. Sand, *les Vacances de Pandolphe* (1853), il serait tout à fait vain de rechercher le moindre jugement critique: plus des trois quarts du feuilleton sont occupés par des variations sur les bouffons italiens du XVIIIe siècle, le reste expédiant en un résumé l'action de la pièce. La chronique sur *la Marquise de Bretèche* (Mélesville et Carmouche) et *le Piano de Berthe* (Barrière et Lorin) est plus édifiante encore: elle est toute entière faite de l'évocation d'une journée passée à la campagne avec des amis et, pour conclure en une pirouette, on reconnaît que l'on n'a vu aucune des deux pièces. Si *le Bonhomme Jadis* est porté aux nues, c'est que Murger est un ami qui, lui aussi, collabore au *Paris.*

Ce sont les Goncourt eux-mêmes qui ont le mieux dénoncé les tares de cette presse du boulevard, nourrie de bavardages et de cancans, de notices perfides ou complaisantes. Leur premier roman, *Charles Demailly*, pourrait être à la presse du temps ce que sont *Illusions Perdues* à celle de la Restauration; mais la mise en œuvre romanesque se révèle bien inférieure, bien que la peinture des journalistes du fictif *Scandale* (qui ressemble beaucoup au véritable *Corsaire-Satan*), intrigants, vénaux, prêts à toutes les compromissions, soit à peine chargée[47]. Janin s'empresse de crier à la trahison: *Charles Demailly* est "un pamphlet contre leur ordre, un tableau poussant au mépris des Lettres".

***

Dans ce panorama sans éclat, on est tenté de mettre en valeur la physionomie de Barbey d'Aurevilly, car il s'en est fallu de très peu que celui-là fût un grand chroniqueur de théâtre[48].

Son activité critique s'étend de 1834 à sa mort en 1889. Bien qu'elle s'éparpille à travers une trentaine de journaux, elle s'impose surtout au *Pays* (jusqu'en 1865), puis au *Nain Jaune*, au *Parlement* (1869), et elle se prolonge au *Triboulet* (1880–1882)[49]. Mais si l'on fait abstraction de quelques articles publiés à partir de 1838 (16 juillet, analyse de *Philippe III*, d'Andrault), la part réservée à l'actualité dramatique est très restreinte: c'est en 1866 seulement qu'elle devient prépondérante, au *Nain Jaune* puis au *Parlement*. Sous l'Empire, Barbey ne se fait donc l'observateur de la vie théâtrale que pendant quatre ans. Il lui a d'abord manqué, pour s'imposer vraiment, la continuité dans la durée.

A ce handicap, s'ajoute que, comme Gautier et Saint Victor, Barbey se résigne au feuilleton par nécessité financière[50]: il se fait "articlier" par contrainte, s'humiliant jusqu'à "avaler son crapaud"[51]. Cette besogne l'écœure: parce qu'il ne peut choisir ses sujets et qu'il doit rendre compte "d'une foule de productions sans portée et sans caractère"[52]; parce que les directeurs de journaux n'hésitent pas à se "mettre à genoux devant toutes les déjections humaines"[53]; parce que, armés de "ciseaux plats", les censeurs "mutilent, coupent et vulgarisent"[54]. En 1867, il tire la conclusion: "La Critique, en France, est aussi morte que la chronique elle-même, et il y a bien plus longtemps. Des comptes-rendus de livres ou de théâtre, comme on en fait encore, ne prouvent rien"[55].

Mais surtout il déteste et méprise le genre qu'il est appelé à juger. Dans sa préface à la première série de son recueil d'articles, il dénonce l'"histrionisme" délirant de son époque, c'est-à-dire "l'amour du Théâtre et des choses du théâtre", proclame qu'il ne partage pas cet engouement pour "l'ergastule des amusements publics"[56]. Dès 1864, il a placé le théâtre bien en-dessous du roman[57]. Le 15 mai 1868 (*Nain Jaune*), il confirme que "l'art dramatique (l'acteur à part)" est "une triste chose, un art inférieur en soi". Et de telles formules ne cessent de revenir sous sa plume.

Un art inférieur *en soi*. Par sa nature même, le théâtre est un genre impur, "un art qui ne va pas seul, un art mendiant qui demande aux autres": il est "le résultat d'un ensemble de choses qui ne sont pas lui-même: il lui faut l'acteur ou le chanteur, le décor, toutes les magies intermédiaires qui vont de la pensée aux sens"[58]. De plus, le théâtre a besoin du public: "L'art dramatique relève des mas-

ses. A toutes les époques de l'histoire, le Théâtre a cherché toujours à se mettre de niveau avec l'intelligence des masses par lesquelles il vit et auxquelles il s'adresse. Il ne dessert jamais que la moyenne de l'humanité"[59].
Or Barbey estime que l'évolution qui précipite la société française vers l'égalitarisme a considérablement augmenté le volume du public: les temps sont révolus où, comme à l'époque de Racine, le public était constitué par une "poignée d'esprits d'une haute et pure chasteté intellectuelle"[60]. Désormais, le théâtre "s'adresse directement, rectangulairement à la foule, à ses cinq sens, à ses instincts grossiers, à son ignorance, à ses passions basses, à ses idées forcément communes"[61]. Bien loin d'être combattue, cette tare est entretenue par les directeurs, par les auteurs attachés à leurs revenus, par les critiques complaisants. Ainsi, dans une "société sans principes, qui n'a plus pour gouverner ses actes que son ambulatoire sensibilité" [62], tout tend à l'abaissement définitif de l'art dramatique.

Dans ces conditions, la tâche du critique est clairement définie. Elle s'apparente à celle qu'ont assumée Fréron ou Geoffroy: le critique doit être un éducateur de l'opinion. Le 7 février 1860, Barbey pose le principe: "la critique littéraire doit se taire et faire place à une autre critique: la critique des mœurs"[63]. Celle-ci ne saurait donc être une "critique de sensation": elle ne doit pas se laisser prendre aux "ficelles" des noueurs d'intrigues et de coups de théâtre ou aux emballements passagers d'un public "qui n'a pas assez d'esprit pour être mécontent et qui a assez bien dîné pour être bienveillant"[64]; elle doit être dogmatique, fondée sur de solides principes et avoir "pour blason la croix, la balance et le glaive"[65]: le catholicisme, la rectitude inébranlable, la volonté de ne jamais céder à la complaisance.

Le parti-pris de dénoncer tout ce qui menace ou dénature le catholicisme (la "philosophie", le matérialisme et son expression littéraire le réalisme) anime toute une partie de la critique de Barbey. Il dénonce avec férocité le caractère pernicieux du répertoire de Dumas fils, l'"encanaillement" de *la Dame aux Camélias*, du *Demi-Monde*[66]: "il est temps d'en finir avec ce monde écœurant de drôlesses, qui a pris tant d'importance dans les préoccupations des écrivains du XIXe siècle, qu'on dirait qu'en dehors des filles, il n'y a plus en France de mœurs à peindre et de sentiments à étudier". Quand, dans *les Idées de Mme Aubray*, Dumas présente une héroïne qui prétend s'inspirer du pur christianisme, il convient de dénoncer l'imposture de ce christianisme-là,

> venu sans doute des hauts et pieux enseignements de monsieur son père, ce patriarche et cet apôtre, et que sa sœur nous exposait dernièrement dans son roman *Au Lit de Mort*, où les jolies femmes, comme confesseurs, remplacent les prêtres. La Mme Aubray de M. Dumas fils est de cette grande famille chrétienne. Elle confesse aussi un peu dans la pièce de M. Dumas, et surtout elle y prêche. Elle fait mieux encore: elle y ramasse les filles tombées et elle ne les envoie point aux Repenties. Elle leur cherche des maris selon les préceptes et l'exemple de N.S. Jésus-Christ, qui n'a pas seulement pardonné à la Madeleine, mais qui, comme on le sait, l'a mariée[67].

Quant à Augier, voltairien obsédé par la haine du jésuite, auteur de ce scandaleux *Fils de Giboyer* auquel les catholiques ont commis l'erreur d'accorder trop d'importance, il n'est "l'aigle dramatique" que de "dindons bourgeois"[68].

Ces indignations ne s'alimentent pas seulement à la source d'un catholicisme ultra et militant: elles recouvrent une abhorration, très proche de celle qui a inspiré le Gautier des bonnes années, pour ce qui est mesquin d'inspiration ou d'exécution.

Barbey revient sans cesse sur les méfaits du "scribisme" qui va bien au-delà de Scribe, qui englobe Ponsard, les disciples de l'Ecole du Bon Sens, laquelle n'est que l'Ecole du Petit Sens[69], les faiseurs de pièces sans élévation morale ni ambition littéraire. C'est de Scribe que procèdent tout le théâtre contemporain, et, malgré leur science du "métier", les Dumas fils, Augier, Sardou; Scribe incarnation suprême du Matérialisme:

> Nabot colossal, qui reste nabot quoiqu'il soit devenu un colosse, cet idiot, le coryphée du siècle et des cabotins, a intronisé pour jamais peut-être sur la scène française des pantalonnades qui ont singulièrement favorisé toutes les paresses des spectateurs ignares et vulgaires. Trouvé charmant par les crétins, la coqueluche de la Bourgeoisie, Scribe a créé une chose qui portera longtemps son nom: le scribisme. Parmi les impuissants qui ont fait du mal à quelque chose, il n'est personne qui en ait fait plus que lui à l'art dramatique. Personne non plus qui ait dépravé plus d'esprits sur une plus large surface. Guérira-t-on jamais de ce Scribe, de cet *Acarus* dramatique? [70].

En 1868, la dénonciation des méfaits de Scribe est d'une banalité absolue. Mais l'originalité de Barbey est en ceci que l'anathème jeté sur Scribe n'est pas chez lui seulement l'expression de préférences esthétiques, mais qu'il se rattache à un système de pensée, réactionnaire assurément et rétrograde, mais qui est cohérent et qui dépasse largement le domaine de l'Art: cet anathème exprime, en profondeur, une revendication de l'Esprit.

Il est moins banal de s'en prendre au trio Augier-Dumas fils-Sardou, qui domine le répertoire de l'époque; et d'être par exemple, de tous les chroniqueurs du moment, le seul à porter un jugement défavorable sur le *Paul Forestier* de Dumas fils. Barbey prend un évident plaisir, en cette occasion, à évoquer, pour prendre fièrement ses distances, le chœur des lundistes unanimes se livrant, devant l'œuvre nouvelle, "au doux *ulutatus* de l'admiration continue". Pas un n'y manque: ni Janin, "l'antique Calchas de la Critique dramatique", ni Ulbach, ni Roqueplan, "ce dandy blasé par le théâtre", ni Saint Victor, "cette belle imagination ennuyée": "Et, ma parole d'honneur! (...), on se dit que les relations sont une bien belle chose... et on se demande, non pas le comment de l'enthousiasme, en de telles âmes, mais le pourquoi"[71].

Cette sévérité pour un répertoire dont la médiocrité nous apparaît aujourd'hui insigne ne doit pas donner à penser que le jugement dramatique de Barbey est d'une sûreté parfaite. L'enthousiasme, chez lui, se manifeste rarement (sauf pour certains acteurs, pour F. Lemaître en particulier). Sans doute la pauvreté des œuvres dont il rend compte explique-t-elle assez la prédominance des emportements; mais, polémiste avant tout, Barbey se trouve beaucoup plus à l'aise dans le sarcasme que dans l'éloge. Et engagé dans un procès global contre une société égalitaire qu'il déteste, Barbey se trouve inévitablement entraîné par un préjugé hostile à toute manifestation dramatique proposée par une telle société.

S'il est vrai qu'il est indulgent à Labiche, au *Monde où l'on s'ennuie* de Pailleron, qu'il se laisse toucher par le *Michel Pauper* de Becque[72], jamais l'approbation chaleureuse ne va aussi loin qu'à propos des *Sceptiques* de Félicien Mallefille[73], aujourd'hui plus obscurs encore que les pièces d'Augier et de Sardou: "et d'abord, c'est une pièce"; "un bon sujet de drame, un sujet vivant et très actuel"; "elle a surtout, cette pièce, une chose que, pour mon compte particulier, j'estime plus que toutes les situations des drames: c'est la vivacité et la propriété du dialogue, qui devient de plus en plus rare dans les pièces modernes"[74].

En fait, cette ferveur n'est que très accessoirement justifiée par la qualité du drame. Ce qui parle au cœur de Barbey, c'est que Mallefille est une victime exemplaire du "système" abominable, de l'incompétence et de la veulerie des directeurs: dans leur imbécillité et leur insolence, les "juges Bridoie du Théâtre Français" ont en effet voulu le contraindre à pratiquer des corrections dans son texte et, au lieu de se résigner, Mallefille a eu le courage de ne pas se plier aux exigences des "fouetteurs du Théâtre Français": il a été se faire jouer au Théâtre de Cluny, l'une des plus modestes salles de Paris. Ce que salue ici Barbey, c'est moins le mérite d'un auteur dramatique que le caractère d'un homme. D'autre part, et surtout, la pièce repose sur "une *idée* de moraliste et d'observateur", puisqu'elle tend à dénoncer la malfaisance de ce scepticisme qui a "commencé avec Oberman et René", qui est "le vice de ce temps pauvre même par ses vices": "le scepticisme, c'est la lâcheté de l'esprit, tombée dans les âmes (...); le scepticisme qui nous pourrit tous plus ou moins, (qui) plane sur le XIXe siècle tout entier". Et l'on retrouve ainsi, mais par le biais de l'éloge cette fois, la thèse fondamentale qui inspire toute la critique de Barbey.

Dans cette critique militante et claironnante, il entre au moins autant de passion idéologique que de satisfaction personnelle à jouer les paladins de l'anti-conformisme. Ces indignations sont sincères; mais elles sont assaisonnées avec une verve qui, dans l'entraînement de la polémique, se nourrit d'elle-même. Barbey a pratiqué Janin et Gautier (à l'égard desquels d'ailleurs il se montre indulgent) et, beaucoup plus qu'on ne le croirait, ses feuilletons procèdent de leurs leçons: c'est le chroniqueur lui-même, ses humeurs, ses emportements, voire ses fantaisies qui tiennent la première place. Barbey prétend faire œuvre de salubrité publique, mais il se délecte à étaler ses convictions, sûr qu'il est de surprendre et de choquer, agréant avec satisfaction sa réputation d'"éreinteur". Indiscutablement il possède le don de la formule, de la tirade provocatrice, dont on ne donnera ici qu'un seul exemple: le début de l'article consacré à une adaptation, jugée par lui sacrilège, des *Treize* de Balzac:

> Je demande la gendarmerie!
> Vous rappelez-vous cette belle anecdote dans Chamfort?
> Il assistait à un contrat de mariage. L'épousée était une superbe jeune fille, toute éclatante de jeunesse et de beauté pure, et le mari, un sale, laid et riche vieillard. C'était hideux qu'un tel contraste. Chamfort ne put y tenir:
> – A la garde! s'écria-t-il. Qu'on aille chercher le Commissaire! On va faire ici un mauvais coup.
>
> Et moi aussi, je crie: A la garde! Non pour empêcher le mauvais coup (car il a été fait), mais pour qu'ailleurs on ne s'avise pas de recommencer[75].

Un peu plus tard, Becque n'écrira pas d'une autre encre. Mais l'"attaque" de l'article ("Je demande la gendarmerie!") pourrait être de Janin.

Parce qu'elle repose sur de solides principes directeurs (qui lui évitent de flotter au gré des seules impressions), parce qu'elle satisfait brillamment aux exigences de la chronique, parce qu'enfin elle révèle une personnalité d'une indépendance et d'un tempérament exceptionnels, la critique de Barbey est, malgré ses lacunes et ses défauts, la seule qui, sous l'Empire, soit digne d'échapper à l'oubli. Pour faire date dans l'histoire de la critique théâtrale, il n'a sans doute manqué à Barbey que d'être animé par un véritable amour du théâtre, qui lui aurait évité de considérer comme un pensum sa chronique hebdomadaire.

III

On a pris l'habitude de présenter le tumulte élevé autour de l'*Henriette Maréchal* des Goncourt comme une manifestation politique d'hostilité à des auteurs jugés trop liés au pouvoir impérial. L'explication est bonne; mais elle est très incomplète.

La pièce est achevée en décembre 1863. Elle est refusée par Beaufort, directeur du Vaudeville, ce qui n'est pas surprenant: le Vaudeville est un théâtre en vogue dont le répertoire est, pour l'essentiel, constitué par le drame bourgeois, mais le drame bien-pensant et conformiste: il a connu ses plus grands succès avec *les Filles de Marbre* (17 mai 1853), *le Roman d'un Jeune Homme pauvre* de Feuillet (22 novembre 1858), et *la Famille Benoîton* de Sardou va bientôt y triompher (4 novembre 1865)[76]. Beaufort juge la pièce des Goncourt "impossible"[77], c'est-à-dire trop brutale pour son public, en raison du dénouement surtout (la jeune fille s'accusant d'avoir un amant pour disculper sa mère, et le père l'abattant, croyant tirer sur sa femme). Après une lecture de l'œuvre (7 avril 1865) chez la princesse Mathilde, lecture diversement accueillie et qui n'est en rien déterminante, c'est Banville qui intervient auprès de Thierry, administrateur du Français, lequel accepte de prendre connaissance de l'œuvre. Dans sa lettre du 27 avril, par laquelle il annonce son intention de présenter *Henriette Maréchal* au Comité de lecture, Thierry ne manque pas de formuler des réserves: "le dénouement est brutal", "le coup de pistolet est terrible"; et il ajoute une observation qui met bien en valeur quelle est l'exigence fondamentale posée par la critique du temps: "au fond, je vois, dans votre pièce, *non pas précisément une pièce bien faite,* mais un début très remarquable".

Le premier jugement critique prononcé, celui de Thierry, se réfère bien ainsi aux deux critères imposés par l'époque: une pièce ne doit pas heurter les "bienséances"; elle doit satisfaire aux règles de la construction logique et cohérente.

La lecture a lieu le 8 mai. La décision du Comité est favorable (9 boules blanches et 2 rouges); elle représente un second jugement critique, exprimé par les comédiens celui-là, mais qui est en réalité faussé par le fait que ceux-ci sont persuadés que la censure arrêtera la pièce, ou tout au moins réclamera des coupures importantes.

Il faut ici retracer les grandes lignes de l'intrigue d'une œuvre aujourd'hui bien oubliée, pour comprendre et interpréter les mouvements qu'elle va susciter[78].

Henriette Maréchal s'ouvre sur un premier acte extrêmement coloré (en fait, la seule partie originale de l'œuvre), qui se déroule au bal de l'Opéra. Un bal qui n'a rien de protocolaire et où, dans la bousculade des masques, se côtoient les classes les plus diverses: "Tout le monde va dans ce pandemonium, depuis le diplomate le plus grave jusqu'au jeune homme le plus fou, depuis la vraie dame, hermétiquement empaquetée de dentelles et de satin, jusqu'à la lorette ultra-décolletée"[79]. Paul de Bréville, un très jeune homme, a été amené là par son frère Pierre qui entend initier son cadet à la "fête" des aventures galantes. Dans le tohu-bohu, Paul lie connaissance avec une inconnue masquée, dont il tombe aussitôt amoureux et qui le repousse, mais après avoir laissé deviner qu'elle a été touchée par tant de spontanéité juvénile. Quand apparaît un "Monsieur en habit noir", qui harcèle grossièrement l'inconnue, Paul intervient. L'algarade aboutit à un échange de cartes, sans que le jeune homme ne connaisse ni le nom ni le visage du domino.

Le duel a lieu et Paul est si gravement blessé qu'il ne peut être reconduit à Paris. Il est recueilli dans une maison proche du lieu du duel, celle de la famille Maréchal (et mieux vaut, sans grande surprise, préciser tout de suite que le masque du bal était Mme Maréchal). Au cours de sa convalescence, Paul fait confidence à son hôtesse des émois sentimentaux qui l'ont poussé vers l'inconnue de l'Opéra, avant de reconnaître en celle qui l'écoute la mystérieuse dame. Après une déclaration enflammée qui l'épuise au point de faire rouvrir sa blessure, Paul tombe à demi évanoui. Bouleversée, Mme Maréchal met un baiser au front du jeune homme.

Au troisième acte, Paul est devenu l'amant de Mme Maréchal. Pierre, le frère, qui a tout deviné, met celle-ci en garde contre les dangers d'une telle situation et lui révèle que sa fille, Henriette, est amoureuse de Paul. Aux questions que lui pose sa mère, Henriette refuse de répondre, ce qui équivaut à un aveu, et l'on pressent aussi que la jeune fille a découvert l'adultère. La nuit tombée, Paul, qui ignore le retour de M. Maréchal, pénètre, comme à l'accoutumée, dans la chambre de sa maîtresse. Le mari, qui a conçu des soupçons, fait irruption, entrevoit dans l'obscurité une femme en blanc, prostrée, et tire. Mais Henriette a eu le temps de faire fuir Paul par sa chambre et a pris la place de sa mère pour la sauver du déshonneur; c'est elle qui est blessée à mort" – C'était... mon amant... à moi!". Dénouement qui n'est pas sans rappeler celui de l'*Antony* de Dumas père.

Ce résumé révèle déjà par où la pièce est capable d'alarmer le public et la critique du temps. Gautier se fait l'écho des protestations que suscite un premier acte par trop débraillé: "Le bal de l'Opéra à la Comédie Française! Quel scandale! quelle énormité! quel sacrilège!Eh quoi! des pierrots, des débardeurs, des sauvages, des chicards dans la maison de Molière!"[80].

De plus l'héroïne adultère n'est pas une héroïne de Dumas fils, femme légère ou jeune épouse délaissée; elle est une mère de famille, déjà mûre, honorable, jusque là irréprochable, et qui n'a aucun grief à formuler à l'encontre de son mari. La pièce présente ainsi un fâcheux exemple de la façon dont, dans une famille bourgeoise, est bafoué le caractère sacré du lien conjugal.

Quant au dénouement, à vrai dire fort mal préparé, il choque moins par sa brutalité que dans la mesure où il ne contribue pas, comme il conviendrait, à rétablir l'Ordre par la juste distribution des châtiments: c'est sur une innocente que tombe la punition (un peu comme dans *le Roi s'amuse* de Victor Hugo).

Au nom de la morale et du respect du spectateur, on réclame donc des modifications. Le ministre Rouher, le maréchal Vaillant qui, ministre de la Maison de l'Empereur, a juridiction sur les théâtres, réclament que la jeune Henriette soit seulement blessée, que le rideau tombe sur la perspective rassurante d'un mariage avec Paul, c'est-à-dire avec l'amant de sa mère, ce qui suppose, chez ces hauts personnages, une assez curieuse conception de la morale familiale. C'est ici que se place l'intervention de la princesse Mathilde, qui obtient que la censure ne fasse pas obstruction.

C'est cette intervention banale, et qui s'exerce dans le sens du libéralisme compréhensif, qui est pourtant à l'origine d'un tumulte qui n'aura que l'apparence d'être dramatique. Du Camp expose bien la situation du théâtre sous le Second Empire et le rôle qu'il joue dans la vie mondaine et publique: "Pendant la durée du Second Empire, l'opposition fut permanente: après le 2 décembre 1851 (...), elle fut sourde et discrète. A voix basse, entre portes closes, on chuchotait les médisances; les journaux étaient muets (...). Au lendemain de la campagne d'Italie (...), les ressorts du gouvernement impérial se détendirent, l'opposition se hasarda à être sinon agressive, du moins plus tracassière"[81]. Et le théâtre devient le lieu privilégié de ces manifestations hostiles au régime. Dès 1855, on a provoqué bruyamment, à l'Odéon, la chute d'une *Florentine* (inspirée de l'histoire de Leonora Galigaï), dont l'auteur, C.E. Kojecki, est un protégé du Prince Napoléon. En 1862, à l'Odéon encore, c'est la tumultueuse soirée (3 janvier) de la *Gaëtana* d'E. About: il s'agit, pour les républicains, de donner une leçon à un familier de la Cour, pour les légitimistes et les catholiques de lui faire payer cette *Question romaine* où il s'en est pris au pouvoir temporel du Pape[82]. Conjonction des extrêmes qui va se reformer à l'occasion d'*Henriette Maréchal.* Et ainsi se vérifie une fois encore que le théâtre, parce qu'il constitue un spectacle qui se déroule en présence d'une foule, offre un cadre privilégié aux manifestations publiques sous un régime qui ne concède aucun moyen légal à l'expression des opinions.

Les Goncourt n'ont jamais été mêlés à la politique active. Mais ils ont la réputation d'être bien reçus de la princesse Mathilde, ce qui, pour les esprits simplificateurs, suffit à faire des frères des profiteurs de l'Empire. Ce qui suffit aussi pour susciter la méfiance active du cercle qui entoure l'Impératrice, laquelle, par jalousie de femme autant que par aversion pour l'étalage de la liberté d'esprit, abhorre la Princesse.

Les signes précurseurs du tumulte se révèlent, bien entendu, dans cette "petite presse" dont les échos, apparemment anodins, sont si propices au lancement de la calomnie. *Le Nord,* par exemple, raconte à l'avance l'acte 1, mais en corsant son résumé de façon à mettre en évidence la "turpitude" de l'épisode du bal de l'Opéra. Argument d'autant plus approprié que les romans des frères autorisent les pires appréhensions: *Sœur Philomène* (1861) a évoqué les amours douteuses d'une religieuse et d'un interne en médecine (l'éditeur Lévy a reculé devant un sujet aussi scabreux); *Germinie Lacerteux* (1865) a étalé la déchéance d'une bonne que dévore la "fureur d'aimer": "fange ciselée" (Monselet), "littérature putride" (Merlet), livre qui, selon Flaubert, "excite un dégoût universel". De tels romanciers on peut tout attendre, et les insinuations du *Nord* tombent en terrain favorable. Pour plus de sécurité, l'article (non signé) du *Nord* est adressé, sous bande, à la censure.

Or il a été enjoint à la censure de laisser passer. Et c'est là que, après l'opinion bien-pensante, l'opinion "radicale" s'émeut. Cette subite indulgence des pouvoirs publics prouve à l'évidence que les frères sont des "protégés", des courtisans; ils sont familiers du salon de "cette femme, une artiste qui est coupable d'être née princesse". Ils sont "Messieurs de Goncourt"; ils passent pour riches, pour être "arrivés facilement" (*Histoire de la pièce*)[83]. Dans le quartier des Ecoles se répand le bruit que, par décision administrative, viennent d'être suspendues les répétitions du drame Th. Barrière, *Malheur aux vaincus*; la pièce des Goncourt, déjà réputée scandaleuse, ne peut donc être jouée que grâce à un passe-droit de ces autorités dont les républicains dénoncent sans cesse la scandaleuse perversité. Dans le *Figaro*, Rochefort fustige l'imposture:

> La censure n'a le droit d'interdire une pièce que si elle est choquante pour les mœurs ou dangereuse pour la sécurité publique. La comédie de MM. de Goncourt est immorale ou elle ne l'est pas. Si elle l'est, les hautes protections servent donc à représenter des œuvres dissolvantes et corruptrices.

De tels appels ne laissent pas insensible la jeunesse des Ecoles à qui, en cette fin d'année 1865, est bon tout prétexte à manifester son exécration du régime et qui est descendue dans la rue pour protester contre la suppression du cours de Renan, contre la fermeture de l'Ecole de Droit et de Médecine, contre l'exclusion de ceux qui, au Congrès de Liège, ont fait profession d'opinions matérialistes, contre la suppression de la pépinière du Luxembourg, contre la mutilation de la fontaine Médicis[84].

A ceux qui ont connu les soirées de 1830, celles d'*Henriette Maréchal* (créée le 5 décembre; au total, 6 représentations jusqu'au 15) rappellent inévitablement *Hernani* et, de fait, le déroulement des opérations est à peu près identique. Atmosphère orageuse avant même le lever du rideau; aux quatrièmes loges et au paradis où, faute d'avoir pu obtenir d'autres places, se sont regroupés les jeunes gens, on chante, à l'intention de l'Empereur, *le Sire de Framboisy* et à celle de l'Impératrice, *la Vénus aux Carottes;* tumulte qui se déclenche au hasard d'une réplique et qui se développe au point de rendre la pièce tout à fait inaudible; et, pour les représentations suivantes, appels lancés à la poursuite du mouvement par l'intermédiaire de *l'Opinion Nationale*[85]. L'interdiction intervient après la 6e représentation; et, ainsi que l'écrit Jules de Goncourt à Flaubert, les deux frères restent persuadés qu'elle est inspirée par l'Impératrice, comme ils sont convaincus que l'étonnante atonie de la police à l'égard des perturbateurs résulte d'une volonté délibérée de laisser se développer le brouhaha pour avoir une bonne raison d'interrompre la carrière d'une pièce patronnée par la princesse Mathilde.

Il faut analyser maintenant les réactions du public et de la critique, abstraction faite du sectarisme politique qui domine dans la salle.

Tous les récits de la création précisent que l'orage éclate, au premier acte, à partir d'une des répliques lancées par cet énigmatique Monsieur en habit noir dont c'est la dernière soirée de bal, puisqu'il vient à l'Opéra enterrer sa vie de garçon, à l'avant-veille de son mariage:

> Il débite à la foule, ameutée autour de lui, le catéchisme poissard du carnaval moderne, un mélange de sarcasmes, d'extravagances, d'argot, de métaphores bizarres et de termes transposés (...). De chaque masque cinglé rejaillit une plaisanterie, une injure, un hourrah (Gautier).

Sur cette scène du Français, vouée aux alexandrins classiques et aux périphrases pudiques, les personnages échangent ainsi des insultes comme "peintre de tableaux de sage-femme", "éleveur de sangsues mécaniques", "pédicure de régiment"; comme "paillasse en deuil", "tourneur de mâts de cocagne en chambre". Mais éclate surtout, lancé comme un affront, un "abonné de *la Revue des Deux Mondes*" qui, aux yeux des frères, n'est qu'une petite vengeance exercée contre l'accueil très froid que, dans la revue, Ch. de Mazade a réservé à leur dernier roman. Cette apostrophe inattendue joue le rôle de détonateur: car le public bourgeois, pour lequel *la Revue* est une institution vénérable, la reçoit comme une incongruité provocante et, outré, vient renforcer le chahut de la jeunesse anti-impérialiste. Dans sa livraison, *la Revue* ne manque pas de relever l'incident et riposte: "Je me rappelais les beaux vers de l'auteur des *Iambes* (A. Barbier) flétrissant ces saturnales (les bals de l'Opéra) il y a trente ans dans le recueil même que MM. de Goncourt ne craignent pas de citer à ce triste endroit de leur pièce par la bouche d'un masque aviné".

Sur cette lancée, sont violemment accrochées toutes les situations qui semblent attenter aux conventions admises: le baiser de Mme Maréchal sur le front de Paul, le jeu de scène du 3e acte par lequel elle se jette dans les bras de son amant, enfin l'inadmissible coup de pistolet final. On reprend encore une mince plaisanterie sur "le pacificateur de la Vendée": le Monsieur en habit noir s'adresse aux "petites biches" qui l'entourent: "– C'est la dernière fois que je vous permets de me passer la main dans les cheveux et de m'appeler pacificateur de la Vendée!". *Le Moniteur de l'Armée* élève une véhémente protestation et Etienne Arago, dans *l'Avenir National,* crie à la profanation des gloires de la Révolution.

La presse ne fait que refléter les divers mouvements enregistrés au cours de cette première. Contre des auteurs qui étalent un tel irrespect, la levée de boucliers s'opère à droite comme à gauche. La pièce est attaquée "en même temps par *le Siècle* et par *l'Union,* par *l'Avenir National* et par *la Gazette de France,* sans oublier *le Monde*, fusillée par un premier-Paris de *la France*" (*Histoire de la Pièce*). L'article de *la France,* journal soutenu par l'Impératrice, est de la Guéronnière, influent sénateur, qui va bientôt devenir (1868) ministre plénipotentiaire en Belgique. Comme on peut s'y attendre, les coups les plus violents sont portés par la légitimiste et catholique *Gazette de France* (15 décembre, Aubry-Foucauld) qui met en évidence comment le régime se fait complice d'un attentat contre les bonnes mœurs et les valeurs traditionnelles: il est d'abord souligné que les feuilles liées au pouvoir, que *le Moniteur,* par la plume de Gautier, *le Constitutionnel* ont admiré cette "entreprise ministérielle" que représente *Henriette Maréchal:* là s'exprime le grief principal. Pour ne pas paraître céder à des préjugés purement idéologiques, on recourt à l'argument traditionnel en pareil cas: cette pièce choquante est une pièce d'un ennui mortel. Il est rapporté que l'accueil du public, une fois passée la tourmente de la première, a été marqué par un "morne silence" puis par une "attitude somnolente". Il est aussi suggéré (ce qui est parfaitement contraire au texte) que le fameux dénouement révèle en réalité un inceste, le jeune homme étant à la fois l'amant de la mère et de la fille. Enfin, par le recours à une considération dont l'efficacité est éprouvée, il est fait appel au sens de la parcimonie du contribuable: "ce qui nous regarde, nous, contribuables, c'est de savoir si nous devons, dans un temps où l'on parle tant d'économies, continuer à sacrifier trois ou quatre cent mille francs par an" pour subventionner un théâtre qui monte de tels spectacles.

Dans *le Siècle* (libéral de gauche), A. de la Forge réclame l'interdiction. P. Foucher, tout en déplorant les agissements de la cabale, ne découvre pas dans la pièce le moindre "indice du plus faible instinct du théâtre", ce qui signifie que l'œuvre ne répond à aucun des canons de la pièce bien construite; il se déclare surtout révolté par la vulgarité du premier acte et par ce personnage d'une femme mûrissante amoureuse d'un jeune homme: "inceste moral". Ainsi se trouvent réunis, dans le jugement du même chroniqueur, le grief de nullité esthétique et celui d'immoralité. Lorsqu'il déplore "une intrigue mal conduite et dénouée avec une brutalité sans excuse", du Camp ne dit pas autre chose.

Dans la préface de l'édition de 1885, Edmond résume le réquisitoire: "nous sommes des auteurs immoraux, et nous ne sommes pas des *carcassiers*". Et il réfute, faiblement à vrai dire, les objections qui ont été le plus souvent formulées: le recours aux grosses *ficelles*[86] dans le développement de l'action (l'extraordinaire hasard qui provoque l'accueil chez les Maréchal du jeune homme blessé), l'invraisemblance (?) du "coup de cœur" chez une femme de l'âge de Mme Maréchal, la laideur d'un adultère consommé par l'épouse d'un homme si "bon", si "excellent", si "hospitalier".

On est donc assez loin de l'image simplificatrice d'un tumulte provoqué par des étudiants hostiles à l'Empire. Du Camp interprète l'événement de façon incomplète et superficielle lorsqu'il écrit: "Ce n'était point la pièce que l'on sifflait, c'était le salon de la princesse Mathilde"[87]. Le débat a une portée plus vaste. L'initiative du chahut a bien été prise par une jeunesse fortement politisée, à l'affût de toute occasion de fronder le régime. Mais ce tumulte, qui d'ailleurs se manifeste beaucoup moins aux représentations suivantes, traduit des orientations différentes.

La critique conservatrice, renforcée par le parti de l'Impératrice, manifeste son indignation devant une nouvelle profanation du Français qui s'ouvre aux Saturnales du bal de l'Opéra, devant les jeux de scène outrés de l'adultère, devant l'immoralité latente de la pièce: outrages aux saines règles de la dramaturgie autant qu'aux bonnes mœurs. La critique d'opposition se déclare scandalisée, elle aussi, mais au nom du puritanisme républicain, par une œuvre dont la turpitude lui paraît refléter celle qui règne aux Tuileries et à Compiègne. De ce côté aussi on dénonce des insuffisances dramatiques: le recours aux vieilles ficelles, l'ignorance des règles propres au vrai théâtre.

C'est l'esprit de parti qui inspire les adversaires des deux bords. Mais, à condition, cette fois encore, de donner à l'expression un sens plus vaste que celui de parti *politique.* Pour les uns et les autres, l'Empire est un régime taré: une pièce soutenue par lui est une pièce détestable, parce que ce régime ne peut approuver qu'une œuvre qui bafoue les valeurs qui ont fait la vraie France, la leur bien entendu[88]. L'Empire trahit la véritable tradition nationale, il est démoralisateur et contempteur des vertus ancestrales. Il cautionne *Henriette Maréchal:* "qu'on nous donne *Ruy Blas, Othello, Chatterton!*" répondent les cinq jeunes gens qui ont clamé leur indignation à la création et qui prétendent bien interdire à "la Muse" d'"accrocher" sa robe "au clou du lupanar" et, "le stigmate de l'impudeur au front", de "tituber à travers les ruisseaux et psalmodier des rapsodies sans nom".

Pourtant une partie importante de la presse prend la défense de la pièce cabalée. Mais c'est surtout pour s'élever contre le parti-pris trop ouvertement affiché par les trublions. La place consacrée à cette protestation permet d'ailleurs d'éviter une analyse au fond. Dans l'*Histoire de la Pièce,* les frères dressent le palmarès des critiques qui les ont défendus: Janin, Gautier, Roqueplan, Saint Victor, Ernest Feydeau, Jules Vallès, Xavier Aubryet, Louis Ulbach, Sarcey, Jouvin, Jules Richard, Camille Guinhut, Henri de Bornier. La liste est impressionnante, mais elle demande à être commentée.

Y figurent, tout d'abord, des chroniqueurs de seconde zone, dont l'influence sur le public est restreinte. D'autre part, ces articles ne traduisent pas une égale approbation de la pièce. Roqueplan (*l'Evénement*) ne va guère au-delà d'une dénonciation des manœuvres développées par les siffleurs. Saint Victor, de la même façon, présente le "bulletin d'un guet-apens: ce n'est pas celui d'une défaite"; au surplus, il fréquente le salon de la Princesse; il est le commensal des frères auxquels il a été très lié; avec les années, les liens d'amitié se sont détendus, mais le critique ne peut pas faire moins que de protester contre l'agression dont vient d'être victime *Henriette Maréchal.* Il en va de même pour Janin, un de ceux qui, depuis longtemps, incitent les Goncourt à tenter une carrière dramatique et leur ont facilité l'accès au monde des théâtres. On peut en dire tout autant pour Aubryet qui est une de leurs anciennes relations. Quand les cinq étudiants contestataires dénoncent la conjuration "des amis, des amis, et toujours des amis", ils n'ont pas tout à fait tort.

Dans *l'Opinion Nationale,* Sarcey adopte une position équivoque. Opposant à l'Empire, il ne peut condamner franchement l'action menée par la "généreuse jeunesse des Ecoles": aussi affirme-t-il qu'il croit à la sincérité de l'indignation éprouvée par "deux ou trois puritains farouches" qui ont entraîné "les gens de bon goût"; ce qui signifie que "les gens de bon goût" se sont bel et bien ralliés aux siffleurs et que les protestations ne sont pas seulement le fruit d'une malveillance systématique.

Jules Vallès (il a alors 33 ans), dans *le Figaro* du 6 décembre, est un des rares chroniqueurs à prendre franchement parti pour *Henriette Maréchal:* "c'est une défaite, mais la soirée est bonne". Pourtant l'enthousiasme qu'il manifeste est surtout l'expression de la jubilation éprouvée par un esprit non conformiste, volontiers anarchiste, à voir houspillées les vénérables institutions que constituent le Théâtre Français et l'Académie. "Plût au Ciel que les deux derniers actes eussent eu la crânerie insolente du premier, *Henriette Maréchal* était l'*Hernani* du réalisme": parce que le tableau du bal de l'Opéra "écorche, avec ses éperons de carnaval, la robe de ces dames, Clio, Thalie et Melpomène", parce que, en sortant, il a vu "des têtes d'académiciens froncer leurs sourcils de marbre", Vallès a pris moins de plaisir à voir la pièce qu'à être témoin du scandale.

Le feuilleton le plus intéressant est sans doute celui de Gautier (*le Moniteur Universel*, 11 décembre). Gautier est un ami personnel des frères; il cautionne très officiellement leur pièce, puisque c'est lui qui rédige le texte du prologue qui sert de lever de rideau: il ne saurait donc se montrer défavorable à une œuvre qu'il a accepté de présenter au public. Il est, d'autre part, très lié au régime et c'est dans le gouvernemental *Moniteur* qu'il écrit. Au surplus, il garde toujours la nostalgie des belles batailles de 1830. Et pourtant, lacune significative, il écarte la référence, si fréquente chez lui, à la bataille d'*Hernani,* cette référence que reprennent aussi bien plusieurs chroniqueurs – on l'a vu avec Vallès – que les cinq étudiants en colère: Gautier perçoit trop bien que la jeunesse n'est pas du côté d'*Henriette Maréchal.*

Le compte-rendu est franchement élogieux. C'est le premier acte qui retient l'attention de Gautier, comme celle de tous ceux qui ne nourrissent aucun parti-pris systématique; cet acte permet l'inévitable allusion aux matassins de Molière. Sous sa plume, le personnage du Monsieur en habit noir prend des proportions grandioses: ce personnage qui n'est pourtant que celui d'un ivrogne fêtard et bavard "résume en lui la fatalité, le chœur et ce personnage des drames indiens désigné sous le nom du passant". Amplification démesurée; recréation par l'imagination, analogue à celles auxquelles Gautier se livre si volontiers par exemple lorsque, rendant compte des *Burgraves,* il a donné à son feuilleton la perspective épique d'une résurrection de l'Allemagne médiévale.

Tous les personnages sont présentés à grand renfort de superlatifs que l'hyperbole ne suffit pas à préserver de la banalité: "Le rôle de Paul est une merveille de fraîcheur, d'ingénuité, de grâce juvénile et de passion (...). Celui de Mme Maréchal se distinge par une délicatesse extrême et une exquise entente du cœur féminin. Henriette est la jeune fille la plus jeune fille qu'on ait vue depuis longtemps à la scène".

Le développement le plus original (et sans doute le plus discutable) porte sur le style de la pièce:

> La phrase parlée ne ressemble en rien à la phrase écrite, et MM. de Goncourt ont saisi cette nuance avec un tact exquis. Chaque personnage exprime son idée ou sa passion d'une façon nette, ferme, rapide et scandée comme la respiration humaine. L'allure du langage familier est conservée partout, et les mots de la conversation s'enchâssent dans une forme précise, rigoureusement adaptée, qui les sertit comme une monture d'or un diamant.

Cet éloge-là constitue, dans toute la masse des commentaires consacrés à *Henriette Maréchal,* le seul qui sorte des sentiers battus (car louer l'audace de l'acte du bal de l'Opéra ne constitue guère qu'un lieu commun). Aussi est-ce cet éloge qui frappe le plus vivement les frères: lorsqu'il s'applique à défendre leur pièce, Edmond ne cesse de revenir sur ce problème du style théâtral en des termes qui manifestent à quel point le feuilleton de Gautier les a marqués: ils ont rêvé d'une œuvre "parlant une langue ailée, une langue littéraire parlée" (préface de 1879); "une langue nouvelle, c'est presque l'unique renouvellement dont est susceptible le théâtre" (préface de 1885).

Le feuilleton de Gautier s'efforce consciencieusement de réfuter les critiques. Ce n'est pas un "sacrilège" que de porter sur la scène du Français le bal de l'Opéra ("le bal de l'Opéra appartient à la comédie moderne comme la place publique à la comédie ancienne"). Au puissant parti des "carcassiers", il concède que "sans doute on peut relever des inexpériences scéniques, des entrées ou des sorties peu ou point motivées". Mais il défend les auteurs contre le reproche de n'avoir, avec leur acte de l'Opéra, recherché que le scandale. Et il démontre, en "carcassier", que ce bal est "parfaitement logique et nécessaire": c'est seulement dans ce cadre de "criaillerie et de turbulence des masques" que Paul peut aborder Mme Maréchal. Quant au dénouement si contesté, Gautier reconnaît qu'il est "terrible dans sa brusque violence" puisque le châtiment frappe une innocente; mais, là encore, entrant dans le jeu des moralistes comme il est entré dans celui des "carcassiers", il se préoccupe de laver la pièce du grief d'immoralité: bien loin d'être choquante, *Henriette Maréchal* est une pièce d'une moralité supérieure, car "quel supplice pour les deux survivants!": le mari trop vindicatif, l'épouse qui a oublié ses devoirs.

Il est une partie de sa chronique où Gautier se révèle vraiment mal à l'aise, celle qui a trait à l'attitude du public. Il est certes bien fait mention d'un "véritable ouragan", qui a privé les auteurs de la bienveillance ou du moins de "l'impartiale attention" à laquelle ils avaient droit. Gautier encourage les frères à ne pas se laisser abattre par la malveillance et à persévérer: "Les sifflets s'en vont, et le talent reste". Pourtant, à aucun moment le mot de "cabale" n'est prononcé. Aucune référence n'est faite aux raisons extra-littéraires qui expliquent le tumulte. Pour le lecteur qui n'aurait connaissance de la création que par le feuilleton de Gautier, ce tumulte demeurerait tout à fait incompréhensible. Gautier s'en tient à de vagues considérations sur les pièces qui, comme les livres, "ont leur sort, et il est bien difficile de prévoir leurs destinées": "le public a ses nerfs ou il est de bonne humeur, il a envie de siffler ou d'applaudir et cela sans connaître un seul mot de la pièce"; "ce n'est pas un paradoxe de dire que la réussite ou l'insuccès des œuvres se dessine d'avance, en dehors de leurs qualités ou de leurs défauts, par une sorte d'influence hostile ou bénigne, *dont les causes demeurent inconnues*"..

Cette dernière formule est d'une discrétion exemplaire. Gautier est trop bien informé des circonstances dans lesquelles s'est déroulée la création pour ignorer quelles sont ces "causes" qui ont provoqué le tumulte. Mais il écrit dans le journal officieux du pouvoir: et il ne peut, là, reconnaître que le chahut visait, au-delà des auteurs, le régime lui-même. *Le Moniteur* n'a pas à faire état des manifestations d'une opinion publique qui, officiellement, est sagement ralliée à l'Empire. En somme, évoquant le sort réservé à *Henriette Maréchal,* Gautier dit tout, sauf l'essentiel. Et rien ne manifeste mieux le degré de sujétion dans laquelle est désormais tenu un esprit qui fut naguère parmi les plus indépendants de son époque.

***

L'analyse de l'affaire *Henriette Maréchal* confirme ainsi en tous points les conclusions auxquelles conduit celle des structures de la critique dramatique sous le Second Empire.

On était en droit d'espérer que la presse ouvrirait dans ses colonnes le débat que la cabale avait interdit de mener au moment de la création: or la pièce n'a pas été vraiment discutée. *Henriette Maréchal* a été attaquée pour des raisons politiques, mais aussi parce que les auteurs ont paru s'en prendre à des valeurs ou à des institutions que rend sacrées le souci de défense de l'ordre établi: le lien congal, la dignité de la famille, le Théâtre Français et *la Revue des Deux Mondes.* Elle a été louée, sans chaleur excessive, par des confrères qui étaient des amis ou qui ne pouvaient faire autrement que de protester contre un parti-pris trop évident de malveillance. *Henriette Maréchal* n'est certes pas le chef d'œuvre novateur que croyaient ses auteurs; elle méritait pourtant mieux que le débat qu'elle a suscité dans la critique et qui, d'un bout à l'autre, est équivoque et superficiel.

Notes

1 Cf. J. Pommier, *les Ecrivains devant la Révolution de 1848,* P.U.F., 1848.

2 De Clairville et Cordier (décembre 1848). Sous-titre: "folie socialiste".

3 Rapport de la commission de censure: "Un tableau dans lequel le choix des personnages et la crudité des couleurs dépassent les limites les plus avancées de la tolérance théâtrale ".

4 La pièce eut un retentissement si considérable que la "fille de marbre", Marco, courtisane perverse, devient un type: dans les *Poèmes Saturniens* de Verlaine, le poème intitulé *Marco* est directement inspiré par le personnage.

5 En 1855, dans *le Mariage d'Olympe,* Augier élève la même protestation. Cf. Descotes, *le Public de Théâtre,* p. 321.

6 *Causeries Littéraires,* p. 379, 374.

7 En 1872, Sarcey constate que "certains journaux se sont élevés avec force contre cette représentation qu'ils ont traitée de scandale". (*Temps,* 20 mai).

8 *Revue des Deux Mondes,* 15 août 1848.

9 Cf. dans *Renée Mauperin,* Bourjot, le voltairien qui se tourne vers l'Eglise "comme vers une gendarmerie, vers le droit divin comme vers l'absolu de l'autorité et la garantie providentielle de ses valeurs".

10 Attelé à sa corvée, Sainte Beuve hasarde tout de même quelques réserves: "L'auteur a encore à faire pour arriver à égaler cette veine comique, même modérée, dont Collin d'Harleville chez nous a été un dernier modèle, mais il le rappelle quelquefois avec bonheur".

11 La thèse soutenue par Ponsard est que le souci de l'honneur doit toujours passer avant celui de l'argent.

12 Cf. le feuilleton de Sarcey, 2 juillet 1866.

13 *Les Odeurs de Paris,* p. 223, 228–229. Sur Veuillot, cf. Fernesolles, *Les Origines littéraires de L. Veuillot,* 1923; E. Gauthier, *Veuillot,* 1953; J.C. Foucart, *Louis Veuillot devant les arts et les lettres,* 2 vol., 1978.

14 Cf. S. Jeune, *Musset et sa fortune littéraire,* p. 39–40. Dans le 18e entretien du *Cours familier de littérature* (1857), Lamartine partage le même point de vue: "Musset a fait une école de ceux qui ne croient à rien qu'aux beaux vers et aux belles ivresses".

15 Epigone d'Offenbach, Hervé est un auteur à succès, dont le style est celui de la fantaisie irrévérencieuse (*Don Quichotte et Sancho Pança, Chilpéric, le Petit Faust*).

16 2 juillet 1866. Sarcey poursuit: La Rounat émet quelques doutes: "– Bien sûr? – Nous en prenons l'engagement! Vous aurez tout le Quartier Latin". "Le lendemain, la Rounat donna *Polyeucte* et fit 50 écus. Le Quartier Latin buvait sa chope au café d'en face".

17 *Moniteur Universel,* 2 février 1857.

18 *Préface* au *Théâtre,* 1879.

19 Cf. E. Beau de Loménie, *Les Responsabilités des dynasties bourgeoises,* t. I (1945), Chap. V.

20 Signe des temps, le principe d'autorité est fermement rétabli à la Comédie Française: un décret (27 avril 1850) transfère à l'administrateur général (A. Houssaye) les pouvoirs d'auto-gestion concédés aux Comédiens par le décret de Moscou.

21 Nestor Roqueplan dirige tour à tour l'Opéra, l'Opéra-Comique, les Nouveautés, les Variétés, le Châtelet.

22 *Le Théâtre Contemporain,* I, p. 19.

23 Id., II, p. 135.

24 *Le Théâtre contemporain,* V, p. 400.

25 Id., II, p. 241 et sq.

26 Cf. Descotes, *le Public de Théâtre,* chap. 10.

27 *Le Salut Public,* 7 mars 1866. Cf. H. Mitterand, *Zola journaliste,* 1ère partie (Colin, 1962).

28 Son entrée dans le journalisme lui est facilitée par About. Sarcey écrit ses premiers articles sous le pseudonyme étrange de Satané Binet, ou sous le nom de sa mère (de Suttières).

29 Cf. H. Gaillard de Champrès, *Augier et la comédie sociale,* 1910.

30 Le tirage est de 20.000 exemplaires en moyenne.

31 Tirage en 1855: 17.000; en 1865: 16.000; en 1868, 17.000.

32 Le tirage est faible: 3.300 en 1865; 2.800 en 1868.

33 En 1855, 40.000 exemplaires.

34 En 1855: 8.200; en 1865: 9.100; en 1868: 8.600.

35 En 1855: 2.500; en 1865: 6.000; en 1868: 6.500.

36 En 1855: 3.000; en 1868: 4.200; Son influence est surtout marquée en province.

37 En 1855: 36.000; en 1865: 45.000; en 1868: 36.000.

38 Le phénomène est dénoncé par A. Frémy, *les Mœurs de notre Temps* (1862). L'audience de *la Presse* se ressent vite de ces manipulations; son tirage (40.000 en 1855) tombe à 15.000 en 1865, à 9.500 en 1868. Cf. sous la plume d'A. Nettement, feuilletoniste des *Débats*, la dénonciation des méfaits de la presse à bon marché, *Etudes critiques sur le feuilleton-roman,* 2e série, 1846.

39 Evidemment inexact: il suffit de penser à l'hostilité permanente manifestée par Gautier à l'égard de Scribe.

40 Comédie en 5 actes (1840), qui échoua complètement. A cette époque, Walevski a quitté l'armée et s'adonne à la littérature et au journalisme.

41 Cf. C. Beuchat, *Paul de Saint Victor,* Perrin; A. Delzant, *Paul de Saint Victor,* Calmann-Lévy, 1886.

42 *Lettres à Trébutien,* I, p. 317.

43 Id., III, p. 270. Cf. Saint Victor n'avait "aucune critique, aucune conviction, aucune doctrine d'art. Tout entier à ses sensations, à ses sentiments, et les jetant dans une grande forme", Delzant, op. cit., p. 44.

44 *Les Poètes,* 1ère série, Dédicace.

45 Le Prince a une réputation d'homme "de gauche"; il est hostile à l'Impératrice et à la politique cléricale: d'où sa jubilation à voir Veuillot pris à parti.

46 *Voiture de Masques,* 1856.

47 Le roman met en scène des contemporains: Rémonville est Saint Victor (portrait très bienveillant); Charvin, Houssaye; Montbaillard, Villemessant, etc. Cf. *Journal.*.

48 Cf. J. Petit et P.J. Yarrow, *Barbey d'Aurevilly journaliste et critique,* Belles Lettres, 1959; G. Corbière-Gille, *Barbey d'Aurevilly critique littéraire,* Droz, 1962; J. Petit, *Barbey d'Aurevilly critique,* Belles Lettres, 1963.

49 Cf. *le Théâtre contemporain,* 5 volumes (tome I, II, III, Quantin, 1887–1889; tomes IV et V, Stock, 1892–1896.

50 "Le Journalisme, pour moi, c'est les mémoires acquittés du tailleur et du bottier" (*Lettres à Trébutien,* II, p. 326).

51 *Lettres à Trébutien,* I, p. 325.

52 *Poésies et poètes,* p. 83.

53 *Lettres à Trébutien,* II, p. 427.

54 Id., II, p. 79.

55 *Les Ridicules du Temps,* p. 3.

56 *Le Théâtre Contemporain,* p. 2.

57 *Le Pays,* 11 mai 1864.

58 *Le Théâtre Contemporain,* p. 9. Cf. *Les Ridicules du Temps,* p. 127.

59 *Le Théâtre Contemporain,* p. 11–12.

60 Id., IV, p. 202.

61 *Les Ridicules du Temps,* p. 127.

62 *Le Nain Jaune,* 21 novembre 1869.

63 Pour cette raison, Barbey ne fait aux œuvres du passé qu'une place restreinte. C'est sur les pièces contemporaines qu'il convient de monter bonne garde pour l'instruction du spectateur.

64 *Le Nain Jaune,* 18 juillet 1868.

65 *Les Critiques ou les Juges jugés,* p. 12.

66 *Les Romanciers,* série I, p. 319–320.

67 *Le Nain Jaune,* 21 mars 1867.

68 Id., V, p. 418.

69 *Le Parlement,* 22 mai 1870.

70 *Le Nain Jaune,* 14 juin 1868.

71 Id., 31 janvier 1868.

72 L'éloge est ambigu: Becque est jugé avec faveur parce que, n'acceptant pas d'"être démoralisé par le refus des directeurs qui démoralisent toujours", il a pris le risque de faire jouer sa pièce "à ses frais, risques et périls"; "ma foi! c'est quelqu'un ou ce sera quelqu'un que ce jeune homme!" (*Le Parlement,* 26 juin 1870).

73 Auteur des *Sept Infants de Lara* et des *Mères Repenties,* "une des plus mâles moustaches de la Vieille Garde du Romantisme".

74 *Le Nain Jaune,* 29 décembre 1867.

75 Id., 3 janvier 1868.

76 Cette *Famille Benoîton* fait le procès de l'éducation moderne, dénoncée comme dissolvant la famille, et elle rappelle les lois de la "morale éternelle, la grande morale" (Sarcey, 23 septembre 1889).

77 *Histoire de la Pièce,* en tête de l'édition.

78 Cf. P. Sabatier, *l'Esthétique des Goncourt,* 1920; J.S. Wood, *Les Goncourt et le Réalisme, Romanic Review,* 1953; M. Sauvage, *Les Goncourt précurseurs,* 1970.

79 Gautier, *Le Moniteur Universel,* 11 décembre 1865.

80 Gautier en profite pour reprendre un développement qui lui est familier: "Cela n'a rien qui nous épouvante; (ces masques) donneront la main aux matassins de Pourceaugnac, aux Turcs à lampions de M. Jourdain, aux médecins grotesques du *Malade Imaginaire,* aux Basques et aux Egyptiens des *Fâcheux*...".

81 *Souvenirs d'un demi-siècle,* I, p. 213.

82 Pour des raisons analogues, le 29 janvier 1864, un formidable chahut accompagne, à l'Ecole des Beaux-Arts, le cours d'inauguration de Viollet-le-Duc. Dès le 9 mars 1855, la leçon d'ouverture, au Collège de France, de Sainte Beuve est troublée par des perturbateurs qui ne pardonnent pas au nouveau professeur son ralliement à l'Empire.

83 Cf. *Journal* (5 octobre 1866): "Nous ne pouvons nous débarrasser de deux suspicions auprès du public: la suspicion de la richesse et de la noblesse. Et cependant nous ne sommes pas riches du tout, et si peu nobles".

84 La petite histoire a réservé, dans toute l'affaire, une place privilégiée au rôle joué par Georges Cavalier, dit "Pipe en bois", stagiaire à l'Ecole des Mines, républicain avancé et activiste notoire, qui aurait mené tout le tumulte, après avoir été à l'origine de celui qui avait accueilli *Gaëtana,* en attendant d'animer la cabale contre *la Contagion* d'Augier (1866). Cf. A. Billy, *les Frères Goncourt,* p. 183–185.

85 Un tract, reproduit par le journal (12 décembre), a circulé: "MM. les étudiants en droit sont invités à se rendre ce soir lundi au Théâtre Français pour siffler la nouvelle pièce *Henriette Maréchal.* Il faut que la toile tombe au premier acte".

86 Cf. la lettre (7 décembre, publiée par *Figaro-Programme* du 11) rédigée par cinq jeunes gens qui se font gloire d'avoir sifflé la pièce: nous avons sifflé "un vieux paquet de *ficelles* dont le portrait de mon père, les gants de ma fille, le domino de madame, le mari qui manque le train, sont les bouts les moins roussis et les moins usés".

87 Dans leur préface du 12 décembre, donc en pleine action, les Goncourt ne semblent pas très bien comprendre ce qui leur arrive: ils croient qu'on leur reproche surtout d'être nobles et riches. D'où un plaidoyer pro domo qui est passablement ridicule et qui tombe à côté: ils évoquent leur solitude, leur travail acharné, leur logis du quatrième étage, leur domesticité réduite à une femme de ménage.

88 A Notre-Dame, le père Félix, jésuite, dénonce la perversité de l'œuvre. Flaubert écrit aux Goncourt: "Je sens qu'il y a du prêtre dans votre cabale".

CHAPITRE VI

I

Le régime qui s'instaure en 1871 s'établit dans une atmosphère qui rappelle, pour l'essentiel, celle dans laquelle ont été créés les deux régimes antérieurs. Tout, dans les premières années de la IIIe République, est conçu, organisé, codifié en fonction de l'émotion qu'a suscitée la Commune et en vue de prévenir tout retour d'un tel désastre. Une fois menée à bien la répression, le souci primordial de l'"ordre moral" (formule de Thiers, reprise par Mac Mahon) et la volonté de consolider une République qui "ne fasse pas peur" procèdent de cette préoccupation fondamentale.

La monopolisation du pouvoir par la bourgeoisie est désormais un fait accompli: "Elle tient les avenues du pouvoir, occupe la plupart des sièges législatifs, remplit les comités électoraux, gouverne la grande presse, tient en fief la magistrature et la haute administration, est installée dans les Eglises, possède la très grande majorité de la fortune mobilière comme une bonne partie de la fortune immobilière, étend son influence sur les lettres et les arts"[1].

Cette prédominance épanouie se traduit par l'exaltation des valeurs qui sont à la base d'une ascension si longtemps poursuivie: la soumission aux réalités positives, la sauvegarde de l'institution familiale, l'hostilité à tout cléricalisme, le culte de la respectabilité, la révérence portée à la culture. On évoquera plus loin le développement pris par la querelle élevée autour des "conventions" théâtrales et l'on pourra constater que ces conventions correspondent, dans le domaine dramatique, à ces principes qui, officiellement au moins, fondent la société bourgeoise.

Société qui est pleine de confiance en son code de valeurs et qui est à peu près rassurée sur leur pérennité après tant d'alertes surmontées (1830, 1848, 1871). Et cette société, pour achever de se donner bonne conscience autant que pour rester fidèle à la vieille idéologie née du XVIIIe siècle dont elle n'a jamais cessé de se réclamer (tout en réprimant sans pitié ses manifestations extrêmes), met en place un système de libertés qui va permettre au théâtre de connaître un épanouissement encore jamais atteint.

Au lendemain de la Commune, les dispositions répressives demeurent, en matière de presse, rigoureuses. Mais, à partir de 1876, avec l'arrivée au pouvoir d'une majorité républicaine, la vigilance s'assouplit, préparant ainsi la législation de 1881 qui, en même temps qu'elle instaure la liberté de réunion, dote la presse d'un régime vraiment libéral: le cautionnement et l'autorisation préalables sont abolies; la censure est supprimée. Enfin définis sans équivoque (provocation au meurtre, diffamation), les délits de presse sont renvoyés devant les jurys de Cours d'Assises. Pour la première fois en France, commence à fonctionner un régime de liberté de la presse qui ne va pas dégénérer en licence et finalement se détruire lui-même.

En matière de spectacles, le contrôle de la production devient, lui aussi, beaucoup plus lâche. Sans doute les pouvoirs publics conservent-ils le droit d'intervenir, mais ils en usent avec modération: en 1886, 6 interdictions seulement ont été, en tout et pour tout, prononcées. Le Théâtre Libre peut, en mai 1890, présenter au public parisien ces *Revenants* d'Ibsen qui sont interdits dans toute l'Europe.

Aussi de nouveau on assiste à la réapparition du phénomène déjà enregistré quand l'autorité renonce à s'arroger le droit de censure: toute une partie de la critique prend le relais de cette censure et s'applique à contrôler l'orthodoxie morale des œuvres représentées. Le débat alors élevé autour des "conventions" théâtrales prend, dans cette perspective, son véritable sens.

Ce débat est animé, entre 1876 et 1880, par Zola dans ses articles du *Bien Public* et du *Voltaire*[2]. Il a pour objet de définir les principes qui fonderont un théâtre naturaliste, encore à venir, et qui reposera sur le respect de la vérité dans les situations et les sentiments, ce qui est moins révolutionnaire que ne le prétend son initiateur[3]. Dans ces textes, Zola part bruyamment en guerre contre le caractère artificiel des états d'âme qui agitent les personnages du répertoire contemporain avec ce leitmotiv: "n'est-il pas évident que, dans la vie, les choses se passeraient d'une autre façon? " (sur *les Bourgeois de Pont Arcy* de Sardou). A propos du *Mari de la Débutante* (Meilhac et Halévy) Zola constate que l'acte IV, d'une observation trop féroce, a glacé le public: "La question de la convention revient toujours sous ma plume. Voilà, certes, un exemple dont les zélateurs de la convention pourraient abuser. Ils diraient: "Vous voyez bien qu'on ne peut pas tout dire au théâtre". Zola oppose son credo: "On peut tout mettre au théâtre".

Dans ce débat qui l'oppose en particulier à Sarcey[4], et accessoirement à la Pommeraye[5], à Fouquier du *Figaro,* le piquant est que Sarcey, dix ans plus tôt (27 mars 1865), a reconnu que le répertoire se nourrit en effet de "sentiments de convention": il y a "dans tout art des tricheries qui résultent nécessairement des conditions matérielles où (sic) il est soumis": il y a donc au théâtre "des sentiments de convention": "Eh! quoi! des sentiments de convention! qu'est- ce que cela? comment peut-on mettre à la scène d'autres sentiments que les vrais sentiments du cœur humain? cela est-il possible? ". Ce qui est exactement le point de départ de Zola. Mais Sarcey en est arrivé, lui, à la conclusion que c'était là une nécessité inéluctable, inhérente à la nature même du genre dramatique[6]. A propos du *Fils Naturel* (Dumas fils) et de *Thérèse Aubert* (E. Plouvier), Sarcey définit ce qu'est, à ses yeux, le "sentiment de convention" au théâtre pour l'amour filial:

> Un jeune homme a grandi, ignorant le nom de sa mère. Il apprend tout à coup, à 24 ans, que c'est Flora, la célèbre courtisane. Quel est le sentiment vrai? J'ai connu un garçon plein d'esprit, qui avait le malheur d'être né d'une mère qu'on n'avoue pas avec plaisir. Il était bon pour elle, il lui rendait les devoirs filiaux dont rien ne dispense; mais il n'en parlait guère et nous ne lui en parlions jamais. Voilà la vérité.
>
> Voici la convention. A peine a-t-on révélé à Armand le secret de sa naissance qu'il crie partout: C'est ma mère! J'aime ma mère! je respecte ma mère! Un de ses amis d'enfance (...) se trouve amené à parler de cette Flora, qui justement a ruiné son père. Il la traite sans ménagement (...). Armand n'aurait qu'à lui prendre la main et lui dire entre haut et bas: "Ecoute, mon ami, tu m'obligeras de ne jamais dire un mot de Flora; c'est ma mère". L'Armand du drame se jette sur son ami, le soufflette d'un revers de main: "C'est ma mère, monsieur!"
>
> Le public est ravi. Il retrouve là sa vérité factice, qu'il aime cent fois, mille fois plus que la vérité vraie.

Zola pourrait contresigner une telle démonstration; mais il ne se satisferait pas de ce "ravissement" du public. Ce qu'il ne saurait admettre, c'est le postulat posé par Sarcey à propos de *Thermidor* (Sardou): "L'auteur dramatique est obligé de mettre sur la scène non la vérité vraie, mais la vérité qui est vue telle par le public à qui il a à faire. Il est obligé de montrer aux spectateurs les fantômes nés de leur éducation, de leurs préjugés, de leur imagination, sous peine d'être traité par eux de faussaire" (2 janvier 1891).

Il est relativement aisé de dresser la liste de ces sentiments de convention qui correspondent au code non écrit des fautes à ne pas commettre sur une scène théâtrale. Et l'on concluera sans peine qu'il ne s'agit pas de fautes *dramatiques* mais bien d'infractions perpétrées à l'encontre des préjugés moraux et sociaux.

Dans *Paul Forestier* (Augier, 1848), on voit un père s'efforcer d'arracher son fils à une inquiétante maîtresse et, par une manœuvre d'une honnêteté douteuse, lui faire épouser une recommandable orpheline. Lorsqu'il prend conscience d'avoir été joué par son père, le fils se révolte. Commentaire, parfaitement justifié, de Zola: "Avec le point de départ de M. Augier, je ne vois qu'un dénouement pour rester dans la vérité. Ce serait de pousser les choses au noir, de faire fuir (le fils) avec (son ancienne maîtresse), et de montrer le vieux (père) pleurant sur l'innocente (jeune femme), frappée au cœur". Et Zola déplore qu'Augier, en recourant à un suicide manqué, à l'artifice d'une lettre retrouvée, montre au dénouement le mari tombant aux genoux de sa femme. Dénouement de convention, conçu "uniquement pour illustrer la thèse de la sainteté du mariage".

Les Lionnes Pauvres (1858), du même Augier, ont pour ambition de peindre "la désorganisation d'un ménage par l'adultère vénal de la femme". Mais, conscient du risque couru en abordant de front un tel sujet, Augier rejette au second plan le personnage essentiel de l'épouse pervertie et reporte tout l'intérêt sur celui d'une autre femme, honnête celle-là, et attendrissante victime. Augier l'avoue: pour traiter un tel sujet, osé parce qu'il présente sous un jour détestable l'institution conjugale, il a fallu déplacer les perspectives et que "l'honnêteté" prenne "toute la largeur de la scène" (Zola).

A propos de *l'Etrangère* (Dumas fils, 1876), la critique juge "odieuse et inacceptable" la façon "aisée" dont tous les personnages parlent de la mort pourtant désirable du duc de Septmonts, un noble ruiné, "élément gangrené" de la société, "être inutile et nuisible". Le rire saluant la disparition d'un être humain, même taré, apparaît inadmissible: il bafoue le respect dû à tout homme touché par la mort. Une attitude analogue à celle de l'entourage du duc existe sans doute dans la réalité; elle ne saurait être publiquement exposée. Et Sarcey conclut: "Si c'est là le faubourg Saint Germain, je préfère le quartier Mouffetard" (21 février 1876).

La convention exige que l'amant n'avoue jamais ses relations avec sa complice: pour ne pas scandaliser le public, le débauché doit rester homme d'honneur et protéger la réputation d'une femme. La convention tolère un premier amant à une femme, elle provoque les sifflets si la femme en prend un second: on admet le coup de passion, non l'abandon au libertinage. La convention veut qu'un fils, pour épargner à sa mère la révélation de la liaison entretenue par son père avant sa mort, sacrifie son propre avenir et ses projets de mariage en laissant croire que c'est lui qui a été le coupable[7].

La critique des institutions traditionnelles n'est pas davantage tolérée. En 1908 (c'est-à-dire bien après que les audaces du Théâtre Libre aient multiplié les provocations), Mirbeau présente *le Foyer*, dont le héros, le baron Courtin, est un noble ignominieux, profiteur des "bonnes œuvres", couvert d'honneurs – et académmicien. Une violente querelle s'élève alors, qui émeut Claretie, administrateur du Français, et Clémenceau comme Briand, en attendant que l'affaire soit plaidée devant les tribunaux: il n'est pas admissible qu'un triste sire, qui brutalise sa femme parce que celle-ci refuse de rançonner son amant, porte l'habit vert; à la limite extrême, la convention tolèrera que le baron soit présenté comme *candidat* à l'Académie.

La convention s'applique encore à l'expression, aux mots. Cette pudeur des oreilles qui, dans les années 1830, n'acceptait pas le "mouchoir" de Desdémone, se gendarme devant les audaces de vocabulaire. Dans l'adaptation de *Pot Bouille,* Mme Josserand s'écrie, devant un plat qui pue: "C'est une infection!". Sarcey ne partage pas l'enthousiasme des "séides de M. Zola": "Le moindre grimaud de lettres est capable de trouver quelqu'une de ces grossièretés plus inutiles encore que vilaines, plus prétentieuses que malpropres. Les séides de M. Zola se pâment d'admiration sur ces détails; le public n'est pas de cet avis. Il les juge répugnants". Et, à propos du "garce!" lancé par M. Josserand à sa femme: "L'admirable hardiesse! s'écrient les jeunes naturalistes. Il a osé dire *garce*! Quel génie! Il n'y a que lui!" (17 décembre 1883). Dans *la Fin de Lucie Pellegrin,* on évoque "ces cochons d'hommes": "On s'extasie sur ce gros mot lâché en pleine scène. Quelle hardiesse! Mais il n'y a nulle hardiesse à cela. Est-ce donc si malaisé de proférer un juron ou un terme obscène? " (17 octobre 1887).

Avant Zola, Sarcey a conclu qu'il "en est de la convention comme de la mode, car elle n'est elle-même qu'une mode". Plutôt que de parler de mode, il serait plus juste de dire que la convention est l'expression d'une volonté de rejet de la part d'une collectivité qui n'admet pas de voir publiquement mises en cause les valeurs qui la fondent. Tout ce réseau de conventions dites dramatiques constitue un répertoire des critères qui reprennent, mais sous une forme laïcisée, la vieille exigence de moralité de l'œuvre théâtrale.

Sur un point précis, le préjugé est particulièrement virulent, attisé par l'humiliation de 1870 et par l'obsession, latente mais permanente, de la Revanche: celui qui touche à la défense du prestige national, et cela bien avant que s'affirment, dans toute leur ampleur, le mouvement nationaliste et le maurrassisme. La leçon donnée par le Second Empire a porté: on se souvient amèrement que, en 1867, *la Grande Duchesse de Gérolstein* a invité le public à rire à gorge déployée du grotesque général Boum-Boum et de son armée de fantoches: le prix de cette hilarité a été payée à Sedan. Tous les documents, tous les témoignages mettent en évidence le caractère impératif de ce tabou devant une œuvre qui semble de nature à nuire à l'honneur national.

Signe des temps, le "drame patriotique" constitue un véritable genre théâtral, quelle que soit la forme qu'il emprunte: tragédie, mélodrame, fresque historique ou drame authentique. Le triomphe remporté par Henri de Bornier avec sa *Fille de Roland* (1875)[8] marque un des sommets de cette veine qu'illustrent Déroulède et tant d'autres. Dans l'accueil extraordinaire réservé au *Cyrano* de Rostand, il entre beaucoup de l'exaltation des vertus "bien françaises": "ce qui m'enchante, c'est que cet auteur dramatique est de veine française: quel bonheur! quel bonheur! Voilà le joyeux soleil de la vieille Gaule qui, après une longue nuit, remonte à l'horizon. Cela fait plaisir; cela rafraîchit le sang" (Sarcey, 3 janvier 1898).

On aurait tort de croire que cette source d'inspiration est l'apanage des dramaturges traditionalistes: il est un patriotisme "de gauche" qui, certes, ne s'embarrasse pas des clichés du type "catholique et français, toujours", mais qui s'alimente à ceux, parallèles, du style "républicain et français, toujours". Dans ces pièces qui mettent volontiers en scène la Révolution de 1789, la France incarne un Idéal qui ne supprime pas la patrie, mais la transcende: le *Théâtre de la Révolution* de Romain Rolland procède directement de ce courant. Quand Hennique, l'auteur même de la scandaleuse *Affaire du Grand Sept* (1880, *les Soirées de Médan*), fait jouer un drame intitulé *Deux Patries,* il demeure dans cette ligne. Son François Garnier, fils du peuple, Maréchal de l'Empire, et qui, ayant épousé la reine de l'Altemberg, se trouve, en 1814, déchiré entre sa nouvelle patrie et sa patrie naturelle, désormais menacée, pourrait être un personnage de Bornier. Dans une telle situation, la "convention" fait que, au dénouement, la mort seule peut faire échapper le héros au dilemme. La vérité non-conventionnelle, historique, serait celle illustrée par Bernadotte, optant délibérément pour la Suède et se retournant contre la France. Un tel dénouement ne "passerait" pas.

En face de telles œuvres, qui sont innombrables (car le couplet patriotique éclate à l'improviste dans des pièces où il est le moins attendu), la position du chroniqueur est exceptionnellement délicate. Si la ferveur patriotique n'a pas éteint en lui tout sens critique, il ne peut formuler ses réserves qu'en recourant à de subtiles antiphrases.

J. Lemaître[9] est habité par des convictions conservatrices et nationalistes solides, et il n'en fait pas mystère; au surplus, ses lecteurs des *Débats* ne lui permettraient pas l'éreintement d'un drame "patriotique", même si cet éreintement était justifié par la nullité de la pièce.

Or, en 1890, alors que l'affaire Boulanger n'est pas close, le Français reprend cette *Fille de Roland* qui, en 1875, a paru digne de Corneille par l'inspiration et de Victor Hugo par l'expression. Rendant compte d'une représentation au cours de laquelle il a éprouvé, dans le public, l'"accord parfait dans un sentiment essentiel, simple et profond", le critique ne peut aller à contre-courant. Son article, en apparence, participe donc à l'enthousiasme collectif: "une âme intérieure soutient (la forme) et communique à ces vers un frisson plus grand qu'eux"; "l'amour de la patrie est ici l'âme même et comme la respiration de l'œuvre"; "de là la belle couleur héroïque et chrétienne de tout le drame"; "ce dénouement est de grande allure"; etc.

C'est au prix de ces superlatifs et de ces élans oratoires que Lemaître peut laisser percer sa véritable opinion, en suggérant que l'œuvre est outrageusement surfaite et conventionnelle. Les réserves se manifestent d'abord par l'utilisation de formules prudemment restrictives: exception faite de cette intouchable *Fille de Roland,* l'œuvre de Bornier apparaît à Lemaître comme celle d'un "excellent littérateur, de plus de noblesse morale que de puissance expressive, poète par le désir et l'aspiration, mais un peu inégal à ses rêves"; "cet honnête homme a, à force de sincérité, écrit, si je puis dire, une œuvre supérieure à son propre talent"; "bien que, peut-être, le mot de France y revienne un peu trop souvent à l'hémistiche ou à la rime...". Les réserves sont aussi dans la façon dont le critique dispense des éloges qui se détruisent par eux-mêmes. Ainsi est évoquée la première scène, qui transporte le public "en plein monde féodal, guerrier et mystique", qui rend sensible "l'atmosphère morale dont le drame doit être enveloppé" (éloge): une scène au cours de laquelle les pages et les écuyers jouent au "jeu des Vertus" qui consiste à déterminer, par tirage au sort, laquelle des vertus chrétiennes chacun devra pratiquer jusqu'au lendemain. L'évocation s'achève sur cette négligente réflexion: "J'imagine que c'est là un jeu qu'on ne cultive plus guère dans nos chambrées", réflexion qui suffit à démentir, par le ton et par sa portée, l'éloge d'abord énoncé: ces pages, ces écuyers, au lieu d'être ce qu'ils devraient être, de simples et épais valets d'armée, sont de purs personnages de convention.

Lemaître porte ensuite très haut "la belle couleur héroïque et chrétienne de tout le drame", le sens du devoir accompli "en vue de la gloire et de l'œuvre de Dieu" qui habite uniformément tous les personnages. Mais c'est pour faire ensuite observer que "les héros de *l'Iliade* sont plus aimables, plus variés et plus souples", car jamais les chevaliers de Bornier n'avoueraient qu'ils peuvent connaître la peur: "ils mépriseraient les guerriers d'Homère dont les genoux "se rompent de peur" et qui le confessent en gémissant". Ce que suggère Lemaître, c'est que ces chevaliers de Bornier sont, comme leurs écuyers, des personnages factices, conformes à l'idée reçue qui veut que le champion de Dieu soit, par définition, incapable d'admettre que l'âme peut être moins forte que le cœur.

Quant au dénouement (Gérald refusant d'épouser Berthe parce qu'il est le fils de Ganelon, même si ce Ganelon s'est repenti et a reçu le pardon de l'Empereur à la barbe fleurie), il semble soulever l'enthousiasme du critique: "dénouement de grande allure; et que j'en sais gré à M. de Bornier!", dénouement plus noble, plus élevé que celui même du *Cid* qui serait "*ici* inconvenant" (le mot *inconvenant* est bien de la même racine que *convention*). *Ici*, c'est-à-dire cet univers coupé de toute réalité, parfaitement artificiel; car, médite le critique, mezzo voce: "les fils sont-ils responsables des crimes paternels? "; Gérald pourrait fort bien épouser Berthe et "déclarer publiquement qu'il entend séparer sa vie morale et sa destinée de celle de son père": "il en a le droit, et Corneille n'hésiterait pas à le faire". La conclusion se tire d'elle-même: l'héroïsme de ces personnages est poussé si haut, il est si gratuit que, à vouloir surpasser Corneille, Bornier finit par s'écarter de toute vérité.

Les préférences esthétiques de Sarcey, ses convictions politiques sont très différentes de celles de Lemaitre. Il faut donc observer comment, de son côté, il réagit en face de la pièce de Bornier.

Sarcey fait état, lui aussi, du succès remporté: c'est "l'événement de la semaine". Un succès que justifient la "magnificence du cadre", "l'héroïsme de l'action", "la noblesse des sentiments exprimés". Gérald est un "nouveau Cid", le "caractère de Ganelon a été profondément fouillé par M.H. de Bornier et il lui fait honneur". Ce n'est qu'à la fin que se manifeste, prudemment, la réserve qui, au ton près, est celle même de Lemaître: "Je ne saurais que conseiller à toutes les mères de famille d'aller l'entendre avec leurs fils et leurs filles, et cependant... que voulez-vous? il manque à cela le coup d'aile, le coup de pouce du génie" (22 février 1875).

Si le critique est "de gauche", la besogne est encore plus délicate puisqu'il s'expose par avance au reproche d'être un mauvais Français.

Au cours de la campagne qu'il mène (de façon passablement maladroite) en faveur du théâtre naturaliste, Zola se voit reprocher d'avoir affirmé que la scène française contemporaine est vide de grands talents. Zola est accusé d'"insulter nos gloires nationales". C'est un grief qu'il prend très au sérieux: il se disculpe en répétant qu'il n'a "jamais nié les grandes qualités de nos auteurs contemporains, la carrure solide et souple de M. Emile Augier, les études humaines de M. Alexandre Dumas fils" etc.[10]. La résistance opposée un peu plus tard par Sarcey et bien d'autres aux efforts tentés pour implanter en France le répertoire scandinave s'inspire du souci de démontrer que le génie français n'a rien à lirer de ces œuvres. On convient qu'on doit protéger la pureté, la netteté de l'esprit national contre les miasmes méphitiques des "brumes nordiques". C'est le leitmotiv de Sarcey bataillant contre "des œuvres qui ne s'acclimateront jamais chez nous, qui répugnent à notre génie fait de logique et de clarté" (9 avril 1894). Et le critique conclut: "On a l'air, en parlant ainsi, d'un pauvre idiot. Moi, que voulez-vous, je brave ce ridicule. Je suis Latin; ou plutôt, je suis Français" (15 novembre 1897).

Zola sait fort bien qu'une pièce qui se rapporte à l'Armée est intouchable. A propos de *l'Hetman* (1877) de Déroulède, qui se passe dans la Pologne du XVIIe siècle, il observe: "Il est très difficile d'insinuer que (l'auteur) fait des vers médiocres, sans passer aussitôt pour un mauvais citoyen. On vous regarde, et on vous dit: – Monsieur, je crois que vous insultez l'armée".

Le critique peut user de l'ironie: "Je ne nie pas l'excellente influence que ces sortes de pièces peuvent avoir sur l'esprit de l'armée française". Il peut se retrancher derrière l'argument traditionnel de l'anachronisme historique, relever, à propos des *Noces d'Attila* (Bornier): "Personne n'ignore qu'Attila, c'est M. de Bismarck". Il peut faire observer qu'il est absurde de placer, comme le fait P. Delair, avec son *Garin,* des couplets patriotiques dans une tragédie qui se déroule sous Philippe-Auguste: "Parler de la France sous Philippe-Auguste, prononcer le grand mot de patrie qui n'avait alors aucun sens! nous montrer un bon jeune homme qui s'indigne au nom de l'Allemagne comme après Sedan!".

On peut encore (à propos des *Noces d'Attila*) dénoncer les excès d'un perpétuel recours au sublime: "M. de Bornier tape à tous coups dans le sublime. Ses personnages sont sublimes, ses vers sont sublimes. Il y a tant de sublime là-dedans qu'à la fin du quatrième acte, j'aurais donné volontiers 3 francs d'un simple mot qui ne fût pas sublime".

Mais il est impératif de se couvrir contre l'inévitable accusation de dénigrer "la dévotion à l'idéal": "En face de notre littérature immonde, à côté de nos romans du ruisseau, il faut bien que les jeunes gens tendent vers les hauteurs et produisent des œuvres pour enflammer le patriotisme de la nation. Nous autres naturalistes, nous sommes le déshonneur de la France".

Aussi, loin de traiter à la légère ce thème de la patrie, Zola ne cesse-t-il de définir ce que, en la matière, il attend de l'auteur dramatique. Le vrai patriote n'est pas celui qui fait rouler le mot "honneur" à la fin de chaque tirade: "Le véritable patriotisme, quand on fait jouer une pièce à la Comédie Française, consiste avant tout à tâcher que cette pièce soit un chef-d'œuvre" (à propos du *Jean Dacier* de Lomon, 7 mai 1877)[11].

Le plus beau chahut qu'ait connu Antoine au Théâtre Libre est celui qui accueille, en juin 1890, *les Chapons* de Lucien Descaves et Georges Darien[12]. Depuis qu'il a publié son roman des *Sous-Offs,* si scandaleux qu'il a provoqué un procès en Cour d'Assies, Descaves est un auteur éminemment suspect[13]. Adaptée de *Bas les cœurs!* (1889) de Darien, la pièce évoque un ménage de vieux bourgeois qui, en

1870, doivent héberger des Prussiens et chassent de chez eux la domestique, par crainte que celle-ci, qui a perdu son frère pendant le guerre, ne commette un acte hostile envers les occupants. Après que la servante a quitté la maison, on voit se profiler, à travers les vitres, les casques à pointe des soldats allemands qui s'en vont, sous la pluie battante, faire l'exercice. "Les pauvres gens!", soupirent les deux époux. Ce "mot de la fin", qui dénonce la peur et la lâcheté de certains Français au moment de l'occupation, mais qui n'en dit pas plus, après tout, que *Boule de Suif,* est ressenti, dans la salle de spectacle, comme une intolérable provocation dont la presse se fait le fidèle écho. Pour Brisson, ce mot de la fin, "faux et absurde", n'a été écrit que "dans l'espoir de provoquer un scandale et de faire éclater quelque tapage autour de leur nom". Sarcey tient le même langage: "Soif de scandale à dessein publicitaire", "immonde sans excuse". P. de Cassagnac clame son intention d'interpeller le ministre à propos de cette "pièce infâme". Faguet s'indigne à la pensée que le spectacle de ces mauvais Français va causer du plaisir aux Allemands. Œuvre "répugnante", conclut Brisson[14].

Qu'elle soit sincère ou de commande, la conviction patriotique constitue, entre 1870 et 1914, l'un des sentiments les plus ardents du public. Et cette conviction se révèle génératrice de conventions dramatiques impératives, qu'un auteur ou un critique se doit de respecter, sous peine de perdre l'un son public, l'autre son audience. Et ainsi sont fixées avec netteté les limites apportées à la liberté d'expression dans un système qui est pourtant très tolérant.[15].

***

Le répertoire nouveau, celui du Théâtre Libre et celui qui en procède, rejette toutes ces conventions. Avec allégresse il prend le contre-pied des idées reçues, en présentant des personnages sordides ou déclassés: souteneurs, lesbiennes, prostituées, homosexuels; en recourant au vocabulaire le plus cru[16], en mettant en œuvre un style d'interprétation qui repousse toutes les vénérables habitudes, et d'abord celle de la bienséance. La dérision de toutes les valeurs bourgeoises constitue le dénominateur commun de la plupart des pièces présentées.

Pour déterminer comment la critique reçoit ces agressions, on se contentera de prendre en considération celles qui mettent en cause deux des "conventions" les plus solidement établies: celle qui concerne la Famille et celle qui concerne la Femme.

Le titre d'une œuvre de Méténier donne le ton: *En Famille,* titre évocateur de douces et rassurantes visions d'intérieur. Or cette famille est constituée par un couple d'apaches homosexuels. Dans le nouveau théâtre, la famille cesse brutalement d'être ce cadre idéal où, dans le respect et le dévouement mutuels, les fils se sacrifient pour racheter les fautes de leurs pères, où les veuves pleurent les époux disparus. Elle devient le lieu privilégié de toutes les bassesses et les calculs sordides. La famille vraie, celle qui n'est pas conçue suivant la convention, c'est celle de *l'Ecole des Veufs* (Ancey, 1889): le vieux père accroché à sa jeune maîtresse à laquelle il tolère son fils comme amant, et le fils qui exige (et obtient) le partage qui lui permettra de disposer de la fille trois jours par semaine[17]. C'est encore celle du *Grappin* (Salandri, 1892) où le mari, qui a épousé sa maîtresse, une prostituée, et qui, par veulerie, tolère tout (y compris que sa femme prenne d'un cœur léger la mort de leur enfant), qui, après une brève velléité de révolte, cède encore et s'en va faire une manille au café avec les amis. La famille, elle est justiciable de tous les emportements d'Ibsen (*la Maison de Poupée,* 1889), oppressive, fondée sur l'intérêt, sur l'hypocrisie et le mensonge.

A propos de *L'Honneur* (H. Fèvre), Jules Lemaître dresse le bilan, qui n'est pas tellement excessif: la vraie famille, c'est "un immuable et sempiternel quatuor: le bourgeois père de famille, assez brave mais faible jusqu'à la lâcheté; sa femme, impérieuse, acariâtre, insupportable, capable de tout pour l'argent ou pour la "considération"; sa fille, une petite grue mal élevée et sans cœur, aux sens précoces; le jeune homme à marier, dur, cynique, sans illusions ni préjugés. Ou bien c'est l'érotomane à cheveux gris, veuf ou célibataire, opprimé par sa servante-maîtresse ou roulé par une fille".

Lemaître conclut: les "jeunes auteurs" ont voulu faire la guerre aux vieilles conventions, et sans doute ils ont eu raison, tant il est vrai que "le désir de les secouer est le meilleur ferment de progrès": le "parti-pris optimiste des mélodramaturges et des vaudevillistes d'antan" devait être récusé. Mais, dans leur volonté de démonstration, et aussi par "fumisterie", ils n'ont réussi qu'à créer une nouvelle convention, noire celle-là. Ces membres de la *vraie* famille sont désormais des "types aussi connus que ceux de l'ancienne comédie italienne", et aussi faux. Ce répertoire ne vit que de poncifs. Qu'Albert Guinon présente, dans *Seul* (1892), un mari qui vient de mettre à la porte sa femme parce qu'il a découvert son infidélité, le spectateur averti ne s'y trompera pas:

> Nous connaissons le jeu de ces automates. Si nous voyons Ledoux chasser sa femme avec tout le fracas de sentiments violents qu'il sait convenir à son état de mari trompé, nous somme bien sûrs qu'il la reprendra au dénouement et qu'il pardonnera même à l'ami intime, par terreur de la solitude, par égoïsme, par lâcheté (14 mars 1892).

Il existe une variante du stéréotype: la famille en milieu paysan. Lemaître assiste à la création de *la Fin du Vieux Temps* (P. Anthelm, 1892). La mise en scène est farouchement réaliste: pour évoquer d'une façon qui ne soit pas "conventionnelle" une grange, à l'acte II, on accumule sur la scène des bottes de foin moisi, "dont l'affreux relent se répandait jusqu'au milieu de l'orchestre" ("Je puis affirmer à M. Antoine que la vérité de la mise en scène n'exigeait point cette pestilence. Une pièce qu'on écoute en se bouchant le nez aura toujours beaucoup de peine à nous paraître charmante"). Les costumes sont à l'avenant, chemises sales, haillons immondes: "cela, c'est vraiment le dernier mot de la pouillerie. Ces loques grouillaient; on se grattait rien qu'à les voir".

> Quand nous avons vu la toile se lever, nous avons songé mélancoliquement: "Bon! ça y est! nous sommes fixés. Nous connaissons notre Théâtre Libre. (...) Nous allons voir des brutes avares, amoureuses de la Terre jusqu'au crime, des gars qui se flanqueront des coups de faux, quelque vieux paysan que ses enfants aideront à crever, probablement un notaire de campagne, presque sûrement un sorcier, une fille engrossée, une vache empoisonnée, un viol dans une meule de foin (12 juin 1892).

Ce folklore sordide procède de *la Terre* et n'est pas plus vrai que la paysannerie enrubannée de G. Sand.

Ainsi se définit la ligne de défense opposée par la critique au déferlement de la "vérité" sur la scène: il existe des familles ignobles; mais on dénonce l'escroquerie par laquelle les cas exceptionnels sont présentés comme des exemples de portée générale. Sarcey exprime sa pensée de façon beaucoup moins nuancée à propos du *Pain d'Autrui* (Tourgueniev): "Au théâtre, la vérité consiste à représenter, non les choses en leur exacte réalité, mais l'idée que s'en fait le public".

Dans ce nouveau répertoire, la Femme est plus ignoble encore que l'Homme. La convention exige que la femme soit représentée avec de grandes précautions lorsqu'elle manque à ses devoirs. La "vérité" veut que la femme soit montrée totalement dominée par deux instincts: le sexe et le lucre. Dans ce genre de pièces, comme *l'Honneur* de H. Fèvre, "les femmes sont absolument méchantes et amorales. Les auteurs ne font grâce qu'aux femmes galantes. C'est à celles-là seulement qu'ils consentent à laisser quelquefois un peu de droiture, de franchise, de bonté". Par exemple, la très aristocratique vicomtesse de Saint Rieul, dans *l'Amant de sa Femme* (A. Scholl, 1890), n'est rien d'autre qu'une "petite bête de joie", avide d'être traitée par son mari comme un viveur traite une fille dans un restaurant de nuit.

> La moitié de la littérature, depuis dix ans, consiste dans la description méthodique et la minutieuse analyse des œuvres et des gestes de la Vénus physique. Il est clair que maint passage de la pièce offense des pudeurs qui se rencontrent encore, quoiqu'on dise, ailleurs que chez les bookmakers et chez les filles arrivées.

Au lendemain de *Lucie Pellegrin* (P. Alexis, juin 1888), Sarcey, qui n'est pas "plus prude qu'un autre", plaint "les actrices qui se sont crues obligées d'accepter des rôles où la femme est traînée dans la fange". Mme Lepape, de *l'Honneur,* qui indique à sa fille, avec toute la précision d'un "traité populaire d'obstétrique prématurée", comment elle peut se défaire de l'enfant qu'elle porte, est naturellement une "bourgeoise bourgeoisante".

La critique dénonce ce dénigrement de la femme, si contraire à la tradition française, comme un autre poncif entretenu par une jeunesse cynique, par les boulevardiers blasés et par ces auteurs étrangers dont on fait tant de cas et qui ne sont rien d'autre que des "barbares" auxquels reste inconnue la révérence due à la femme. Dans sa méchanceté, "surhumaine", "infinie", la Laura du *Père* (Strindberg) est une "abstraction, une chimère", tout juste bonne à illustrer le vieux symbole de la lutte entre "la Bonté d'Homme et la Ruse de Femme". Ici encore, le point de vue de Lemaître rejoint celui de Sarcey: "J'avoue n'avoir rien compris du tout au rôle de Laura". "Beaucoup de femmes, sans le témoigner si ouvertement et de façon si cassante, tiennent leur mari pour un petit esprit et prennent en main, sans en avoir l'air, le gouvernement de la maison (...). Nous avons même en France un mot pour cela: elles portent la culotte". Sarcey pense, comme Lemaître: "Quand ces hommes du Nord s'y mettent!".

Ici se découvre le second thème autour duquel s'organise la résistance aux nouvelles conventions: ce répertoire n'a même pas le mérite de la nouveauté. Le public se laisse abuser par la crudité de l'expression et parce qu'il croit qu'une œuvre venue de Scandinavie ou d'Allemagne est nécessairement riche de révélations inédites. Public ignorant et inculte. On le répète sans cesse au spectateur: les nouveaux dramaturges ne font que présenter, sous une forme plus corsée, ce qui a déjà été dit tant de fois par les auteurs français du passé.

Quand, en 1891, est représenté *le Canard Sauvage* d'Ibsen, Doumic prévient ses lecteurs: le personnage du pasteur Manders, pourtant essentiel au drame, n'est qu'un simple confident de tragédie. Sarcey, Lemaître démontrent que le photographe rappelle vraiment beaucoup le Delobelle de Daudet, et Hedwige la petite Zizi de *Fromont jeune et Risler aîné. Une Faillite* de Bjoernson (1893) fait à Sarcey hausser les épaules: "comédie de genre, faite sur le modèle de nos pièces, et moins bien faite que toutes celles dont on évoque le souvenir: à quoi bon alors!". A propos d'*Un Ennemi du peuple,* Sarcey s'emporte encore: "ces vieilleries qui nous reviennent avec une estampille exotique, sont prises aujourd'hui pour des nouveautés audacieuses!". "Mais, sapristi! ça vient de Norvège! J'enrage quand je vois cet engouement (sincère chez les uns et de snobisme chez les autres) pour les étrangers, quand je vois, ô Parisiens, Elever bêtement jusqu'au ciel des sornettes Que vous désavoueriez si vous les aviez faites" (13 novembre 1893).

Après la création des *Tisserands* (Hauptmann, 1893), Bernheim fait honte au public de s'être laissé prendre à un "banal mélodrame". Quant à la revendication d'Ibsen contre l'institution conjugale, il faut beaucoup de bonne volonté, ou d'ignorance, pour la considérer comme neuve: "nous la connaissons déjà; nous avons entendu ces choses entre 1830 et 1850" (Lemaître, 26 août 1889).

Le critique fait observer que *l'Amant de sa Femme* est proche de "certains dialogues de Crébillon fils et des psychologues érotiques du XVIIIe siècle". Il met aussi en évidence que l'œuvre sacrifie aux poncifs du dévergondage et du sexe, qu'elle entre dans la longue série des pièces appelées à déconsidérer le mariage. Mais elle est surtout nocive parce qu'elle donne à entendre que cette interprétation nouvelle du lien conjugal "n'est possible que chez les riches, les sales riches, comme dit l'autre" (Lemaître). "Un seul sujet, ou presque; la bassesse morale, la cupidité, la sottise et la dureté des classes bourgeoises" (à propos de *l'Honneur*). Derrière les déclamations de l'exigence de vérité au théâtre, il ne s'agit que de déconsidérer une classe sociale et les valeurs qu'elle prétend honorer. En face des *Revenants,* Doumic ne mâche pas ses mots:

> Voulez-vous aller au fond même de l'œuvre? C'est un réquisitoire contre la Société, présenté à l'aide d'oppositions bien tranchées: d'un côté la cause de la révolte, plaidée par Mme Alving, qui est la raison et l'éloquence mêmes; en antithèse, la cause de la résignation plaidée par le pasteur Manders: niaiserie, crédulité, routine... Il y a cinquante ans que ces déclarations-là traînent dans notre littérature.

Lemaître arrive à cette conclusion: "Il est évidemment mauvais pour la communauté humaine que les jeunes gens aient de tels sentiments sur les femmes et qu'ils n'aient plus, à l'âge de l'amour, aucune des illusions de l'amour". Ces "négations de brasserie et d'atelier" débouchent sur l'anarchie morale et la révolte.

> Tant qu'il y aura une règle des mœurs, des œuvres comme *l'Honneur* me paraîtront, en certaines de leurs parties, condamnables au nom de l'intérêt général. Prenez au reste que je n'ai rien dit, si vous croyez encore que la littérature et la morale ou l'utilité publique n'ont rien à voir ensemble (12 novembre 1888).

Sarcey conclut de son côté: "Il n'y a pas un gouvernement qui, à moins d'avoir perdu l'esprit, laissera ce spectacle se dérouler devant la foule" (5 juin 1893). A propos du *Grappin* de Salandri, Lemaître constate avec amertume: "Le bourgeois a contracté l'habitude de se voir conspué sur les planches, et cette habitude a déjà engendré un besoin".

Cette querelle autour des conventions établit qu'une partie de la critique se donne pour mission première de veiller moins à l'observation de certains canons dramatiques qu'à la sauvegarde des mœurs et des valeurs traditionnelles. Les pouvoirs publics n'interviennent plus, ou si peu. Quand est annoncée cette *Rolande* qui ose mettre sous les yeux du spectateur une scène de "flagrant délit"[18], Albert Wolff (*Figaro*, 13 novembre 1888) compte encore sur une décision d'interdiction: "Sois bénie, sainte Censure, toi qui opposes encore la dernière digue au débordement de cet art soi-disant nouveau!". Le 12, Sarcey l'a bien précisé: "Si *Rolande* doit se jouer devant un vrai public, je demande formellement que l'on supprime (le) tableau du flagrant délit". Le 13, *Rolande* est bel et bien jouée. La "sainte Censure" a abdiqué.

II

L'assouplissement du régime de la presse entraîne une exceptionnelle prolifération de journaux et confère à cette presse une puissance encore jamais atteinte: "C'est elle qui empêche le régime parlementaire de dégénérer en oligarchie irresponsable. Elle constitue véritablement le quatrième pouvoir"[19]. En 1902, les journaux parisiens sont au nombre de 2.685 (dont 174 politiques); en 1905, 3.442 (dont 226 politiques). Les grands organes d'information du matin (*le Petit Parisien, le Petit Journal, le Matin, l'Echo de Paris*) touchent, dans les années 1905, 5 millions de lecteurs. De même qu'un homme politique n'a aucune chance de faire carrière si sa renommée n'est pas soutenue par les journaux, celle d'un auteur, d'un comédien est, plus que jamais, entre les mains des chroniqueurs spécialisés.

La rubrique des théâtres tient une place infiniment plus large que la rubrique proprement littéraire. Dans *le Mercure* du 1 janvier 1905, Gourmont constate même que presque tous les suppléments de littérature ont disparu; en 1908, L. Bailby, directeur de *l'Intransigeant,* s'inquiète de cette carence de l'information en matière littéraire. La chronique dramatique, au contraire, reste bien vivante et la matière est si riche que, en octobre 1907, se fonde, appelé à une belle destinée, un *quotidien* de théâtre, *Comoedia,* dont la direction est d'abord confiée à G. de Pawlowsky.

Le journalisme est paré d'un tel prestige qu'il n'attire pas seulement, ainsi qu'il est de tradition, les jeunes arrivistes (comme le Georges Duroy de Maupassant), mais les personnalités dont la situation est la mieux assise: les grands universitaires s'honorent de signer régulièrement leurs comptes-rendus. Mais, dans cette intense activité journalistique, le meilleur côtoie ce pire que *Bel Ami* illustre sans complaisance; selon Mirbeau (*le Gaulois,* 8 septembre 1884), elle "noie les talents sérieux" dans une "foule hurlante et grouillante d'aventuriers de toute sorte, de ratés de tout poil: financiers sans capitaux, littérateurs sans orthographe, médecins sans diplômes, politiciens sans parti". Dans son roman Maupassant évoque comment, pour compléter l'équipe de sa *Vie Française,* Walter recrute "à bas prix des critiques d'art, de peinture, de musique, de théâtre, un rédacteur criminel et un rédacteur hippique, parmi la grande tribu mercenaire des écrivains à tout faire". Mais les grands organes de presse prennent soin de confier leurs rubriques dramatiques à des personnalités de premier plan. Ces rédacteurs-là ne doivent pas être confondus avec ceux qui sont chargés de la rubrique des "échos", rubrique de la plus haute importance (car elle contribue pour beaucoup à faire et à défaire les réputations), mais qui est consacrée à rapporter, parfois à la limite de la diffamation, des anecdotes, des on-dit qui, bien entendu, concernent aussi la vie du théâtre.

Bien que son tirage soit relativement modeste, *le Temps* d'Adrien Hébrard[20] exerce sur la bourgeoisie libérale et républicaine, qui constitue la classe dominante, une influence exceptionnelle qui s'explique par la gravité de son ton, l'assurance doctrinale avec laquelle sont portés ses jugements, par la fermeté qu'il a d'abord apportée à combattre le régime de l'Ordre Moral et à s'opposer à toute réaction monarchique. C'est là que trône, de 1867 à 1899, Francisque Sarcey, "oracle" inamovible et infaillible pour les uns, cible de tous les sarcasmes pour les autres. A sa mort, il est remplacé par un autre universitaire, Gustave Larroumet[21], professeur à la Sorbonne, auteur d'une thèse sur Marivaux qui, la bonhomie et la roublardise en moins, persiste dans la même voie que son prédécesseur; mais jamais Larroumet n'atteint à la même efficacité. En 1906, c'est Adolphe Brisson, fils du fondateur des *Annales politiques et littéraires,* le gendre de Sarcey, qui lui succède.

Aux *Débats,* libéral de droite, siège d'abord (de 1883 à 1885) J.J. Weiss, ancien professeur de littérature française à Aix-en-Provence, qui a fait carrière dans le journalisme politique et fondé le *Journal de Paris* (1867) avant d'aborder la vie publique: en 1881, il est directeur des Affaires politiques au ministère des Affaires Etrangères. Weiss, en matière de théâtre, ne s'embarrasse pas de doctrines: il suit ses partis-pris et reste de tradition très Second Empire. Puis il cède la place à J. Lemaître, un universitaire encore, auquel on doit une thèse sur Dancourt et qui, pendant plus de dix ans, après avoir abandonné sa chaire, livre à ses lecteurs ses *Impressions,* très appréciées des délicats et des esprits nuancés. En 1896, il est relevé par un éminent collègue, le doctoral Emile Faguet, dont les études sur les différents *Siècles* de la littérature française font autorité dans les Facultés et qui, quelques années plus tôt, était le chroniqueur du *Soleil,* où il lui est arrivé de soutenir, avec une sympathie qui connaît de strictes limites, les premières saisons du Théâtre Libre[22].

Au *Figaro,* journal boulevardier et élégant par excellence (mais qui, avec la direction de Calmette , s'engage dans une politique d'orientation conservatrice), on trouve Albert Wolff, qui a succédé au solennel Vitu. Auprès d'un public sensible au snobisme, Wolff, auteur dramatique lui-même, exerce une réelle influence par sa rubrique du "Courrier de Paris". Alors que, à travers d'autres collaborateurs (de Cuers, Prével, Blavet), *le Figaro* soutient au début les efforts d'Antoine, A. Wolff ne se lasse pas de dénoncer l'imposture naturaliste, tout juste capable de plaire à "un milieu restreint et contaminé par le désir de jouissances inédites, grossières et souvent malpropres" (13 novembre 1888, à propos de *Rolande*). Mais bientôt, pour des raisons de querelles de salon, *le Figaro* cesse de soutenir le Théâtre Libre et Wolff se trouve à l'unisson d'un journal qui souligne désormais la malfaisance d'une "coterie intransigeante de sous-naturalistes et de sous-décadents" (Champsaur, 13 mars 1889). Wolff est la cible privilégiée des critiques de la nouvelle école: après sa prise de position sur *Rolande,* Céard, dans *le Siècle,* présente comme un honneur d'être pris à parti par un chroniqueur qui a toujours dénigré l'art véritable (18 novembre).

Sans atteindre l'audience d'un Sarcey, se révèlent, surtout à partir des années 1890, d'autres personnalités qui animent le feuilleton. Celle d'Henri Baüer (né en 1852) qui, fervent opposant au Second Empire, a été déporté en Nouvelle Calédonie et qui, à son retour, reprend une activité journalistique qui manifeste sa fidélité à sa position idéologique. A *l'Echo de Paris* il assure la critique théâtrale, raillant les vieilleries dramatiques, soutenant Antoine, puis Lugné-Poë; il est pratiquement le seul, en 1888, à se prononcer en faveur de l'adaptation de *Germinie Lacerteux* qui déchaîne à l'Odéon un véritable tumulte et, dans la salle de spectacle même, il s'en prend aux perturbateurs: "Tas d'imbéciles!".

Catulle Mendès, gendre de Gautier, qui a soutenu le bon combat en faveur de Wagner, se montre aussi attentif aux innovations du Théâtre Libre, dont il est d'ailleurs un des auteurs[23]. Dans *le Cri du Peuple,* Alexis, l'un des Médanistes, milite pour l'esthétique nouvelle, tout comme, dans *le Matin,* J. Julien (encore un protégé d'Antoine) qui, en juin 1889, fonde une revue d'"avant-garde", *Art et Critique*[24]. Un autre sectateur de Zola, Céard, rend compte des spectacles au *Siècle.* A la veille de la guerre, Daudet, qui se fera plus tard un grand nom dans un autre domaine, tient la rubrique théâtrale à la toute nouvelle *Action Française:* c'est dans ces colonnes qu'il salue avec chaleur *la Nuit des Rois,* montée par Copeau, conseillant à Richepin, qui a entrepris de traduire *Macbeth* pour le Français, d'aller prendre une bonne leçon au Vieux Colombier (27 mai 1914)[25].

A côté de ces fortes personnalités, il n'est pas indispensable de s'attarder sur les innombrables chroniqueurs: les Fournier, les Fouquier, la Pommeraye, Franchetti, Bernheim, etc., qui ne sont que de second rang. Mais on doit faire une place à certains journalistes occasionnels comme Zola qui, à partir de 1873, collabore à *l'Avenir National* puis, à partir d'avril 1876, au radical *Bien Public,* enfin à partir de juillet 1878 au *Voltaire* qui prétend être le "*Figaro* des républicains". Cette entrée de Zola en lice paraît être, de nos jours, un événement important; mais les prises de position de Zola ne pèsent pas lourd dans l'immédiat. Elles préparent l'avenir, mais, dans ces années 1875, Zola est un romancier scandaleux: ses articles sont bien faits pour susciter les polémiques; ils ne sauraient orienter de larges fractions du public. Les journaux dans lesquels ils paraissent sont d'ailleurs d'audience modeste.

On peut en dire autant des chroniques au vitriol que, à partir de 1876, Becque donne au *Peuple,* (républicain avancé), puis dans de petits journaux (*le Henri IV, l'Union Républicaine* à partir de 1881) avant de collaborer au *Matin* (1884), au *Gaulois* (1888), au *Gil Blas* (1893), au *Figaro.* Becque, Zola sont, en quelque sorte, des marginaux, que l'on juge pittoresques ou dangereux, mais que le grand public ne prend tout à fait au sérieux. Il n'empêche que la lecture de leurs articles est aujourd'hui beaucoup plus stimulante que celle des chroniques de Duquesnel ou de la Pommeraye.

De 1871 à 1914, la critique dramatique dans la grande presse est d'une exceptionnelle vitalité. A partir de 1880–1890, elle se renouvelle progressivement; elle revient de certaines préventions; elle se montre plus ouverte aux recherches du répertoire et de la mise en scène, même si elle reste empêtrée dans les partis-pris, les intrigues du boulevard et de la "camaraderie".

Les revues se multiplient au même rythme que les journaux; en 1911, on en recense 150 pour Paris seulement.

Mais aucune, ni *la Revue de Paris,* ni *la Revue Bleue,* ni *la Revue Hebdomadaire,* ni *la Nouvelle Revue* de Mme Adam, ni *la Revue Indépendante,* ni *le Mercure de France,* ne peut rivaliser en prestige et en influence avec *la Revue des Deux Mondes,* institution largement consacrée, antichambre de l'Académie, et dont la direction est assurée, jusqu'en 1907 (date à laquelle elle passe à Francis Charme), par Brunetière[26]. Professeur de littérature française à l'Ecole Normale Supérieure, celui-ci apporte à ses fonctions toute la rigueur d'un historien attaché à la hiérarchie des genres; sa solidité intellectuelle ne lui inspire que méfiance à l'égard d'une critique (c'est Lemaître surtout qui est visé) qui se contente de faire état d'*impressions* personnelles:

> Si vous avez baîllé à la *Phèdre* de Pradon et pleuré à celle de Racine, ne nous offrez point en témoignage vos baîllements et vos larmes. Sachez voir et nous montrer que l'une des deux œuvres est meilleure que l'autre, et pour quelle raison. Vous n'êtes pas prié d'émettre un avis personnel, mais de constater ce qui est; cette constatation exige des connaissances particulières et le devoir du critique est de les acquérir d'abord[27].

Les audaces du nouveau répertoire trouvent en lui un censeur sévère. Il condamne sans appel *Germinie Lacerteux,* les outrances de la jeune génération, Alexis, Ancey, Hennique.

A *la Revue,* la rubrique dramatique est assurée, de 1880 à 1888, par Louis Ganderax, qui est sorti premier de l'Ecole Normale (en 1880, il a 25 ans)[28] et que l'on retrouve ensuite à *la Revue Hebdomadaire,* puis à *la Revue de Paris.* En 1887, Ganderax rend compte favorablement de la représentation de *la Sœur Philomène* des Goncourt ce qui, comme le relève F. Pruner, constitue "une belle victoire" pour le nouveau théâtre[29].

Les autres revues, nombreuses et à la destinée souvent fugitive, contribuent toutes à faire évoluer le goût, à préparer le succès d'une esthétique plus moderne, mais elles ne décident pas du sort d'une œuvre.

En 1886 par exemple, E. Dujardin, qui a déjà créé la *Revue wagnérienne,* reprend la *Revue indépendante* (fondée en 1884 par G. Chevrier). C'est à Mallarmé, alors âgé de 44 ans, qu'il confie la critique dramatique: choix surprenant et qui ne portera guère de fruits, mais qui manifeste bien le souci de recourir désormais à des artistes, à des créateurs, pour rendre compte des réalités vivantes du théâtre[30].

En 1890, commence la carrière, féconde en développements ultérieurs, du *Mercure de France* d'Alfred Vallette, dont le programme initial est de laisser chacun "absolument libre, responsable de ses seuls dires et point solidaire du voisin". Sous l'anonymat, Paul Léautaud (né en 1872) s'y applique à devenir l'âpre Maurice Boissard que l'on retrouvera au chapitre suivant.

En 1891, Maurice Muhfeld, qui a longtemps tenu la chronique à l'*Echo de Paris*[31], lance la seconde série de la *Revue blanche* où Léon Blum commence à se faire un nom, avant d'assurer, jusqu'en 1907, la rubrique des théâtres dans la *Grande revue* de J. Rouché.

A la *Revue hebdomadaire* et à la *Revue des Deux Mondes* (où, en 1914, il rend compte favorablement de *la Nuit des rois*), H. Bordeaux est chargé de la chronique dramatique. Et c'est à travers cette même rubrique, à la *Revue encyclopédique Larousse,* que Paul Souday (né en 1869) se prépare à devenir, au *Temps,* à partir de 1912, un des critiques les plus marquants de son époque.

En 1908 enfin, *la Nouvelle Revue Française* est fondée par Gide, Schlumberger et Copeau. Copeau a déjà publié, dans *la Revue d'Art dramatique* et *l'Ermitage,* des articles où il s'en est pris en particulier aux drames à prétentions philosophiques de P. Hervieu. Il a englobé la critique contemporaine dans l'anathème qu'il jette sur le monde dramatique de son temps et réclamé "une critique impitoyable aux turpitudes quotidiennes, compétente, sincère, artiste elle-même" (*Ermitage,* mars 1904). Il a poursuivi sa campagne à *la Grande Revue* (où il succède à L. Blum), qui révèle son nom à un public plus large que celui des lecteurs de revues à faible tirage[32].

La prolifération de ces organes de presse rend foisonnante à l'infini la variété des opinions émises; elle n'en comporte pas moins une contre-partie. Car le lecteur étant ainsi sollicité par une multitude de jugements, il est de plus en plus ardu pour le chroniqueur de se faire une réputation. En fait, très peu nombreux sont ceux dont l'autorité, lentement acquise, est assez forte pour contribuer à peser sur le sort d'une œuvre, cette autorité dont a bénéficié Sarcey (Becque lui reproche assez de ruiner une œuvre nouvelle par une seule de ses chroniques) ou encore J. Lemaître.

De cette rapide recension, deux conclusions générales se dégagent.

La première est que, jusque vers les années 1890–1900, la plupart des grands critiques dramatiques ont débuté sous le Second Empire. Forts d'une réputation dont ils sont en partie prisonniers, ils sont naturellement méfiants à l'égard de toute formule nouvelle. Ces oracles commencent à apparaître comme des Gérontes et on assiste alors, en même temps qu'à l'éclosion de revues nouvelles, à l'apparition d'une autre génération de chroniqueurs qui, pour la plupart, vont achever de renvoyer au magasin des vieux accessoires le credo dramatique de leurs prédécesseurs.

Ce que ces critiques de la "nouvelle vague" rejettent d'abord dans la manière dont leur aînés ont conçu la critique, c'est ce que les marginaux, Zola ou Becque, ont dénoncé dès 1875–1880: l'asservissement aux goûts du public, la complaisance aux facilités.

La position des nouveau-venus est catégorique. Tout le mal vient, à leurs yeux, de ce que l'art dramatique est asservi par les puissances d'argent (le réquisitoire n'est pas nouveau). Seul compte le souci de rentabilité de l'exploitation: le théâtre n'est plus rien d'autre qu'un commerce. Zola l'a affirmé dès le début de sa campagne en faveur d'un nouveau répertoire. Dans son Manifeste de 1890, Antoine dénonce cette détestable exigence de l'affairisme qui inspire le "Syndicat" des directeurs. Becque ne dit pas autre chose et quand Copeau publie à la *N.R.F.* (1 septembre 1913) son *Essai de rénovation dramatique,* il commence par exprimer son "indignation contre une industrialisation effrénée qui, de jour en jour plus cyniquement, dégrade notre scène française (. . .), l'accaparement de la plupart des théâtres par une poignée d'amuseurs à la solde de marchands éhontés".

Circonstance aggravante, la critique non seulement ne proteste guère, mais elle se prête à l'opération. Pour justifier cet affairisme dramatique, elle a même élaboré une théorie qu'elle a érigée en loi: c'est le public qui a toujours raison; le rôle du chroniqueur est donc de se faire aussi "public" que possible.

Dans *le Bien Public* (24 juillet, 21 août), Zola s'enflamme:

> Le public est regardé comme souverain, voilà la vérité. Les meilleurs de nos critiques se fient à lui, consultent presque toujours la salle avant de se prononcer. Ce respect du public procède de la routine, de la peur de se compromettre, du sentiment de crainte qu'inspire tout pouvoir despotique. La théorie de la souveraineté du public est l'une des plus bouffonnes que je connaisse. Elle conduit droit à la condamnation de l'originalité et des qualités rares.

Le ton adopté par Becque est plus violent encore. Ses articles recueillis dans *Querelles Littéraires* et *Souvenirs d'un auteur dramatique* présentent la critique comme inutile, incompréhensive, méchamment fermée à toute innovation, incapable du moindre effort intellectuel (et encore: intéressée, vénale, empêtrée dans toutes les intrigues de coulisses et d'alcôves).

Ces condamnations, assénées avec l'absence de nuances propre aux pamphlétaires, et qui dissimulent mal les partis-pris d'école (Zola) ou les ressentiments personnels (Becque), ne sont acceptables que si l'on a entendu l'autre son de cloche. Elles visent un type de critique qui a été porté à son plus haut point d'accomplissement par Sarcey, brutalement attaqué par Becque, plus aimablement par Zola qui s'applique à conserver à son égard un ton de bonne compagnie.

Sarcey a toujours proclamé sa volonté d'être *public*, un public qui ne peut être à l'époque que bourgeois, et Sarcey se flatte de l'être. Il est exact que, dans ses chroniques, reviennent sans cesse les considérations de recettes, du type: "*La Grand Mère* d'Ancey n'a vécu que trois soirs; elle a expiré devant trois cents francs de recette" (10 mars 1890)[33]. Sarcey est resté, 40 ans durant, fidèle aux principes qu'il a définis dès ses débuts à *l'Opinion Nationale* (16 et 23 juillet 1860). L'argumentation doit être appréciée par rapport à la déception que cette génération (et Zola lui-même) a éprouvée de l'échec de la révolution romantique au théâtre. Sous le règne de Hugo, on a trop crié au chef d'œuvre; au nom de ces prétendues merveilles, on a vilipendé le grand public, dénoncé comme platement fermé à toute innovation. Or il s'est révélé à l'usage que c'était le grand public qui avait eu raison de ne pas se laisser prendre aux exclamations superlatives. La vérité est que les authentiques chefs d'œuvre sont très rares.

> Nous avons donc un grand nombre d'œuvres médiocres. Montrer qu'elles sont médiocres, qu'elles ne passeront pas l'année qui les a vu éclore, est philosophique sans doute mais absolument inutile.

"Chaque génération a ses beautés qui lui plaisent davantage, sans qu'elle sache pourquoi"; le critique, "au lieu de fulminer", a meilleur compte d'"entrer dans ses caprices d'enthousiasme et (d')en découvrir, s'il se peut, les raisons".

> Nous n'avons point à lutter contre ces entraînements au nom des règles éternelles du beau; laissons ce rôle à ceux qui écrivent dans les revues et qui font des livres; ils sont lus à tête reposée par un petit nombre d'hommes sages (...). On nous lit en prenant sa tasse de café, en pensant quelquefois à autre chose (...). Nous sommes les moutons de Panurge de la critique; le public saute et nous sautons; nous n'avons d'avantage sur lui que de savoir pourquoi il saute et de le lui dire. C'est ce que j'ai essayé de faire. Le succès est la règle de ma critique.

C'est ce point de vue, avec tout ce qu'il implique de préoccupations mercantiles, que récusent Zola, Becque, Antoine, Copeau. Mais Sarcey perçoit parfaitement les limites de cette perspective: "La mode change tous les dix ans en France. Il est clair que, dans dix années, et plus tôt peut-être, mon jugement sera faux; mais les raisons sur lesquelles je l'ai appuyé sont encore justes". Et surtout: "Quand je dis qu'une chose est bonne, excellente, admirable, ne traduisez pas: "C'est une œuvre que tous les siècles admireront". J'entends dire seulement qu'elle est admirable pour le public du jour".

Cette critique procède donc d'un sentiment aigu de la relativité du goût et elle est imprégnée d'un profond scepticisme. Le critique n'est pas un apôtre; il n'a pas pour vocation de prêcher dans le désert en se plaçant à contre-courant de son temps; pour faire passer quelques vérités il doit être lu, donc être accepté. Le critique n'est pas non plus un valet complaisant, comme le répètent les adversaires[34]: il est un témoin, passablement blasé sur l'efficacité de son enseignement. Rien n'est plus éloigné du style de Sarcey, doctoral avec bonhomie, familier jusqu'à la vulgarité, que celui de J. Lemaître, qui est d'un aimable dilettante dont l'arme préférée est l'ironie. Pourtant ce détachement avec lequel Lemaître rend compte des œuvres nouvelles procède de la même conviction: quoi qu'on dise et quoi qu'on fasse, c'est, en fin de compte, le public qui a raison, – pour un temps.

La véritable opposition entre Sarcey et les critiques de sa génération d'une part, Zola et Becque d'autre part, n'est pas en ce que le goût des premiers est parfaitement bourgeois et conformiste. Il est en ce que (sur ce point Becque a vu très juste) ceux-ci demeurent des analystes qui rendent compte d'un certain état de fait. Sarcey et ses contemporains appartiennent bien à une génération qui s'en tient à la prise en considération des seules réalités positives.

La seconde conclusion à tirer dérive d'une évidence: cette critique est devenue, pour une large part, le monopole des universitaires. Sarcey, Lemaître, Faguet, Ganderax, Brunetière, Larroumet, Parigot ont été ou sont toujours des professeurs, fiers de l'avoir été ou de l'être encore. Et ils n'ont pas tort: le professeur d'Université jouit alors d'un prestige qu'il n'a encore jamais connu, qu'il ne connaîtra jamais plus; il est pleinement un Notable. Sarcey ne manque jamais de se prévaloir de cette origine:

> Si abandonnée que soit la forme de ces feuilletons, j'y suis toujours et de parti-pris très sérieux. J'y reste ce que j'ai toujours été, bon universitaire. L'Université, au reste, ne s'y est pas trompée. Elle m'a depuis longtemps fait l'honneur de marquer quelque estime pour ces critiques, improvisées de style, mais où les idées sont le fruit d'une longue méditation[35].

Becque fulmine contre ces critiques qui adoptent, avec une complaisance qui flatte leur amour-propre, l'attitude "si réjouissante du cuistre qui croit à sa férule et à sa direction"[36]:

> Depuis que le monde existe, la critique s'est toujours divisée en deux camps: d'un côté les professeurs, j'étends un peu le mot, et de l'autre les artistes. Les professeurs légifèrent et argumentent; les artistes palpitent et s'emballent. Depuis que le monde existe, les professeurs, avec leurs principes et leurs dédains, en faisant la petite bouche, se sont régulièrement trompés.

Le culte que portent ces universitaires au répertoire et aux traditions d'interprétation est sans faille. A quelques nuances près, aucun d'eux ne met en doute la perfection de ce répertoire, et ils déplorent tous que le public soit plus attentif à la reprise d'une pièce de Dumas fils qu'à celles de Molière ou de Racine. Il y a toujours chez eux cette arrière-pensée que "tout est dit et l'on vient trop tard". Ce qui ne prédispose pas aux enthousiasmes.

La critique qu'ils pratiquent est solide, didactique, sans grande originalité quant au fond. Pour un Fournier, qui représente un cas limite, l'article de critique est d'abord un point de départ pour recherches érudites. Mais les chroniques de Sarcey, de Weiss, de Lemaître, sont aussi fournies en allusions savantes, en références aux œuvres du passé. Becque se gausse de cette irrémédiable cuistrerie, de cette tendance à s'égarer en considérations inutiles, avec toutes ces études sur la race, l'époque, la généalogie d'un personnage. Mais Becque a la vue courte: la pédanterie n'explique pas tout. En réalité, cette érudition est utile: elle répond à l'attente de lecteurs qui, profondément marqués par les Humanités classiques, souhaitent ces références à des œuvres dont ils ont été nourris et dont ils conservent, eux aussi, le culte.

Cette génération a, suivant une formule de Larroumet, "assisté à la banqueroute finale du romantisme, *en politique comme en littérature*". Elle en a conçu une profonde méfiance à l'égard de la fantaisie, de toute forme de mélange des genres[37], de tout ce qui n'est pas clair, logique. Trop d'artistes, à propos desquels on a crié au génie, se sont révélés être des charlatans ou, au moins, des illusionnistes. L'*artisan*, lui, ne trompe pas sur la qualité de son travail. Le culte de la "pièce bien faite", qui fait se hérisser Zola ou Becque, n'a pas d'autre source. Sur cette voie, la critique devait inévitablement finir par prendre des positions extrêmes qui semblent instaurer une nouvelle hiérarchie des valeurs, plaçant au premier plan l'exigence de rigueur dans la construction, le souci des "préparations"[38], l'enchaînement dans la succession des scènes et des épisodes. Elle en est venue, en effet, à donner la préférence à des genres mineurs, comme le vaudeville et le mélodrame, illustrés par Scribe et par Bouchardy, parce que ces genres-là requièrent d'abord la parfaite connaissance du métier.

A la suite de Gautier, les contempteurs de cette critique dénoncent un dogmatisme de pédants qui, attachés à l'énoncé de règles qu'ils ont eux-mêmes élaborées, passent à côté de l'essentiel. Ils n'ont pas de peine à montrer que les grands Anciens si vantés n'ont jamais respecté ce prétendu code qui donne la priorité au souci de la "scène à faire", à la science du métier. Zola oppose l'exemple même de Molière: *le Misanthrope* est une comédie mal faite, plutôt une dissertation dialoguée qu'une pièce, "si l'on examine cette comédie à notre point de vue actuel". Becque déploie toute son ironie à l'encontre de ces critiques-professeurs qui exaltent *Oedipe Roi* sans même soupçonner que Sophocle viole tous les principes dont ils se réclament: cet *Oedipe Roi*, si prôné par les chers professeurs, est une pièce aussi mal faite que possible[39].

On a fait de Sarcey le représentant privilégié de cette esthétique étriquée. Mais Sarcey n'en est que le représentant le plus voyant, parce que le plus influent: plus ou moins, ses confrères partagent le même point de vue. Né en 1827, Weiss[40] est le contemporain de Sarcey. Normalien, il a fait carrière dans le professorat. Ses convictions politiques ont fait de lui, comme de Sarcey, un opposant à l'Empire; en 1860, il a tenu un bulletin politique aux *Débats*, puis fondé, en 1867, le libéral *Journal de Paris*. Ses chroniques s'inspirent de deux principes: "Il était plus strict, plus intransigeant *dans l'idée qu'il se faisait du génie français* que M. Nisard lui-même. Enfin, il ne séparait guère la littérature de la morale et de l'utilité publique"[41].

En effet, Weiss ne cesse de dénoncer le déferlement du mauvais goût (c'est-à-dire du goût nouveau), provoqué par "la prise de possession de Paris par l'étranger" (à propos de *l'Etrangère,* Dumas fils), par "le relâchement général des mœurs publiques et des principes", par "le culte du succès, quels qu'en soient les moyens" (à propos des *Effrontés* Augier): c'est de cette décadence que procède la "littérature brutale", d'Augier, de Dumas fils (et aussi de Flaubert et Taine). Et Weiss cherche refuge auprès de ces auteurs dramatiques dénigrés par les esthètes et qui sont à ses yeux sains et solides, parce qu'ils ne jettent pas de poudre aux yeux: Scribe, Bouchardy, Dumas père. Ceux-là, écrit Lemaître, Weiss "les transfigure, il les illumine, il voit dans leurs ouvrages ce qui n'y est pas"[42]: la force et la poésie. A propos des célèbres répliques de *la Tour de Nesle,* "C'était une noble tête de vieillard...", "La belle nuit pour une orgie à la Tour!", il en vient à porter des jugements ahurissants: "Ce style est lapidaire et théâtral au plus haut degré; il s'inscrit dans les nerfs et dans les fibres du spectateur". Et surtout, à propos de Scribe: "C'est bien un dieu du théâtre (...). Scribe a connu et perçu le merveilleux de la vie, *le charme profond de la bonne honnêteté quotidienne*".

Weiss n'est pas Sarcey[43], mais leur formation est la même: pour l'essentiel leurs goûts concordent, comme les principes esthétiques dont ils se réclament. Et ils *tiennent* l'un et l'autre deux des plus importants journaux de l'époque, *le Temps* et *les Débats.*

La génération de critiques qui prend la relève dans les années 1890–1900 est composée, elle, en majorité de personnalités qui ne relèvent pas de l'Université.

***

Au cours de cette période, les conditions matérielles dans lesquelles s'exerce la critique connaissent une évolution sensible.

La chronique est bientôt en perte de vitesse. Cette forme a été longtemps celle du *lundi* hebdomadaire, élaboré avec soin et à tête reposée, et attendu chaque semaine par les lecteurs. Pendant plusieurs décades, la lecture du *lundi* a constitué un rite. Le développement de la grande presse d'information, au détriment de la presse d'opinion, porte en germe la condamnation d'une telle pratique. En 1894, Sarcey le constate avec regret: dans la plupart des journaux, l'article du lendemain s'est peu à peu substitué au *lundi:* "Le journalisme presque tout entier rend compte d'une première le lendemain même: c'est un fait; il faut donc l'accepter" (3 juillet). Dès 1876 (24 juillet), Zola avait perçu le danger:

> On doit accuser d'abord la fièvre du journalisme d'informations. (...). Il faut maintenant que les lecteurs aient, le lendemain même, un compte-rendu détaillé des pièces nouvelles. La représentation finit à minuit, on tire le journal à minuit et demie, et le critique est tenu de fournir immédiatement un article d'une colonne. Je comprends que les lecteurs soient enchantés de connaître immédiatement la pièce nouvelle. Seulement, avec ce système, toute dignité littéraire est impossible; le critique n'est plus qu'un reporter.

Et, prophète de la réalité contemporaine, Zola ajoutait: "Peu à peu, les comptes-rendus deviendront de simples bulletins".

L'émiettement infini de la critique contribue d'autre part à diluer son influence. Sarcey insiste sur l'importance de ce phénomène dont les prodromes remontent à la Restauration. Autrefois le journal n'avait qu'un critique attitré, le *lundiste*, unique point de référence pour l'abonné. Mais, avec le souci de rendre compte de *tous* les spectacles, les journaux ont été amenés à démultiplier la besogne, à faire appel, en même temps qu'au critique, au "soiriste", à l'"échotier". L'autorité du chroniqueur en est diminuée d'autant: "A mesure que le nombre de ceux qui circulaient autour de la critique devenait plus considérable, on s'attachait davantage aux infiniment petits de la vie théâtrale. Le moindre vaudeville, le plus insignifiant à-propos étaient passés au crible par une infinité de journalistes, qui disaient les toilettes des actrices, les incidents de la représentation, et qui même, quelquefois, s'occupaient des mérites de l'œuvre".

Ces changements entraînent des conséquences dans les rapports mêmes qui s'établissent entre les journalistes et les organisateurs de spectacles. Jusqu'alors, les critiques en titre (une dizaine à peu près) assistaient à une création au milieu du public, au sein duquel ils se fondaient. Or la surabondance des journalistes dans la salle a fini par poser aux directeurs des problèmes sérieux: l'habitude s'est prise d'admettre les journalistes à ces répétitions générales qui demeuraient naguère fermées à toute présence étrangère. Ainsi est évité l'engorgement lors de la *première* et laissé aux chroniqueurs le répit nécessaire à la rédaction de leurs articles. La répétition générale devient, pour la presse, une pré-création; la création elle-même n'est plus qu'une simple formalité, sans surprise ni intérêt. Mais ce public de répétition générale n'est plus le vrai public: "à force de se retrouver toujours les mêmes, on tourne sans s'en apercevoir et même malgré soi à la coterie": "on devient cénacle. On s'extasie, dans un ouvrage, ennuyeux d'ailleurs, sur un petit coin original, sur une trouvaille inattendue, sur un détail de mœurs pris au vif de la réalité, sur une jolie phrase, dont le public s'apercevra à peine".

Ainsi s'explique que soit en train de s'achever l'époque des critiques dont le jugement peut, en partie du moins, décider du sort d'une œuvre. On ne retrouvera plus, dans les décades ultérieures, l'équivalent des Janin, des Sarcey, des Lemaître. Les Monstres sacrés de la critique jettent leurs derniers feux. Sarcey le note, en 1894: "Le public ne croit plus à la presse, quand elle lui vante une œuvre théâtrale (...). Nous ne pouvons plus faire le succès d'une pièce qui déplaît au public; nous pouvons à peine prolonger son existence de quelques jours".

Tant de journaux ne peuvent subsister que par la présentation de l'information exclusive, futile bien souvent, mais mise en valeur de façon piquante. La recherche de l'anecdote inattendue, et à la limite scandaleuse, devient une loi du genre[44], consacrant la primauté de l'"échotier" sur le critique. En matière de théâtre, l'exigence est particulièrement sensible, fruit de l'attirance qu'exerce sur le profane l'univers du spectacle. Le phénomène remonte à loin: depuis que le théâtre est devenu le divertissement social par excellence, il a fallu alimenter en menues informations les ruelles et les salons. Quand elle a pu se développer, la "petite presse" a fait de cette besogne sa raison d'être. Ce qui est nouveau, c'est que la nécessité de l'*écho* s'impose désormais jusque dans les journaux les plus sérieux et les plus compassés.

Dans les cas les plus favorables, au *Temps* par exemple, cette tendance se manifeste par une attention soutenue portée au jeu des acteurs et des actrices. Les feuilletons de Sarcey sont, à ce point de vue, exemplaires par la précision, la gravité avec laquelle sont étudiées et discutées les variations des interprétations, leurs audaces ou leurs insuffisances. Ni Geoffroy ni Gautier, auxquels ce souci n'a pas été étranger, n'ont été aussi loin dans le détail et la volonté de rendre vivantes une intonation ou une attitude. Amicalement, Sarcey reproche à Lemaître d'être négligent en cette matière: "Vous souvenez-vous, mon cher J. Lemaître, d'une conversation que nous eûmes? Je vous grondais doucement. Je vous querellais de ne parler des artistes qu'avec indifférence, et souvent même de n'en point parler du tout" (16 août 1897).

Mais plus souvent le chroniqueur se contente d'incorporer à ses articles des éléments qui auraient convenu aux colonnes de la "petite presse".

La carrière de Sarah Bernhardt a été éclatante à partir du moment (1869) où elle a été révélée au public dans *le Passant* de F. Coppée (rôle de Zanetto). Carrière soutenue par le goût de la comédienne pour la réclame tapageuse, par l'habileté avec laquelle elle organise autour de sa vie privée[45] et de sa vie professionnelle un fracas d'excentricités. Sans cesse la presse se fait l'écho de ses démêlés avec Perrin, l'administrateur du Français, de ses liaisons avec Mounet-Sully, Richepin, le prince de Galles, autour de la tournée style Barnum aux Etats-Unis (1880). Les journaux orchestrent avec constance ce tintamarre publicitaire qui se développe des années durant[46].

Puis vient le jour où quelques chroniqueurs, soucieux d'exploiter la même veine, mais à contre-courant, s'avisent que l'actrice va tout de même trop loin. Alors se développe une campagne qui dénonce les mille manœuvres menées par Sarah pour attirer l'attention sur sa personne. Dans plusieurs articles du très boulevardier *Figaro,* Wolff finit par menacer la comédienne de la lassitude du public qui pourrait bien se manifester à coups de sifflet.

Cette affectation de moralisme exaspère Zola, qui s'en prend à Wolff en particulier "parce qu'il a une réelle puissance sur le public", parce que Wolff est un homme de salon et que son brillant le pousse naturellement à jouer davantage les échotiers que les chroniqueurs:

> Ne s'avoue-t-il pas que, si Mme Sarah Bernhardt aime aujourd'hui à entendre parler d'elle, la faute en est précisément à lui et à ses confrères qui ont fait autour d'elle un tapage si énorme? Ne voit-il pas enfin que, si notre époque est tapageuse, dévorée par la publicité à outrance, cela vient moins des personnalités dont on parle que du vacarme fait autour de ces personnages par la presse à informations?

Zola rappelle que, à l'époque du *Passant,* lorsque la presse s'est emparée de l'actrice, c'est d'abord de sa maigreur qu'il a été question: "Je crois que cette maigreur fit alors pour sa réputation beaucoup plus que son talent": "elle est maigre, et les chroniqueurs font d'elle un phénomène qui occupe l'Europe. Plus tard on raconte que, chez elle, elle invente des supplices atroces pour des singes; elle dort dans son cercueil capitonné de satin blanc; elle a des goûts macabres et sataniques, qui la font tomber amoureuse d'un squelette pendu dans son alcôve".

En 1889 (21 octobre), après avoir rendu compte de la rentrée de Coquelin, Lemaître écrit: "Peut-être me direz-vous qu'on a assez parlé depuis quinze jours des petites affaires de ce que Voltaire appelait le tripot comique. De bons chroniqueurs ont écrit de nombreux articles où ils commençaient régulièrement par se plaindre de la place tout à fait démesurée que les comédiens usurpent dans nos préoccupations. Et tandis qu'ils le déploraient, ils écrivaient eux-mêmes 300 lignes de plus sur les comédiens".

En novembre 1911, dans *le Mercure,* Léautaud s'exaspère de voir rendre compte de la vie dramatique dans ce qu'elle a de plus insignifiant:

> Retour de M. Guitry; retour de Mme Réjane. Les journaux sont pleins de ces hautes questions depuis quelques jours. M. Guitry nous revient d'une tournée dans l'Amérique du Sud. Il a perdu treize kilogs. Mme Réjane, de son côté, nous a donné la petite scène annuelle, le retour de tournée, avec la foule des amis à l'arrivée du train, et son fils se jetant dans ses bras "scène qui ne laisse jamais d'être émouvante", disent les journaux. Jobards de journaux! Moi, je vois très bien le tableau réglé à l'avance: "N'est-ce pas, je serai dans les premiers wagons. Dès que tu me verras, tu te précipiteras: Maman! Et tâche d'avoir l'air ému, que ça fasse de l'effet".

En 1882 (16 janvier), Sarcey étudie les transformations intervenues dans la manière dont se déroulent les débuts des comédiens engagés au Français. Naguère, ces débuts s'effectuaient dans la discrétion, le candidat se contentant de rendre visite au préalable, pour les convier, aux "deux ou trois critiques qui passaient pour avoir le goût du vieux répertoire".

> Ce n'est plus du tout ça. Les débuts ont pris à la Comédie Française une importance extraordinaire. Quand un petit jeune homme, frais émoulu de ses classes, prend possession d'un rôle, la chose se fait avec autant de solennité que s'il s'agissait d'un archevêque officiant sa première messe dans la cathédrale. On convie, à grand renfort de tambour et de musique, le banc et l'arrière-banc des amateurs.

Selon Sarcey, le résultat est que ce public qui, durant des semaines, a été surexcité "par tous les coups de trompette de la publicité", se trouve en général déçu par le spectacle qui lui est offert. On mesure là l'ampleur de l'inquiétude qui saisit les chroniqueurs en place en voyant leur influence se diluer dans le grand tintamarre publicitaire.

L'importance prise dans la vie sociale par le journalisme pose à nouveau le problème des compromissions de la critique. Personnage important, le chroniqueur, dont dépendent tant de réputations, est plus que jamais recherché, cajolé. On n'a pas de raison précise de croire que la critique en devient plus sensible aux séductions auxquelles elle a toujours été exposée. Entre 1870 et 1914, on n'en dit guère plus que sur Fréron, Geoffroy ou Ch. Maurice. Pourtant, lorsqu'elles se déchaînent contre certains critiques, les attaques sont d'une violence extrême.

Sur un ton relativement modéré, Zola conteste l'honnêteté de cette critique (24 juillet 1876). Il y a d'abord, explique-t-il, la "camaraderie", qui ne prend pas la forme sommaire d'un pacte honteux et secret: "On a dîné la veille avec l'auteur dans une maison charmante. Tout l'hiver, on le rencontre; on ne peut entrer dans un salon sans le voir et lui serrer la main. Alors, comment voulez-vous qu'on lui dise brusquement que sa pièce est détestable? ". Il y a ensuite le souci de ne pas "déranger les idées de la foule", c'est-à-dire de ne pas risquer de se voir renié par des lecteurs dont on aura trop choqué les sentiments. Il y a surtout (et là Zola est d'une grande lucidité) l'état "d'indifférence absolue" auquel arrive le critique "après quelques années de pontificat": un critique non-conformiste en ses débuts se mue peu à peu, la satiété venue, en chroniqueur blasé et complaisant: "D'abord, il s'est jeté dans la bataille, a livré des combats sur le terrain de chaque pièce nouvelle. Puis, en voyant qu'il n'améliore rien, que la sottise demeure éternelle, il se calme et prend un bel égoïsme. Tout est bon, tout est mauvais, peu importe. Il suffit qu'on boive frais et qu'on ne se fasse pas d'ennemis".

En novembre 1907, Léautaud, dans *le Mercure*, établit un bilan analogue: "Tel critique a une pièce déposée chez un directeur de théâtre, vous ne voudriez pas qu'il dise que celui-ci joue de mauvaises pièces. Tel autre, pour se faire jouer, compte sur un comédien influent; il se met en quatre pour lui trouver un talent incomparable. Celui-ci pense à l'auteur, qui est lui-même critique dramatique ou homme puissant: on récolte ce qu'on a semé, se dit-il en le couvrant d'éloges. Celui-là enfin fait le joli cœur auprès d'une comédienne, et songe avant tout à avancer ses affaires".

C'est à Becque qu'il est revenu d'éclairer, sur un autre ton, ce que voilent les formules encore prudentes de Zola. La campagne qu'il a menée met en évidence à quel paroxysme de hargne peut atteindre, chez certains, la haine de la critique en place[47].

Le ton de Becque peut étonner. Mais il n'est pas différent de celui qui est pratiqué dans une partie de la presse (*le Piron, le Gil Blas, l'Evénement Parisien Illustré*, etc.; parfois dans *le Gaulois, le Figaro*), qui recherche systématiquement le scandale et qui voit souvent ses rédacteurs contraints à des réparations par les armes[48].

Becque commence par dénoncer la détestable interdépendance établie entre les directeurs et les critiques. Sur le fond il n'a pas tort. Puis il s'indigne de ce que les chroniqueurs fassent la loi non seulement auprès du public, mais sur la scène et dans les coulisses. Pour se les concilier, Claretie directeur est prêt à toutes les bassesses: si le critique est auteur lui-même, le moyen le plus sûr de l'amadouer est de procéder à la reprise d'une de ses pièces: "Si Lemaître se fâche, il remontera le *Pardon.* Ou bien on engage la comédienne qui est notoirement patronnée par le journaliste influent: Claretie fait entrer au Français la jeune et nulle Nancy Martel pour s'assurer la bienveillance de Sarcey: Nancy Martel, la "subvention Sarcey".

Sur Sarcey Becque s'est acharné d'une façon que l'on imagine mal si l'on ne se reporte pas aux textes.

Sarcey tenait avant tout à sa réputation d'intégrité, affectant, pour la mieux soutenir, de refuser "toute invitation en ville". Becque dénonce donc l'imposture (sans jamais apporter la moindre preuve d'ailleurs): Sarcey est un critique vénal, qui arrive à se faire 50.000 francs par mois. Ce critique probe mesure ses jugements sur les actrices aux complaisances qu'elles lui concèdent: il est renseigné "jour et *nuit*" sur les intrigues des coulisses; il a "mis en coupe réglée toutes les comédiennes de Paris"; "lorsque les hommes sont laids et répugnants, et qu'ils se mêlent d'avoir des femmes, ils ne reculent devant rien; ils deviennent ignobles". Aussi longtemps que Perrin s'est opposé à ce que le Français devienne un "bordel" pour journalistes, Sarcey n'a cessé de tirer sur lui à boulets rouges: "Lorsque l'Odéon était administré par La Rounat, tous les critiques d'alors y avaient leur *petite femme.* On avait charbonné sur les murs cette inscription: "Au rendez-vous des maîtresses".

La critique, bien entendu, se défend avec âpreté. Et il est juste de faire entendre aussi sa voix, quoi que l'on puisse penser de ce plaidoyer pro domo. Dès 1860 (16 juillet), Sarcey s'efforce de combattre le préjugé:

> La difficulté n'est pas, comme le croit généralement le public, de se soustraire aux influences dont on est pressé de toutes parts. Je n'y ai jamais eu, pour ma part, aucune peine. Je sais que j'aurai fort à faire pour convaincre les bons bourgeois que nous ne sommes pas de plats coquins. Personne en France ne veut être dupe. Les gens ne peuvent pas lire l'éloge d'une actrice sans hocher la tête avec un sourire d'une malice très significative.

Par réflexe corporatif peut-être, les confrères de Sarcey ont voulu le laver des accusations de Becque: "Il était parfaitement incorruptible, ce qui est l'orthographe sans doute; mais encore tout le monde ne l'est pas" (Faguet, 18 mai 1899). "Il était bon, charitable, insoucieux de l'argent" (Lemaître, 19 mai 1899). "Pour faire son métier avec une complète liberté, il avait dédaigné les honneurs qui enchaînent, et ces satisfactions mondaines qui gênent l'expression de la vérité toute nue. Il n'avait voulu être ni académicien, ni légionnaire, ni membre d'une société littéraire quelconque" (A. Theuriet, 19 mai 1889).

***

Si la critique bénéficie d'une telle audience, c'est que le théâtre tient une place exceptionnelle dans la vie sociale et mondaine. André Billy, qui a 18 ans en 1900, s'en émerveille encore, un demi siècle plus tard:

> Le bureau d'un courriériste de théâtre était assiégé d'auteurs et d'interprètes venus là pour essayer de faire passer un communiqué, une information, un écho à leur louange. Car le théâtre étendait alors sur tout Paris, et principalement sur le Paris du boulevard et du journalisme, un empire dont la concurrence du cinéma nous a fait perdre jusqu'au souvenir, jusqu'à la notion. Paris ne mérite plus le surnom de Cabotinville qu'on lui avait donné à la fin du siècle dernier. Sarah Bernhardt, Mounet-Sully, Mme Bartet, Féraudy, le Bargy, Réjane, Guitry, Jane Harding, Brasseur, Lavallière, Jeanne Granier (mais la liste en serait trop longue) encombraient le devant de la scène d'une façon dont la vogue des Jouvet, des Dullin, des Pitoëff, des Baty, des Edwige Feuillère, des Barrault, des Madeleine Renaud ne donnent aucune idée[49].

Le prestige du Français n'a jamais été aussi haut, et son administrateur (Thierry, Perrin, Claretie) est bien davantage qu'un haut fonctionnaire: il est, avec le secrétaire perpétuel de l'Académie, une des puissances de la vie intellectuelle et artistique, une personnalité essentielle du Tout-Paris. Aussi les chroniqueurs lui réservent-ils, dans leurs colonnes, une place éminente, discutent ses initiatives, l'abreuvent de conseils, de remontrances. Les Sociétaires ne sont sans doute pas tous des Monstres sacrés; mais ils constituent, c'est un fait, une des troupes les plus éclatantes que la Compagnie ait jamais connues. Le Français vit vraiment une très grande époque. Il est censé remplir, au sens le plus noble du mot, une "mission": il représente la maintenance du grand répertoire, la consécration définitive pour un auteur contemporain. Quand, le 8 août 1898, Sarcey conclut un article par ces mots: "Gardons la Comédie Française", c'est une véritable anxiété qu'il exprime devant le développement des attaques dont le théâtre est l'objet. Et cette conception du rôle du Français explique ce que nous avons tant de peine à comprendre aujourd'hui: l'indignation exprimée par la plus grande partie de la critique devant certaines innovations de répertoire ou de mise en scène qui font déchoir la première scène nationale. Une indignation qui n'est pas la marque d'esprits bornés ou sottement attardés, mais qui traduit une révolte sincère devant des actes qui relèvent vraiment de la profanation.

Mais le monopole de l'activité dramatique vivante commence à échapper au Français. Seul le prestige de son passé lui confère encore la préséance sur les multiples théâtres qui attirent le public. Sur vingt scènes, la vie des créations nouvelles est intense et surtout, sûr indice de l'intérêt que porte le public aux choses du théâtre, elle provoque de vastes polémiques qui débordent le cadre de la presse, s'étendent jusque dans les salles de conférences, autour des idées dramatiques de Zola, des innovations d'Antoine, du répertoire scandinave, des efforts de création d'un théâtre symboliste, des premières manifestations de Copeau. De 1870 à 1914, la controverse dramatique est permanente.

Ce sont les années 1890–1900 qui marquent les prémices des transformations qui s'imposeront de façon définitive après la Grande Guerre. L'expérience du Théâtre Libre (1887–1896) achevée, d'autres tentatives se développent: le Théâtre de la Rose-Croix de Péladan (1890), le Théâtre d'Art de Paul Fort (en octobre 1891), et surtout l'Œuvre de Lugné-Poe (à partir d'octobre 1893), en attendant le Théâtre des Arts de Rouché (à partir de 1910) et enfin le Vieux Colombier de Copeau (à partir de 1913). Des initiatives sont prises, renouvelées de celles du Comité de Salut Public, pour ressusciter un "Théâtre du Peuple" (R. Rolland), qui ne soit pas seulement une hypocrite concession de la société bourgeoise se préoccupant avec paternalisme du divertissement des masses. En 1899, s'ouvre, en plein faubourg Saint Antoine, le Théâtre de la Coopération des Idées, puis le Théâtre Populaire de Belleville, le Théâtre du Peuple de Beaulieu, le Théâtre Civique de Lurnet. Il importe peu que ces initiatives soient sans grands lendemains. Il suffit qu'elles manifestent que le vent de la rénovation souffle dans toutes les directions.

Il serait excessif d'affirmer que, à la veille de 1914, les novateurs sont maîtres de la scène. Mais il est justifié d'affirmer que, à cette date, il y a "quelque chose de changé dans le royaume des planches". Parmi ceux qui pratiquent la critique dramatique entre 1871 et 1914, très peu nombreux sont ceux qui soupçonnent qu'elle vient de vivre ses dernières très grandes heures.

III

La Puissance des Ténèbres de Tolstoï est créée en 1888, c'est-à-dire au moment où les forces de la tradition sont encore non entamées, mais où le processus de la relève dont le principe a été posé par Zola est déjà engagé. Quelques années plus tard, les représentants de l'ancienne critique en seront réduits au combat purement défensif, aux concessions faites à contre-cœur. D'un autre côté, les critiques qui prônent une esthétique nouvelle se trouvent encore dans la situation de Zola en 1875–1880: ils ne peuvent toujours pas faire état de réalisations concrètes incontestables.

Cette création, le 10 février 1888, fait partie de la première série des représentations données par Antoine qui n'a inauguré la saison régulière de son Théâtre Libre que quelques semaines plut tôt. Il ne s'agit pas d'assurer à la pièce une longue carrière: réservée au public d'abonnés, la création n'est suivie, le 17, que d'une unique représentation, pour le public payant cette fois. Ainsi le succès qui, éventuellement, sera remporté, ne touchera-t-il, avec la critique, qu'un nombre restreint de spectateurs.

Avec cette œuvre, Antoine est loin d'aller à contre-courant d'une opinion qui, depuis plusieurs années, grâce aux efforts de Tourguenieff et de ses amis, à ceux du vicomte de Voguë, est bien informée de l'activité créatrice de Tolstoï. La critique ne va donc pas se trouver prise au dépourvu, comme elle le serait par la découverte d'un auteur inconnu. Elle doit même être a priori favorable, puisque les deux courants antagonistes de pensée ont, pour des raisons diamétralement opposées, fait bon accueil aux romans: les naturalistes ont très tôt tenté d'annexer Tolstoï à leur doctrine et les adversaires "idéalistes" se réclament, avec Voguë, d'un mysticisme qui leur paraît être l'antidote du positivisme.

Les difficultés vont venir d'ailleurs, et d'abord de cette confusion qui s'est établie dans les esprits sur la manière de "classer" Tolstoï.

Comme l'a marqué F. Pruner, l'audace essentielle d'Antoine est d'ouvrir une brèche dans ce protectionnisme dramatique dont les gens de théâtre en place entourent alors le répertoire français considéré comme sans égal[50]. Audace d'autant plus nette qu'on ne présente pas, selon une tradition qui remonte au XVIIIe siècle, une adaptation, tenant compte des exigences du goût français, mais une véritable traduction aussi rigoureuse que possible et qui reproduit même les excès de vocabulaire.

Dès le départ s'établit une équivoque, née du patronage tapageur que le clan naturaliste s'empresse d'entretenir en faveur d'Antoine. Antoine, à ses débuts, n'a guère trouvé de soutien actif qu'auprès du groupe qui gravite autour de Zola, auquel la première soirée d'essai du Théâtre Libre a été consacrée. Sur bien des points le programme du jeune directeur rejoint celui qui a été développé par le polémiste du *Bien Public.* Quelle que soit la volonté d'Antoine de ne pas paraître tributaire du groupe de Médan, son image de marque est, très tôt, celle d'un compagnon de route du naturalisme. La représentation du drame de Tolstoï est ouvertement patronnée par Zola et c'est O. Méténier qui aide le russe Pawlovski à établir la nouvelle traduction. Or Méténier est un spécialiste de la littérature des bas-fonds: il est l'auteur de ce scandaleux *En Famille* (1887) qui a inspiré à Sarcey cette remarque: "C'est peut-être le théâtre de l'Avenir. J'espère être parti avant qu'il arrive" (*la France,* 1 juin). *La Puissance des Ténèbres* est enfin une pièce qui n'est pas sans danger: inquiétante par le tableau qu'elle offre des abominations commises chez les moujiks, elle a été, en 1887, interdite en Russie.

Avant la création, une polémique s'engage autour du problème posé par la traduction, polémique qui, par son objet, devrait être pure affaire de spécialistes. Encouragé par Zola, Antoine écarte en effet la traduction de Halperine-Kaminsky, qu'il juge embarrassée de trop de termes russes qui seront incompréhensibles à un public français; il demande à Pawlovsky d'établir, avec Méténier, un autre texte. Pour des raisons d'opportunité diplomatique[51] autant, sans doute, que par vanité blessée de traducteur, Halperine s'évertue alors à empêcher la représentation; par une initiative maladroite, il se livre à une sorte d'enquête, recueillant, avant d'en publier les résultats dans la presse, l'opinion de Dumas fils, d'Augier et de Sardou. En 1888, Augier n'écrit plus pour le théâtre, mais sa réputation est encore considérable et à son sujet on prononce volontiers le nom de Molière. Dumas vient, en

1887, de remporter un nouveau triomphe avec *Francillon*. Après *Théodora* (1884), *la Tosca* (1887), la renommée de Sardou est au zénith; Becque lui-même, critique hargneux, lui rend un hommage éclatant: "J'ai toujours pensé que Sardou était le véritable auteur dramatique de l'époque, celui qu'on jouerait le plus longtemps et qui se présentera debout à la postérité"[52]. Ces trois auteurs sont donc ceux qui, aux yeux du grand public et de la critique traditionnelle, confèrent son lustre au répertoire national. Mais aussi ceux qui, aux yeux des novateurs, monopolisent de façon éhontée les salles de spectacle et s'opposent à l'éclosion d'un répertoire nouveau: "Trinité illustre", ironise Antoine. Ils sont les membres les plus éminents de ce "syndicat" des écrivains arrivés qui, de toute leur influence, empêchent les directeurs de se montrer audacieux.

En sollicitant l'opinion des Trois Grands sur l'opportunité de la création, Halperine donne à la question qu'il pose une portée qui dépasse largement celle de la qualité de sa propre traduction. Inévitablement les réponses vont être interprétées comme des jugements sur l'œuvre elle-même. Ces jugements qui anticipent sur l'accueil du public apparaissent comme des prises de position hostiles, destinées à peser, en la prévenant, sur l'opinion des spectateurs.

Se plaçant "au point de vue du théâtre tel qu'il existe chez nous" (cette seule formule est propre à exaspérer les tenants des réformes qui, précisément, veulent faire évoluer le théâtre et le goût du public), Dumas emprunte le langage même que Sarcey utilise si souvent pour nuire à une pièce, en la présentant comme capable de plaire seulement à une "petite élite":

> Une représentation donnée devant un public de lettrés et de délicats dans une salle qui ne contiendrait pas plus de 300 ou 400 personnes, où les femmes seraient en minorité, pourrait laisser une impression littéraire assez profonde, mais ce serait tout et je ne suis pas sûr que les mêmes personnes reviendraient à une autre représentation, fût-elle donnée longtemps après.

L'allusion au public féminin indique clairement que la sensibilité et la pudeur des femmes seront mises à rude épreuve par la violence de Tolstoï: la pièce fait donc fi de toutes les bienséances.

Augier et Sardou aboutissent à une conclusion aussi négative avec un argument d'une autre nature: la pièce est faite "pour être lue, non pour être vue". Ce qui signifie qu'elle n'est pas "construite", que le "don" fait défaut: ce n'est pas là du théâtre, autre formule chère à Sarcey et à ses confrères. Zola s'élève contre ce recours à un vieux poncif, dont il a déjà souvent contesté la valeur: "Quant à la fameuse distinction des pièces faites pour être vues et des pièces faites pour être jouées, c'est là une chinoiserie inventée par notre critique actuelle et nos auteurs dramatiques". L'inattendu est ici que, sur la vraie question posée, Zola partage l'opinion des trois oracles: la traduction de Halperine ne lui paraît pas "faite pour être jouée".

Ainsi, avant même la création, *la Puissance des Ténèbres* est-elle déjà jugée, et condamnée par une partie de la critique. Le spectateur qui s'en va assister à la représentation ne peut pas ignorer qu'on lui propose une œuvre mal construite et choquante par ses outrances.

Les témoignages concordent: la pièce est un succès. Lemaître en convient: "très grand succès de curiosité, de sympathie et d'émotion". Seul le dernier terme est convaincant car les deux premiers donnent à penser que l'accueil réservé est dû à une certaine forme de badauderie et à la "camaraderie". Les cris de triomphe poussés dans *la Revue des Deux Mondes* par Voguë ("je prévoyais un morne insuccès, nous avons assisté à une apothéose. Serait-ce Austerlitz ou Waterloo? Ce fut Austerlitz..."; "tempête d'acclamations"; "le public était transporté; je n'ai pas surpris un instant d'arrêt ou d'hésitation durant ces quatre heures") n'emportent pas tout à fait l'adhésion: ils correspondent trop au désir du Vicomte de confirmer le bien-fondé de la campagne qu'il mène en faveur de la littérature russe. Beaucoup plus sûr est le témoignage d'un Fouquier qui, dans un compte-rendu très défavorable, s'étonne de contaster que, contre toute attente, le public a été bien loin de renâcler: "représentation importante et *singulière* par l'attitude du public, encore plus que par la valeur de l'œuvre" (*Figaro,* 12 février). Faguet traduit aussi sa surprise dans *le Soleil* (12 février): "il n'y a pas de pièce où l'art de combinaison et de composition soit plus sévèrement banni" et pourtant l'œuvre a obtenu "un grand et beau succès, d'autant plus beau qu'il n'est obtenu par aucun procédé dramatique que vous connaissez". Deux jours plus tard Faguet se ressaisit et se livre à une vive critique du drame.

Cet accueil favorable ne porte que sur deux représentations. On ne saurait donc préjuger du sort qu'aurait connu l'œuvre si elle avait été engagée dans le circuit commercial habituel et si elle avait touché des franges plus larges de spectateurs. D'autre part, la seconde représentation est organisée à la demande de la colonie russe de Paris, qui n'a pu assister à la création: cette séance s'est donc déroulée devant un public inhabituel et, de par ses origines, fortement enclin à l'admiration. Il n'en reste pas moins que cet accueil imprévu suffit à faire hausser le ton des chroniqueurs.

Du côté des partisans d'Antoine, la jubilation se manifeste avec intensité. On insiste sur le fait que la pièce a réussi auprès d'un public payant et non pas seulement auprès de spectateurs qui soutiennent l'effort du Théâtre Libre, convaincus d'avance: ainsi se trouvent démenties dans les faits les prévisions de Dumas, Augier, Sardou. La réussite de l'expérience encourage les tenants du courant naturaliste à proclamer que cette réussite est celle de leur école. *Le Cri du Peuple* (13 février) annexe purement et simplement Tolstoï au mouvement. C'est sur cette prétention des zolistes à faire de Tolstoï un des leurs que s'engage le premier débat. Dans *la Revue des Deux Mondes* (où il clame victoire aussi fort qu'Alexis), Voguë dénonce l'imposture. Il entend démontrer que, bien loin d'être d'inspiration naturaliste, la pièce est riche d'un message hautement spirituel et il reproche à Antoine d'avoir gommé dans l'œuvre tout ce qui tend à faire, de l'ignominie, jaillir la lumière. Il déplore en particulier que soit "mutilé" le dénouement où l'on voit le protagoniste Nikita, après avoir multiplié les actes criminels, se dénoncer à la police alors qu'il pourrait jouir tranquillement du bénéfice de ses forfaits:

> On a écourté cette confession publique où l'auteur condense toute la moralité de sa pièce, on a réduit le rôle d'Akim alors qu'il pousse son fils à l'aveu, qu'il retient l'officier de police pour laisser s'accomplir l'œuvre divine. Les champions du naturalisme qui ont présidé aux répétitions revendiquent *la Puissance des Ténèbres* pour leur école; il y a un devoir de bonne foi à ne rien retrancher dans le texte de ce qui peut ruiner leurs prétentions.

Akim est ce personnage, typiquement "slave", "moujick illuminateur", vieux vidangeur simple d'esprit, qui ne s'exprime que par des bégaiements à peu près incompréhensibles ("Taïe, taïe"), mais qui représente la voix même de la conscience.

Voguë fait valoir qu'un tel personnage ne connaît pas de semblable dans la série des *Rougon*. L'observation trouve sa confirmation dans l'aveu même d'Alexis qui, gêné tout de même, reconnaît que le "sublime" de ce dénouement "nous a suffoqués un peu de prime abord, nous Français sceptiques de cette fin de siècle. Ce n'était pas que nous ne trouvions l'idée belle, mais elle l'était assurément trop pour nous, et nous ne nous sentions pas tout à fait à la hauteur".

Le débat concerne ainsi bien davantage la signification philosophique de l'œuvre que sa valeur en tant que pièce de théâtre. Il ne fait qu'illustrer la confrontation qui se développe alors entre deux idéologies antagonistes.

Les critiques dont la vue porte moins loin présentent des arguments de nature plus précisément dramatique. Fidèle au plus ressassé de ses articles de foi, Sarcey déplore "l'absence de préparation", ce qui n'est qu'une autre forme du grief formulé par Faguet (*le Soleil,* 14 février) suivant lequel l'évolution des personnages, une évolution vraiment étrange, demeure incompréhensible:

> Pour un moderne, le drame serait dans le passage d'un état à un autre et dans le pourquoi et le comment de ce passage; pour le théâtre que nous avons sous les yeux, il n'y a ni transition, ni de comment ni de pourquoi, les faits sont parce qu'ils sont, voilà tout[53].

Cette évolution n'étant pas clairement justifiée, on sort du domaine de la réalité pour entrer dans celui de la fiction. Cette réaction-là est celle même de Lemaître renâclant, à la même époque exactement, devant l'adaptation de *Crime et Châtiment* (le Roux et Ginisty, Odéon):

> J'avoue que je reste un peu baba devant cet assassin (Rodion) et cette fille (Sonia). J'ai quelquefois envie de dire: "Je soupçonne, entre nous, que vous n'existez pas". Tandis que se dévoilent laborieusement leurs âmes contradictoires, plus artificielles et formées de plus violentes antithèses que celles de Triboulet ou de Lucrèce Borgia, un Parisien de Paris hésite entre l'admiration éperdue (car il est né confiant, grand amateur des choses étrangères) et la raillerie la plus irrévérencieuse quand par hasard il ose se reprendre. Ce qu'on peut dire de mieux, c'est que ce sont des fous. Tout cela, c'est de la psychologie profonde mais rêvée. Où diable avez-vous vu Sonia? J'ai déjà bien de la peine à croire à Marguerite Gautier[54]. Et Rodion? (24 septembre 1888).

En face de *l'Orage* d'Ostrowsky (1889), Lemaître réagit de la même façon lorsque Katerina entreprend d'avouer ses fautes à son mari:

> Je n'ai pas besoin de vous le dire, puisque vous l'avez deviné. En Russie, quand on a assassiné une vieille femme, quand on a enterré un enfant tout vif, ou simplement quand on a trompé son mari, on profite du moment où il y a beaucoup de monde dans la rue, et alors on se met à genoux et on se confesse tout haut. Et cela fait qu'à Paris, les psychologues murmurent d'un air très profond: "Oh! cette âme russe!" (11 mars 1889).

Ce théâtre est celui de l'incohérence. Et s'en aller prendre des leçons dans un tel répertoire serait, "pour un moderne", consentir à retomber dans la barbarie des premiers âges du théâtre.

A beaucoup de chroniqueurs il paraît que la pièce, comme tout ce répertoire étranger dont les "jeunes gens" font si grand cas, n'apporte rien qui n'ait été dit déjà, et beaucoup mieux, par les auteurs français. Dans *le Figaro* (12 février), Vitu pose la question: "Quelle voie nouvelle ouvre-t-il à la littérature dramatique? Rien,

rien, rien". A ses yeux *la Puissance des Ténèbres* est à placer au même niveau que certains mélodrames, *les Sept Degrés du Crime* par exemple. Dans *le XIXe siècle,* Fouquier est moins indulgent encore: "l'étude du remords est autrement profonde et ingénieuse dans *l'Assassinat du Pont Rouge* (C. Barbara)" (12 février). Et Faguet déplore que Tolstoï "tombe au niveau intellectuel d'un Eugène Sue, sans avoir la dextérité dans l'art de manier l'intérêt de curiosité qu'un Eugène Sue savait montrer": il y a bien longtemps que la scène française a illustré l'idée qu'un crime en entraîne un autre, montré un meurtrier accablé par le remords ou une épouse qui supprime son mari pour profiter de sa fortune: "exploité cent fois déjà par les mélodramaturges".

Théâtre infantile donc; mais qui blesse surtout les susceptibilités les moins contestables d'un public français; et l'on retrouve ici le jeu de la convention. Le drame est dominé par l'abominable personnage de la mère, Matriona, qui, dans son désir frénétique d'assurer le bonheur matériel de son fils, est à l'origine de tous les forfaits dont l'intrigue est si riche. Fouquier exprime le préjugé en termes irremplaçables: "*Nous admettons mal ce qui touche, pour la souiller, à l'idée de maternité.* Quand on a mis à la scène *les Mystères de Paris,* on a supprimé la mère Martial[55], à qui ressemble, *en lui restant inférieure,* Matriona, la Mère russe".

Tout aussi inadmissible se révèle le recours aux scènes de violence physique. En 1829, la critique avait dénoncé comme intolérable la scène au cours de laquelle, dans *Henri III et sa Cour,* le duc de Guise broie le poignet de sa femme dans son gantelet de fer. Sur ce chemin, on a accompli d'indiscutables progrès: on en vient à l'assassinat d'un enfant écrasé entre des planches et dont on entend les cris d'agonie. C'est parce qu'il est incapable d'inspirer la véritable terreur tragique que la dramaturge utilise ces moyens primitifs, et ce calcul s'avère faux: Sarcey observe que ces personnages, que le déchaînement des instincts rend si proches de la bête, sont incapables de toucher un public français: "Tous ces gens-là sont des bêtes à visages humains, qui mangent du pain au lieu de brouter de l'herbe; ces êtres-là ne sont pas de mon espèce; je ne peux sentir pour eux ni pitié, ni haine, ni indignation. Je les regarde anxieusement faire leur sale et monstrueuse besogne, ils ne me toucheront jamais l'âme".

Quand il assistera, un peu plus tard (1890) au *Pain d'Autrui* (Tourgueniev), Sarcey ne supportera pas davantage la scène au cours de laquelle Kousovkine, le vieux gentilhomme pauvre, enivré par ses commensaux, est livré à la cruauté de leurs sarcasmes: "Ces gens-là sont ignobles de tourmenter avec cette brutalité méchante un malheureux vieillard (...). Jamais on n'a rien vu de pareil! (...). Cette situation ne correspond à rien de ce que nous connaissons dans nos mœurs".

Le cas de Sarcey est curieux. Le critique prend soin, dans son feuilleton, de rappeler qu'il a été un des premiers à attirer l'attention sur le drame de Tolstoï, qu'il s'est naguère entremis pour en obtenir la représentation au Théâtre de Paris et que, devant l'échec de son intervention, il a lui-même, au cours d'une conférence, présenté l'ouvrage: à l'en croire, au quatrième acte, gagné par l'émotion de l'auditoire, il aurait été suffoqué par les sanglots et aurait dû s'interrompre. F. Pruner en conclut que, si Sarcey condamne à la représentation une pièce dont la lecture l'a si fort bouleversé, c'est qu'il se trouve contraint de manifester sa solidarité avec Dumas, Augier, Sardou, ces maîtres dont les ouvrages illustrent si bien ses propres conceptions dramatiques. On peut aussi penser que Sarcey n'a pas pressenti, à la lecture, à quel point étaient brutales certaines situations et qu'ainsi, comme il l'écrit, "après épreuve faite", il pense "sincèrement" que Tolstoï est insupportable à la scène.

Quant au langage des personnages, il est à la hauteur de cette inspiration "barbare". Recourant à Méténier, spécialiste du vocabulaire argotique, pour conserver toute sa verdeur au langage paysan, Antoine avait même vu se dresser contre son initiative un de ceux qui avaient compté jusque là parmi ses plus fervents soutiens: Baüer qui, dans *l'Echo de Paris* (31 décembre) avait exprimé la crainte que ce choix ne fût une "fâcheuse concession à la vulgarité", qui aboutirait à "trahir la simplicité grandiose du texte de Tolstoï: ainsi les traducteurs déserteraient l'Art sincère (...) pour la sophistication des scènes commerciales". La vulgarité des expressions choque Lemaître et même, malgré son désir de porter l'œuvre aux nues, Voguë qui parle de langue "néo-poissarde" (à ses yeux, c'est encore un méfait de l'intervention des naturalistes). Sarcey indique la recette qui rendrait supportable le dialogue: "Qu'y a-t-il de plus simple que de dire "traînée" par exemple au lieu de C... ou salope? ". Et il insiste: "On me parle toujours d'Eschyle et de Sophocle; mais les poètes grecs jetaient sur ces situations la pourpre des beaux vers; Nikita, lui, ne fait que répéter: "Il piaule, il n'est pas mort, je l'entends piauler...".

Finalement la critique ne retrouve à peu près son unanimité que sur un seul point: l'éloge de l'interprétation. Les chroniqueurs les plus hostiles, Fouquier ou Faguet, rendent à peu près sans restriction hommage à la troupe; à peine certains, comme le Senne dans *le Télégraphe,* relèvent-ils "un très petit peu de surcharge zolâtre".

Mais on a vu déjà combien il est tentant pour la critique d'expliquer le succès d'une œuvre qu'elle condamne par l'excellence des comédiens. Au surplus, en 1888, Antoine n'a pas encore été jusqu'au bout de ses théories. Sans doute, en 1887, a-t-il déjà, pour *Sœur Philomène,* mis en pratique son idée de la scène lieu clos et fait jouer certains personnage dos au public. Sarcey a maugréé: "J'ai été gêné d'avoir trois dos qui me cachaient le visage de ceux qui parlaient et que l'on avait placés en face". Mais enfin, Antoine n'est pas encore devenu, pour la critique, l'extravagant qui, pour *les Bouchers* (F. Icres, octobre 1888), accrochera dans son décor de vrais quartiers de viande ou qui, pour *la Fin du Vieux Temps* (juin 1892), empuantira la salle d'odeurs de fumier. La mise en scène de *la Puissance des Ténèbres* n'a rien pour choquer ou pour provoquer: elle est donc acceptable.

***

Entre 1871 et 1914, la critique dramatique écrite atteint à son plus haut niveau d'influence dont elle va bientôt déchoir, et cela de façon définitive. Le poids même de son autorité, bientôt ressenti comme oppressif et étouffant, va, pour une large part, lui être fatal.

Il est aisé de mettre en évidence aujourd'hui l'étroitesse de vues de ceux qui ont été alors considérés comme les maîtres du jugement dramatique et on tire toujours des effets faciles en illustrant par des exemples précis l'épaisseur intellectuelle dont ils ont fait preuve devant les œuvres nouvelles. C'est oublier que les adversaires de Sarcey, de Doumic, de Faguet, ont été bien des fois eux-mêmes les panégyristes de pièces qui paraissent aujourd'hui insupportables et qu'ils ont louées uniquement parce qu'elles étaient nouvelles. C'est oublier surtout que ces opinions sont le reflet de l'esprit général d'une époque. Elles traduisent les certitudes d'une société qui reste confiante en ses valeurs et qui croit encore qu'il vaut la peine de soutenir pour leur défense le bon combat; qui vit sur elle-même et regarde peu ce qui se passe au-delà des frontières; qui croit en la primauté de la raison, de "l'esprit cartésien"; qui ne découvre aucune séduction dans les formes que peuvent prendre le désordre et l'esprit d'anarchie; qui a le sens de la longue continuité dont elle est issue et qui fait de la stabilité le principe même de sa politique. Sarcey, Doumic, Lemaître, Faguet ne découvrent aucune raison de juger peu honorable d'être considérés comme des conformistes ou des traditionalistes. Sans doutent ne pensent-ils pas que leur temps est vraiment "la Belle Epoque". Le scepticisme profond qui les habite les a convaincus qu'un ordre social n'assure jamais qu'un équilibre très relatif. Nul, semble-t-il, n'a mieux défini cet état d'esprit que J. Lemaître dans la chronique qu'il consacre aux *Revenants* d'Ibsen et où il est question de tout autre chose que d'actualité dramatique:

> Il semble, en ce moment, que nous soyons sensiblement en avance sur les autres peuples de l'Europe. Du moins, nous ne sommes pas, eux et nous, au même point de notre développement politique; et comme il n'est guère possible de dire que nous sommes en retard sur eux, il faut donc bien que nous les devancions. Nous sommes arrivés, il est vrai, à une heure mauvaise, une heure de transition, où se prépare et s'élabore on ne sait quoi (...). S'il convient de ne pas trop s'en vanter, il faut encore moins en rougir (19 août 1889).

Notes

1 J. Chastenet, *la France de M. Fallières,* p. 147–148.

2 Zola ne fut qu'un critique dramatique d'occasion, pour qui la chronique n'avait d'intérêt que si elle lui permettait de développer une thèse. Parfois il rendait compte de la pièce sans l'avoir vue, utilisant les notes que lui adressait Céard.

3 Entre 1814 et 1880, Daudet, critique dramatique du *Journal Officiel,* s'applique aussi, mais de façon plus nuancée, à déterminer comment pourrait s'imposer "la vérité au théâtre" (cf. *Entre les Frises et la Rampe, Pages inédites de critique dramatique.*

4 Cf. *Revue des Sciences Humaines,* avril-juin 1948, p. 133–138.

5 Il tient la critique du *Paris.* Il est aussi lecteur à l'Odéon.

6 Cf. H. Behrens, *Sarcey Theaterkritik,* Greifswald, 1911; A. de Luigi, *Sarcey, professeur et journaliste,* Florence, 2919; L. Strauss – Horkheimer, *Sarcey als Theaterkritik,* 1937.

7 Commentaire de Zola (à propos des *Bourgeois de Pont Arcy):* "Nous sommes là jusqu'au cou dans une fiction inacceptable (...). Dans la vie, jamais le fils ne se laisserait acculer de cette manière, jamais il ne permettrait qu'on le traînât si longtemps dans la monstruosité d'une pareille confusion. Il dirait ou ferait dire toute la vérité à sa mère".

8 Bornier est encore l'auteur d'un *France d'abord!,* dont le titre se passe de commentaires. Cf. N. Steward, *La Vie et l'Œuvre de Bornier,* 1935.

9 Cf. L. Grimm, *Lemaître als Kritiker des französischen Theater,* 1927; G. Durrière, *Lemaître et le théâtre,* 1934.

10 *Le Naturalisme au théâtre,* I, p. 140 (éd. Bernouard).

11 A propos de ces drames patriotiques, l'erreur de Zola est de prôner, par esprit de parti, en face des *Noces d'Attila* ou de *la Fille de Roland,* le drame des Goncourt, *la Patrie en danger,* "œuvre de vérité", "modèle du genre historique nouveau", alors que cette pièce est tout aussi péniblement cocardière.

12 Cf. Pruner, *les Luttes d'Antoine,* I, p. 434–439.

13 Un an plus tôt, Antoine a mis à son programme *l'Envers du Galon,* dont l'inspiration est très proche de celle des *Sous Offs.* Inquiet du tumulte élevé autour de son roman, Descaves retire lui-même sa pièce. Cf. Pruner, op. cit., p. 361–362.

14 Quelques chroniqueurs prennent la défense de la pièce. Dans *le Mercure de France* (1 juillet 1890), Aurier constate que le nombre des siffleurs prouve que "beaucoup de nos Déroulédiques contemporains se sont reconnus dans les bourgeois de Descaves et Darien," Mais *le Mercure* est une jeune publication qui se pique d'indépendance d'esprit.

15 Le respect des choses saintes constitue aussi, mais pour certains seulement, une prescription impérative. Quand, en 1890, Antoine envisage de monter le *Pater* de Coppée (au moment de l'entrée des Versaillais dans Paris, un prêtre, par charité chrétienne, fait s'échapper un Communard), Pontmartin proteste dans *le Gaulois* (28 décembre) contre la perspective de voir "le crucifix, la statue de la Sainte Vierge, la branche de buis bénit et la soutane (s'exhiber) sur les mêmes planches que *la Fin de Lucie Pellegrin* et *En Famille",* deux pièces qui ont paru abominables.

16 A propos de *la Casserole* d'O. Méténier, Sarcey écrit: "Un millier de personnes ont attendu jusqu'à une heure du matin pour le plaisir d'entendre une actrice jeter en pleine scène le mot dont se qualifient entre elles les femmes de mauvaise vie!" (3 juin 1889).

17 Sarcey: "Tout cela est fort malpropre. Mais ce n'est pas une raison de ne pas le mettre au théâtre". Après cette déclaration de libéralisme, il démontre que la pièce est, dramatiquement, manquée. (2 décembre 1889).

18 Le noble (et ignoble) comte de Montmorin, vieux faune décoré, tombe sous la coupe de Zizine Putois, fleur de ruisseau, et se trouve attiré dans un guet-apens par le père et le frère de Zizine, Victor, dit "la Saucisse".

19 J. Chastenet, op. cit., p. 49.

20 *Le Temps* est fondé en 1829. Il disparaît en 1842. Neffzer reprend ce titre en 1861; Hébrard s'installe au journal en 1871.

21 Il a été le chef de cabinet de Lockroy, ministre de l'Instruction Publique. En 1898, il devient secrétaire perpétuel de l'Académie des Beaux-Arts. Cf. ses *Etudes d'histoire et de critique dramatique* (1906).

22 Cf. ses *Notes sur le théâtre contemporain,* Lecène-Oudin, 3 vol.; M. Duval, *Faguet, le critique, le moraliste, le sociologue,* 1911; E. Seillière, *Faguet historien des idées,* 1938.

23 Cf. J.F. Herlihy, *Mendès, critique dramatique et musical,* 1936.

24 Cf. J. Jullien, *le Théâtre vivant,* 1892–1896.

25 Cf. *Mes Idées esthétiques,* 1939; cf. J.M. Marque, *Daudet,* 1971.

26 Brunetière entre à *la Revue* en 1878. Il en devient directeur en 1894, succédant à Ch. Buloz, fils de François. Il s'assure la collaboration de personnalités qui, pour l'époque, sont de premier plan: Faguet, Doumic, H. Bordeaux, P. Bourget, P. Loti, E. Rod, P. Hervieu, etc. Cf. J.C. Clark, *la Pensée de Brunetière,* 1954.

27 *Revue des Deux Mondes,* 1 avril 1890.

28 C'est par un scrupule rare que Ganderax renonce à sa chronique dramatique: auteur d'une *Pépa*, il considère que sa fonction de critique n'est pas conciliable avec sa carrière d'auteur.

29 Op. cit., p. 116.

30 Mallarmé rend compte de la première représentation du Théâtre Libre dans le numéro de mai 1887.

31 Dans *la Fin d'un Art* (1890), il dénonce la malfaisance des "fabricants" de théâtre.

32 Cf. Copeau, *Critiques d'un autre temps.*

33 Becque: "le scélérat nous coupe chaque fois nos ressources et trouve une satisfaction basse à nous prendre par la famine" (*Souvenirs,* p. 46–47). La manœuvre serait la suivante: le chroniqueur affirme que, sans doute, la nouvelle pièce plaira "aux délicats, à une petite

élite", mais que, ne pouvant toucher le grand public, elle fera caisse vide: en décourageant d'avance le spectateur, on ruine la recette.

34 Il serait injuste de croire que la critique en place n'ose jamais contredire le public. De nombreuses créations ont été défendues par elle à contre-courant de l'opinion générale. Pour ne prendre qu'un seul exemple: Sarcey a défendu avec vigueur *la Contagion* d'Augier, dont le public ne voulait pas. Il est tout à fait faux d'affirmer que Sarcey (ou Lemaître, ou Faguet) s'est montré systématiquement hostile aux efforts d'Antoine. Etabli par F. Pruner (op. cit., passim), le bilan prouve que la critique traditionnelle a plus d'une fois soutenu les initiatives du Théâtre Libre.

35 Riposte de Becque: depuis longtemps l'Université a renié Sarcey et le traite de "vieux paillasson" (*Souvenirs Dramatiques,* p. 248). Selon lui, les Normaliens, épris d'élégance et d'esprit, rejettent cet homme épais et grossier (id., p. 43).

36 Id., p. 46. Cf. M. Descotes, *Becque et son théâtre,* 1962; LB. Hyslop, *Becque,* New-York, 1972.

37 Cf. Sarcey, *le Mélange du comique et du tragique,* (28 août 1876), *le Ton propre de la comédie et l'unité d'impression* (11 septembre 1876).

38 Sarcey a particulièrement été pris à partie pour ce souci des "préparations". Mais il faut bien comprendre ce qu'il entend par là. Il ne veut pas dire, en "carcassier", que tout développement de l'intrigue doit être annoncé à l'avance. Il attend que l'auteur mette le spectateur en condition d'admettre un épisode ou un mouvement psychologique qu'il aurait tendance à ne pas accepter (cf. feuilleton du 1er avril 1889); ce qui est tout autre chose.

39 *Souvenirs,* p. 185.

40 Cf. *Autour de la Comédie Française,* 1892; *le Drame historique et le drame passionnel,* 1894; *le Théâtre et les mœurs,* 1889; *A propos de théâtre,* 1893; *Molière,* 1900. Cf. E. Levinesco, *Weiss et son œuvre,* 1909; G.B. Stirbey, *J.J. Weiss,* 1911.

41 Article du 11 juillet 1892.

42 Article du 11 juillet 1892.

43 Pour apprécier les divergences qui les séparent, on se rapportera au débat qui s'élève entre eux à propos de Molière, que Weiss n'admire qu'avec restriction, et plus particulièrement de *Tartuffe* (article de Sarcey, 5 novembre 1883).

44 Cf. le *Bel Ami* de Maupassant.

45 Une plaquette (*les Amours de S. Bernhardt*) dénonce en la comédienne le "monstre de l'Apocalyse", qui a séduit le Tsar, Napoléon III et même le pape Pie IX.

46 En 1896, une "journée Sarah Bernhardt" s'ouvre sur un banquet de 600 couverts au Grand Hôtel, se poursuit par un gala à la Renaissance auquel l'actrice se rend accompagnée sur les boulevards par un cortège de 200 coupés.

47 Cf. Descotes, *Henri Becque et son théâtre,* passim.

48 Cf. A. Lejeune-Villar, *les Coulisses de la Presse. Mœurs et chantage du journalisme,* 1895; Claretie, *la Vie à Paris,* 1881; Talmeyr, *Souvenirs de journalisme,* 1900.

49 *Paris 1900,* p. 357–358.

50 Björnson, au moment de la création en France d'*Une Faillite,* s'indigne de cette suffisance qui porte les Français à croire qu'ils sont, pour le monde entier, à l'origine de "l'impulsion littéraire".

51 Il serait déplacé de créer à Paris une pièce interdite par le gouvernement tsariste au moment où la diplomatie française travaille à la préparation d'une alliance (cf. Pruner, p. 24–25).

52 *Souvenirs,* p. 99.

53 Thèse réfutée par Pruner, *le Théâtre Libre d'Antoine,* I, p. 22, 33.

54 H. Pessard, à propos du personnage de Sonia: "Les trottoirs de Pétersbourg doivent en rire".

55 Adaptations de Goubaux (13 février 1844). La Martial est une furie du crime, fière de ses deux fils qui sont des bandits, et qui renie l'aîné parce qu'il est honnête.

CHAPITRE VII

I

Lorsqu'ils établissent le bilan des transformations apportées dans la vie dramatique par la Guerre, les historiens du théâtre aboutissent à des conclusions discordantes[1]. Les uns mettent l'accent sur les bouleversements qui affectent le monde de la scène: P. Brisson, par exemple, place en tête de son *Théâtre des années folles* (1943) cette déclaration: "Au lendemain de l'autre guerre, des pans entiers de répertoire s'écroulèrent d'un seul coup"; son premier chapitre consacré à l'avant-guerre s'intitule de façon imagée: "Avant le déluge". Dans le chapitre qu'il consacre au théâtre de la "génération de 1914", Thibaudet tranche dans le même sens: "la guerre bouleversa tout". D'autres ont insisté, pour le déplorer, sur la survie persistante de ce répertoire d'"avant le déluge", sur les difficultés rencontrées par "l'avant-garde" pour conquérir un public. J. Robichez préfère ainsi parler de "continuité" dans le recours aux formules anciennes comme dans l'effort de rénovation"[2].

On voit plus clair si l'on distingue entre les mentalités et les structures. L'évolution des mentalités est profonde: elle affecte et les auteurs et le public. Au contraire, les structures de la vie dramatique demeurent, elles, inchangées. C'est cette ambiguïté de la situation du théâtre qui explique la position de la critique entre 1919 et 1939, ses flottements et bien souvent son insignifiance.

L'ampleur et la durée du conflit, les ruines qu'il a provoquées, donnent à penser à beaucoup que rien ne peut plus être comme avant. La révolte surréaliste, qui ne s'exprime au théâtre que de façon fugitive, constitue la manifestation extrême de cette mise en cause de valeurs et d'institutions qui ont rendu possible un tel cataclysme. Les statuts sociaux de naguère et les principes moraux qui en découlent paraissent de plus en plus discutables, et déjà ébranlés: relâchement du lien familial, émancipation de la femme, aspiration au rejet de toute contrainte. Dans le domaine théâtral, une pression s'exerce, tantôt sourde, tantôt fracassante, pour faire éclater les cadres traditionnels de la dramaturgie: pour atteindre un autre public que l'habituel public bourgeois, pour concevoir une mise en scène libérée du vérisme, pour mettre en œuvre un répertoire dégagé des critères anciens.

Mais le cadre général dans lequel se développe l'activité dramatique demeure le même. Ainsi en est-il du statut des théâtres et du statut de la presse qui, l'un et l'autre, restent ce qu'ils étaient avant la guerre.

A l'exception de celles qui sont subventionnées, les salles de spectacle sont étroitement tenues par les nécessités de l'exploitation commerciale. Entre 1915 et 1918, une grande partie de la production s'est trouvée concentrée entre les mains d'un entrepreneur de divertissements, Gustave Quinson, qui a instauré un "Trust des théâtres". Sous prétexte de fournir des dérivatifs aux tristesses de l'époque, Quinson s'est fixé pour but de présenter au public des œuvres qui répondent à ses goûts immédiats, qu'il convient de respecter en tout: le bilan de la caisse constitue le seul critère recevable.

Les hostilités terminées, bien des directeurs poursuivent dans la même voie, d'autant plus que, sous le poids de la hausse des prix, des exigences des vedettes en matière de cachets, de la dégradation de la monnaie, les charges financières ne cessent de croître; et le cinéma commence à faire sentir une concurrence qui, en une décade, devient redoutable. Pour survivre, l'entreprise théâtrale doit être gérée selon les règles de la stricte rentabilité commerciale. Or pour qu'une pièce soit rentable, un directeur ne peut plus se contenter d'une carrière qui s'étend sur quelques représentations seulement: atteindre la "centième" devient une nécessité financière absolue. L'efficacité d'une *bonne* ou *mauvaise* presse s'en trouve accrue. Le journal est, de son côté, de plus en plus tenu par l'exigence des recettes que fournissent les contrats de publicité passés avec les directeurs de théâtres. Brisson, qui connaît bien les mécanismes du système, porte ce diagnostic sévère: "La presse industrielle n'accordait d'intérêt à la rubrique que dans la mesure où elle pouvait favoriser, et en tout cas, ne pas compromettre les contrats de publicité"[3].

Dans les dernières années du siècle, on s'était déjà préoccupé du développement de ces liens qui créent à la presse des obligations de complaisance. Sarcey en était venu à écrire: "Que les directeurs fassent fortune ou faillite, c'est leur affaire, et je m'en moque". De façon bien vague, il avait souhaité voir les directeurs prendre avec les théâtres "d'autres arrangements que ceux qui sont aujourd'hui en usage pour l'annonce et la réclame": "Nous n'aurons rien à y voir. Nous avons toujours fait loyalement notre besogne, nous la ferons encore sans nous préoccuper de ces contrats qui se passeront par-dessus nos têtes" (3 juillet 1894).

Vœu pieux. Le critique demeure tenu par les attaches qui lient son journal, et le directeur de troupe qui a, lui aussi, besoin de capitaux, doit tenir compte des susceptibilités des grands hommes d'affaires. En 1929, quand Salacrou lui présente ses *Frénétiques,* Jouvet "s'emballe" pour la pièce. Puis Pierre Renoir s'avise que le protagoniste, brutal magnat du cinéma, paraîtra évoquer "une puissante personnalité parisienne (qui était précisément mon modèle!)"[4]. Et Jouvet, qui n'est pourtant pas un timoré, recule devant les conséquences du scandale. Le Théâtre des Champs-Elysées ne peut courir le risque d'un éclat capable de mettre en cause son existence.

Les servitudes qui pèsent sur l'homme de théâtre prennent des formes variées, dont certaines sont parfaitement inattendues: il arrive ainsi que, par le jeu de "l'abominable système des sous-locations", la troupe ne sache même pas quel est le véritable propriétaire du théâtre. J. Hort, dont l'expérience en la matière est directe, précise: "N'avons-nous pas joué dans un théâtre dont le directeur était le septième sous-locataire? "[5]. Dès 1913, Copeau a dénoncé les méfaits de cette commercialisation "effrénée qui, de jour en jour plus cyniquement, dégrade notre scène française". Réaliste, Jouvet écrira plus tard: "Il n'y a pas au théâtre *des* problèmes, il n'y en a qu'un: c'est le problème du succès"[6].

Les grands "animateurs" de théâtre qui ont tiré la scène française de l'ornière, les Pitoëff, ceux du Cartel, ne sont pas seulement les audacieux metteurs en scène que l'on célèbre habituellement, ils se font aussi gestionnaires attentifs. Mais, dans leur majorité, les directeurs se contentent d'assurer la caisse, suivant des recettes dont P. Brisson a donné la formule pour la période de l'immédiat après-guerre:

> La période "nouveau-riche" qui suivit la paix suscita l'engouement pour les salles-boudoirs. On y cultivait le genre "piment parisien" destiné aux manteaux de vison de fraîche date et aux étrangers de luxe du quartier de l'Opéra. Petites aventures greluchonnantes avec une vedette à six robes en trois actes, des situations risquées et comme décor le dernier studio de la maison X... L'apothéose de ce style Capucines se situa entre 1920 et 1925, en même temps que l'inflation des dancings, des files de Rolls devant le Perroquet et l'ouverture du Bœuf sur le Toit. On y trouvait de pièce en pièce des éléments immuables. Autour d'une jeune personne richement entretenue par un protecteur désabusé, se développait une vague anecdote sous le signe de la complaisance. Petits propos cyniques devant le seau à champagne, émotions d'alcôve, carnet de chèques, brutalité sportive du séducteur. Les entreprises Mirande[7]-Quinson, Armont-Gerbidon[8], Verneuil[9] et autres confectionnaient l'article en toute célérité au gré de la clientèle[10].

Analysant en 1930 la crise du théâtre, Salacrou met avant tout en cause, dans le monde des directeurs, le manque de personnalités aux partis-pris marqués et capables de lutter contre les ricanements du public et les éreintements de la critique[11]. Salacrou affirme: "Il y a, à Paris, trois ou quatre directeurs, au plus"[12].

Aussi, en dépit de l'originalité des auteurs nouveaux et de l'esprit d'invention qui inspire les grands animateurs, le monde des théâtres demeure, en ses structures profondes, ce qu'il était avant guerre. Il en va de même pour la critique qui, par sa nature même, est le reflet d'une époque théâtrale. Or si l'entre deux guerres est bien celle "des années folles", les brillantes exceptions ne sauraient faire illusion: les spectacles du Cartel, les révélations de Claudel, Giraudoux et de quelque autres ne doivent pas cacher l'immense forêt des œuvres médiocres ou indifférentes que présente au fil des saisons (c'est là le pain quotidien de la critique) un théâtre qui continue de vivre à peu près comme au XIXe siècle.

***

L'évolution de la presse ne fait que parachever les transformations inaugurées au siècle précédent[13].

La concentration des entreprises ne revêt sans doute pas en France la forme spectaculaire qu'elle prend aux Etats-Unis[14]. Néanmoins, si une quarantaine de quotidiens paraissent à Paris, cinq journaux, les "Cinq Grands", se partagent à eux seuls les cinq-sixièmes du tirage des 6.000.000 d'exemplaires mis chaque jour en vente: *le Petit Journal, le Petit Parisien, le Matin, le Journal, l'Echo de Paris.* La chasse est là rigoureusement gardée, ainsi que *Paris-Soir* en fait l'épreuve à ses débuts, lorsque tout est mis en œuvre par les concurrents pour empêcher sa diffusion.

Ces journaux de masse, qui constituent de véritables entreprises industrielles, se trouvent entre les mains des grands hommes d'affaires. J. Prouvost, par exemple, contrôle à la fois *Paris-Soir* (tirage de 2.000.000 en 1934), *Paris-Midi, Marie-Claire, Match.* En 1922, le parfumeur François Coty achète un *Figaro* dont la formule mondaine est bien usée, et aussi son rival direct *le Gaulois,* mais pour supprimer celui-ci en même temps qu'il s'apprête à lancer à grands frais *l'Ami du Peuple*. La famille Dupuy administre *le Petit Parisien,* en même temps que quelques hebdomadaires, parmi lesquels *Excelsior.*

Mais le temps est révolu où, tirant à quelques milliers d'exemplaires, le journal s'adressait à une minorité de fidèles qui attendaient de leur lecture des thèmes de réflexion et de discussion dans les éditoriaux ou les chroniques soigneusement élaborées. Le public de masse est un public de lecteurs pressés qui dispose de peu de loisirs et qui veut voir satisfaite sa soif d'informations, bientôt accrue par le développement des techniques d'illustrations photographiques. Ce ne sont pas seulement la présentation du journal, les conditions matérielles de sa réalisation qui se modifient, mais l'esprit même de la rédaction. Un journal devait naguère sa réputation au renom de ses chroniqueurs; les chroniqueurs cèdent la place aux reporters, et le critique tend de plus en plus à être moins un analyste et un juge que le rapporteur de l'événement dramatique.

A l'époque où le journal ne touchait qu'une clientèle restreinte, cette clientèle était homogène et le journal pouvait être vraiment représentatif d'une certaine tendance; le lecteur des *Débats* de Bertin ne se confondait pas avec celui du *National* de Carrel; et le chroniqueur pouvait porter des jugements en fonction des préjugés, des sympathies ou des répulsions d'un groupe précis: Sarcey est le porte-parole d'un solide public bourgeois, libéral, voltairien, fermement attaché à la tradition humaniste. Mais à quel groupe cohérent Colette peut-elle bien s'adresser, lorsqu'elle devient critique dramatique du *Journal*, l'un des "Cinq Grands", qui tire à des centaines de milliers d'exemplaires? Quand l'organe de presse entend toucher un public de masse, inévitablement multiforme, il doit se placer à l'écart des particularismes d'opinion. La prise de position brutale, capable de heurter violemment des préférences ou des partis-pris, n'est plus de mise, puisque l'audience recherchée est d'abord quantitative et qu'il convient de ne perdre aucun des secteurs de clientèle qui ont été conquis. Il ne faut pas chercher ailleurs l'explication d'une certaine atonie de la critique, de son manque de vigueur, de ce qui lui a été bien des fois reproché: sa "complaisance".

D'ailleurs, les journaux à grande diffusion font la plupart du temps appel, pour la critique théâtrale, non pas à des professionnels de la vie dramatique, moins encore à des universitaires, mais à des personnalités du Tout Paris, vedettes de la vie mondaine ou littéraire: c'est Paul Reboux, le pasticheur des célèbres *A la Manière de...*, qui tient la rubrique à *Paris-Soir;* le baron James de Coquet, gastronome et journaliste, au *Figaro,* de 1927 à 1939; Franc-Nohain, à *l'Echo de Paris.* Quand *le Journal* fait appel à Colette, c'est évidemment parce que la direction prend en considération le poids de la signature d'une femme et d'une romancière tant soit peu scandaleuse.

Enfin, comme P.A. Touchard en fait l'observation[15], cette presse qui tire par millions d'exemplaires, "cherche à intéresser plusieurs millions de lecteurs parmi lesquels il n'y en a guère qu'une vingtaine de mille (c'est-à-dire un lecteur sur vingt) qui sortiront le soir pour se rendre au théâtre". "Une critique qui serait seulement une critique, c'est-à-dire qui se préoccuperait seulement de parler juste d'une pièce donnée perdrait tout intérêt pour l'immense majorité des lecteurs qui cherchent à juste titre leur plaisir de lecteur". Plus que jamais, on attend du chroniqueur, non pas tellement une bonne critique qu'un bon article, l'un ne se confondant pas avec l'autre: la formule élaborée par Janin est devenue la règle.

Il subsiste sans doute une presse à tirage modeste qui, sans être rigoureusement engagée, demeure une presse d'opinion. Mais le rétablissement de la paix, avec le naturel besoin de détente qu'il engendre, provoque un net déclin de ce type de journaux et même la disparition de plusieurs d'entre eux[16]. C'est pourtant là que se manifestent les fortes personnalités: celle par exemple de Lucien Dubech, aux éreintements redoutables, dans une *Action Française* dont on connaît la profonde influence sur sa clientèle, laquelle joue un rôle important dans la salle de spectacle[17].

Le seul quotidien qui semble refuser d'évoluer est *le Temps* d'Adrien Hébrard, qu'il serait tout à fait aberrant de voir à travers *le Monde* actuel, quand bien même celui-ci a repris, avec ses locaux, son format, sa typographie, sa présentation générale. Sous la IIIe République, *le Temps* a pris peu à peu la place tenue auparavant par *les Débats* dans les milieux de la haute et moyenne bourgeoisie: journal de réflexion plus que d'information. En 1919, *le Temps* est, dans la presse parisienne, le seul qui ne modifie ni sa formule, ni son style rédactionnel passablement guindé, sérieux et volontiers pontifiant. Il reste, lui, attaché à la formule de la chronique. L'influence qu'il exerce est sans rapport avec le volume de son tirage relativement faible (70 ou 80.000 exemplaires). En matière littéraire, Souday y exerce un magistère intellectuel qui rappelle en partie celui des grands critiques du passé. Pour l'actualité dramatique, P. Brisson, puis Robert Kemp, évoquent, à leur échelle, les Sarcey et les Lemaitre. Dans une certaine mesure, *le Temps* est resté un journal du XIXe siècle.

II

Cette évolution explique pour quelles raisons, entre 1919 et 1939, la critique dramatique voit "décroître son importance": c'est P. Brisson qui le constate[18]. Ceux qui en assument la fonction sont aussi doués et passionnés de théâtre que leurs prédécesseurs, mais les conditions dans lesquelles ils travaillent ne leur permettent plus de jouer le même rôle. Brisson évoque encore cette critique qui "rassemblait, de générale en générale, une cohorte dont la fonction se bornait presque toujours à raconter en quelques lignes bienveillantes la pièce entendue la veille. Le feuilleton, prospère jusqu'en 1914, avait perdu la plupart de ses positions. *Les Débats, le Temps, le Figaro,* demeuraient à peu près seuls à en maintenir le principe".

Pour le rédacteur qui en est chargé, la rubrique des théâtres, réduite à des dimensions de plus en plus modestes, ne saurait constituer l'activité essentielle. En 1952, P.A. Touchard analyse une situation qui remonte en réalité à une période bien antérieure à 1945: selon lui, le critique dramatique a purement et simplement disparu: "J'entends (le) critique dramatique de métier, car beaucoup exercent leur sévérité aussi bien sur le cinéma que sur le théâtre, sur la musique ou sur le Tour de France que sur l'interprétation des tragédies de Racine. Ce n'est pas que certains n'aimeraient pas se consacrer entièrement à une activité qui, en soi, est noble; mais on les paye fort peu. Pourquoi un directeur de journal assurerait-il l'existence d'un homme dont les papiers ont commercialement une si faible importance? "[19].

Sous cette forme brutale, le diagnostic manque d'objectivité. L'histoire de la critique établit que, même à la grande époque du feuilleton, nul n'a jamais été exclusivement critique dramatique: leurs adversaires ont suffisamment reproché à Janin, Gautier, Sarcey, d'être des touche-à-tout. Ce qui est vrai, c'est que, pour ceux-là, la rubrique dramatique constituait vraiment, dans leurs activités de polygraphes, la préoccupation dominante et qu'ils tiraient de leurs comptes-rendus la plus large part de leur autorité. Ce qui est vrai aussi, c'est qu'un Souday ne pratique la critique théâtrale "qu'à titre de sous-produit" (P. Brisson); que Colette est un chroniqueur de rencontre; que Léautaud ne porte jugement sur les spectacles qu'en maugréant et pour entretenir ses lecteurs de préoccupations tout à fait étrangères au sujet qu'il est censé traiter. Même ceux aux yeux desquels la critique dramatique garde son prestige (R. Kemp, H. Bidou) ne lui consacrent qu'une part modeste de leur temps.

D'autre part, considéré comme un collaborateur de second rang, le critique devient, dans la plupart des cas, un factotum qui rend compte de tous les spectacles, ceux de la Comédie Française comme ceux du Théâtre des Capucines. Zola déjà avait relevé les néfastes conséquences de cette saturation qui aboutit à faire du critique un observateur blasé. J. Hort exprime le grief: "La critique d'entre les deux guerres a failli à sa tâche: voulant éclairer l'opinion sur toutes les pièces indifféremment, données n'importe où et n'importe comment par n'importe qui, elle n'a aidé ni éclairé personne"[20].

Salacrou partage le même point de vue: "On admire M. Crommelynck, mais le lendemain M. Strowski, par exemple, parle de Racine à propos de M. Gerbidon: les critiques ont voulu tout comprendre, tout défendre"[21].

Il faut tenir compte enfin du fait que les conditions matérielles dans lesquelles le critique s'acquitte de son travail le poussent dans le sens de l'à peu près et de l'inachevé. Toujours afin de satisfaire à l'impératif de l'information immédiate, l'élaboration de l'article devient "une sorte de sport où gagnait le plus rapide"; l'expression est de Salacrou, qui fournit un exemple précis: créée le 4 octobre 1934, sa *Femme Libre* rencontre d'abord de la part des spectateurs de la générale un accueil très favorable; par malheur les difficultés de changement de décor entre les actes II et III provoquent un retard tel que "à une heure moins vingt, les journalistes écoutaient toujours sans savoir s'ils étaient à cinq minutes ou bien à une demi-heure encore de la fin du spectacle. Passé une heure moins le quart, toutes les phrases de mes héros faisaient longueur". Or l'article doit paraître dans l'édition du matin. Salacrou évoque la précipitation à laquelle sont condamnés les chroniqueurs:

> Des cyclistes attendaient à la porte du théâtre le journaliste qui s'engouffrait dans un café où il griffonnait ses impressions, et l'auteur achevait de féliciter ses interprètes que déjà le journal était tombé avec le compte-rendu de la générale. Certains même, pour dépasser le cycliste, téléphonaient leur papier d'une cabine de bistro avant de rentrer chez eux. Ce n'étaient plus des critiques, mais des correspondants de théâtre[22].

Seuls les rédacteurs des hebdomadaires ou des revues échappent à ces servitudes. C'est parce qu'il a trop souvent assisté à de tels spectacles que P.A. Touchard porte ce jugement: "Il faut avoir le courage de le reconnaître, il n'y a plus de critique". Et il conclut: "La conséquence s'impose: les générales n'ont plus de sens. Elles ne renseignent ni le public sur la valeur d'un spectacle, ni l'auteur ni les comédiens sur la qualité de leur travail. Il est grand temps que le public reprenne confiance en soi, qu'il ne demeure pas lui-même déconcerté par les affirmations contradictoires de journalistes qui ne sauraient être des guides".

***

Si l'on assiste bien à une sorte de désagrégation de la critique, fruit de son excessive prolifération, c'est surtout que, entre 1919 et 1939, cette critique s'est souvent trouvée privée de boussole, dépourvue de principes et de convictions solides, d'un credo.

Ce qui a conféré tant de poids à Fréron, Geoffroy, Gautier ou Sarcey, c'est que ceux-là portaient leurs jugements en fonction d'un système de valeurs qui n'était pas seulement dramatique. Sous des formes diverses, leurs chroniques étaient des prises de position de partisans, voire de militants. Et c'est ce qui, à quelques exceptions près, manque le plus aux chroniqueurs de la période moderne. Ici encore Salacrou se révèle un observateur perspicace:

> Pendant vingt ans, la diversité même de la production dramatique, la coexistence de tant d'écoles, ont montré, parmi des activités heureuses, pleines de talent, une désolante absence de discipline. Les classiques avaient leurs règles. Nous, nous avons à inventer une dramaturgie nouvelle avec chaque pièce. Chaque pièce nouvelle est obligée d'inventer sa technique propre et remet toujours les "règles" en question sans apporter, ne fût-ce qu'à notre seule génération, une *discipline libératrice.* Aucun manifeste n'est venu à l'aide de la critique et la critique a sucé le bout de son porte-plume san rien trouver[23].

Pendant plus de deux siècles, en dépit de remises en question claironnées par les romantiques, par les naturalistes, la doctrine classique a continué à servir de référence esthétique, cette doctrine dont le culte s'est perpétué, entretenu par les leçons des théoriciens, de l'enseignement scolaire et universitaire, des rédacteurs de manuels d'histoire littéraire. Les maîtres du XVIIe siècle n'ont pas cessé d'être cités en exemple, au nom de la cohérence psychologique, des exigences de clarté et de vraisemblance, du respect de la logique d'une situation.

Or, si souvent répétée et si souvent dépourvue d'efficacité réelle, la dénonciation du magistère de la Tradition, présentée comme génératrice de sclérose, a fini par produire ses effets. La découverte des vertus d'un répertoire étranger, celle de mises en scène qui s'inspirent de conceptions tout à fait nouvelles (Gordon Craig, Stanivslavski, Piscator) donnent de plus en plus à penser que l'on peut se réclamer de principes et de techniques scénographiques totalement différentes. Mais surtout de nouvelles idéologies se font jour, nées de la diffusion du freudisme, de la pénétration du marxisme, de la conviction d'un déclin de l'Occident et de ses valeurs, de l'évidence que le théâtre, tel qu'il est depuis si longtemps conçu, constitue un divertissement de classe sociale. La campagne menée par G. Baty contre la tyrannie de "Sire le Mot" ne correspond pas seulement à une fantaisie d'homme de théâtre enivré par ses initiatives de metteur en scène; elle met en question un postulat, incontesté jusqu'alors, sur lequel repose tout le théâtre français: l'œuvre dramatique est d'abord un *texte* et le Mot peut tout exprimer de l'homme.

Placé en face de certaines initiatives, le critique se trouve sollicité de porter des jugements en fonction de critères totalement nouveaux, de réviser son échelle de valeurs, au profit d'un autre code, qui est encore flou, incertain et qui, la plupart du temps, lui demeure étranger. Certains restent fermement attachés aux principes traditionnels; mais même ceux-là conçoivent confusément quelques doutes sur la validité de la grille qu'ils utilisent. Et l'éternelle crainte de paraître un attardé, incapable de vivre avec son temps, porte bien des esprits à louer, par contrainte, ce qu'ils réprouvent au fond d'eux-mêmes.

Ainsi, dépossédée d'une partie de son autorité, reléguée à l'arrière-plan de l'activité journalistique, exerçant son office dans des conditions peu favorables, la critique est-elle encore, à la lettre, désorientée. Plus que les compromissions personnelles ou commerciales, ce sont ces incertitudes qui expliquent que cette critique donne si souvent l'impression d'être complaisante et comme énervée.

Avant la guerre, Copeau avait souhaité l'éclosion d'une génération de critiques qui seraient "sincères, graves, profonds, se sachant investis, à l'égard du poète, d'une fonction créatrice" (*Critiques d'un autre temps*). En 1933, Salacrou écrit à son tour: "P. Brisson nous a dit que les auteurs reprochaient aux critiques leur sévérité. Eh bien! je suis auteur, et auteur parfois rudement critiqué, et ce que je reproche aux critiques, c'est leur indulgence, ou plutôt leur laisser-aller. Comme les directeurs, ils manquent de parti-pris littéraire. Relisez toutes les critiques depuis dix ans. *Vous serez étonnés de leur manque de direction.* C'est le drame de notre époque d'avoir perdu toutes les disciplines".[24].

Dans ce climat général d'atonie, un Léautaud, avec ses jugements à l'emporte-pièce, souvent injustes et à peine motivés, fait figure de critique de pointe, alors que, on le verra, son esthétique dramatique est étroite et désuète.

Edmond Sée (né en 1875) tient dans la critique une place analogue à celle qu'il s'est acquise dans le roman et au théâtre[25]: sagement estimable. Comme auteur dramatique, il a été découvert par Lugné-Poe qui a monté, en 1896, *la Brebis;* mais il a très tôt abandonné les voies de la rénovation et sa carrière se développe raisonnablement entre le Français, l'Odéon et le boulevard: théâtre qui ne cherche pas à sortir du répertoire psychologique traditionnel, théâtre qui s'alimente de préoccupations de moraliste et où rien ne peut surprendre ou heurter le spectateur. A son propos, les confrères évoquent une inspiration très classique, et sa carrière s'épanouit avec la présidence de la Société des Auteurs.

Sa critique (en particulier à *l'Œuvre*) se caractérise d'abord par une prudence imposée autant par le souci de ne pas se faire d'inutiles ennemis que par la crainte diffuse de commettre une erreur. Quand, dans son *Théâtre Français contemporain,* il dresse le bilan de l'activité dramatique depuis le Théâtre Libre, aucun des auteurs qu'il présente n'est l'objet de jugements vraiment sévères. S'il s'agit de formuler des réserves, sur Rostand par exemple, elles ne sont pas exprimées au nom personnel du critique, mais portées au compte de ceux qui sont restés insensibles à "la gloire du poète-dramaturge, pour universelle qu'elle fût". S'il est inévitable de mentionner les faiblesses de l'expérience de "Théâtre du Silence" tentée par J.J. Bernard, c'est par le biais d'une référence à "certains mauvais plaisants (qui) ont écrit que dans ce théâtre on se souciait moins de la scène à faire que de la scène à taire". Quant au *Paquebot Tenacity* de Vildrac, dont Sée a d'abord signalé "la rare concision du dialogue, la justesse du ton, la vérité de l'atmosphère" et "l'émotion singulièrement pénétrante", ce sont encore "certains critiques" qui ont reproché à la pièce de "se rattacher aux productions du Théâtre Libre". Par contre la louange ne recule jamais devant l'hyperbole: Marcel Achard est un "prestigieux observateur-poète du cœur humain", un "éblouissant dialogueur-virtuose"; Bernard Zimmer, un "prestigieux et féroce animateur satirique"; Yves Mirande, un "libre fantaisiste, dialogueur, observateur de haut goût"; *Aimer* de Paul Géraldy est une "histoire sentimentale contée délicieusement, éloquemment et avec une audace surveillée". Ce débordement quasi-continu de superlatifs finit par faire perdre toute valeur à l'éloge: le critique devient un bénisseur universel.

E. Sée nourrit bien des préférences personnelles; elles s'expriment alors sur le ton de la dévotion: nul écrivain contemporain ne lui paraît égaler G. de Porto-Riche, "aujourd'hui de l'Académie Française", qui, dans les années 1925, "semble avoir triomphé de toutes les incompréhensions, de toutes les résistances" (cette admiration marque à quel point l'esthétique d'E. Sée demeure "fin de siècle"); *Amoureuse* est une de ces pièces dont on ne saurait parler "sans une respectueuse et frémissante émotion, de ces pièces... que l'on souhaiterait presque louer intimement, entre soi, à mi-voix, dans un petit groupe fervent".

En matière de théâtre idéologique, François de Curel apparaît inégalable: "un animateur, un maître, un modèle, quelque chose comme un Ibsen français". Dans le drame d'inspiration épique, Paul Raynal (pourtant si contesté) l'emporte sur tous, avec *le Maître de son Cœur* et surtout avec *le Tombeau sous l'Arc de Triomphe* "si honteusement méconnu lors de son apparition" (Comédie Française, 1924) et qui est "la plus belle tragédie, et la plus synthétique qu'ait inspirée la guerre": "devant une œuvre de cette classe, l'on ne peut que s'incliner avec une respectueuse admiration".

Devant Claudel E. Sée demeure embarrassé. Sans doute *l'Annonce faite à Marie, l'Otage* révèlent-ils "un dramaturge de grande classe"; sans doute cette œuvre possède-t-elle "une force, une éloquence poétique, une richesse, une puissance idéologique et verbale devant laquelle on doit s'incliner". Mais elle apparaît aussi "d'une diffusion, d'une obscurité grandiloquente, d'un hermétisme déconcertant ". Et la vraie pensée s'exprime dans ces lignes, bénignement perfides: les admirateurs de Claudel le tiennent

> pour une des lumières, un des flambeaux de ce temps, ne lui reconnaissant rien moins que du génie, se refusent à le critiquer, voire à le discuter. Leur admiration prend toutes les apparences de la Foi. (...) Assurément un artiste susceptible de provoquer de telles louanges, de provoquer un pareil enthousiasme, ne saurait être le premier venu.

Ce type de critique, honnête, consciencieux, craintif au fond, sagement passéiste, donne bien le ton moyen de beaucoup de ses confrères. On comprend pourquoi certains auteurs gardent la nostalgie d'une critique qui ne reculerait ni devant les partis-pris, ni devant la passion dans l'expression.

***

Henri Bidou aux *Débats*, Pierre Brisson puis Robert Kemp au *Temps* représentent, chacun à leur façon (pour s'en tenir aux exemples les plus notables), un type de chroniqueurs beaucoup moins fades et dont l'influence n'a pas été négligeable.

Les chroniques d'H. Bidou (1873–1943) ont, en leur temps, suscité un engouement dont on a peine aujourd'hui à déterminer les raisons. Aux yeux de beaucoup celui-là serait digne du titre de "prince de la critique". Même avec le recul du temps, ceux qu'il a séduits ne renient pas leur enthousiasme d'antan: en 1949, à Henri Clouard, les comptes-rendus d'H. Bidou apparaissent encore comme "un tour de force": "virtuose de la suggestion, de l'éclairage et d'une sorte de musique d'accompagnement; moins critique que metteur en scène rétrospectif, Bidou écrivit les chroniques les plus délicieuses qu'on ait lues depuis celles de Lemaître[26]". En 1943, P. Brisson, qui pourtant dénonce si vigoureusement la décadence de la critique, est toujours sous le charme: il continue d'admirer "l'art sans pareil" avec lequel le chroniqueur s'adonnait à sa "diabolique besogne"[27]. Tant de ferveur surprend. Car ces chroniques apparaissent plutôt aujourd'hui singulièrement dénuées de relief et de personnalité.

Bidou a commencé par tenir pendant plus de dix ans (1899–1911) la rubrique "Au jour le jour", rubrique où, suivant les lois du genre, le rédacteur est tenu de faire preuve de légéreté, de parisianisme. Or H. Bidou s'est fait là, dans le style "Belle Epoque", une solide réputation: quand, en 1911, son jeune confrère se voit confier la chronique théâtrale, le docte Faguet ne manque pas de souligner que les lecteurs vont retrouver, dans sa nouvelle activité, le "journaliste le plus spirituel de Paris"[28]. H. Bidou est un critique écouté parce qu'il est une "personnalité bien parisienne" qui se manifeste dans les domaines les plus divers: romancier, essayiste, historien, géographe, critique littéraire (à *la Revue de Paris*), commentateur quasi-officiel des opérations militaires pendant la Grande Guerre[29]. Il écrit tout aussi bien sur Chopin que sur les grandes villes européennes; il est pianiste; il expose ses peintures[30]; il prononce de nombreuses conférences[31]. Il est, pleinement, un polygraphe qui semble mériter le surnom flatteur de "Polyphile".

Une place sociale aussi enviable crée des obligations. Aussi l'un des principes énoncés par Bidou est-il que le critique doit éviter l'humeur quinteuse, "se garder des sentences capitales", qu'il doit s'appliquer à relever, dans une œuvre, les mérites qui ont échappé au public. S'il est placé en face du *Sylla* de cet Alfred Mortier qui a entrepris de restaurer le genre tragique (et qui est une des bêtes noires de Léautaud), H. Bidou admet que le spectateur peut être "déconcerté" par une formule théâtrale "surannée", par un "style tout rempli de formules classiques". Mais le jugement définitif demeure empreint d'aménité: "au total", ce "poème" est "sinon sublime, du moins fort distingué"[32]. Le *Napoléon Unique* de P. Raynal est dénoncé par certains comme un monument de grandiloquence artificielle. H. Bidou concède que l'œuvre peut susciter des réserves; mais, soucieux d'éviter les "sentences capitales", il sépare le bon grain de l'ivraie, met en valeur ce monologue du premier acte au cours duquel Napoléon, revenant de Wagram, se lance dans une sortie contre Talleyrand et Fouché: "un des morceaux les plus étonnants que je connaisse", "c'est vraiment le vol de l'Aigle, c'est du très grand art". Quant à la conclusion, elle est d'une extrême prudence: "Etrange ouvrage. De quelque façon qu'on le juge, on ne peut lui refuser une grandeur qui mérite le respect" (16 novembre 1936).

Avec les pièces dont les mérites sont, de toute évidence, fort minces, le même souci de bénignité est de rigueur. En 1936, *la Fessée,* vaudeville de Jean de Létraz, connaît un immense succès de public. La condamnation abrupte d'une œuvre futile et vulgaire heurterait trop de lecteurs qui ont fait, spectateurs, un triomphe à cette *Fessée;* mais un éloge trop appuyé serait mal venu aux yeux des gens de goût. Aussi l'analyse de la pièce est-elle encadrée par un début et une conclusion qui ont pour objet de concilier les inconciliables:

> Il faut rendre justice au mérite. L'auteur de *la Fessée* a un tour de main. Je ne dirai pas que sa pièce est un miracle de délicatesse. Elle serait plutôt gauloise qu'attique, avec une pointe d'invention ingénieuse. Et on doit reconnaître que, sauf un deuxième acte désastreux, elle est vraiment bien faite.
>
> Bouffonnerie! bouffonnerie! Mais, toute faible qu'elle est par moments, cette énorme plaisanterie, qui pèse son poids, n'est pas sans faire rire (21 décembre 1936).

Il serait injuste de donner à croire qu'H. Bidou est incapable de se prononcer, à contre-courant de l'opinion, en faveur de nouveautés insolites. Dès 1912–1913 (c'est alors méritoire), il rend compte de façon très favorable de *l'Annonce faite à Marie.* Mais la prise de position est équivoque. On ne se prononce pas vraiment sur les mérites de la pièce; ce qu'on met en valeur, c'est l'impression produite sur le public, le silence religieux avec lequel elle a été écoutée. Pour le reste, l'article ne va pas au-delà d'un résumé de l'intrigue. Au soir de la première de *Tour à Terre* de Salacrou (*Œuvre*, 24 décembre 1925), les critiques se séparent, hilares ou indignés, en s'interrogeant, comme les aveugles de Maeterlinck: "De quel côté est l'hospice? ". Les comptes-rendus constituent "un charivari d'injures, d'incompréhension ou d'indulgence dédaigneuse". Mais, à la fin de la seconde représentation, l'auteur est abordé, près du bureau du contrôle, par un homme qu'il n'a jamais vu: "C'était M. Henri Bidou. Jamais je n'oublierai cette minute. Il me félicitait, oui, il me félicitait de *Tour à Terre*".

En 1935, Antonin Artaud fait représenter ses *Cenci,* dont la carrière ne dépasse pas 17 jours. H. Bidou proteste avec vivacité contre l'attitude d'un public ricanant et "guettant l'échec": on se croit engagé sur la voie d'un vigoureux plaidoyer en faveur d'un théâtre qui a pour ambition de sortir des voies traditionnelles. Mais l'engagement du critique tourne court: sur les six colonnes de l'article, quatre et demi sont consacrées à la figure historique des Cenci, ce qui permet autant de mettre en valeur l'aimable érudition du critique que d'éviter une discussion au fond. Au moment de se prononcer, l'article se dépouille de toute couleur: "la tentative de M. Artaud reste assez discutable"; les décors sont "extrêmement beaux"; on est frappé par "l'aspect de M. Artaud" (qui tient un rôle), "creusé, bronzé, bleui"; "la nouveauté était de mêler au texte des éléments rythmiques (...); mais cet accord des figures et des voix est difficile à réaliser" (13 mai 1935). Le paladin d'une cause perdue disparaît dans la grisaille.

En face d'écrivains consacrés, l'attitude est, puisqu'il s'agit de valeurs sûres, moins embarrassée, mais guère plus originale. Le feuilleton sur *la Guerre de Troie n'aura pas lieu* (25 novembre 1935) est franchement décevant, même si l'éloge n'y est pas compté. Seul, le début marque l'application du chroniqueur à faire valoir sa virtuosité d'expression: "Imaginez le burin le plus élégant et le plus adroit; vous inclinez la planche et, dans le cuivre qui miroite, vous apercevez une autre image. Le reflet d'un ciel chargé de destins. En apparence, un caprice d'arabesques subtiles; puis, derrière ce dessin qui s'efface, le monde gouverné par les dieux. C'est un mélange unique du jeu et de la tragédie". Il y a là, non pas du Lemaître mais, au mieux, du Saint Victor.

Après cette attaque appelée à piquer l'attention, le feuilleton se contente de résumer, de commenter l'intrigue, avec la préoccupation de rendre intelligible au spectateur moyen ce qui a pu lui échapper au milieu de tant d'"arabesques subtiles". C'est en pédagogue attentif que Bidou s'attarde à interpréter la scène au cours de laquelle Hélène déclare que, sans doute, elle a bien des fois touché Ménélas, mais qu'elle ne le *voit* pas, alors que Pâris, lui, se détache aussitôt dans le ciel. Le critique se fait traducteur à l'intention d'élèves dociles et de subtilité modérée; mais il se garde d'exprimer son sentiment personnel sur les "arabesques subtiles".

L'étrange *Inconnue d'Arras* (Salacrou) est l'objet d'une dissertation sagement composée (9 décembre 1935). Un premier paragraphe pose, en toute clarté, le thème et la situation: "Le temps est une illusion. La pièce de M. Salacrou se déroule dans la fraction de seconde où l'on dit que les mourants revoient leur vie". Inspiré par le souci d'être didactique et complet, le second paragraphe évoque le passé dramatique de l'auteur, les liens qui rattachent l'œuvre nouvelle aux œuvres antérieures. Après ces préliminaires, de nouveau le corps de l'article est constitué par un très consciencieux résumé. Mais le *jugement* demeure flou, dénué de chaleur: "Analyse précise et très bien faite de ces personnages que nous portons en nous, et que nous appelons souvenirs"; "pas la moindre affectation de surnaturel et de clair-obscur". D'ailleurs, sur les six colonnes de la chronique, deux seulement sont consacrées à Salacrou, les autres allant à *Noix de Coco* de M. Achard, ce qui correspond, à n'en pas douter, à une hiérarchie des valeurs.

Une certaine ferveur n'est clairement perceptible qu'à propos d'auteurs qui, comme H. Bernstein (ou Sacha Guitry) répondent au goût contemporain. Alors, le ton s'élève, le jugement devient net: "On ne saurait parler du drame de passion sans que le nom de M. Bernstein vienne d'abord à l'esprit. C'est la formule même de la tragédie racinienne"[33]. "Entre les écrivains de théâtre, M. Bernstein tient une place hors de pair. 35 ans d'empire sur le public, une puissance dramatique qui ne peut être niée, une maîtrise unique de son art" (26 novembre 1934, à propos de *l'Espoir*).

Dans n'importe laquelle de ces chroniques, on retrouve la même ordonnance, la même propension aux développements sur les à-côtés, et le même souci de l'esquive au moment de se prononcer. En 1936, un certain Marcel Ollivier fait jouer un *Spartacus.* Le feuilleton s'étale d'abord sur trois colonnes, en une présentation du Spartacus historique, avec références à Carcopino et à "son beau livre sur la république romaine", avec surabondance de détails (sur les effectifs des troupes en présence; Spartacus blessé à la cuisse et continuant de combattre à genoux). En quatrième colonne, on analyse posément le problème qui s'est présenté à l'auteur: comment mettre en scène un tel héros? Deux solutions se dégagent, deux seulement: rester fidèle à la "vérité psychologique" ou présenter un "Spartacus de convention et d'apothéose, devenu une allégorie de la Révolution sociale". C'est ce second parti, celui de "marxiser" le personnage, que (fâcheusement selon le critique qui, sur ce point, ne tait pas son sentiment) l'auteur a choisi. Suit l'habituel résumé de la pièce, qui n'est appréciée qu'au tout dernier paragraphe, et toujours avec le même souci d'éviter la "sentence capitale": "Rhétorique! rhétorique! cependant tout n'est pas mauvais dans la pièce de M. Ollivier; des idées vraiment dramatiques; des moments heureux...".

La lecture de ces feuilletons aseptisés, consciencieux, raisonnables, explique sans peine pour quelles raisons les chroniques de Léautaud ont paru des merveilles d'originalité et d'indépendance d'esprit.

Dans le débat élevé autour de l'intervention, dans le répertoire classique, des metteurs en scènes certains jugements de Bidou sont, à première vue, heureusement catégoriques. A propos de la mise en scène de Baty: "Il faut rendre les armes. *Les Caprices de Marianne* sont un spectacle délicieux" (13 janvier 1936). A propos de *l'Ecole des Femmes* selon Jouvet: "Pour se scandaliser des libertés que M. Jouvet a prises, il ne faut rien entendre à Molière". Mais, ici encore, Bidou s'arrête à mi-chemin. L'éloge de Jouvet suggère la gratuité de tant d'inventions: "Ce qui éclate surtout, c'est que le texte n'a aucun besoin de ces ornements". A partir de là, le feuilleton dérive vers une analyse, érudite encore, sur les diverses manières d'interpréter Arnolphe: comique? tragique? La véritable profession de foi du critique sur le rôle du metteur en scène, on la trouve dans l'article consacré à l'adaptation de *la Rabouilleuse* par Emile Fabre, l'administrateur évincé du Français au profit d'E. Bourdet: "Je souhaite que la Comédie Française ne se réforme jamais. On y joue la comédie comme on ne la joue nulle part au monde".

Ces chroniques se caractérisent d'abord par leur atonie. Elles sont plus élaborées, plus habiles que celles de Sée; la forme en est davantage travaillée. On distingue mal comment P. Brisson a pu y découvrir trace de cette "diabolique besogne" qui l'a si fort émerveillé.

***

De 1925 à 1935 au *Temps*, puis au *Figaro*, Pierre Brisson perpétue la tradition de la dynastie Sarcey à laquelle il appartient[34].

Relues aujourd'hui, ses chroniques semblent solides, agréablement vivantes, attentives aux problèmes de la vie dramatique. Et, dans l'ensemble, les jugements paraissent équilibrés et équitables.

Le critique se révèle sensible à la grandeur de *l'Annonce* ou de *l'Otage* (2 juin 1930). Il met en valeur avec justesse les mérites de l'œuvre d'E. Bourdet: la "probité intelligente et méticuleuse", la droiture et la rigueur; et il décèle bien ce qui fait de cette œuvre un théâtre de second rang: "une satire n'est pas un document", "partant d'un tableau de mœurs, (il) aboutit à une comédie d'intrigue", "il n'y a aucun feu dans son cas, aucune excitation violente" (16 décembre 1929; 10 octobre 1932).Giraudoux ne lui reste pas étranger, même s'il a trop vu, dans ce théâtre, au détriment de la profondeur, "le dernier temps d'une préciosité littéraire, d'un miroitement du langage", les "paillettes, diaprures, arabesques, saillies, méandres intellectuels" (11 janvier 1929; 9 novembre 1931). La chaleur avec laquelle il salue *la Guerre de Troie* (24 novembre 1935), les réserves formulées à propos de *Judith* (9 novembre 1931) ou d'*Electre* (16 mai 1937) révèlent un goût d'une forme très traditionnelle. De Sacha Guitry même il parle avec équité, soucieux de distinguer dans le pullulement de tant de comédies la part du talent et celle de la facilité.

Brisson est ouvert aux efforts des metteurs en scène: contre beaucoup de ses confrères, R. Kemp en particulier, il approuve le *Bajazet* de Copeau (juin 1937), *les Caprices de Marianne* de Baty (avril 1936), *la Paix* d'Aristophane selon Dullin[35].

Il échappe à la platitude complaisante. Il a ses partis-pris polémiques: jusqu'à la nomination de Bourdet, il mène une campagne ardente contre la décadence du Français[36]. Il a en horreur le répertoire de P. Raynal qui, on l'a vu, transporte Sée d'enthousiasme: il exècre ce "gongorisme à roulades", cette "boursouflure": "faux, archifaux" (27 mars 1933).

Et l'on se demande pourquoi, malgré ces réelles qualités, la critique de Brisson n'est pas de celles qui font date. L'explication est fournie par le chroniqueur lui-même lorsqu'il présente ses chroniques comme "rédigées sans la moindre intention doctrinaire". La somme de ces jugements ne paraît en effet soutenue par aucune ligne générale: les opinions sont le reflet de "premières impressions". Lemaître affirmait sans doute, lui aussi, qu'il livrait à ses lecteurs des "Impressions" de théâtre; mais son dilettantisme, plus affecté que réel, se manifestait davantage dans l'expression que dans les jugements eux-mêmes. Le ton pouvait être léger, celui d'un homme désabusé; mais ces *Impressions*-là recouvraient des convictions solides: pour lui, l'humanisme demeurait une valeur fondamentale. Brisson est, lui aussi, pétri d'humanisme; mais tout se passe comme si cette formation n'engageait que l'homme de lettres et non pas l'homme. Sa critique manque d'ossature; elle y gagne en flexibilité, mais, dépourvue d'arrière-fond, elle y perd en profondeur.

En 1935, Robert Kemp (1885–1959), qui a fait ses premières armes à *la Liberté*, succède au *Temps* à Brisson[37]. Il prolonge lui aussi la tradition Sarcey par la priorité qu'il donne, dans son activité de chroniqueur, à la vie dramatique, par l'assiduité de sa présence dans la salle de spectacle: il n'est pas peu fier, en 1956, d'affirmer qu'il a "assisté à 7.000 représentations depuis l'âge tendre où on le conduisait au théâtre". En même temps il se rattache à Lemaitre par un parti-pris de dilettantisme impressioniste: ses chroniques, de structure déliée, apparemment nonchalantes, veulent être, elles aussi, "des réactions enregistrées sur le champ", réactions parfois très vives qui le tiennent à l'écart du reproche de complaisance.

Mais son originalité propre est ailleurs: beaucoup plus que ses confrères, que Brisson en particulier, il est le défenseur de la tradition et du classicisme, un classicisme à forte prédominance hellénique. Sa profession de foi est catégorique:

> Le théâtre pur, comme la musique pure, simple construction sonore, celui qui n'a pour propos que de créer du mouvement, de susciter des dialogues animés ne me retient guère. J'aime le théâtre qui m'émeut, parce qu'il établit des correspondances entre les passions des personnages et celles que j'ai éprouvées, ou celles que j'ai observées de près chez d'autres humains. J'aime le théâtre qui m'offre des caractères à creuser, à admirer, à mépriser, à discuter. Ou encore des "idées". Mais alors, l'abus devient dangereux.

Autour du grand répertoire, R. Kemp monte une garde vigilante. C'est le texte seul qui compte pour lui; le texte, avec ses nuances, ses subtilités secrètes, ses résonances perceptibles aux initiés. Aussi, au contraire de Brisson, sa méfiance est-elle instinctive à l'égard des initiatives prises par les gens de théâtre qu'anime le souci de la rénovation. La présentation de *l'Illusion Comique* par Jouvet le met hors de lui: "Nous venons d'assister à une brillante passe d'armes entre Louis Jouvet et Pierre Corneille. Sous les efforts redoublés du metteur en scène, le vieux tragique est resté sur le carreau" (22 février 1937). Jouvet n'a "pas cru en Corneille"; il a inventé "cent moyens pour détourner l'attention d'un texte qu'on jugeait ennuyeux, périmé, impossible".

Le réquisitoire est sur ce point permanent. Le "dépoussiérage" de *Mithridate* au Français n'est qu'"amusements": le nouveau décor, "hall de palace, calfeutré", trahit le cadre lumineux, azuré, voulu par Racine; le protagoniste, dans son costume d'"Ataman de cosaques", n'évoque plus le vieux et farouche roi du Pont mais quelque chose comme "la silhouette du grand duc Nicolas" (20 décembre 1937). Les additions si fréquemment pratiquées par les metteurs en scène ne sont que de médiocres trompe-l'œil: Copeau faisant précéder *Bajazet* d'un prélude muet, Baty achevant *Bérénice* par "un tableau militaire digne du Casino de Paris", Baty faisant traverser à Clavaroche le jardin de maître André "sous un grand manteau de conspirateur". En 1956 encore (16 février), la résignation n'est pas venue: "L'indiscrétion du metteur en scène envers les morts plus audacieuse qu'envers les vivants va jusqu'à soulever la colère".

Cette révérence pour l'héritage du passé inspire souvent à R. Kemp des pages d'une grande pénétration, des analyses qui ne sont pas toujours originales, mais qui valent par leur précision et leur justesse. Mais elle le place dans une situation inconfortable en face d'une œuvre nouvelle: le chroniqueur est aussitôt assailli par une foule de réminiscences qui suscitent un jeu infini de comparaisons le conduisant presque toujours à un jugement réservé. *La Sauvage* (J. Anouilh) émeut R. Kemp, il ne le nie pas: "Elle agite, elle crée de la fièvre. Elle charrie du bon et du mauvais. Mais charrier, c'est du dynamisme". Pourtant l'article s'empêtre très vite dans le recensement des souvenirs: "Si l'on épluchait tout ce qui ressuscite ou prolonge en elle (la Sauvage) ibsénisme, dostoïevskisme, tolstoïsme, et la vieille littérature protestataire, de Vallès à Mirbeau (...), on verrait que cette œuvre neuve est assez vieille. Il y là-dedans des *Misérables,* des *Mystères de Paris,* même du *Claude Gueux"* (17 janvier 1938).

Le réflexe joue constamment. R. Kemp a apprécié, de Salacrou, *l'Inconnue d'Arras, Un Homme comme les autres.* Mais *la Terre est ronde* le déçoit: c'est que la pièce est, à ses yeux, la juxtaposition d'une série de "A la manière de...": à la manière de Shaw, de Shakespeare, de Musset. Accablé parle brouhaha de tant d'échos, le critique ne réussit pas plus à entendre "la jeune voix sarcastique de M. Salacrou" (14 novembre 1938). Aussi la première impression favorable se dissipe-t-elle très vite: "A mesure que mes impressions se déposaient, se filtraient, je voyais mieux les artifices et la subtile cuisine de l'auteur". Si bien que, au moment du bilan définitif, il ne reste pas grand-chose de l'engouement initial: "Peu à peu, oui, on pense davantage à un mélodrame. C'est du Dennery artiste; épicé à la moderne" (21 novembre 1938).

Cette surcharge d'un esprit trop cultivé explique pourquoi, en face d'une œuvre nouvelle originale, R. Kemp est incapable de la goûter pleinement. Rendant compte d'*Electre,* il consent à reconnaître que l'œuvre constitue "un merveilleux festin spirituel"; mais après avoir évoqué, au hasard des méandres de la chronique, *Orphée aux Enfers, l'Arlésienne, le Banquet* de Platon, l'abbé Jérôme Coignard, *Fantasio* et *Namouna,* le récit de Théramène, Hugo de Hofmannsthal, Paul Bourget et bien entendu Eschyle et Sophocle, il conclut: "(Electre) nous resterait encore intéressante, si elle n'était pas perdue dans un "divertissement d'idées"; un ballet à vingt entrées, qui nous enchante d'abord; et nous épuise, enfin"[38]. Il faut une lente maturation pour que, se libérant du fatras des réminiscences, se dégage l'impression profonde, et juste. L'amende honorable vient au bout de dix ans: "Aujourd'hui, je n'écrirais pas sur l'*Electre* de Giraudoux ce que j'écrivais après la première. Je sais mieux l'aimer"[39].

Le cheminement est le même pour *Ondine.* Le feuilleton de 1939 fait appel à *Charmes* de Valéry, à Debussy, à Paracelse, à Boccace, à la rhétorique de Pascal, au répertoire du Palais-Royal, avant d'aboutir à une conclusion dans laquelle le critique avoue ne pas savoir, au milieu des "acrobaties" de Giraudoux, quelle "explication il convient de donner à *Ondine*"(mai 1939). A l'occasion d'une relecture seulement, très postérieure, Kemp parvient à "dénicher", en dessous "des jeux faciles, des cocasseries", "l'idée poétique" et à "s'emparer de la substantifique moëlle". Alors se révèle le "grand charme" de la pièce[40].

Ce perpétuel jaillissement des références a, en outre, quelque chose d'irritant: le chroniqueur est constamment menacé par l'écueil, qu'à vrai dire il évite souvent, de la cuistrerie du pédant trop empressé à faire étalage de ses lectures. Ainsi la reprise de ce *Cyrano,* si direct et si franc, si simple au fond, donne-t-elle lieu à ce festival d'érudition:

> (Cyrano) a jailli autour de lourds nuages. Le *Fracasse* du bon Bergerat, qui jonglait avec les miettes de Gautier, lui est antérieur; et *le Chemineau* de Richepin. Après lui, le puissant caméléon Mendès l'a reflété dans Scarron, et dans Glatigny. Il y a eu des *Don Quichotte* et des *Cadet Roussel.* Qu'un homme comme Faguet, qui avait tout lu, n'ait pas reconnu les Amadis et les

> troubadours, les chers auteurs du "second rayon", Scarron et Saint Amant et le cocasse Scudéry, et *les Mousquetaires* du pétulant Dumas, et Chicot, et Bussy, et jusqu'à Lagardère, c'est assez surprenant[41].

La revue rétrospective est assurément conduite sur un rythme allègre. La nécessité n'en paraît pas évidente.

C'est sans doute en partie pour échapper au grief de cuistrerie que R. Kemp a fini par se façonner un style qui, s'il ne rappelle pas directement celui de Janin, procède de la même intention de jouer de la légèreté, du piquant, de la minauderie intellectuelle, à la limite de la préciosité des petits maîtres. Ainsi pour commenter l'évolution de Thérèse Tarde *(la Sauvage)* qui finit par confesser son honteux passé: "Le remède drastique, le puissant cholagogue que s'est administré Thérèse a eu des effets prompts et merveilleux". Pour définir, par opposition à celui de Giraudoux, le style dramatique de Jules Romains dans *Knock:* "Une certaine sécheresse rythmique. Point d'épithètes lubrifiantes; point d'arpèges, de trilles, ni d'appogiatures; point de volutes" (21 février 1938); pour caractériser l'inspiration des premières pièces de Salacrou: "Il jouait du fifre de M. Crommelynck, du mirliton de M. Jean-Victor Pellerin, et du big-pipe de M. Shaw" (14 novembre 1938); ou encore pour évoquer le monde provincial, tel que le suggère Labiche dans *la Dame de chez Maxim's:* "Cette Touraine moyenâgeuse est séparée de Paris par une Beauce saharienne, sans piste ni bidon 5, et par des années de manches à gigot et de robes princesse". Tant d'ingéniosité dans la recherche de la formule inattendue (la plupart du temps soulignée par une phrase sautillante, syncopée) finit par lasser et, ce qui est plus grave, par paraître artificielle .

Beaucoup plus que les grands chroniqueurs du temps, R. Kemp représente un type de critique passionnément épris de théâtre dans lequel il voit l'épanouissement d'une culture raffinée et auquel il demande d'éveiller en lui tous les harmoniques possibles de ses lectures innombrables, – et qui ne perçoit pas que le temps des Humanités triomphantes est révolu. R. Kemp constitue, en matière de critique dramatique, un anachronisme.

A quel point ce style était périmé, on l'a bien vu lorsque *le Monde* (qui, après 1945, avait conservé un collaborateur qui croyait toujours écrire pour les lecteurs du *Temps*) se hâta de confier la chronique à un critique de la jeune génération, B. Poirot-Delpech, qui se révéla immédiatement aussi empressé à porter aux nues les tumultueuses audaces de Planchon que R. Kemp eût été acharné à les vouer à l'exécration. On imagine la stupéfaction qu'aurait éprouvée R. Kemp en prenant connaissance des articles que destine désormais au *Monde* le successeur de B. Poirot-Delpech, Michel Cournot, dont la collaboration simultanée au *Nouvel Observateur* indique assez les tendances personnelles. En demeurant au *Monde* à partir de 1945, R. Kemp n'a pas vu qu'il se trompait non seulement de génération, mais aussi de lecteurs.

***

La critique doctrinaire se fait de plus en plus rare. Elle ne survit guère qu'aux deux extrêmes de l'idéologie. Il est naturel que la presse d'extrême-gauche n'attache qu'un intérêt restreint à la vie dramatique: ses lecteurs fréquentent peu les salles de théâtre. Cette critique ne s'anime que si l'œuvre fournit l'occasion de mettre en valeur la décadence d'une société détestée. Quand, en 1927, Salacrou fait jouer *le Pont de l'Europe,* la création est, du propre aveu de l'auteur, un "désastre"; la presse est "terrible". *L'Humanité* est l'un des rares journaux qui soit favorable à ce qu'elle considère comme un "ouvrage pénétrant, ardent". Cette faveur va sans doute à un jeune auteur qui ne cache pas ses sympathies pour le marxisme; mais surtout la pièce peut être interprétée comme la "très émouvante confession d'une classe moyenne, désarmée jusqu'au creux de l'âme, empoisonnée de doutes, misérablement livrée à la plus vaine agitation"[42]. A *l'Humanité* encore, *la Terre est ronde* apparaît comme une "grande", une "admirable pièce"; et la libertaire *Patrie Humaine* renchérit: "Toutes ces louanges peuvent paraître exagérées. J'accepte le défi. Allez à l'Atelier". Mais les chroniques de ces journaux ne peuvent pas jouer un rôle déterminant dans le succès ou dans l'échec d'une pièce[43].

C'est du côté de l'extrême-droite que se manifeste encore, et de façon appuyée, une critique théâtrale ouvertement idéologique. Si l'on songe à l'influence du maurrassisme pendant cette période sur toute une partie de la bourgeoisie, on ne s'étonnera pas de rencontrer à *l'Action Française* un chroniqueur agressif et polémique, nourri de partis-pris qui ne sont pas fondés sur des préoccupations esthétiques: au théâtre, Lucien Dubech (1882–1940) monte une garde attentive pour la défense des thèses de l'auteur de *l'Enquête sur la Monarchie*[44].

Ce n'est pas tellement en faveur de la monarchie que milite le critique. Certes si, dans *le Phénix,* Maurice Rostand met en scène un personnage de Dauphin curieusement anarchiste, Dubech relève avec indignation une réplique comme celle-ci: "C'est toujours dans l'égoût qu'un trône a ses racines": "Il croit ou feint de croire que les rois boivent le sang de leurs serviteurs dans le crâne de leurs sujets et qu'il suffit d'en détruire dix pour assurer le bonheur du monde. O sancta simplicitas! ô le cher petit M. Rostand! Le comique qu'engendre M. Rostand est de même nature que celui dont parle Musset, lorsqu'on sort d'en rire, on devrait en pleurer". Il faut plaindre la génération des "petits garçons à qui l'on a appris que la terre a commencé de tourner en 1789" (à propos de *Britannicus*).

L'essentiel n'est pas là. Ce que, dans la ligne d'un Viennet, Dubech dénonce sans relâche, ce sont les méfaits de ce romantisme contre lequel les Maurrassiens mènent une campagne soutenue. Le romantisme considéré non pas comme un mouvement littéraire et dramatique, mais le romantisme générateur de toutes les erreurs modernes, avec ce culte de l'individu qui dissout les sociétés et engendre l'anarchie; qui crée des êtres "inutiles, inféconds", des "parasites", incapables de s'adapter à un ordre social: "ceci est la faiblesse-type, la faiblesse-mère" (à propos du *Misanthrope*).

Sur ce point, la rigueur de Dubech est sans failles. Le spectateur bourgeois est une naïve dupe qui se laisse prendre aux faux brillants du Ruy Blas de cet Hugo qu'on a porté au Panthéon où il repose auprès du président Carnot, tombé sous les coups d'un anarchiste: "Personne n'a pris garde que c'est la lecture des *Châtiments* qui a armé le bras de Caserio: "Tu peux tuer cet homme avec tranquillité". Abonné à la Comédie Française, bourgeois de France, ne t'y trompe pas: les pires perversions de l'esprit sont dans *Ruy Blas*".

Le principe fondamental est clairement posé (à propos du *Masque de Fer* de M. Rostand): "M. Rostand représente ce que nous haïssons: le romantisme". Et la condamnation est sans appel, lorsqu'une œuvre apparaît entachée de cette tare. Les réputations les mieux établies sont alors dénoncées comme usurpées: *L'Infidèle* de Proto-Riche n'est "qu'un mauvais petit poème romantique" et *le Vieil Homme* tant vanté atteste que l'auteur n'est qu'un "romantique, au sens le plus fâcheux du mot".

Le néo-romantisme d'une partie du répertoire contemporain ne tend qu'à détruire les traditionnelles valeurs françaises, à instaurer, dans le domaine esthétique, le règne du flou, de l'indécis, alors que "nos professeurs jadis nous ont tous enseigné que l'obscurité était un défaut" (à propos de *l'Annonce faite à Marie*). Mais l'éternel "bataillon sacré des snobs", qui applaudit furieusement aux *Amants Puérils* de Crommelynck, la "chapelle littéraire" qui enfle la gloire de Claudel, restent insensibles au danger qui menace l'esprit français.

Dans ce combat, Dubech rencontre naturellement un adversaire qu'avait déjà combattu la critique traditionaliste des années 1830: le cosmopolitisme. Le thème privilégié du maurrassisme, "la France, la France seule", se développe, en matière de théâtre, dans la constante dénonciation d'une menace précise: celle d'un théâtre de plus en plus colonisé par "Israël". *L'Autruche* de Romain Coolus est saluée par la critique comme une "pièce bien parisienne":

> Chacun sait que les pièces bien parisiennes ont pour auteurs, à l'ordinaire, des Messieurs fraîchement débarqués d'Odessa. Si l'univers était un jour submergé et qu'on ne dût retrouver plus tard que les vestiges flottants du théâtre contemporain, les nouveaux venus imagineraient sans doute que Paris fut une ville de Palestine.
>
> Quand un jeune Hébreu sent qu'il devient homme de génie, il fait une pièce. Il la porte à l'un de ses coreligionnaires qui dirige, devant ou derrière le comptoir, mais toujours omnipotent, un théâtre sur les boulevards. On convoque les journalistes hébreux qui pullulent, nombreux comme les sables du désert, dans les journaux parisiens (à propos d'*Un Homme en marche*, d'H. Marx).

On va le voir, un esprit aussi indépendant (en apparence) que Léautaud n'échappe pas à de tels partis-pris[45].

***

Sous le pseudonyme de Maurice Boissard, Paul Léautaud a tenu la rubrique dramatique du *Mercure* de 1907 à 1921, celle de la *N.R.F.* de 1921 à 1923, puis celle des *Nouvelles Littéraires*[46]. Et il semble que sa forte personnalité tranche de façon éclatante sur celle de ses confrères. C'est là céder à l'illusion créée, bien après la seconde Guerre Mondiale, par la révélation de Léautaud au grand public à travers ces entretiens radiophoniques qui ont fait en quelques semaines de ce misanthrope vieilli et glapissant une vedette de l'actualité.

Quand Léautaud inaugure sa carrière de critique, il a 35 ans. Assurant le secrétariat du *Mercure*, il est à peu près un inconnu, sauf des familiers qui gravitent autour de Vallette. Son bagage littéraire se réduit à l'émouvant mais mince *Petit Ami* (1903). Il est, comme l'écrit Billy[47], la physionomie "la plus pittoresque du

6e arrondissement, avec ses foucades, ses sarcasmes, ses accoutrements bizarres, sa ménagerie de chiens et de chats; il amuse et intrigue. Léautaud a reconnu[48] qu'il a dû une partie de sa réputation non pas à ses chroniques, mais à Billy qui, rédacteur à *Paris-Midi,* rapportait sans cesse "des anecdotes sur mon compte et me prêtait plus d'esprit que je n'en ai réellement". Si ses chroniques sont toujours attendues avec intérêt par le petit nombre de lecteurs de la revue, ce n'est pas tant en raison du prix que l'on attache aux jugements prononcés que par l'effet de la curiosité. Car une chronique de M. Boissard, c'est d'abord l'expression d'un tempérament cocasse, le reflet des impressions d'un marginal qui se pique d'anticonformisme. On retrouve ici encore le souvenir de Janin, selon lequel le critique doit d'abord se placer au centre de ses développements. Sous cet angle, trop systématiquement reprise pour être spontanée, la technique de Léautaud est bien au point.

Elle se manifeste d'abord par une affectation de désinvolture vis-à-vis du lecteur auquel on avoue que l'on accomplit une corvée: "Allons! décidons-nous! Il le faut. Ecrivons une chronique dramatique. Une de plus après tant d'autres! Le tout est de s'y mettre" (janvier 1922). "Je ne suis pas en train d'écrire des chroniques dramatiques. Cela m'assomme" (mars 1914). "Je vais donc retourner au théâtre. Je continue à rêver là à mes affaires, tout en regardant ce qui se passe autour de moi et sur la scène. Le métier de critique dramatique a cela d'agréable qu'on n'a pas besoin d'être rigoureusement attentif" (octobre 1921).

La chronique devient ainsi un simple prétexte à divagations, le plus souvent étrangères au sujet et que l'on présente comme telles, afin de mieux narguer le lecteur: "Je voulais parler des dernières pièces que j'ai vues. Je n'en ai pas dit un mot. Ce sera pour la prochaine fois" (août 1922); "Que me voilà loin de mon sujet! Je ne me corrigerai jamais" (mars 1912); "Ma chronique est un peu courte. J'en profiterai pour raconter une petite aventure qui m'est arrivée récemment" (février 1923). L'article est alors consacré à la promenade qu'il a faite pour porter son texte à la revue (juin 1923), à son ameublement, aux difficultés que lui suscitent ses maîtresses (octobre 9191), et surtout à ses chats et à ses chiens: le récit de la mort de son chien Singe (avril 1918) est assurément une page remarquable d'émotion contenue. Il arrive pourtant que le thème abordé demeure littéraire, mais la volonté de digression reste la même: *le Misanthrope* sert de point de départ à l'évocation de tous les Alcestes rencontrés dans la vie réelle (avril 1922); une adaptation de *la Chartreuse de Parme* (Ginisty) à un long développement sur le plaisir éprouvé à la lecture de Stendhal (novembre 1918); la création de l'*Iphigénie* de Moréas à des considérations sur les *Stances* du poète (juillet 1912).

Ce parti-pris, qui joue sur le plaisir du lecteur à se voir bafoué, s'accompagne d'un souci permanent de choquer par la verdeur avec laquelle on s'en prend aux célébrités consacrées. On l'a déjà vu avec Planche, la recette est toujours sûre, qui utilise la brutalité pour se construire une réputation d'"éreinteur".

A quelques exceptions près, Léautaud prononce contre le répertoire contemporain une condamnation globale: depuis 50 ans, le théâtre n'est que "niaiserie, prétention, bavardage, sérieux bête, préciosité amphigourique. Ce n'est plus du théâtre, c'est du prêche" (avril 1923). Aucun des grands noms de la scène n'échappe à de telles proscriptions.

L'œuvre de Porto-Riche (alors souvent considéré comme "le Racine moderne") n'inspire à Léautaud que répulsion pour ce répertoire de coucheries: "Quels fantoches, ces gens dont toute l'existence roule sur des questions d'alcôve!" (juillet 1908, à propos d'*Amoureuse*); "Ces pièces prétendûment sur l'amour, sur la passion, et qui ne sont qu'inventions perverses et artificielles" (octobre 1921). Les épigones de Porto-Riche sont pris à parti plus violemment encore, par exemple Nozière (qui est aussi un critique influent) pour son *Tour du Cadran* (janvier 1920): "une simple ordure, je l'écris comme je le pense, et malgré ma répugnance pour le mot. Ce n'est pas du libertinage, ce n'est pas de la galanterie, ce n'est pas de la licence, toutes choses qui pourraient être charmantes. C'est ce que je viens de dire. C'est une pièce sur l'acte sexuel, uniquement".

Lenormand, qu'une partie de la critique salue comme un novateur hardi, ouvrant le théâtre aux ressources inconnues de l'Inconscient, est un faiseur de mélodrames "du plus ancien modèle" (février 1923, à propos de *la Dent Rouge*). F. de Curel, H. Bataille, H. Bernstein, R. Coolus ne sont pas mieux traités: ceux-là empoisonnent le théâtre par une affectation pseudo-philosophique qui transforme les spectateurs en "penseurs enragés". Quant à Claudel, "il n'est qu'un rhéteur, et d'une rhétorique souvent fort défectueuse et même rugueuse" (avril 1914, à propos de *l'Echange*). "Il y a, entre M. Paul Claudel et H. Becque, toute la différence d'un faiseur de phrases à un écrivain véridique" (mai 1914).

C'est en effet aux formes du langage que Léautaud porte le plus vif de son attention. Le répertoire du temps lui paraît universellement entaché d'affectation, "d'amphigouri". Et c'est avec délectation qu'il fournit des spécimens de cette perversion de l'écriture, symptôme éclatant de la perversion de l'esprit et du goût. H. Bataille: "Son corps se défait comme un bouquet"; "Les frénésies obscures de votre silence". Porto-Riche: "Adieu, les battements de mon cœur, mon désir éternel. Adieu, mes larmes préférées" (novembre 1913). F. de Curel: "Le bouquet printanier de mes tendresses virginales" (janvier 1920). Ses mélodrames, Lenormand les orne d'un "amphigouri qu'il trouve probablement très beau. Ses admirateurs ont raison de déceler en lui un écrivain hardi. Il fallait du courage pour écrire une pareille chose" (février 1923).

Pour expliquer la décadence du théâtre, Léautaud revient souvent sur cette considération: la place considérable que tiennent, dans le monde dramatique, les juifs, auteurs, critiques, comédiens. "Et surtout qu'on ne me prenne pas pour un antisémite" (juillet 1912).

> Il y a un théâtre juif, c'est évident. Des œuvres comme celles de M. Bataille, de M. Bernstein, de M. de Porto-Riche[49], ne sont pas françaises au sens pur et profond du mot. Il y circule un certain trouble, fadeur et vice à la fois, une certaine recherche équivoque dans les sentiments, qui ne sont pas de notre race (juillet 1912).
>
> Je ne suis nullement antisémite, socialement parlant. Je constate simplement qu'il n'y a que ces auteurs pour nous inventer des situations et des personnages aussi équivoques (novembre 1913).

A propos de *l'Enfant Truqué* (février 1923): M. Natanson "est juif. Il a le don intelligent des juifs: une grande capacité de tout analyser, de tout dissocier, de tout décomposer". La considérable réputation que se sont acquise ces auteurs-là est en très grande partie due à l'influence exercée par la critique juive[50], "intéressée au succès de ces pièces et qui l'a fait". "Quoi de plus amusant que de voir M. Léon

Blum, par exemple, se poser à chaque occasion en arbitre du goût français, de l'esprit français, de la tradition française? " (juillet 1912).

Quant au monde des comédiens, il est pareillement menacé: le Conservatoire est envahi par "ces petites juives indéniables au nez en bec d'aigle, au petit menton crochu, aux yeux troubles, au teint malade":

> Ce sont elles qui personnifieront, dans quelque dix ans, les héroïnes de notre théâtre. Représentez-vous un peu cela, je vous prie. Voir la Rosine du *Barbier de Séville,* la Comtesse du *Mariage du Figaro,* et Chérubin, et Célimène, et les amoureuses de Marivaux et de Musset, toutes ces créatures si françaises d'esprit et de visage, sous l'aspect de jolies personnes au nez crochu, aux oreilles décollées! Il est vrai que d'ici là, tous nos auteurs dramatiques seront juifs. On ne jouera plus que leurs pièces, des pièces juives naturellement. Comme toutes ces comédiennes, juives aussi, compléteront bien ce tableau! (octobre 1911)[51].

Le fameux *Journal* (dont la publication ne commence qu'en 1954) permet de mieux déterminer à quelle esthétique se rattachent ces jugements à l'emporte-pièce qui semblent ne ressortir qu'à la critique d'humeur; ils sont inspirés par le culte de Stendhal, de Molière, par-dessus tout du Molière de *Tartuffe* et du *Misanthrope* (accessoirement de Regnard, Marivaux, Beaumarchais); par la méfiance vis-à-vis de l'enflure tragique ("Je me passe fort bien de Corneille et de Racine, surtout de l'odieux Corneille", mai 1920); par l'horreur du clinquant, de l'apprêté. Si les spectacles du Vieux Colombier lui procurent un plaisir sans mélange, c'est que tout y est empreint de fidélité au texte, de sobriété (mai 1920, à propos du *Carrosse du Saint-Sacrement* et du *Conte d'Hiver).* Par contre, le critique se hérisse aussitôt que la pièce devient prétexte à débauche de décors et d'innovations scéniques: "On ne va plus au théâtre que pour voir le spectacle, et on est si occupé de ce que la scène comporte de décor, d'accessoires, de jeux de lumières, qu'on ne pense plus à écouter la pièce" (juin 1911). C'est le langage même de R. Kemp.

Les animateurs du Cartel même n'échappent pas à cette hargne. Quand, en mars 1939, Dullin annonce qu'il va monter *le Mariage de Figaro* selon sa conception personnelle, Léautaud se hérisse: "Il ferait mieux de la garder pour lui et de nous ficher la paix. Tous ces comédiens qui arrangent à leur façon les chefs d'œuvre de notre théâtre dépassent vraiment la mesure"[52].

L'initiative prise par E. Bourdet d'ouvrir le Français au Cartel lui inspire des propos outrés: "On devrait renvoyer à leur théâtre personnel ces Messieurs introduits sans qu'on sache pourquoi à la Comédie Française, qui, l'un arrange ainsi *le Mariage de Figaro*, qui, l'autre, arrange *le Chandelier,* qui, l'autre encore, fait danser les marquis du *Misanthrope.* Au train dont ils vont, si on n'y met ordre, nous verrons ainsi le chauffage central dans *l'Avare,* transformé ainsi en prodigue" (avril 1939).

Quand il s'en prend aux comédiens, Léautaud ne fixe pas de bornes à ses sarcasmes. Actrice fêtée, Mlle Ventura "est laide, elle est petite, elle est mal faite, elle a une voix nasillarde et des manières ridicules à force de maniérisme" (février 1923). Et Mme Lara, qui a entrepris d'exposer au cours de conférences publiques la façon dont elle entend "rénover la mise en scène", est traitée avec plus d'irritation encore: "Toujours minaudant, se prenant la tête dans les mains pour soutenir le poids de ses pensées", cette pécore prouve seulement qu'elle a "de belles dispositions pour rénover la langue française et pour se faire entendre plus particulièrement des étrangers les plus lointains, à qui le français n'est pas très familier" (août 1919). Chez Mme Lara, la récitante de poèmes vaut la conférencière: jouant du face à main, "elle salue, elle dit le titre du poème; puis elle commence: Ptit,ptit, ptit. Elle s'incline en avant, puis se redresse: Ptit, ptit, ptit. Elle se penche à gauche: Ptit, ptit, ptit, ptit; ensuite à droite: Ptit, ptit, ptit, ptit".

C'est sur l'âpreté de telles sorties que s'est faite la réputation de Léautaud, point du tout fâché d'être ensuite pris à parti par ses victimes ou par leurs chevaliers servants. A partir de 1919, il mène campagne contre Alfred Mortier[53] qui s'est donné pour mission de ressusciter le genre tragique, et contre sa femme, Aurel, qui tient un salon littéraire d'abord fondé pour célébrer les mérites des poètes disparus à la guerre[54]. Léautaud n'en finit pas de ricaner: Mme Aurel, c'est "la Mère la Chaise", "la femme à bardes", qui "écrit des romans sur ses accouchements, comparant les stades de sa grossesse aux stations du Christ" (mai 1920), qui "écrit comme personne n'a jamais écrit: elle a recréé la syntaxe et donné un sens nouveau à tous les mots" (janvier 1922). Alfred Mortier finit par se fâcher et se targue d'avoir rossé d'importance Léautaud qui, bien entendu , nie le fait, que Billy confirme pourtant[55].

Cette indépendance d'esprit finit par provoquer la rupture de Léautaud avec *la NRF*[56] et Jacques Rivière. Rendant compte de la comédie de J. Romains, *M. le Trouhadec saisi par la débauche,* Léautaud n'a pas résisté au plaisir de brocarder un auteur qui, dans le cadre du Vieux Colombier, affiche la prétention de jouer les "professeurs de poésie". Mais s'en prenant à J. Romains, Léautaud touche à deux institutions, étroitement liées l'une à l'autre et qui constituent le terrain réservé du snobisme de l'avant-garde: *la NRF* et le Vieux Colombier. Sommé par Rivière de retirer son feuilleton, Léautaud claque la porte: il donnera ses chroniques ultérieures aux *Nouvelles Littéraires:* "Voyez-vous cet écrivain qui ne veut entendre que des éloges. Trois pages de critique! Voyez-vous le malheur! Un article de revue! Trois jours après qu'on l'a lu, qui s'en souvient? Ce sont ses œuvres à lui qui sont éternelles".

On est mal à l'aise pour fixer la place de Léautaud en tant que critique dramatique. Sur le répertoire de son temps, il a fait entendre de dures mais saines vérités; mais son esthétique est étroite et foncièrement conservatrice. Il a su garder une liberté de jugement et une franchise d'expression totales; mais, ce faisant, il est très soucieux de soigner le personnage qu'il s'est créé et il en rajoute en fait de non-conformisme: parmi tous les auteurs contemporains, le seul qui trouve vraiment grâce à ses yeux, c'est Sacha Guitry. A propos des *Deux Couverts,* Léautaud n'hésite plus devant la comparaison suprême: Molière. "M. René Benjamin a eu bien raison de dire qu'il est notre Molière. Il y a longtemps que je voulais le dire. J'hésitais. Est-ce bête? Je savais pourtant que je dirais juste" (septembre 1922).

Il n'est pas sûr du tout que Léautaud ait été un grand critique dramatique. Mais il est certain qu'il fut une personnalité hors du commun. Et ceci compense largement cela.

***

Le cas de Colette (1873–1954) est très proche de celui de Léautaud, qui est exactement son contemporain[57]. Quand, en octobre 1933, elle aborde la critique dramatique qu'elle va tenir jusqu'en juin 1938, pour le compte de *l'Eclair*, de *la Revue de Paris*, du *Petit Parisien*, et surtout du *Journal*, elle a 60 ans. Sa renommée de romancière est définitivement établie; elle va être consacrée par son élection à l'Académie Royale belge (1936). Sa familiarité avec le monde dramatique est encienne: elle remonte à l'époque de sa vie conjugale avec Willy; elle a été encore enrichie par son expérience personnelle du music-hall.

Colette s'est adonnée avec assiduité à cette nouvelle activité qui lui imposait pourtant de se plier aux servitudes de la chronique. Le feuilleton a quasiment disparu, et avec lui la possibilité d'être librement soi-même en développements dont la longueur n'est pas contrôlée. L'article doit être bref et embrasser toute l'actualité dramatique. C'est dans un même texte que Colette doit rendre compte (17 mai 1936) de l'importante mise en scène de *l'Ecole des Femmes* par Jouvet et de ces *Innocentes* (L. Hellmann) qui sont promises à un oubli immédiat: la part faite à l'un et l'autre spectacle est rigoureusement et absurdement équilibrée.

De plus, Colette écrit pour le lecteur moyen d'un quotidien à très gros tirage et ses chroniques ne doivent pas, si l'on peut dire, voler trop haut. On comprend pourquoi on relève avec surprise sous sa plume des formules dignes de Sarcey sur la "pièce bien faite" que l'on pouvait croire à jamais condamnée. A la reprise de *Divorçons*, la vieillotte comédie de Sardou (5 mai 1935), Colette prend position: "C'est une très bonne soirée"; et aux spectateurs "pincés" qui ont fait la fine bouche ("Oui, oui, cela ne manque pas de mouvement; mais c'est une pièce où il y a à boire et à manger") elle réplique, comme l'eût fait l'Oncle: "L'aimable relais, celui qui peut contenter la soif et l'appétit". A la création de *l'Espoir* de Bernstein (une des idoles du public bourgeois), elle se flatte, tout en conservant "le regard professionnel du critique", d'être "bon public": et le jugement relève de l'esthétique qu'imposait le feuilletoniste du *Temps* des années 1880: "C'est fait à miracle, art et métier fondus, l'un noblement au service de l'autre" (2 décembre 1934).

En face d'une œuvre qui renouvelle le répertoire, Colette reste souvent d'une étrange timidité. Les dons dramatiques de Claudel lui paraissent incertains: "Ecrit pour la scène, la scène est-elle pour *l'Otage* un climat salubre? Je ne le pense pas"; mieux vaut prendre connaissance de la pièce par la lecture: "Il y a une richesse littéraire que le théâtre dédore" (4 novembre 1934). *Les Cenci* d'Artaud, l'ambition de l'auteur de créer un "théâtre de la cruauté", lui semblent tenir du charlatanisme: "A cause de la conviction et de la flamme qui l'animent, nous pardonnons à M. Artaud l'outrecuidance de ses professions de foi" (12 mai 1935). L'éloge de Giraudoux demeure dépourvu d'originalité: "poésie", "climat", et cette remarque banale: on n'attendait pas du romancier que l'on connaissait un tel théâtre (24 novembre 1935). En face d'*Electre*, la réserve est nette: "Au prix des tranchantes lueurs giraudousiennes et des poèmes à mille facettes, je suis tentée de trouver plaisir à la grande obscurité de Claudel, à son vaste souffle de forêt nocturne" (23 mai 1937).

Le commentaire ne se relève que lorsque, femme, le chroniqueur se sent directement touché. Ainsi, à la reprise de *la Prisonnière* d'E. Bourdet, qui porte à la scène avec une grande discrétion le problème des amours lesbiennes, Colette se félicite de cette "pénétration qui rarement appartint à un homme, quand il interroge le couple dont l'homme est exclu" (10 mars 1935). Parce que, dans la pièce, la particularité de l'âme féminine est en question, *la Sauvage* (Anouilh) inspire au critique des réflexions qui sont vraiment personnelles: sans doute est-il humainement vrai que Thérèse choisisse d'épurer son amour par le renoncement, "mais qu'elle fuie le bonheur pour réintégrer le milieu que, profondément, elle méprise, voilà une solidarité, une idéologie, qui sont peu féminines" (16 janvier 1938).

Quant au mouvement de rénovation de la mise en scène, il trouve en Colette un observateur attentif, généralement sympathique, mais qui reste prudent. La reprise de *l'Ecole des Femmes* l'enchante, mais le compte-rendu est d'une extrême rapidité. Et bientôt après, lors de la reprise de *l'Illusion Comique,* elle renâcle, tout comme un R. Kemp: "Tous ces miracles des metteurs en scène sont profondément inutiles à leur objet, c'est-à-dire à la pièce. Bien pis, ils la font oublier". Le succès remporté là par Jouvet, "vif", "mondain", passe "les limites du discernement" (21 février 1937). Ici encore, Sarcey n'aurait pas été plus sévère.

Ces problèmes de mise en scène restent au fond étrangers à Colette. Lorsque, en une reprise âprement contestée, Baty donne sa version personnelle des *Caprices de Marianne,* le chroniqueur esquive le débat: une partie de l'article est consacrée à une digression sur ses propres souvenirs de la rue de la Gaîté (où est sis le théâtre Montparnasse), une autre aux interprétations de Marguerite Jamois et de Lucien Nat; mais on se garde de prendre parti dans le "procès de certaines directions théâtrales" (2 février 1936).

La qualité des jugements portés par Colette est ainsi tout à fait moyenne: sur le répertoire contemporain, la romancière ne fait pas preuve d'une perspicacité plus aiguë qu'un Bidou.

L'intérêt de ces articles est ailleurs: lorsqu'ils sont l'occasion de réflexions qui portent sur le théâtre lui-même et pas seulement sur le théâtre "littéraire": Claudel, Giraudoux ou Anouilh ne retiennent pas moins longuement Colette que les revues de Rip et des Folies Bergères, que le Grand Guignol, le Théâtre du Petit Monde, Mac Cab à l'Alcazar ou la reprise du *Bossu.* Colette ne redevient elle-même que lorsque, à propos d'un spectacle, elle s'interroge sur la nature du plaisir dramatique, sur le rôle du public, sur celui de l'acteur, du metteur en scène. Et ces réflexions ne s'inspirent pas de théories esthétiques, mais des préoccupations, des obsessions qui lui sont propres.

Quand Colette dénonce la "pauvreté" du théâtre contemporain, elle semble reprendre un lieu commun. Son agacement ou son indignation répondent en réalité à un sentiment vécu avec l'acuité d'une souffrance: la conscience du temps qui s'écoule inexorablement et qui est perdu pour rien. Au sortir d'une soirée médiocre un de ses voisins, "indulgent", se console par la formule banale: "Quoi! on passe une soirée...". Cette résignation d'un homme "pour qui l'essentiel est de laisser fuir le temps", Colette ne l'admet pas: "Pour moi, une soirée est une tranche de temps pleine encore d'espoirs, de possibilités merveilleuses. C'est trois heures, quatre heures, des centaines de minutes, un sable précieux... Bonne ou exécrable, je l'accueille, pourvu qu'elle apporte, emporte son poids, son volume, sa saveur".

Le pire spectacle est celui qui, de la vie d'un individu, retranche inutilement des moments qui n'ont été animés par aucune sensation: un spectacle qui "libère à minuit une foule incertaine, point courroucée d'avoir sondé le mou, le prévu, le facile, gorgée de lieux communs, d'aphorisme douceâtre"[58]. L'œuvre dramatique n'est considérée par Colette que comme l'un des éléments qui sont appelés à éveiller et à entretenir le sentiment de l'existence. Pour atteindre ce but, qui dépasse de loin le plaisir dramatique, l'œuvre ne se satisfait pas de "beaucoup de talent, beaucoup de travail", d'un "dosage d'effets, parfois savant", "d'émouvoir, d'amuser, de retenir le public", On croit retrouver là la vieille animosité contre les artisans de la pièce bien faite. En réalité, dans son avidité à saisir la plénitude du moment, Colette attend que la pièce lui apporte la révélation d'une personnalité dans son frémissement intérieur:

> Une comédie, pour mériter son succès et sa durée, doit, comme toute œuvre d'art, donner l'impression qu'elle est irremplaçable, qu'elle comble une lacune, qu'elle pose – tragique ou comique - une situation, la développe, la pousse vers des fins inéluctables. Convaincre le spectateur que la création de la pièce ne pouvait souffrir ni retard ni changement, quel triomphe pour un auteur![59].

Les exigences traditionnelles de la construction dramatique sont ainsi tout à fait secondaires, à commencer par la nécessité de donner à la pièce un dénouement: "C'est sans doute parce que je tends vers la pièce inachevée, en me disant: "Y a-t-il plus de raisons de finir que de commencer? ", Les êtres qu'a rencontrés l'imagination de l'auteur, ici, là, dans leur jardin, assis à leur table, surpris en plein sommeil, occupés à écrire une lettre, ne pourrait-il parfois les abandonner de même, fournir au spectateur l'occasion de douter, d'espérer, de construire par caprice? "[60]. Le plaisir dramatique éprouvé par Colette n'est jamais complet: cette nécessité d'envelopper des destins dans une intrigue close lui gâche les soirées les plus heureuses: "Edouard Bourdet lui-même ne s'en libère pas".

Si *la Machine Infernale* lui inspire un compte-rendu enthousiaste, c'est que Cocteau y est un poète véritable, s'écarte "du théâtre français, qui est un théâtre réaliste": Cocteau ne se préoccupe pas d'"édifier une intrigue", de la "conduire, voilée jusqu'à l'éclat du dénouement", mais seulement de révéler sa "fantasmagorie intime". Colette pense que le sens du vrai théâtre est perdu. Et cette décadence est due à un public qui prétend aimer sincèrement le théâtre, alors qu'il n'est attaché qu'à la tradition du théâtre:

> O France conservatrice! Le plus glorieux des théâtres de quartier maintient avec force tes traditions. A les écouter, ce qui s'échange, de pliant à parapluie, dans la "queue" qui se colle aux guichets du Français, serpente sous les arcades, envahit les galeries du Palais-Royal. Public de quartier, féru de tradition, fier de dire: "Mary" comme s'il tutoyait Marquet. Là sont les gardiens, peut-être les responsables, là vivent et meurent ceux qui sont coupables d'aimer trop longtemps[61].

Dans ses chroniques, Colette réserve une place exceptionnelle à l'acteur, et pas seulement aux grands comédiens, mais à tous ceux qui, en quelque genre que ce soit, dédoublent leur personnalité: aussi bien Cécile Sorel au Casino de Paris que les "enfants comédiens" ou les "cinéacteurs", auxquels elle consacre un article entier (7 janvier 1934; 13 janvier 1935). Il ne s'agit pas d'analyser une technique, le jeu proprement dit, mais de rechercher ce que le comédien révèle de lui-même à travers l'interprétation. Non contente de voir vivre l'acteur, elle pénètre dans l'intimité de ses émotions, décèle la souffrance secrète qu'il éprouve lorsque, par exemple, il tient un rôle médiocre:

> Autrefois j'ai vu des acteurs accablés d'un rôle qui les discréditait devant leur propre dignité céder chaque soir, l'heure venue, à une constriction, une envie de pleurer presque irrépressibles. L'acteur, l'actrice conscients et sensibles,

> organismes nerveux, raisonnant douloureusement, plient avec peine leur talent et leur conscience à un emploi indigne d'eux, qui ne comble ni leur orgueil, ni leur faim de servir. Lundi soir, ce n'est pas l'auteur, c'est nous, auditeurs, et la troupe, qui nous sentions honteux[62].

Ainsi le regard que Colette a porté sur la vie dramatique n'est-il qu'accessoirement celui d'un critique de théâtre. Il est celui d'un être attaché à l'observation et à l'analyse de ce phénomène qui le fascine: la vie.

III

Ce n'est pas autour de la création d'œuvres nouvelles que s'ouvrent, entre 1919 et 1939, les grands débats dramatiques.

Cette période connaît ses controverses et ses soirées tumultueuses, autour de Claudel, de Maurice Rostand, de Paul Raynal. Mais la confrontation ne prend jamais une grande ampleur: quand Vaghtangov présente *le Cocu Magnifique* avec praticables en acier chromé, agrémentés d'une hélice d'avion, avec "symphonies bruiteuses", "halètements de foule stylisés et amplifiés par des mégaphones", le public est ébahi; mais le spectacle ne provoque "ni chaleur, ni murmures, ni la plus faible apparence de bataille"[64].

En fait, au cours de ces vingt années, la critique ne s'est vraiment et âprement animée qu'à propos des tentatives hasardées par ce nouveau venu: le metteur en scène.

Antoine, Lugné-Poe, Gémier, Copeau ont, dans une certaine mesure, préparé le public aux leçons qui peuvent être tirées de Gordon Craig, Piscator, Meyerhold ou Stanislavski. On découvre là des recherches curieuses, intéressantes, mais qui demeurent encore lointaines. Mais c'est à partir du moment où la prééminence de ce metteur en scène est confirmée par les initiatives et les réussites du Cartel que, la curiosité faisant place à l'enthousiasme ou à l'indignation, s'élèvent les controverses les plus vives à propos des limites à imposer à sa liberté de mouvement vis-à-vis du texte, ou de la tradition s'il s'agit d'une œuvre consacrée.

On se trouve alors porté bien au-delà des polémiques suscitées par Antoine à qui étaient reprochés moins ses décorations et son style de jeu que sa prédilection pour un répertoire jugé scandaleux. Dans les années 1880, Sarcey récrimine contre l'importance accordée à la mise en scène par l'administrateur du Français, Perrin: c'est sacrifier l'essentiel à un accessoire négligeable que de reprendre *le Bourgeois Gentilhomme* avec la musique de Lulli, avec tout l'appareil des ballets, surcharges qui ont pour résultat d'écraser le seul élément digne d'admiration: le texte (25 octobre 1880). Sarcey n'a pas besoin de se gendarmer outre mesure: il ne fait qu'exprimer l'opinion du spectateur moyen qui, même s'il souhaite que soit dépoussiérée la mise en œuvre du répertoire, demeure persuadé que les vers de Racine, la prose de Molière ou de Beaumarchais se suffisent à eux-mêmes.

Après la guerre, il en va tout autrement. Ce qui n'a été jusque là que manifestations passagères devient flot envahissant. La révélation des immenses possibilités du cinéma (et accessoirement du music-hall) en matière de mouvement et d'évocation du cadre, d'animation des foules de figurants, rend de plus en plus exigeant un public qui, en dépit de la dénonciation des méfaits du "palais à volonté", est resté jusque là fidèle à l'esthétique de la simplicité et de la discrétion. La découverte d'œuvres étrangères, où la part de la mise en scène est considérable, va dans le même sens.

Pour ridiculiser l'étroitesse de vues de ses détracteurs, Baty n'a pas eu de peine à montrer que "si le metteur en scène est de toutes les époques, les attaques contre lui en sont aussi". Et pêle-mêle il accumule les citations de B. de Bonald (1819), Janin (1830), Auguste Lefranc (1834), Planche (1847):

> Le public devenu sourd aux beautés de la poésie, ne touchons-nous pas au moment où le spectacle tuera l'art du théâtre?
>
> Le Théâtre Français, jadis cénacle de l'esprit, est devenu un spectacle pour les yeux. L'art dramatique est crucifié entre le machiniste et le décorateur, comme le Juste entre deux larrons.
>
> Le metteur en scène, cette mouche du coche, est un fâcheux brouillon qui, sous prétexte de zèle, accable le spectateur de ses sottises.
>
> La mise en scène est une sauce fort chère, destinée à remplacer le poisson[65].

Baty se donne là la partie belle, en ne plaçant pas le débat sur son véritable terrain. Car ce qu'il feint d'ignorer, c'est que jamais encore n'a été mise en question la primauté du texte, la souveraineté, par lui considérée comme tyrannie, de "Sire le Mot". La formule figure au chapitre IV de *le Masque et l'Encensoir* qui date de 1921. Elle est précédée de longs développements souvent contestables et dignes des considérations cosmiques de *la Préface de Cromwell.* Mais la qualité de l'argumentation importe peu. Ce qui est capital, c'est la conclusion: pour Baty, il s'agit d'établir que la Réforme, la Renaissance, l'Humanisme ont appauvri la diversité foisonnante du théâtre originel en le réduisant à l'étude de l'homme en qui l'on ne considère plus que "l'intelligence" et l'expression directe de cette intelligence: le Verbe; on répudie "la beauté significative des décors et des costumes, des groupements et des attitudes, du rythme, du chant, de la musique": "Au lieu d'hommes dans la vie, des récitants sur un théâtre. Le décor exclu, le comédien reste le seul acteur. Un seul moyen d'expression lui reste, la voix. Il déclame donc au lieu de jouer. Sire le Mot a achevé sa conquête".

Ce qui est ici mis en question, c'est une conception du théâtre vieille de trois siècles, qui a fait toucher au drame "le fond de l'abîme". Autant proclamer que, depuis trois siècles, le public et la critique ont voué un culte à des œuvres qui sont du faux théâtre.

Aucun autre des animateurs de la nouvelle dramaturgie n'a été si loin. Chacun d'eux a proclamé sa révérence vis-à-vis du texte. Il n'empêche que Baty a le mérite d'avoir tiré, jusqu'en leur point extrême, les conséquences de sa prise de position. Et cet arrière-fond est constamment présent dans les polémiques qui s'engagent autour des metteurs en scène. Il est secondaire de déterminer si le défilé de petits Indiens dont Jouvet corse le dénouement de *l'Ecole des Femmes* est une épicerie plaisante ou non; mais il est capital de savoir si, au nom de la modernité, on laissera détruire la conception d'un théâtre qui appartient au patrimoine français et occidental. C'est pour cette raison que les réactions de la critique en face des innovations qui se multiplient ont une portée qui dépasse infiniment les querelles vétilleuses, souvent ridicules, élevées autour d'un décor multiple ou autour de l'adjonction d'accessoires incongrus. Le débat sur la place à assigner au metteur en scène en recouvre un autre, beaucoup plus vaste, qui porte sur la notion même de théâtre.

Aussi longtemps que les modernistes appliquent leurs facultés d'invention à des pièces nouvelles ou étrangères, la critique conservatrice peut se contenter de hausser les épaules ou d'opérer des variations sur le thème connu: à quoi bon tant de complications, de contorsions, alors que les immortels chefs d'œuvre sont là, dans leur simplicité et leur luminosité, pour indiquer la bonne voie? C'est lorsqu'ils en viennent à défigurer ces chefs d'œuvre, à les trahir, que le soupçon s'éveille, puis la fureur. Copeau a proclamé, et mis en pratique, sa volonté de plier mise en scène et comédiens au seul service du texte. Aussi, dans son ensemble, la critique lui a-t-elle été reconnaissante de cette révérence et ne lui a-t-elle pas ménagé les encouragements.

Les innovations de Pitoëff restent encore dans des limites acceptables. Pitoëff lance Lenormand, révèle un répertoire russe encore inconnu (Tchékov, Gorki, Gogol), Shaw, Molnar, Pirandello. Il donne leur chance à Gide (*Oedipe*), Cocteau (*Orphée*), à Anouilh débutant. Il joue un rôle salutaire de découvreur. Mais, sagement, il se tient à l'écart du grand répertoire français: on ne saurait l'accuser d'être un profanateur. A quelques réserves près, la critique soutient ses efforts.

Jouvet n'est pas, non plus, franchement inquiétant. D'abord parce qu'il est le plus traditionaliste des nouveaux maîtres du théâtre, le plus soucieux d'équilibre. Ses lettres de créance sont rassurantes: on peut concéder que *Knock* est de pure veine moliéresque; Marcel Achard n'a rien qui puisse effaroucher; et Giraudoux, si proche de l'inspiration classique en dépit de sa tendance à l'alambiqué et au baroque, peut être considéré comme une sorte de Racine du XXe siècle. L'apothéose de *l'Ecole des Femmes* est un hommage rendu au Maître de la tradition comique. Pourtant, dans le chœur des éloges que suscite cette recréation, se font déjà entendre des voix discordantes que l'enthousiasme général contraint à la discrétion. Aux *Débats,* André Bellesort ne nie pas que Jouvet trouve le moyen de faire courir à Molière un public qui a depuis longtemps désappris le chemin du Français; mais le bénéfice est cher payé car, si ce "novateur" revigore bien les représentations de "nos classiques", c'est d'une manière analogue à celle dont on a récemment "renouvelé l'histoire en la romançant": "le public applaudit avec le même enthousiasme qu'il a accueilli les *Vies* romancées des hommes célèbres". Molière n'est donc servi qu'au prix d'une dégradation, de même que la *Vie* romancée n'est qu'un sous-produit de l'histoire.

Tant que Baty déploie sa virtuosité en montant Lenormand (*le Simoun*), Gantillon *(Maya)*, découpe en scènes de théâtre la vie de *Madame Capet* ou *Madame Bovary,* ou *Crime et Châtiment,* le public, avide de belles images, peut sans inconvénients graves se laisser prendre à l'habileté du décorateur et du dresseur de comédiens. Mais, appliqué au répertoire classique, ce traitement n'est plus du tout innocent; et Baty encourt alors le même reproche que Jouvet. La reprise des *Caprices de Marianne* (1935) se recommande à l'attention par le recours au texte original, par le bon goût de l'illustration et la qualité de l'interprétation. Mais la contre-partie est lourde: ces personnages de Musset, "on les plonge dans un carnaval de fantaisie, on jette entre les scènes des musiciens et des masques, on leur donne à chanter des chansons comme *le Rideau de ma voisine* qu'il ne serait jamais venu à l'esprit de Musset de nous faire entendre ici" (Bellesort). Dans le souci de se disculper, Baty s'applique à convaincre Robert Brasillach: "J'ai toujours respecté le texte. Je le respecte plus qu'à la Comédie Française puisque je ne fais pas de coupure dans les classiques. Mais un texte ne peut pas tout dire. Nous jouons tout le texte, tout ce que peut exprimer le texte, mais nous voulons aussi le prolonger dans cette marge que les mots ne peuvent pas rendre".

Mais comment laisser passer ce *Malade Imaginaire* (1929, 1931) qui part du postulat suivant: "Admettez cette réalité de la maladie d'Argan. Toute la comédie tourne du coup"[66]. A partir de cette aberration, la comédie se transforme en un sombre drame où le malheureux Argan crache le sang, est rudoyé par Béralde, bousculé par Toinette, berné même par Angélique[67]. Baty rétorque que son intention est de "composer des variations en mineur sur *Le Malade Imaginaire*", reconnaît que, au début de sa carrière, il lui a fallu "adopter des solutions un peu voyantes, un peu extrêmes"; il reste que ce n'est plus du tout Molière qui est offert au spectateur, mais Baty lui même, avec ses écarts d'imagination, ses obsessions personnelles. Quant à cette *Phèdre* (1940), "janséniste", qui prend délibérément le contre-pied de la conception racinienne, comment s'étonner qu'elle provoque surtout des "mines consternées"? (R. Kemp). L'extrême limite des concessions est bien définie par le chroniqueur du *Temps:* des "partis-pris intelligents" peut-être, mais détestables.

Le point critique de l'évolution est atteint lorsque les Comédiens Français eux-mêmes, las d'être dénoncés comme des attardés, se mettent à suivre le mouvement. Alors, autour de la nouvelle politique du théâtre officiel, s'engage une polémique qui rappelle par son âpreté celle qui s'est élevée, dans les années 1830, à propos des réformes de Taylor et qui est la plus significative et la plus violente de celles qui agitent la critique entre 1919 et 1939.

Sans ménagements, P. Brisson a dénoncé la pitoyable décadence de la troupe sous l'administration d'Emile Fabre[68], qui dure depuis 1915: croisade menée contre l'anarchie qui se développe au sein de la Société, contre la désinvoture apportée par les Comédiens à s'octroyer des congés, contre leur propension à se laisser tenter par les gros cachets du cinéma, contre les interventions parlementaires "au regard légèrement impudique", contre les Agnès et les Rodrigues sexagénaires, contre un style de jeu artificiel et outré[69]. On peut bien, en 1935, inaugurer en grande pompe une salle remise à neuf:

> L'opposition entre la fraîcheur des peintures et l'état de la troupe devenait poignante. Etait-il possible que la maison de Molière en fût vraiment là? Etait-il possible que ce spectacle de patronage, ces tirades hurlées de Phèdre, de Rodrigue ou de don Gormas, marquassent l'état d'un des plus glorieux théâtres du monde? Etait-il possible que tout cela fût enregistré, accepté, sanctionné par les autorités en plastron blanc que rassemblait cette soirée funèbre? [70].

L'habitude de dénoncer la décadence du Français est aussi ancienne que l'institution elle-même. Mais cette fois la crise n'est pas seulement, comme à l'accoutumée, financière. Elle se complique d'implications politiques dont les manifestations culminent, en 1934, avec la reprise de *Coriolan* qui, en pleine affaire Stavisky et au plus fort de la campagne hostile aux députés "pourris", est interprétée comme une machine de guerre montée contre l'institution parlementaire et qui donne lieu à de rudes empoignades dans la salle.

Si la critique n'adopte pas, en général, le ton de Brisson, elle n'en exprime pas moins, dans son ensemble, une vive émotion devant la dégradation d'un théâtre qui est considéré comme une institution nationale. E. Sée lui-même affirme que l'administrateur, tant qu'il ne sera pas "stabilisé" par une nomination fixant à sept ans son mandat, demeurera, "quel qu'il soit, diminué, désarmé, dépersonnalisé et incapable, ou à peu près, d'une action libre et efficace".

Dès 1929, un mouvement se dessine à travers la presse, en vue d'un appel à Copeau. Les 18 et 19 octobre, *Comoedia* et *les Nouvelles Littéraires* lancent une candidature Copeau au poste d'administrateur, sous la forme d'une pétition au ministre des Beaux-Arts, qui recueille 130 signatures: "Qui sera administrateur du Théâtre Français en 1930, de M. Emile Fabre ou de Jacques Copeau?". Le 26, dans *les Nouvelles Littéraires,* Copeau expose ses idées sur la Comédie Française, "trésor abandonné, qui ne doit pas être considéré comme un simple musée": "L'art du théâtre est un art vivant, ou il n'est pas. (Ce principe de vie) ne s'oppose pas au principe de la tradition. Il en est l'âme. La tradition est continuité et changement".

Aux sociétaires, la perspective de se voir repris en main par une personnalité forte paraît suffisamment inquiétante pour les amener à user de tout leur entregent dans les coulisses des ministères: la pétition reste lettre morte. En 1935, un observateur anglais constate: "Il semble improbable que M. Copeau participe jamais à l'organisation du théâtre national"[71].

Cette même année 1935, la grande presse orchestre de nouveau une bruyante campagne: c'est dans *Paris-Midi,* journal à fort tirage, que Ch. Gombault lance une grande enquête, sous un énorme titre: "La Comédie Française va-t-elle mourir? "; puis c'est *le Figaro* qui, après avoir publié, sans autorisation, le rapport financier d'André Bacqué, commissaire aux comptes de la Compagnie, pose aux personnalités les plus diverses la question: "Que pensez-vous de la Comédie Française? ".

Finalement, c'est en octobre 1936, dans l'atmosphère d'agitation créée par l'avènement du Front Populaire, que la crise se dénoue: le nouveau ministre Jean Zay nomme Bourdet, en lui garantissant son soutien contre toutes les intrigues qui ne manqueront pas de se développer selon la vieille tactique des interventions parlementaires provoquées en sous-main par les sociétaires.

On sait avec quelle vigueur est alors menée l'opération de rénovation[72] et comment, par une sorte d'enchantement, se renverse le snobisme du dénigrement de la Comédie Française: le bon ton est désormais de se pâmer devant les créations et les reprises des Comédiens[73].

A côté des mesures administratives prises pour rétablir la discipline, la régularité et la ponctualité chez les sociétaires, celle qui frappe le plus l'opinion est l'association au travail du Français des quatre Grands: Copeau, Dullin, Baty, Jouvet, ces trois derniers continuant d'autre part à animer leurs théâtres respectifs (Atelier, Athénée, Théâtre Montparnasse). Ces noms ont valeur de symboles et il n'en faut pas plus pour que semble condamnée toute la vénérable tradition et officiellement confirmé le triomphe des nouvelles valeurs dramatiques.

Certains chroniqueurs ont aussitôt fait preuve de réserve à l'égard d'une politique qui paraît mettre en cause la raison d'être même de la Maison. On se contente d'abord d'avancer des arguments d'ordre juridique et administratif: H. Bidou fait observer que, en vertu du décret de Moscou, "les Comédiens sont chez eux", que "l'appel à un metteur en scène n'a jamais réussi à la Comédie", que c'est là un rôle que Guitry (le père) lui-même n'a pas pu tenir. Mais ce sont les réalisations, bien entendu, qu'attend la critique pour lancer le débat.

Elles se succèdent à un rythme rapide. L'administration Bourdet est inaugurée, le 7 décembre, par un *Misanthrope* réglé par Copeau[74]. Celui-ci est le moins contesté des Quatre. Pourtant une simple modification de l'affiche suffit à hérisser ceux qui ne se résignent pas à voir transgressées les traditions centenaires: le nom de Molière, imprimé en noir, est suivi, en rouge et sur une seule ligne, par celui de Copeau. Descaves proteste contre cette promotion incongrue de celui qui devrait demeurer dans l'ombre du prestigieux auteur: "La Comédie Française, dérogeant à ses habitudes, nous donne *le Misanthrope* de Molière et Jacques Copeau".

Monté par Baty, *le Chandelier* suscite des réactions beaucoup plus vives. C'est que Baty n'a jamais été animé par le souci de mesure qui inspire Copeau et son spectacle est bien propre à donner corps aux pires appréhensions. Le décor, dont la majorité des critiques loue la poétique fantaisie, apparaît aux irréductibles comme une provocation, destinée à mettre en valeur les vaines acrobaties d'un metteur en scène ivre de la liberté qui lui est laissée, et non pas le texte de l'œuvre: "Il avait construit en scène la maison du notaire et abattu la façade pour découvrir les dispositions intérieures. Les épisodes sautaient d'une alvéole à l'autre, montaient du rez-de-chaussée au premier étage, redescendaient au jardin (...). Une façon d'épilogue avec pommes d'arrosoir lumineuses prolongeait les répliques du dénouement"[75].

Le plus grave est que Baty se croit autorisé à agrémenter le texte. Il corse le début de la pièce d'une scène muette au cours de laquelle on voit Clavaroche, drapé dans un manteau couleur de muraille, se cacher dans l'armoire de Jacqueline: ce qui a pour conséquence d'annuler l'effet de surprise voulu par Musset lorsque Jacqueline, enfin seule, ouvre l'armoire et découvre son amant au spectateur.

A la fin de février 1937, Jouvet entre en lice avec *l'Illusion Comique*[76]. Sa participation est aussi signalée en caractères rouges à l'attention du public et aussi, en caractères noirs, celle de Christian Bérard, qui a conçu les décors et les costumes. Avec âpreté on se félicite de ce que le nom de Molière, tout de même, n'ait pas été supprimé de l'affiche. Le concert des voix protestataires s'amplifie. Bellesort n'est plus le seul à dénoncer l'inanité des "innovations". C'est de contre-sens élémentaire, de trahison délibérée qu'est accusé Jouvet: idée "très fausse" que de considérer que *l'Illusion Comique* est une pièce shakespearienne et, partant, d'établir une mise en scène "à trucs et à escamotages"; erreur "séduisante" et qui "fait riche", mais erreur "indéfendable". Spectacle "curieux", mais dont on se divertirait "ailleurs". Ailleurs: à l'Athénée peut-être, mais non au Français. Quel que soit l'enthousiasme qu'il manifeste pour l'entreprise de rénovation de Bourdet, P. Brisson en convient lui aussi: "étrange idée" que de "pousser la pièce vers une fantasmagorie de cabinet des miracles" et d'en "extraire un opéra chanté". C'est le moment où Colette, où Léautaud commencent à s'alarmer des inventions débridées des nouveaux maîtres du théâtre.

Depuis des années c'est la troupe tragique qui a été l'objet des attaques les plus rudes de la part des partisans d'une esthétique moderne. Aussi la première manifestation dans ce domaine est-elle soumise à une attention particulière: Copeau monte l'une des pièces les plus négligées de Racine, *Bajazet.* Ceux qui s'insurgent depuis si longtemps contre la tradition du "ronron" tragique sont comblés: l'alexandrin de Racine est non seulement "déniaisé", il est, à peu près, volatilisé. P. Brisson salue cette "volonté anti-pompiériste d'une vigueur exceptionnelle"[77], se réjouit de ce que le spectateur, "au lieu de suivre en battant la mesure les alexandrins deux par deux", se voit offrir "l'affaire Bajazet", "toute chaude, avec une violence, une cadence et, par moments, un halètement qu'on ne lui connaissait plus"[78]. Mais R. Kemp ne reconnaît plus rien du ton tragique dans ce parti-pris de dialogue parlé: "Nous étions, à chaque couplet, tentés d'enseigner les interprètes de *Bajazet,* de leur faire redire avec plus de pointe le passage qu'ils avaient émoussé". Pourquoi recourir au vers de Racine si l'on entend simplement montrer un mélodrame de harem?

La seconde manifestation de Baty achève de mettre en évidence les excès du système: *le Chapeau de Paille d'Italie* suscite des indignations d'un autre genre. L'expérience de "batysme intégral" aboutit à hausser le vaudeville de Labiche au niveau d'une somptueuse comédie montée avec un luxe exceptionnel: "vaste gigoterie" dont Pierre Brisson même se demande si elle justifie tant d'efforts, surtout en cette période de difficultés budgétaires: c'est au contribuable, dont on dilapide les deniers, qu'il est fait appel, – vieil argument toujours efficace.

Comme il était aisé de le prévoir, les Sociétaires, désireux de ne pas demeurer en arrière, entendent, eux aussi, faire la preuve de leurs capacités d'invention. En décembre 1937, Jean Yonnel règle la mise en scène de *Mithridate:* il transforme le décor et les costumes, fait du roi du Pont un héros de l'Arioste, de Xipharès un prince qui semble surgir des ballets du *Prince Igor:* "amusements", soupire R. Kemp (20 décembre).

L'enterprise menée par E. Bourdet et "les Quatre" ne va pas au-delà de 1939. Il est bien vrai qu'elle a largement contribué à dégager de l'ornière la Comédie Française, et les audaces qu'elle a proposées paraissent aujourd'hui bien modérées. Mais il faut avoir à l'esprit ces enthousiasmes et ces indignations pour mesurer la portée du tumulte élevé autour de la mise en scène réalisée, en février 1939, par Dullin pour *le Mariage de Figaro,* et qui provoque une véritable "querelle", digne des grandes soirées d'antan.

La dernière reprise du *Mariage* par la Comédie Française date d'avril 1934. La troupe ne s'est pas encore dégagée de la tradition claironnante et empanachée qui, grâce à Brunot et Cécile Sorel, domine l'interprétation depuis le début du siècle. En 1937, à l'Odéon, René Rocher, qui ne considère la mise en scène que comme un élément accessoire, a présenté la comédie dans un cadre très traditionnel. Tout l'effort porte sur le rôle de Figaro (H. Rollan), conçu non pas comme un valet comique, mais comme un âpre revendicateur: assombrissement général de la pièce qui n'est certes pas aussi nouveau qu'on l'affirme alors, mais qui contredit l'interprétation officielle. La critique perçoit les intentions de R. Rocher, mais, dans son ensemble, elle ne les approuve pas.

Dullin rejette tout à la fois la mise en valeur de la portée satirique de la pièce et la primauté accordée au dialogue, au Verbe. La représentation est conçue comme un spectacle, comme une "fête", dirait-on aujourd'hui.

Il apporte un souci attentif aux éléments qui encadrent la pièce. La musique est confiée à Georges Auric, qui a appartenu au Groupe des Six et qui a déjà fourni de nombreuses compositions pour le théâtre, à la demande de Dullin en particulier. Les décors sont de Touchagues, dont la carrière est déjà confirmée et qui a, lui aussi, fréquemment collaboré avec Dullin. Pierre Dux, J. Debucourt, Madeleine Renaud et Lise Delamare figurent en tête de la distribution. Enfin, reprenant une expérience tentée en 1926 avec J. Weber, on confie le rôle de Chérubin, non pas à une comédienne, mais à un adolescent de 13 ans.

L'intention générale de Dullin a été fort exactement définie par P. Brisson:

> Un pamphlet au milieu des flonflons, voilà ce que (Dullin) avait vu, ne retenant que la chaleur du dialogue et *oubliant son importance* (...). Il avait compris que la pièce entière reste d'abord le chef d'œuvre de la dextérité. Suite d'attrapes, de ricochets, de jeux entrecoupés, d'intrigues à cabrioles, de chevauchées, de sauts par les fenêtres, de bévues, de tourbillons, de contretemps, on y respire une atmosphère de gala et un air de vacances (...). (Beaumarchais) veut une pièce qui bouge, une pièce effervescente avec des couleurs, des costumes, des chansons, une pièce à grand spectacle, le contraire de l'intimisme, de la rigueur et du sérieux (...). (Dullin) avait créé l'abondance, le chatoiement autour de Figaro. Beaucoup de monde, des bariolures, des projecteurs, (...), rien de réel et une animation plus généreuse que la vie même[79].

Le succès, à la première (20 février), est reconnu même par les détracteurs du spectacle. Mais la critique se révèle aussitôt, elle, rudement divisée. Comme si cette mise en scène couronnait la campagne qu'il a menée contre la décrépitude de la Compagnie, P. Brisson donne le ton de l'enthousiasme: ce *Mariage* est "une joie", "un embrasement d'étincelles"; c'est l'esprit même de Beaumarchais qui revit dans ce rejet de la tradition.

Les chroniqueurs qui ne se soucient pas de se lancer dans la bagarre balancent les éloges et les réserves. Ils se contentent de s'interroger sur l'opportunité d'un style qui, mettant en valeur le mouvement de la pièce, en minimise la portée: "On reproche à Ch. Dullin de la pousser au rose, à la bagatelle" (*Paris-Soir,* 22 février). Dullin "a délibérément repoussé au second plan tout ce que ce chef d'œuvre contient de satire politique amère et virulente (...). Voilà de la gaieté sans arrière-pensée" (*la Liberté,* 24 février). Guidé par un metteur en scène soucieux avant tout de "légèreté", P. Dux évite de "creuser âprement" son personnage (E. Sée, *l'Œuvre,* 24 février), et *l'Ere Nouvelle* regrette qu'ait été abandonnée la tradition du rôle (25 février). "Ce Figaro-là ne fera pas le coup de feu dans les rues" (R. Kemp, *le Temps,* 22 février). Et Léautaud, constatant lui aussi le parti-pris d'"adoucir les contours", de "pastelliser les tons", reconnaissant que tant de "chants" et de "farandoles" sont "parfaitement à leur place", exprime le regret que l'on n'ait pas aussi montré "l'autre visage de la pièce" (*NRF,* 1 avril). Il n'y a jusque là que reprise de la très habituelle discussion sur la portée polémique de la pièce de Beaumarchais.

C'est dans les comptes-rendus des adversaires déclarés que se révèle le sens du procès intenté à Dullin et, à travers lui, à E. Bourdet, c'est-à-dire à l'esthétique nouvelle. Et chez ceux-là, le ton employé est celui de l'anathème passionné.

Témoin dépassé du déferlement d'un mouvement dont il a pourtant été le lointain initiateur, le vieil Antoine (il a 81 ans) porte une condamnation en bloc (dont n'est exceptée que Madeleine Renaud) et dénonce le sacrilège: "Le sabotage continue à la Comédie Française" (*le Journal,* 22 février). *L'Intransigeant, le Jour, l'Ac-*

tion Française, avec plus ou moins de virulence, dressent le bilan des erreurs en un réquisitoire dont il convient maintenant d'examiner les attendus, l'article le plus complet et le plus violent (et le plus significatif) étant sans aucun doute celui d'E. Mas dans *le Petit Bleu* (22 février), qui peut ainsi servir de fil directeur.

E. Mas, qui a aussi collaboré à *Comoedia,* n'est pas encore, en 1939, ce "petit vieillard barbichu", ayant "dépassé les 80 ans", que P.A. Touchard a férocement dépeint en 1953[80], appliqué à "sonner le tocsin sur la ruine de la Maison", à "écraser le titulaire d'un rôle sous le rappel du génie du plus illustre des devanciers", à demander la tête de l'Administrateur "aussi obstinément que d'autres la ruine de Carthage": un fossile gâteux. En fait, E. Mas est la dernière incarnation de ces "connaisseurs" qui se sont, en d'autres temps, incarnés avec éclat en Grimod, en Geoffroy, dans une certaine mesure en Sarcey. Sa passion pour la chose théâtrale s'est fixée sur le culte de la Comédie Française, une passion entretenue par une présence permanente, sur un demi-siècle, à tous les spectacles de la Compagnie, et par la manipulation d'archives d'une exceptionnelle richesse.

La "présentation nouvelle" du *Mariage* inspire à E. Mas une fureur analogue à celle, évoquée par Boileau, qu'éprouve le Marquis indigné: "J'étais si écœuré à la fin du deuxième acte que j'aurais certainement quitté la salle, si je n'avais pas été retenu par le devoir professionnel". De la soirée du 20 février, Beaumarchais est sorti "lamentablement défiguré, déformé, saccagé". "Une bombe tombant sur une maison, dans un jardin, ne causerait pas plus de dégâts que (les) grotesques inventions" de M. Charles Dullin.

Le scandale est avant tout en ceci (E. Mas n'est pas seul à en faire l'observation) que le texte n'est pas respecté. M. Charles Dullin "a coupé des mots, des membres de phrases, des phrases entières"; et le chroniqueur, comme celui du *Jour* en particulier, cite des exemples dans la scène du procès du IIIe acte. Ces mutilations sont opérées pour permettre le déploiement d'une ornementation débordante, dont les chroniqueurs modérés eux-mêmes discutent l'opportunité: "Des cohortes d'enfants fleuris, enrubannés, passent, sautent et noient dans leur farandole Figaro, le Comte et Bridoison" (*Paris-Soir,* 22 février). Or ces mouvements "ne sont que de l'agitation" (Dubech, 1 mars): "un acteur placé à l'extrême-droite est soudain obligé de traverser la scène pour aller parler à son partenaire à l'extrême-gauche" (E. Mas).

Ce "va-et-vient perpétuel" conduit à un "fouillis" de mise en scène d'autant moins excusable (grief essentiel: les intentions de l'auteur trahi) que Beaumarchais a pris soin de donner les indications les plus précises sur le "placement" et le mouvement des acteurs.

Dubech observe encore que, dans ce tohu-bohu, les figurants ne cessent de passer et de repasser devant le Comte et la Comtesse "avec un sans-gêne qui dérange fortement les préjugés répandus sur l'étiquette". Incongruité: "Cela contraint parfois les personnages à commettre les pires inconvenances: Figaro, Suzanne, d'autres encore, passent devant le Comte et la Comtesse avec un étonnant sans-gêne" (E. Mas). La Comédie Française cesse d'être le dernier refuge de la civilité et des bons usages.

Beaumarchais est trahi jusque dans la musique. Il a pris soin d'indiquer quelle elle devait être et en quels moments elle était appelée à intervenir; M. Georges Auric "en a fourré un peu partout", en particulier à l'acte du procès où l'audience commence et se termine en musique, "contrairement à l'esprit du texte".

Les nouveaux décors ne correspondent pas davantage "à la pensée de Beaumarchais": "Il a omis (acte V) les marronniers cependant exigés par le texte. Et je voudrais bien savoir aussi pourquoi on a cru devoir ajouter un rideau sur lequel on lit dans la partie supérieure ces mots: *la Folle Journée,* et où s'étale, au milieu, un cadran solaire".

Pour assurer l'efficacité du réquisitoire, on recourt à l'argument si souvent utilisé pour dénoncer l'inopportunité des innovations des Quatre: "encore de l'argent gâché. Il faut croire décidément que les sociétaires sont trop riches".

Quant aux comédiens, ils ne sont pas "responsables de toutes les erreurs, de toutes les bêtises dont leur interprétation est farcie". Ce n'est pas à Lise Delamare qu'il faut demander compte de l'étonnement que suscite son jeu, mais bien à M. Charles Dullin qui "ne doit avoir qu'une bien vague notion de l'élégance". Le dernier trait frappe le jeune garçon auquel a été confié le rôle de Chérubin. Sur ce point la critique est unanime pour dénoncer sa gaucherie. son incapacité à dire et à chanter. De l'"expérience", E. Mas tire la leçon essentielle: l'échec était inévitable puisque, là encore, on a trahi Beaumarchais qui déclarait que Chérubin ne peut être joué que "par une jeune et très jolie femme" (22 février).

Cette reprise du *Mariage* constitue pour une partie de la critique une profanation plus encore qu'une absurdité. Les nouveaux venus ne respectent rien, ni les auteurs, ni le bon goût, ni les bonnes manières. Le vrai théâtre, celui qui est fondé sur la qualité des textes, fait place à un théâtre qui, au profit de fantaisies extérieures, sacrifie le souci de la psychologie, de la cohérence et de l'harmonie. Il s'agit d'utiliser Beaumarchais à l'exclusive publicité du "metteur en scène",dont se voient là démenties de façon éclatante les hypocrites déclarations en faveur du service de l'œuvre; du metteur en scène et de ses acolytes, les Auric et les Touchagues, "car vous pensez bien que M. Charles Dullin a voulu faire profiter de l'aubaine les petits camarades". C'est une bande de malfaiteurs qui s'est abattue sur la Comédie Française.

Les applaudissements ont pourtant salué cette reprise. La critique traditionaliste n'a pas de peine à les expliquer et à en contester la valeur. Ainsi faisaient, dans les années 1830, les détracteurs de Taylor et de Hugo: c'est à la "camaraderie" qu'est dû le bruyant succès. Dès son entrée en fonctions, Bourdet, alarmé de constater que la jeunesse a peu à peu abandonné le Français, a pris des mesures pour enrayer cette désertion, notamment par l'octroi de places à tarif réduit aux étudiants du Quartier Latin pour les représentations du lundi; et ces représentations du lundi ont été ensuite réservées aux nouveautés et aux reprises. De fait, attiré par la renommée des Quatre et les échos de rénovation du répertoire, le jeune public a bientôt repris le chemin de la salle Richelieu.

Il est dès lors aisé de ramener à ses véritables proportions la chaleur de l'accueil réservé à ce *Mariage* par les spectateurs du 20 février. *Hernani* a triomphé de la même façon:

> Les étudiants, très nombreux, applaudissaient à tort et à travers. Un incident, au second acte, à propos d'une porte qui s'ouvrait et se fermait mal à propos, provoquant chaque fois des bravos nourris, nous a démontré l'état qu'on pouvait en faire. En conviant ces jeunes gens, les soirs des reprises d'une pièce du répertoire, M. Edouard Bourdet a vraiment manœuvré avec une grande habileté; disposant de *claqueurs* bénévoles, il donne ainsi au public l'illusion d'un succès. Si M. Bourdet est un administrateur déplorable, il ferait, j'en suis certain, un admirable agent de publicité.

Viennet n'écrivait pas d'une autre plume.

***

Le tumulte suscité par ce *Mariage* est loin d'atteindre les proportions prises par celui de la bataille d'*Hernani.* Il n'en est même que la caricature amoindrie. Quant au fond, le débat reste bien le même: il porte sur les limites à assigner, dans le domaine dramatique, aux novateurs qui se croient autorisés à faire fi du respect dû aux maîtres consacrés ("A bas Racine!"), à enfreindre ces prescriptions du "goût" qui constituent une forme de consensus social, à imposer silence au "vrai public" en recourant aux bruyantes interventions des vaillantes phalanges de la jeunesse.

Mais, entre les deux événements, les différences de degré sont flagrantes, à la mesure de l'amoindrissement de la place tenue, dans la vie sociale, par un théâtre qui, concurrencé par le music-hall et surtout le cinéma et les spectacles sportifs, ne constitue plus le divertissement privilégié. Alors que les indignations des critiques néo-classiques trouvent, à l'époque de Hugo, une vaste résonance, qui s'étend bien au-delà du monde dramatique, celles de leurs lointains continuateurs, qui pourtant reprennent les mêmes arguments et en des termes violemment polémiques, ne soulèvent d'échos que dans des cercles étroitement spécialisés; elles n'émeuvent plus personne, sinon à titre de curiosité. A quoi s'ajoute que les critiques qui n'approuvent pas les initiatives discutées réagissent sans passion véritable, se contentant d'affecter l'ironie ou le scepticisme: on en a vu déjà tant et tant! et il est si sûr que l'on en verra tant encore! Plus ou moins consciemment, le critique pressent qu'il ne joue plus, comme naguère, le rôle d'oracle; à quelques exceptions près, il sait que son public de lecteurs ne constitue plus un groupe homogène, aux convictions communes et fermes: ce public est devenu une masse, aux contours informes et sans doctrine, une masse à laquelle on ne sait plus très bien quel langage il convient de tenir pour se faire, au moins, lire.

Notes

1 Cf. P. Brisson, *le Théâtre des Années Folles* (Milieu du Monde, 1945); M. Doisy, *le Théâtre français contemporain* (la Boétie, 1947); E. Sée, *le Théâtre français contemporain* (rééd. 1950); R. Lalou, *le Théâtre français depuis 1900* (P.U.F., 1951); P. Surer, *le Théâtre français contemporain* (S.E.D.E.S., 1964).

2 *Histoire de la Littérature française,* Colin, 1970, II, p. 908. Cf. p. 962: "la première guerre mondiale n'avait pas marqué une coupure profonde dans l'histoire du théâtre en France".

3 Op. cit., p. 148.

4 Salacrou, *Théâtre,* II, p. 200.

5 *Les Théâtres du Cartel,* p. 25 (Skira, 1944).

6 *Les Problèmes du théâtre contemporain, Revue hebdomadaire,* mai 1935.

7 Auteur de comédies légères, dialoguiste d'opérettes.

8 Vaudevillistes qui ont écrit, d'abord chacun pour son compte, de nombreuses pièces. La réussite la plus accomplie de leur association est cette *Ecole des cocottes* (1918) qui a accompli une carrière triomphale au théâtre Michel, puis aux Variétés et au Palais Royal.

9 Un des auteurs les plus recherchés du boulevard (*Ma Cousine de Varsovie*).

10 Op. cit., p. 83–84.

11 Après l'échec de *Patchouli* (Salacrou), Dullin fait passer "dans les journaux d'énormes placards de publicité avec cette seule phrase: Je crois à *Patchouli.* Charles Dullin" (Salacrou, I, p. 311).

12 Salacrou, II, p. 209.

13 Cf. R. Manevy, *la Presse de la IIIe République,* Foret, 1955; H. Calvet, *la Presse contemporaine,* Nathan, 1958; C. Ledré, *Histoire de la presse,* Fayard, 1958.

14 En France, la concentration joue surtout dans le domaine connexe, mais essentiel, de la publicité et des messageries.

15 *L'Amateur de Théâtre,* p. 216.

16 La presse d'opinion retrouve une partie de sa vitalité avec la reprise des grands débats idéologiques et politiques, à partir des années 1930.

17 Le relatif effacement de la critique dramatique dans les quotidiens est en partie compensée par le développement des hebdomadaires: *les Nouvelles Littéraires,* fondées en 1922, où Léautaud entre bientôt pour y seconder Lugné-Poe; *Candide,* fondé en 1924 par A. Fayard; *Gringoire,* fondé en 1928 par H. de Carbuccia, J. Kessel, G. Suarez. Quelques journaux, *le Figaro* en particulier, entretiennent un supplément littéraire.

18 Op. cit., p. 147–148.

19 *L'Amateur de Théâtre,* p. 217.

20 Op. cit., p. 197.

21 *Théâtre,* II, p. 211.

22 Id., III, p. 118–119.

23 Op. cit., p. 213–214.

24 Op. cit., p. 211–212.

25 Cf. *le Théâtre des Autres* (Ollendorf, 1912–1913); *le Théâtre français contemporain* (Colin, 1945); *Ce Soir...* (Renaissance du Livre, 1921); *Entractes* (Figuières, 1924).

26 *Histoire de la Littérature française depuis le Symbolisme à nos jours,* II, p. 996.

27 Op. cit., p. 148.

28 *L'Année dramatique 1911–1912* (Hachette, 1912), préface.

29 Ses articles sur la stratégie font autorité dans la bonne société. Les personnages de Proust s'y réfèrent (*le Temps retrouvé,* éd. Pléiade, III, p. 981).

30 Cf. le compte-rendu (élogieux naturellement) d'une de ses expositions dans *les Débats* du 9 mai 1938.

31 Cf. en particulier une conférence prononcée aux *Annales* sur *les Auteurs et les Critiques* (mars 1933).

32 *L'Année Dramatique 1912–1913,* p. 114 et sq.

33 *L'Année Dramatique 1911–1912,* p. 222 (à propos de *l'Assaut*).

34 Cf. *Au Hasard des Soirées,* NRF, 1935; *Du Meilleur au Pire,* NRF, 1937.

35 Cf. *Les Devoirs et Libertés du metteur en scène,* mai 1936.

36 Cf. 29 octobre 1934, *la Misère;* 3 novembre 1935, *la Pétaudière.*

37 Cf. *Lectures dramatiques,* Renaissance du livre, 1947; *la Vie au Théâtre,* A. Michel, 1956.

38 *Lectures Dramatiques,* p. 216.

39 *Lectures Dramatiques,* p. 6.

40 Id., p. 222 et sq.

41 *Le Temps,* 26 décembre 1938.

42 Au contraire, P. Ginisty, dans *le Petit Parisien:* "Il faudrait plaindre la génération dont M. Salacrou a voulu exprimer les perplexités, si elle partageait vraiment les hamlétiques indécisions et le goût de ne se plaire que dans les ténèbres du héros de cette pièce".

43 La presse de gauche salue naturellement avec beaucoup de ferveur la reprise, en 1936, de certaines pièces de Romain Rolland (*14 juillet,* à l'Alhambra).

44 Cf. *Le Théâtre,* Plon, 1925.

45 Les préoccupations idéologiques n'empêchent pas Dubech d'être plus ouvert aux nouveautés que la plupart de ses confrères: il rend compte avec beaucoup de sympathie du *Pont de l'Europe* de Salacrou et, à propos d'*Un Homme comme les autres,* se demande "si l'on ne doit pas prononcer tout bas, à propos de cet auteur, le mot de génie en désordre".

46 Cf. *Théâtre de Maurice Boissard,* NRF, 2 vol., 1943. Cf. M. Dormoy, *Léautaud, Mercure de France,* 1958; *La Vie secrète de Léautaud,* 1971.

47 *L'Epoque contemporaine,* p. 88, Tallandier, 1956.

48 *Mercure,* juin 1922.

49 Autres auteurs dramatiques juifs: notamment E. Sée, R. Coolus, J. Natanson, T. Bernard.

50 Mendès, Nozière, Blum.

51 En mai 1939, pris à parti par le romancier C.H. Hirsch qui lui reproche, entre autres, ses "propos diffamatoires onze fois sur douze", Léautaud recourt à son explication simpliste: c'est "la race" qui vient de parler en C.H. Hirsch.

52 En février 1941, par contre, Léautaud exprime son "plaisir" et son "admiration" devant l'Arnolphe de Jouvet.

53 A. Mortier compose un *Sylla,* un *Marius vaincu,* une *Penthésilée,* une *Fille d'Artaban.* Pour comparer au style de Léautaud celui de la prudence complaisante, cf. les jugements portés par E. Sée sur Mortier, "poète à la fois intellectuel et sensible", "dramaturge puissant" (*le Théâtre contemporain,* p. 138–139), sur *la Fille d'Artaban,* "drame poignant et vigoureux" (id., p. 24): il "rénova en quelque sorte la tragédie". *En quelque sorte* ne manque pas de sel.

54 Sur Aurel, cf. Billy, *l'Epoque contemporaine,* p. 270 et sq.

55 Op. cit., p. 273.

56 Cf. L. Morino, *La NRF dans l'histoire des Lettres, NRF,* 1939; sur les débuts de la N.R.F., cf. A. Anglès, *A. Cride et le premier groupe de la N.R.F.,* Gallimard, 1978.

57 Cf. *la Jumelle noire,* 4 vol., Ferenczi, 1934–1938; tome X des *Œuvres complètes.*

58 *La Jumelle Noire,* II, p. 254.

59 Id., II, p. 223 et sq.

60 *La Jumelle noire,* I, p. 146.

61 Id., I, p. 40.

62 Id., II, p. 263.

63 *La Jumelle Noire,* II, p. 232 et sq.

64 P. Brisson, op. cit., p. 157.

65 Baty, *Rideau baissé,* Bordas, 1949, p. 209–210. .

66 *Rideau baissé,* p. 198 et sq. Cf. Descotes, *les Grands rôles du théâtre de Molière,* p. 248–249

67 Le rôle de la petite Louison était supprimé. Respect du texte?

68 Cf. *le Théâtre des années folles,* chap. VIII.

69 Id., p. 127: "Le *bon appétit* de Ruy Blas devait se terminer par un appel de bottes, et la tirade des portraits d'*Hernani* devant le trou du souffleur, les bras en croix, la tête haute

toute tremblante encore du dernier alexandrin. Roulade, trille, contre-ut, salve d'acclamations".

70 Id. p. 129–130.

71 Phyllis Aykroyd, *The dramatic art of la Compagnie des Quinze,* Londres, Eric Partridge Ltd., 1935, p. 24.

72 Cf. Denise Bourdet, *Edouard Bourdet et ses amis,* Jeune Parque, s.d.

73 Cf. Brisson, op. cit., p. 130: "Le renversement du courant fut presque immédiat. Il était de mode de railler la Maison, de la traiter en Opéra de sous-préfecture. Il devint de bon ton de s'y rendre et, au bout de peu de temps, de s'y émerveiller. Les premières réunissaient le public du Polo de Bagatelle et des soirées d'Etienne de Beaumont".

74 Copeau a déjà monté et joué *le Misanthrope* en 1922.

75 P. Brisson, *le Théâtre des Années Folles,* p. 131.

76 Seule mise en scène réalisée par Jouvet au Français.

77 *Du Meilleur au Pire,* p. 23.

78 *Le Théâtre des Années Folles,* p. 134.

79 *Le Théâtre des Années Folles,* p. 133–134.

80 *Six Ans de Comédie Française,* p. 75–76.

CONCLUSION

I

Etait-il opportun de poursuivre au-delà de la dernière période étudiée? Il ne le semble pas et cela pour deux raisons d'inégale valeur.

La première est que la prise en considération d'une époque strictement contemporaine pose des problèmes difficiles à maîtriser. En effet, pour mettre en évidence les mécanismes de fonctionnement de la critique dramatique, il convient d'atteindre jusqu'aux rouages les moins apparents et les constatations alors effectuées mettent parfois mal à l'aise. La vénalité, réelle ou prétendue, des chroniqueurs constitue, à travers les siècles, une constante, et plus encore les complaisances peu avouables. Une telle recherche permet de jeter quelque lumière sur des pratiques où l'honnêteté tient une place modeste et elle établit le peu auquel tient souvent un jugement prononcé par tel qui a été considéré comme un oracle, "prince de la critique". Il faudrait être bien sûr que nos contemporains sont d'une toute autre étoffe que leurs devanciers pour postuler que les analyses ne déboucheraient pas sur la mise en cause de personnalités vivantes ou trop récemment disparues. Au surplus, trop d'archives sont encore inaccessibles: il n'a pas fallu moins d'un siècle par exemple pour établir dans quelles conditions exactes, sous la Restauration, Thiers a acquis, pour le compte du baron allemand Cotta, une des quinze actions du puissant *Constitutionnel.*

Mais surtout il y a lieu de se demander si, prolongée, cette étude aurait encore un objet. La critique dramatique a été considérée ici, non pas comme un genre autonome, mais comme un moyen d'expression privilégié des mentalités publiques, des aspirations, des répugnances d'une société qui a fait, en trois siècles, du théâtre la manifestation essentielle de son divertissement. Cette critique a joué son rôle de façon de plus en plus efficace au fur et à mesure que se sont multipliés et diversifiés les spectacles; au fur et à mesure aussi que s'est développée la presse écrite, la critique trouvant dans les journaux et dans les publications un mode de diffusion qui conférait à ses jugements une audience de plus en plus vaste. Au terme du bilan, on doit conclure que c'est dans les années 1870–1900 que cette critique a connu son apogée.

Le déclin a été rapide. Il n'est pas dû à la pénurie de personnalités qui auraient pu être, au XXe siècle, aussi marquantes que celles de Janin, Gautier ou Sarcey. De même que la décadence de la tragédie ne s'explique pas par l'absence de nouveaux Corneilles ou de nouveaux Racines, mais par l'inadaptation du genre tragique aux nouvelles mentalités, aux nouvelles structures sociales et morales, aux nouveaux publics constitués, de même la critique s'est trouvée, au début du XXe siècle, en porte-à-faux, se perpétuant en des formes qui correspondaient de moins en moins aux véritables besoins. Tout en demeurant riche et actif, le théâtre ne représente plus aujourd'hui, et de loin, le divertissement exemplaire du public potentiel: les manifestations sportives, le cinéma surtout se sont très vite imposés en rivaux triomphants, et la généralisation de la télévision a parachevé une évolution que certains observateurs avaient prévue dès le lendemain de la première Guerre Mondiale. Le temps apparaît comme vertigineusement lointain où "avoir sa loge" au théâtre constituait, pour les classes privilégiées, un article du code de la vie mondaine.

Le statut de la presse s'est transformé lui aussi et la place qu'y tient le compte-rendu dramatique n'a cessé de s'amenuiser au point que, même dans les journaux contemporains destinés au grand public bourgeois (*le Figaro, le Monde*), la chronique théâtrale en est réduite à des tiers ou à des quarts de colonne. La chronique proprement littéraire a mieux résisté, la place qui lui est réservée demeurant, quoique réduite elle aussi, nettement plus importante. Aucun journaliste ne saurait plus désormais établir sa carrière sur une réputation de chroniqueur dramatique: un B. Poirot-Delpech, successeur de R. Kemp au *Monde*, s'est hâté d'abandonner la rubrique des spectacles pour celle des livres aussitôt que celle-ci s'est trouvée vacante.

Et l'on serait bien en peine de déterminer quels chroniqueurs, depuis 1945, ont joué un rôle comparable, même de très loin, à celui des grands prédécesseurs de la fin du siècle dernier: sans doute J.J. Gautier au *Figaro*, J. Lemarchand au *Figaro Littéraire*. Le premier parce qu'il a su se faire une réputation de rigueur (considérée par certains comme un signe évident d'étroitesse d'esprit) et de sévérité (considérée par les mêmes comme une propension malveillante à l'éreintement), rigueur et sévérité qui ne sont que la manifestation d'une fidélité rigide à certains principes très traditionnels: à sa manière, J.J. Gautier a été l'un des derniers chroniqueurs "doctrinaires". Le second parce que, jouant un rôle complémentaire de celui de son confrère du quotidien, il a su, sans donner dans le snobisme de la nouveauté, se montrer accueillant aux formes nouvelles de la production dramatique. Mais, quel que soit l'intérêt de leurs articles à l'un et à l'autre, on ne saurait affirmer que ces articles aient représenté, pour de nombreux lecteurs, de véritables textes de référence.

On peut utilement comparer la place que se taille, dans les quotidiens, la publicité payante des cinémas (avec d'importants placards illustrés) et celle dont se contentent les salles de théâtre. En outre, avec le développement des "mass-media", la presse ne contribue plus que pour une infime partie à faire la réputation d'un spectacle. Son rôle de guide est largement éclipsé par celui que jouent la radio, la télévision, les affiches gigantesques, qui constituent un "conditionnement" plus massif et plus pénétrant que les articles épars dans les journaux ou revues.

Ce ne sont pas les formes prises par l'expression théâtrale depuis une dizaine d'années (puisque l'on nie la notion même de texte autant que celle d'auteur, et que l'on fait une place privilégiée à l'improvisation collective) qui peuvent favoriser une renaissance de la critique dramatique.

II

L'analyse de l'évolution du genre fait ressortir une conclusion essentielle. Alors que le critique littéraire dispose d'une assez large autonomie personnelle d'appréciation, dans la mesure où il porte ses jugements avant d'avoir pu percevoir de façon sensible quelles sont, devant l'œuvre écrite, les réactions de ses lecteurs, le critique dramatique demeure tributaire des réactions du groupe auquel est présentée l'œuvre théâtrale. La représentation bénéficie d'un impact beaucoup plus immédiat et beaucoup plus pénétrant que le livre, puisqu'elle ne s'adresse pas à des individus-lecteurs, inévitablement isolés, mais à un ensemble d'individus qui, transformés en public, éprouvent des émotions que rend plus aiguës la caisse de résonance que constitue la collectivité.

Une œuvre dramatique peut être aussi exaltante qu'une manifestation de rues ou qu'un meeting. Le leader politique qui prononce un discours enflammé provoque un entraînement auquel ne saurait être comparé l'écho que suscite la lecture d'un journal qui, pourtant, développe les mêmes thèmes et utilise les mêmes expressions. La lecture est acte de vie personnelle, la représentation acte de vie collective. Et le critique, qui s'est trouvé lui-même intégré à cette collectivité, ne peut pas échapper vraiment à la pression du groupe. Les audaces prosodiques, les écarts d'imagination de Hugo poète peuvent choquer le lecteur. Les mêmes audaces et les mêmes écarts, quand ils sont le fait du dramaturge, rencontrent un écho d'une autre ampleur. Ils prennent l'allure de bravades, de provocations publiques perpétrées au cours d'une cérémonie officielle qui, comme toutes les cérémonies, comporte ses rites, son étiquette et ses interdits, beaucoup plus rigoureux et beaucoup plus contraignants que ceux qui réglementent la vie individuelle.

C'est pourquoi les grands critiques dramatiques, non pas les plus perspicaces et les plus originaux, mais ceux qui ont été vraiment écoutés par le public de leur temps, ont été – de Desfontaines à Fréron ou Voltaire, de Geoffroy à Sarcey – ceux dont les jugements se rattachaient à des principes, à des convictions qui étaient partagés par le groupe des lecteurs auxquels ils s'adressaient, principes et convictions qui étaient loin d'être seulement esthétiques.

La critique dramatique n'a d'abord été que l'exercice d'une fonction pédagogique à l'usage de spectateurs désorientés en face d'un divertissement d'un type nouveau. En même temps, elle a constitué, dès le début, un moyen efficace pour défendre les intérêts de gens de lettres dont la place qu'ils tenaient dans la société était incertaine et instable; et tout au long de son développement, la critique n'a pas cessé d'être l'instrument de la "camaraderie". Mais, dès l'origine encore, en formulant un certain nombre de *règles* strictes et de compréhension aisée, en imposant le respect des *bienséances,* elle a surtout reflété le code des convenances propres au groupe dominant parmi les spectateurs et appliqué au théâtre des principes qui réglementaient, ou étaient censés réglementer, la vie collective, intellectuelle autant que sociale.

A partir du moment où le théâtre a cessé de constituer un divertissement épisodique, où il s'est diversifié et où il a pu traduire des tendances ou des aspirations hétérodoxes, à partir du moment où la représentation est devenue un moment essentiel de la vie collective, toute une partie de la critique s'est trouvée investie d'une large juridiction sur les spectacles. Il ne s'agit pas seulement alors d'exprimer des jugements strictement personnels, au gré des impressions particulières; il s'agit de vérifier si ce divertissement théâtral est recommandable aux membres du groupe, comme étant conforme aux normes de son *goût*, terme bien vague, mais qui ne peut s'entendre que par référence implicite à une certaine conception de l'homme, de la vie et de la société.

L'hostilité de Fréron aux pièces de la *secte* se traduit par des condamnations portées au nom de principes esthétiques, mais il est évident qu'il s'agit d'aller bien audelà de la dénonciation du romanesque ou de la froideur de la peinture psychologique. Assurément, Fréron, Viennet ou Geoffroy constituent des cas-limites et, chez ceux-là, l'amalgame entre le souci dramaturgique et le souci idéologique se décèle sans peine. Mais il en va de même, quoique de façon plus subtile, quand le critique semble ne se prononcer qu'en fonction de ses seuls sentiments: s'il est un critique écouté, c'est que ses sentiments personnels sont en conformité avec ceux de ses lecteurs. L'enthousiasme de Gautier pour le répertoire romantique, de Zola pour celui d'Antoine, les répulsions de Planche, de Sarcey ou Lemaitre participent de convictions qui ne sont pas seulement esthétiques. Un Léautaud s'impose certes par l'originalité de son style d'expression; mais aussi largement parce que ses jugements se réfèrent à des critères très traditionnels, qui correspondent à ce qui demeure encore, chez ses lecteurs, de souci de logique, d'ordre et d'"esprit français".

D'autre part, pendant plus de deux siècles, cette critique n'a cessé, aux inévitables variantes près, de se situer par rapport à des valeurs qui ont été définies par l'humanisme classique, perpétuées par une tradition pédagogique d'une solidité et d'une continuité exceptionnelles: la primauté accordée à l'étude psychologique, l'exigence de cohérence, la portée morale (sinon moralisatrice) et, de façon négative, la méfiance à l'égard de tout ce qui est "hors nature" (c'est-à-dire de tout ce qui contredit ce que l'on conçoit comme étant "naturel"), de tout ce qui est flou, incertain, insaisissable, de tout ce qui, ne se concevant pas bien, ne s'énonce pas clairement.

Rien ne manifeste mieux cette continuité obstinée que ce fait: codifiée dans les années 1630, la fameuse règle des unités n'a vraiment été mise en question en France que deux siècles plus tard. Comme s'il s'agissait là d'une prescription fondamentalement inhérente à la nature de l'œuvre dramatique, alors qu'elle ne constitue, à tout prendre, qu'une prescription parfaitement secondaire et superficielle. Et le débat critique sur les unités, substituant à la discussion sur l'essentiel une discussion sur l'accessoire, n'a pas peu contribué, par sa persistance et par sa virulence, à écarter les vraies questions que posait l'évolution du théâtre.

La seule période au cours de laquelle la grille des valeurs de la critique a été véritablement renouvelée est donc celle, très fugitive, de la Révolution. Les structures anciennes et les conditions mêmes d'existence de la vie théâtrale ayant été bouleversées, les critères traditionnels passent alors inévitablement au second plan: la profondeur ou la finesse de l'analyse d'une œuvre, la qualité du style ne comptent plus en regard de l'efficacité "civique". Mais même quand elle apparaît ainsi dépouillée de ses attributs traditionnels, la critique dramatique reste fidèle à sa nature profonde, donc à sa vocation: c'est bien toujours une idéologie que véhicule une critique qui postule que l'œuvre dramatique doit d'abord être engagée dans l'exaltation de l'idéal révolutionnaire. Mais elle le fait ouvertement, sans le moindre respect humain, sans plus se soucier de recourir à des attendus dramaturgiques.

C'est là toute la différence, qui est de degré seulement: car la critique de Fréron, de Geoffroy, de Viennet, de Lemaitre, est bien aussi une critique d'idées, mais exprimée, celle-là, sous un habillage esthétique. En 1830, les jeunes exaltés qui exultent en voyant "Racine enfoncé", les "genoux" qui gémissent et en appellent au jugement de Melpomène, ne s'enflamment ni les uns ni les autres pour ou contre le seul Racine. Et les critiques du temps, leurs interprètes, Gautier ou Viennet, prennent en réalité parti dans un débat qui dépasse de très loin les seuls mérites comparés des auteurs d'*Andromaque* et d'*Hernani*.

III

Il est tout à fait faux de penser que le critique dramatique plie son public de lecteurs à l'arbitrage de ses "impressions" ou de ses goûts. Il est beaucoup moins guide qu'écho; et il est d'autant plus écouté qu'il est l'écho de voix sonores et nombreuses. Ceux qui se sont penchés sur les problèmes de la presse en ont depuis longtemps fait l'observation. Comme le disait déjà E. de Girardin, "un journal est fait un peu par ses rédacteurs et beaucoup par son public"; l'Anglais Northcliffe estimait de même que le journal peut "non pas diriger l'opinion du lecteur moyen, mais la refléter". Ce que Manevy, en 1956, dans son étude sur *l'Evolution des formules de présentation de la presse quotidienne,* a traduit en ces termes: "La presse fait l'opinion certes, mais dans la mesure où celle-ci veut bien se laisser faire"[1].

Formules qui s'appliquent parfaitement à la critique dramatique. Les adversaires de Sarcey dénonçaient chez leur bête noire cette usurpation de pouvoir qui lui permettait, selon eux, de faire, au gré de son humeur ou de ses préjugés, le succès d'une pièce ou de ruiner sa carrière. C'était ne pas voir (comme Sarcey lui-même, beaucoup plus lucide, en convenait) que les œuvres qu'il recommandait ou qu'il condamnait auraient été, même sans son intervention, acceptées ou rejetées par un public dont il n'était en fait que le porte-voix. Le seul don du chroniqueur qui a su obtenir une large audience est celui de *pressentir* les réactions de ce qu'il faut bien appeler "le spectateur moyen", parce qu'il a réussi à se faire spectateur moyen. Les chroniques de Sarcey, ou de tout autre, peuvent aujourd'hui paraître étroites de vues, empêtrées dans une foule de partis-pris. Mais il est tout à fait injustifié de faire grief de cette étroitesse de vues ou de ces partis-pris à l'individu Sarcey. Ce chroniqueur-là, comme, en d'autres temps, Desfontaines, Fréron, Geoffroy, Planche ou Gautier, n'ont été lus et suivis que dans la mesure où ils épousaient les goûts et les convictions, souvent contradictoires, de leurs contemporains. Avec leur rare talent personnel, avec leur franchise d'expression, et avec une sûreté de jugement qui n'est pas souvent en défaut, Barbey d'Aurevilly ou Becque restent des critiques dramatiques sans influence véritable: ils demeurent trop *individus,* ils se situent trop à l'écart de leurs contemporains, de cette opinion moyenne qui résume, en termes sans doute sommaires et simplifiés, les idéologies dominantes.

L'histoire de la critique dramatique se révèle, en apparence, bien décevante, dans la mesure où elle met souvent en valeur des personnalités qui nous semblent aujourd'hui médiocres, voire même ridicules, avec leurs préjugés, leurs incompréhensions et leurs erreurs flagrantes (ce que nous appelons, *nous*, leurs erreurs, qui ne sont pourtant jamais que relatives). Et pourtant l'histoire de la critique dramatique, dans la mesure où elle contribue à expliquer les raisons profondes de ces préjugés, de ces incompréhensions, de ces erreurs, constitue un chapitre indispensable et irremplaçable d'une véritable histoire du théâtre, celle qui ne se contenterait pas d'être, comme elle l'a été trop longtemps, une simple histoire des chefs d'œuvre dramatiques.

1970–1980
Pau / Bonn

Notes

1 Cf. Jean Daniel, *le Temps qui reste,* Stock, 1973: "Pour guider le lecteur, il faut d'abord le suivre".

Eléments de Bibliographie

I – *Ouvrages généraux consacrés à l'histoire de la critique en France* (à l'exception de ceux cités au cours des chapitres).

BALDENSPERGER (Fernand) – *La critique et l'histoire littéraire en France au XIXe et au début du XXe siècles*, New-York, Brentano's, 1945.

BELIS (Alexandre) – *La critique française à la fin du XIXe siècle*, Librairie Universitaire, 1926.

BOURGOIN (Auguste) – *Les Maîtres de la critique au XIXe siècle*, Garnier, 1889.

BOUVIER (Emile) – *La Bataille réaliste (1844–1857)*, 1914.

BRAY (René) – *La formation de la doctrine classique en France*, Hachette, 1927.

BRENNER (J.) – *Les critiques dramatiques*, Flammarion, 1970.

BRUNETIERE (Ferdinand) – *L'évolution de la critique*, Hachette, 1890 (réédité en 1963).

CARLONI (J.C.) et FILLOUX (J.C.) – *La critique littéraire*, "Que sais-je? ", 1966.

CARTON (Henri) – *Histoire de la critique littéraire en France*, Dupret, 1886.

DAVIS (J.H.) – *Tragic theory and the eighteenth-century French critics*, Chapel Hill, 1967.

EGGLI (E.) et MARTINO (P.) – *Le débat romantique en France*, Belles Lettres, 1933.

FAYOLLE (Roger) – *La critique*, collection U, Colin, 1964.

FEJES (A.) – *Le théâtre naturaliste en France*, Lausanne, 1925.

FOWLIE (W.) – *The French critic*, Carbondale-Edwardsville, 1968.

GIRAUD (Victor) – *La critique littéraire*, Aubier, 1945.

HATZFELD (Adolphe) et MEUNIER (Georges) – *Les critiques littéraires au XIXe siècle*, Delagrave, 1894.

MARSAN (Jules) – *La bataille romantique*, 3 vol., Hachette, 1912.

MATTAUSCH (H.) – *Die literarische Kritik der früheren französischen Zeitalters (1665–1748)*, Hüber, Münich, 1968.

MOLHO (Raphaël) – *La critique littéraire en France au XIXe siècle*, Buchet-Chastel, 1963.

MOREAU (Pierre) – *La critique littéraire en France*, A. Colin, 1960.

MORNET (Daniel) – *La question des règles au XVIIIe siècle*, *Revue d'Histoire littéraire de la France*, 1914.

OXENHANDLER (N.) – *French literary criticism*, Londres, 1966.

PIVOT (Bernard) – *Les critiques littéraires*, Flammarion, 1968.

RICARDOU (Achille) – *La critique littéraire, étude psychologique*, Hachette, 1896.

ROBERT (G.) – *Le Réalisme devant la critique littéraire, 1851–1861,* Revue des Sciences Humaines, 1953.

SAREIL (J.) – *Voltaire et la critique,* Englewood Cliffs, 1966.

THIBAUDET (Albert) – *Physiologie de la critique,* Nouvelle Revue Critique, 1930.

TISSOT (Robert) – *Les évolutions de la critique française,* Genève, 1890.

WILLIAMS (D.) – *Voltaire literary critic,* Genève, 1964.

WEINBERG (B.) – *French Realismus: the critical reaction 1830–1870,* Chicago, 1937.

WELLEK (René) – *A History of modern criticism: 1750–1950,* Londres, J. Cape, 1955–1966, 4 vol.

WILMOTTE (Maurice) – *Etudes critiques sur la tradition littéraire en France,* Champion, 1909.

YON (André) – *Dictionnaire des critiques littéraires – Guide de la critique française du XXe siècle,* Londres, University Park, 1969.

II – *Ouvrages consacrés aux moyens d'expression de la critique*

ABRANTES (L. d') – *Histoire des salons de Paris,* Ladvocat, 1836–1838.

ALBERT (P.) et TERROU (Fernand) – *Histoire de la presse,* "Que sais-je? ".

ANCELOT (Mme) – *Salons de Paris, Foyers éteints,* Tardieu, 1858.

AVENEL (Henri) – *Le monde des journaux en 1895,* Quantain, 1895.
– *Histoire de la presse française depuis 1789,* Flammarion, 1900.
– *La presse française au XXe siècle,* Flammarion, 1901.

BERTAUT (Jules) – *La vie littéraire au XVIIIe siècle,* Tallandier, 1954.

CALVET (H.) – *La presse contemporaine,* Nathan, 1958.

CHATELAIN (Abel) – *"Le Monde" et ses lecteurs,* A. Colin, 1963.

COLOMBEY (Emile) – *Ruelles, salons et cabarets,* Delahaye, 1858.

DUBIEF (Eugène) – *Le journalisme,* Hachette, 1892.

FEUILLET de CONCHES (Félix) – *Les salons de conversation au XVIIIe siècle,* Charavay, 1882.

FUNCK-BRENTANO et ESTREE (d') – *Les Nouvellistes,* Hachette, 1905.

GLOTZ (M.) – *Salons du XVIIIe siècle,* Hachette, 1945.

HALLAYS-DABOT (Victor) – *Histoire de la censure théâtrale en France,* Dentu, 1862.

HATIN (E.) – *Histoire politique et littéraire de la presse en France,* Poulet-Malassis, 1859–1861, 8 vol.
– *Bibliographie historique et critique de la presse périodique française,* Didot, 1866.

Histoire Générale de la presse française, publiée sous la direction de C. BELLANGER, J. GODECHOT, P. GUIROU, F. TERROU (4 volumes parus), PUF.

. tome I: *Des origines à 1814*
. tome II: *de 1815 à 1871*
. tome III: *de 1871 à 1940*
. tome IV: *de 1940 à 1958*
. en préparation, tome V: *De 1958 à nos jours.*

LEDRE (Ch.) – *Histoire de la presse,* Fayard, 1958.

MANEVY (Raymond) – *La presse de la IIIe République,* Foret, 1955.

MITTON (François) – *La presse française des origines à la Révolution,* Le Prat, 1943.

MONGREDIEN (Georges) – *La vie littéraire au XVIIe siècle,* Tallandier, 1947.

PELISSON (M.) – *Les hommes de lettres en France au XVIIIe siècle,* Colin, 1911.

PICARD (Raymond) – *Les salons littéraires et la société française (1610–1789),* New-York, Brentano's, 1943.

RIESE (R.) – *Les salons littéraires parisiens du Second Empire à nos jours,* 1902.

TABLE DES MATIERES

ses intérêts confondus avec ceux des Corneille; le strict respect des préférences royales – La nouvelle politique du pouvoir à l'égard des gens de plume; Colbert et Chapelain – Un indépendant: Saint-Evremond; valeur et limites de ses jugements dramatiques –

La querelle de *Sophonisbe* – La condamnation portée par Visé et d'Aubignac – Le retournement de Visé – La mise en cause de *Sertorius* – La déconfiture d'un oracle vieillissant – Fin de la première époque de la critique dramatique –

La querelle de *l'Ecole des Femmes* – L'hostilité du clan cornélien – La comédie dénoncée comme populacière – Le réquisitoire de Visé; sa riposte (*Zélinde*) à la *Critique* – La manœuvre de Boursault; l'accusation d'impiété – Réapparition de Robinet: Molière présenté comme auteur subversif – Portée générale de la querelle –

La querelle d'*Andromaque* – Les jugements de Saint-Evremond sur Racine: prudence et fidélité à l'ancienne esthétique – Le jugement de Subligny, porte-parole des cornéliens et serviteur des intérêts de Molière – Ton nouveau de la polémique – Portée sociale des jugements exprimés par la critique dramatique –

Boileau critique dramatique – Evolution de ses jugements sur Molière – Boileau et le théâtre de Racine – Insignifiance de Boileau en tant que critique dramatique –

Chapitre IV – Transformation du siècle dans les années 1680 – La vie dramatique échappe à l'emprise de la Cour – Influence grandissante de l'Eglise sur les jugements dramatiques – Bossuet juge du théâtre contemporain – La dénonciation des méfaits de la peinture de l'amour – Fénelon critique dramatique – Réactions en face des représentations de Saint Cyr – Prééminence du critère de moralité – 89

Naissance de la censure – Rapports entre la censure et la critique –

Situation de la presse écrite – Influence du *Mercure*; son conformisme – Les Nouvellistes – Le rôle des coteries mondaines, des cafés, de la cabale –

Définition de nouveaux critères dramatiques: exigence de distinction, de discrétion, de pureté de la langue – Une critique qui exprime les goûts d'un étroit groupe social – Dégradation de la critique –

Divorce entre le public et la critique en place – La Querelle du *Légataire Universel* – Les dogmatiques contre les spectateurs – Le souci de la respectabilité – L'affaire *Turcaret* – Un groupe de pression dramatique: les gens de finance – La manipulation de la critique – Le procès de moralité; le procès d'incompétence – Un faux procès de critique dramatique –

Chapitre V – Transformations de l'esprit public après 1715 – Vogue du divertissement dramatique – Toute une partie de l'activité théâtrale échappe à la juridiction de la critique – Développement de la censure – Crébillon censeur et critique dramatique – Permanence de la vigilance que l'Eglise exerce sur les spectacles – 111

La critique dramatique par voie de presse – Limites de son influence – La presse d'inspiration religieuse –

tion du monde des comédiens; nouvelles proportions prises par les querelles du "tripot" – La cassure de la troupe – Les jugements portés sur les comédiens prononcés en fonction de leurs choix politiques – Les chroniqueurs en face du nouveau style de jeu – Persistance de l'anarchie dans le monde du théâtre –

Renaissance d'une presse dramatique – Grimod de la Reynière et le *Censeur dramatique* – Le souci essentiel de restauration–

La Querelle de *Charles IX* – La difficile préparation de la représentation – La création – L'œuvre jugée uniquement par rapport à sa portée idéologique – Abandon des critères esthétiques – Les jugements de Geoffroy –
La défense présentée par Palissot – Une critique entièrement dominée par les idéologies –

Chapitre II – Nouveau régime de la presse: concentration autoritaire et vigilance de la censure – La position doctrinale des grands journaux – Les débats d'idées camouflés dans les rubriques marginales – Les confrontations idéologiques à travers l'actualité dramatique – Conséquences de la réduction du nombre des théâtres – Retour d'un public de "connaisseurs"; le nouveau public et ses ignorances – Nécessité accrue de la critique dramatique – 185

Geoffroy – Ampleur de son influence – Raisons de cette influence – Fermeté des convictions idéologiques de Geoffroy – Concordance de ces convictions avec celles d'une grande partie de l'opinion publique – *Le Journal des Débats,* organe "réactionnaire" – Signification des attaques portées contre Geoffroy – Permanence du réquisitoire anti-voltairien – La défense du répertoire philosophique –

Prestige du répertoire classique – Portée du culte voué à Corneille, Racine, Molière – Auteurs et public corrompus par la philosophie – Décadence du style d'interprétation – Geoffroy et Talma –

La Querelle des *Templiers* – La personnalité de Raynouard-Ampleur du succès – Hostilité de Geoffroy – Critiques d'ordre esthétique – Le véritable sens du jugement de Geoffroy – Inquiétudes d'une partie de l'opinion publique – Napoléon critique dramatique – Le souci de l'esprit public –

Chapitre III – La Restauration; persistance des débats idéologiques; maintien en place des cadres – Le nouveau régime de la presse – Influence croissante de la presse – Orientation des divers journaux – Influence des puissances d'argent – Influence occulte du gouvernement – Les journaux périodiques – Promotion de l'activité journalistique – Rôle des universitaires dans la presse – La "petite presse" – *Le Courrier des Théâtres* et Charles Maurice – Rôle joué par les salons – Elargissement de la vie dramatique – 207

Orientations générales de la critique dramatique – Sens du débat ouvert sur les œuvres nouvelles: le débat idéologique derrière le conflit dramatique – La critique traditionaliste contre le public – Création du *Germanicus* d'Arnault – *Louis IX* d'Ancelot et *les Vêpres Siciliennes* de C. Delavigne – *Clovis* (Viennet) – *Régulus* (Arnault jeune) – *Saül* (Soumet) – *Sigismond de Bourgogne* (Viennet) – *Léonidas* (Pichat) –

La querelle d'*Hernani* – Prodromes – Situation de Victor Hugo – Un règlement de comptes – La dénonciation du terrorisme intellectuel pratiqué

DU MEME AUTEUR

Le Nazisme et l'Enseignement secondaire en Autriche, Secrétariat général du Haut-Commissariat en Autriche, 1946.

L'Université populaire du Tyrol, id.

Aspects de la Tchécoslovaquie, Editions du Temps Présent, 1947.

Romain Rolland, Editions du Temps Présent, 1948 (traduit en japonais)

Le Drame romantique et ses grands créateurs, P.U.F., 1955 (Prix Paris-Lyon, 1956).

L'acteur Joanny et son Journal inédit, P.U.F., 1955.

Les Grands Rôles du théâtre de Racine, P.U.F., 1957.

Les Grands Rôles du théâtre de Molière, P.U.F., 1960.

Les Grands Rôles du théâtre de Corneille, P.U.F., 1962.

Les Grands Rôles du théâtre de Marivaux, P.U.F., 1972.

Les Grands Rôles du théâtre de Beaumarchais, P.U.F., 1974.

Henri Becque et son théâtre, Editions des Lettres Modernes, 1962.

Le Public de théâtre et son histoire, P.U.F., 1964.

La légende de Napoléon et les écrivains francais du XIXe siècle, Editions des Lettres Modernes, 1967.

L'obsession de Napoléon dans le "Cromwell" de Victor Hugo, Editions des Lettres Modernes, 1967.

Le personnage de Napoléon III dans les "Rougon-Macquart", Editions des Lettres Modernes, 1970.

Racine, coll. "Tels qu'en eux-mêmes", Bordeaux, Ducros, 1969.

Molière et sa fortune littéraire, coll. "Tels qu'en eux-mêmes", Ducros, 1970.

9985